Het leven aan het Franse hof

Vertaald door Marianne Gossije

EMMANUEL LE ROY LADURIE

met medewerking van Jean-François Fitou

HET LEVEN
AAN HET FRANSE HOF

1999 UITGEVERIJ BERT BAKKER AMSTERDAM

Met dank aan Jeroen Duindam en de heer C.M. Schulten
voor hun hulp bij de vertaling van specifieke historische termen en
aan Anneke Brassinga van wie de vertaalster een aantal door haar
vertaalde passages uit het werk van Saint-Simon mocht overnemen.

MARIANNE GOSSIJE

Oorspronkelijke titel *Saint-Simon ou le système de la Cour*
© 1997 Librairie Arthème Fayard
© 1999 Nederlandse vertaling Uitgeverij Bert Bakker en Marianne Gossije
Omslagontwerp Erik Prinsen, Zaandam
Omslagillustratie portret van Lodewijk XIV (1701) door Hyacinthe Rigaud
Foto achterplat Gerhard Jaeger
ISBN 90 351 2074 4

Uitgeverij Bert Bakker is een onderdeel van Uitgeverij Prometheus

Dit boek is opgedragen aan
professor Orest Ranum en professor Robert Forster.

INHOUD

WOORD VOORAF

Dit boek kan geplaatst worden in de reeks gelijksoortige werken van Emmanuel Le Roy Ladurie, die alle zijn opgebouwd rond de levenservaring van één of meerdere personen of van een groep; voorbeelden hiervan zijn *Montaillou, Pierre Prion scribe*,[1] essays over *Gouberville* en *Rétif de la Bretonne*, een boek over de familie *Platter*, en de samen met Anthony Rowley verzorgde uitgave van de *Mémoires* van Jacques Le Roy Ladurie, enzovoort. In dit boek over Saint-Simon is echter nog minder dan in het overige werk sprake van een chronologisch verslag. Onze 'saint-simonische' tekst is in hoofdzaak systematisch opgebouwd.

Het leek ons goed om, voor de lezers die wellicht niet met Saint-Simon bekend zijn, aan het begin van dit boek in grote lijnen de levensloop van de schrijver te schetsen. Dit doen wij in de hierna volgende inleiding, waarbij wij dankbaar gebruik hebben gemaakt van de uitstekende ad-hocwerkzaamheden van de heren Jacques Roujon en Georges Poisson. Daarna volgt het hoofdgedeelte van onze uiteenzetting in een, het zij nogmaals gezegd, systematische opzet.

Het lijkt ons ook goed om duidelijk te maken welk aandeel elk van ons in deze *Saint-Simon* heeft gehad: afgezien van de hierna genoemde uitzondering, is de tekst, op basis van persoonlijk onderzoek, nagenoeg geheel geschreven en van verwijzingen voorzien door Emmanuel Le Roy Ladurie. Jean-François Fitou heeft deze tekst volledig herzien, zowel wat betreft de noten (die hij zo nodig heeft aangevuld) als de tekst zelf. Ten slotte is het hoofdstuk, getiteld 'De demografie van Saint-Simon', het resultaat van gezamenlijk onderzoek, waarmee wij ons als 'tweeledig' team vele jaren, vanzelfsprekend parttime, hebben beziggehouden. Bij wijze van uitzondering heeft J.-F. Fitou (alleen voor wat betreft dit 'demografische' hoofdstuk) het grootste deel van de tekst geschreven en is deze herzien en geverifieerd door E. Le Roy Ladurie.

Emmanuel Le Roy Ladurie
Jean-François Fitou

N.B.: Wij willen graag Geneviève Le Quouang en Alain Guéry bedanken, van wie de tot nog toe ongepubliceerd gebleven onderzoeksresultaten met betrekking tot Saint-Simon ons bijzonder hebben geholpen.

INLEIDING

KORTE LEVENSLOOP
SAINT-SIMON IN DE SFEER VAN DE ZONNEKONING EN LODEWIJK XV

Louis de Rouvroy werd in 1675 geboren als zoon van een bijna zeventigjarige vader en een moeder van nog geen veertig. Hij zou in 1693 de hertog de Saint-Simon worden en was van minder lage geboorte dan men wel heeft willen doen voorkomen, wat des te meer aanleiding is de obsessie van Saint-Simon met de rang van hertog en pair op te helderen, een obsessie die wellicht op enige onzekerheid wijst over de anciënniteit van het geslacht van de kroniekschrijver. Louis was weliswaar van 'goede' komaf, maar van lage adel; de maatschappelijke carrière die zijn vader Claude, de eerste hertog de Saint-Simon, had gemaakt, had ervoor gezorgd dat de zoon, behalve de hertogelijke titel, aanzienlijke bezittingen verwierf, ook al waren die in 'ernstige wanorde' en ten prooi aan schuldeisers. De jonge Louis stond aan het begin van zijn leven ook in zeker aanzien bij Lodewijk xiv. Saint-Simon senior, ofwel Claude, was het tijdens het voorgaande bewind gelukt als page de bescherming van Lodewijk xiii te worden omdat hij de jachthoorn kon blazen zonder erin te kwijlen, een vaardigheid van onschatbare waarde in de ogen van de toenmalige vorst die men Lodewijk de Rechtvaardige noemde. 'Onze' Saint-Simon was grotendeels een tijdgenoot van Filips van Orleans, met wie hij ook persoonlijk bevriend was. Deze Filips werd regeringsleider van Frankrijk en zelfs staatshoofd bij volmacht gedurende het regentschap.

Louis kreeg een betere opleiding dan de meeste jongemannen van zijn leeftijd, zijn sociale milieu en zijn generatie. Zijn kennis van het Latijn was weliswaar niet uitputtend, maar zeker niet gering. Zijn moeder de hertogin beminde en vertroetelde deze enige zoon en hield nauwlettend toezicht op hem; het gezelschap dat bij het gezin over de vloer kwam, onderstreepte hun adellijke luister en burgerlijke degelijkheid. Het landgoed van de Saint-Simons in La Ferté-Vidame was enorm uitgebreid en besloeg verscheidene duizenden hectaren, nog afgezien van de bijbehorende heerlijkheden; dit riante grondbezit wijst erop dat hertog Claude bedreven was in het vergaren van landerijen en wellicht ook dat hij bij zijn eerste aanwinsten weinig last had van scrupules. Het kind Louis woonde, tijdens zijn jaarlijkse verblijf op het platteland, relatief dicht bij de abdij La Trappe en de landerijen van de invloedrijke Desmarets, op bestuurlijk en financieel terrein een aanhanger van Colbert. In Parijs gingen de Saint-Simons, hoewel zelf krijgsadel, om met zeer voorname families uit de ambtsadel, waaronder de ministersfamilie Pontchartrain-Phélypeaux. En wanneer er juridische paperassen moesten worden opgemaakt en ondertekend, kwam notaris Arouet, de vader van Voltaire, met de benodigde dossiers naar de ouders van de toekomstige kroniekschrijver toe.

Het schijnt dat een kind, en zeker een kind dat zo begaafd was als onze auteur en dat opgroeide in een politiek zeer actief gezin, zich rond zijn tiende bewust wordt van zijn politieke omgeving. Nog even daargelaten de strijd om de voorrang die hertog Claude ongetwijfeld had 'geïnternaliseerd' en vervolgens als een onderwerp van voortdurende zorg aan zijn kroost had doorgegeven. Vanuit deze optiek waren met name de jaren 1684-1690 een kritieke periode voor de jonge erfgenaam van de hertogstitel; die jaren worden, in het buitenland nog meer dan in het binnenland, gemarkeerd door een hoogtepunt van de Franse monarchie, en wel de vrede van Ratisbonne (1684). Ze vallen vooral ook samen met de herroeping van het Edict van Nantes, waarvan Saint-Simon later een diepe afkeer zal hebben. Daar kunnen we de revolutie in Engeland in 1688 nog aan toevoegen, waardoor het katholicisme daar onder druk komt te staan, wat de reeds bestaande, hoewel niet fanatieke, anti-Engelse gevoelens van de schrijver langzamerhand nog zal aanwakkeren.

Met betrekking tot de familiale of persoonlijke 'feitelijkheden' komt daar nog bij dat het gezin Saint-Simon zich vanaf 1683 'voor een deel van de tijd' installeert in een eenvoudig, recentelijk in Versailles opgetrokken herenhuis, met het oog op korte verblijven aan het nabijgelegen koninklijk hof. Maar het grote en voortdurend aanwezige probleem van onze auteur is, in elk geval tot 1723, zijn verlangen om gehuisvest te worden in het kasteel zelf, bij de Zonnekoning; het herenhuis in Versailles, een soort pied-à-terre 'in de stad', heeft dus slechts een uiterlijke waarde vergeleken met een wenselijk verblijf in het koninklijke onderkomen, in het hol van de vorst.

Vanaf 1691 bereidt Louis de Rouvroy zich voor op de rol die hij beroepsmatig had moeten vervullen, en die wellicht ook een verkorting van zijn leven zou hebben betekend door een gewelddadige dood op het veld van eer, namelijk een militaire carrière, ofwel een opleiding tot soldaat of beter tot officier... die de jongeman onmiddellijk opgeeft zodra zijn vader, die dan reeds enkele jaren overleden is, hem niet meer tot beroepsmatig superego dient.

In het laatste decennium van de zeventiende eeuw wordt Louis zich in elk geval bewust van zijn eenzaamheid als enige zoon, kind van een oude vader, en zonder neven of zwagers, tenminste voorlopig. Hij wordt zich ook bewust van de eenzaamheid van Frankrijk, omdat het land bedreigd wordt door de zeer oorlogszuchtige coalitie van de Liga van Augsburg: deze bestaat uit de al dan niet aan zee gelegen gezamenlijke protestantse mogendheden, die geschokt zijn door de herroeping van het Edict en meer nog door de annexatie van Straatsburg door de Bourbons en de Franse pogingen tot militaire en politieke machtsuitbreiding in het gebied van de Palts en Keulen. Niet alleen de lutherse en anglicaanse landen komen met een antwoord op deze expedities van Lodewijk xiv in het Rijnland, ook de vijandschap van een aantal katholieke machthebbers ten opzichte van de Franse koning doet een duit in het zakje; die laatsten zijn de Habsburgers in Wenen en Madrid, bijzonder geïrriteerd over de Franse veroveringen, die midden in vredestijd tot stand kwamen ten koste van Spaanse bezittingen die in 1684 bij de vrede van Ratisbonne nog waren bekrachtigd. Het koninklijke leger moet een paar jaar later al zijn krachten in de strijd werpen om het hoofd te bieden aan de vijandige coalitie die zich aan de verschillende grenzen vormt van wat later l'Hexagone, ofwel het huidige Frankrijk zal worden.

In 1691 laat de oude hertog Claude de Saint-Simon, min of meer met de zegen van de Zonnekoning, zijn zestienjarige zoon, hoewel die klein en tenger is, inlijven bij de grijze musketiers: de jongeling leert hier op democratische wijze exerceren, wat hem maar ten dele bevalt, en wel onder het bevel van een zekere kapitein Maupertuis, een beste kerel maar overdreven pietluttig, kortom een 'afschuwelijk stuk chagrijn'.

In de jaren 1691-1692 ontstaat wat we het eerste saint-simonisme kunnen noemen zoals het zich later zal ontwikkelen in de *Memoires*, geschreven in de tijd van Lodewijk xv, en die in de eerste akte van het drama dat onze auteur ensceneert betrekking hebben op het laatste decennium van de zeventiende eeuw. Te midden van de in die eerste teksten beschreven onderwerpen en gebeurtenissen is ook de inname van Namen (1692), in het huidige België; een overwinning waarbij de toekomstige hertog aanwezig is en waaraan hij deelneemt in de nauwsluitende jas met lange mouwen en panden van de musketiers; het is een op het land behaald succes dat echter overschaduwd wordt door de tegenslag op zee bij La Hougue die onze auteur, hoewel ver verwijderd van het maritieme slagveld, zich hevig aantrekt. Wat dat betreft had Lodewijk xiv heel wat minder geluk bij zijn nautische ondernemingen dan 'aan de vaste wal'.

Saint-Simon – laten we hem vanaf nu maar zo noemen – beschrijft uit diezelfde tijd ook de beroemde 'gemengde huwelijken', zoals dat van de zoon van 'Monsieur de broer van de koning', ofwel de jonge Filips en toekomstige regent, met een bastaarddochter van diezelfde koning, en daarnaast het huwelijk van een andere bastaard van dezelfde oorsprong, de hertog du Maine met een volbloed Condé. We kunnen ons indenken dat de kroniekschrijver hierover moord en brand schreeuwde, buitensporig gekant als hij was tegen bastaards. Een ander 'terugkerend thema' in die eerste teksten van Saint-Simon behelst twee personen die hij openlijk zal haten, abbé Dubois en de toekomstige maarschalk en hertog de Villars, wiens vader door Saint-Simon wordt opgehemeld om later met des te meer gemak hatelijke opmerkingen te kunnen maken over diens zoon.

Door de dood van de tachtigjarige Claude de Saint-Simon in april 1693 wordt Louis op zijn achttiende de nieuwe hertog. Er is bij deze eerste 'lichtkogels' van de *Memoires* over de jeugd van de auteur echter sprake van een paar omissies: het ene verzuim is onvermijdelijk, het andere onvergeeflijk. Enerzijds negeert de schrijver, en met reden, het overlijden van de talentvolle Tallemant des Réaux in 1690: Tallemant was de Saint-Simon van de armen. Anderzijds sluit onze schrijver zijn ogen voor de hongersnood van 1693, die de Franse bevolking met meer dan een miljoen mensen decimeerde...

Niettemin was deze geweldige hongersnood, losgebarsten in de zomer en de herfst van 1693, duidelijk aanwijsbaar vanaf juli-augustus van dat jaar op de graanmarkt van Parijs, toen de graanprijzen omhoogschoten. Een periode van uitzinnige duurte maar ook, in een frappant contrast, van grote Franse militaire successen: ten eerste bij Neerwinden, waar de toekomstige auteur van de *Memoires* (in gezelschap van zijn huisonderwijzer!) moedig deelneemt aan charges van de cavalerie; en vervolgens overwinningen bij Charleroi, in Spanje en in Italië. De instelling van de Orde van Saint-Louis – een militaire onderscheiding die de voorloper is van het huidige Legioen van Eer – in dat jaar lijkt dus gerechtvaardigd, ondanks Saint-Simons voorzichtige ironie hierover.

Als jonge hertog aan het einde van de zeventiende eeuw erft Rouvroy de uitgestrekte landerijen van zijn vader en ook, als gunst van de koning, de lokale gouvernementen (Blaye enzovoort) die zijn vader bezat; hij wordt tot kolonel gepromoveerd; hij denkt ook aan trouwen; hiertoe vraagt hij (vergeefs) om de hand van een van de dochters van de hertog de Beauvillier, schoonzoon van Colbert en minister met een bescheiden hervormingsgezindheid. Onze Saint-Simon betoont zich overigens al strijdlustig met betrekking tot het aristocratisch formalisme en beschuldigt zijn vroegere militaire aanvoerder, de maarschalk de Luxembourg. Deze beroemde krijgsman wil namelijk opklimmen van achttiende hertog van Frankrijk naar een luisterrijke tweede plaats, waarmee hij de kleine Saint-Simon zou 'kloppen' die volgens hertogelijke anciënniteit pas op de twaalfde plaats komt.

De twee jaren van hongersnood en oorlog (1693-1694) worden in 1694-1695 gevolgd door de invoering van een hoofdelijke belasting. De oorlog moet natuurlijk betaald worden; het is dus zaak om, naast de overige belastingbetalers, ook de bevoorrechten een kleine aanslag op te leggen door middel van een fiscale heffing per gezinshoofd, een heffing naar rato van de 569 sociale rangen en standen die volgens de classificatoren van die tijd de Franse 'natie' vormden. Uit deze invoering van een volkomen nieuwe belasting spreekt de gebruikelijke dubbelheid van Lodewijk xiv: enerzijds probeerde Zijne Majesteit op een bijna revolutionaire manier de verschillen en voorrechten te verminderen of te nivelleren door middel van een rechtstreekse geldelijke bijdrage, anderzijds respecteerde en bekrachtigde Zijne Majesteit zelfs de bijna eindeloos uitgebreide maatschappelijke rangorde.[1] Paradoxaal genoeg fungeerde Lodewijk xiv als de hoogste edelman van zijn koninkrijk, maar daarnaast was hij de grote nivelleerder, hoe experimenteel en bescheiden ook. Saint-Simon, gehecht als hij was aan de belastingvrijstelling die de aristocraten waarvan hij deel uitmaakte genoten, werd niet vrolijk van deze 'hoofdelijke' initiatieven.

Voor het overige bracht hij het jaar 1694 door met geharrewar in verband met het proces tegen Luxembourg en ondernam hij stappen voor een huwelijk met Mlle de Lorges, een meisje van aanzien in vrijwel alle betekenissen van het woord, maar haar grootvader van moederskant was een rijke financier, zodat de bruidsschat aanzienlijk was... en de mesalliance nogal in het oog liep! De vader van Gabrielle was de meerdere geweest van Saint-Simon in het Franse leger in het Rijnland: een jonge kolonel trouwde dus met de dochter van zijn generaal. Een normale gang van zaken. De jonggehuwden waren gelukkig en kregen maar een paar kinderen en nog minder kleinkinderen. De wittebroodsweken van Saint-Simon (alles wijst erop dat het vanaf het begin een harmonieus huwelijk was) kunnen gevoeglijk gedateerd worden van april 1695 (de datum van het huwelijk) tot het voorjaar van 1696, toen onze auteur weer naar het leger in het oosten moest.

Behalve dat hij zelf trouwt, maakt Saint-Simon zich druk over het vrijwel tezelfdertijd gesloten huwelijk tussen een nog bijna klein meisje, het zusje van zijn vrouw, met de ver in de zestig zijnde Lauzun. De afloop van het proces tegen Luxembourg houdt de kroniekschrijver eveneens bezig, waarbij zijn inspanningen bepaald niet volledig bekroond worden. Voor ons worden die wittebroodsweken van de hertog, met alle wisselvalligheden eromheen, daarnaast vooral gekenmerkt door belangrijke literaire en culturele gebeurtenissen van een aflopende eeuw: de dood van La Fontaine, van de schilder Mignard, van Mme de Sévigné, van La Bruyère, en ten slotte van d'Aquin, de vroegere eerste lijfarts van Lodewijk XIV van wie als bijzonderheid genoteerd moet worden dat hij van joodse afkomst was, zonder dat iemand, of in elk geval nauwelijks iemand, daar iets op aan te merken had. En vervolgens kondigt de storm van het quiëtisme zich aan: Fénelon is *kicked upstairs* naar het aartsbisdom van Kamerijk, een sublieme promotie die binnen de kortste keren verandert in een ballingschap. Het gevolg daarvan is dat Mme Guyon als medestandster van Fénelon naar de Bastille wordt gestuurd. En ten slotte wenden de oorlogsgoden zich af van Lodewijk XIV, die ze bij het begin van het laatste grote conflict van de zeventiende eeuw toch zo welgezind waren. De Fransen moeten in 1695 de stad Namen op een bijna vernederende manier teruggeven aan de generaals van het vijandelijke kamp.

De militaire carrière van Saint-Simon eindigt met de laatste schermutselingen van de oorlog tegen de Liga van Augsburg en met de daaropvolgende vrede van Rijswijk in 1697; deze carrière eindigt overigens in de zeer luisterrijke jaren van het 'einde van de eeuw', die gekenmerkt worden door de in alle opzichten vergulde overdaad aan luxe die, zoals Saint-Simon zelf getuigt, samengaat met het huwelijk van de hertog de Bourgogne, de kleinzoon van Lodewijk XIV.

Overigens is de term militaire carrière met betrekking tot onze auteur ongerechtvaardigd, want Saint-Simon was al met al een van de grootste mislukkelingen van het immense Franse leger in die jaren.

Of het nu oorlog is of vrede, voor onze hertog is het *business as usual*, alles gaat zijn gewone gangetje: familieruzie met zijn zwager Lauzun, quiëtisme, beginnende interesse voor het jansenisme; problemen in het klooster van La Trappe waar Rigaud een portret schildert van abbé de Rancé, terwijl de opvolger van deze onberispelijke man als hoofd van de abdij later aanstoot geeft; en vooral het rare verzinsel van Saint-Simon naar aanleiding van de dood van Racine, die zogenaamd voor zijn dood bij Lodewijk xiv in ongenade zou zijn gevallen.

De ene eeuw gaat over in de andere: de jaren 1699-1702 zijn cruciaal voor Saint-Simon, evenals voor Lodewijk xiv. Vriend Pontchartrain wordt kanselier. Prompt wordt Chamillart, via een stoelendans, benoemd tot inspecteur-generaal van Financiën en secretaris van Staat voor Oorlog: ofwel Colbert en Louvois verenigd in één persoon, maar dan wel minder getalenteerd, al blijkt Chamillart, die niet veel later bevriend raakt met Saint-Simon, in werkelijkheid veel minder dom dan de historici later doen voorkomen. Door de dood van Monsieur (de broer van de koning) krijgt zijn zoon Filips, bevriend met de schrijver, de belangrijke titel van hertog d'Orleans, zodat de kroniekschrijver voortaan beschikt over invloedrijke vrienden aan het hof (waaraan we nog twee ministers moeten toevoegen: Chevreuse en Beauvillier). Zij zijn stuk voor stuk belangrijke troeven voor hem, mits de nog jonge Louis deze niet systematisch verspeelt, iets waartoe hij wel voortdurend geneigd is, soms zelfs voor de goede zaak; in dat opzicht kunnen we trots op hem zijn.

Het begin van de achttiende eeuw: vanaf 1701 is het conflict over de troonopvolging in Spanje aan de orde; Saint-Simon grijpt deze gelegenheid aan om het leger te verlaten. De 'Spaanse successieoorlog' was door de koning gewild, die daarin werd gesteund door zijn vrouw (Maintenon) en zijn zoon (Monseigneur) en door de kliek van Pontchartrain; de oorlog riep anderzijds de fluwelen oppositie op van de kliek van Colbert (Beauvillier en wellicht ook Torcy), omdat deze van nature meer geïnteresseerd was in pacifisme en economische groei dan in oorlog voeren.

Voorjaar-zomer 1702: de 'Angelsaksische en Germaanse' mogendheden, ofwel Engeland, Nederland en het Duitse Rijk, verklaren het koninkrijk Frankrijk de oorlog, op verdenking van een buitensporig imperialisme aan de andere kant van de Pyreneeën. Een Frankrijk dat overigens minder geïsoleerd staat dan in de voorgaande oorlogen omdat Spanje zich nu aan 'onze' kant schaart. Niettemin zal er dit keer sprake zijn van een zeer harde oorlog, die nog gecompliceerd wordt door de kleine ijstijd waardoor zowel vriend als vijand van het koninkrijk, evenals de heersers zelf de verschrikkelijke winter van 1709 moeten ondergaan. In feite namen de zaken al in 1704 een verkeerde wending voor onze 'koninklijken', met de nederlaag bij Blenheim. Ondertussen echter heeft Villars, die Saint-Simon niet kon uitstaan, zich al ontpopt als een goed strateeg voor Lodewijk xiv; de hertog de Bourgogne, bevriend met onze schrijver, heeft plaatsgenomen in de adviesraad van de koning; in de Cevennen hebben de hugenoten in 1703 de oorlog verklaard; Portugal heeft zich, in tegenstelling tot Spanje, bij Engeland gevoegd, dat prompt overspoeld wordt met het kort daarvoor in Brazilië ontdekte goud; de dood van Bossuet (1704) kondigt het einde van een min of meer officieel gallicanisme aan... waarmee de jansenistische oppositie zich spoedig zal belasten; de toekomstige schilder Boucher, die de Franse achttiende eeuw zijn erotische rococo-toets zal geven, is dan net geboren...

En waar is Saint-Simon in dit alles? Welnu, de hertog is, na een ingewikkelde afspraak met zijn schoonouders de Lorges en zijn vrienden de Chamillarts, voor langere tijd verhuisd naar een minuscuul kamertje, een waar muizenhol, in het kasteel van Versailles. Hij is dolgelukkig dat hij de nationale en internationale geschiedenis zich nu onder zijn ogen ziet afspelen. Nu voelt Saint-Simon zich op zijn plaats, overal rondneuzend en voortdurend observerend...

En vanuit de observatiepost in Versailles lijkt de toestand in Frankrijk van kwaad tot erger te gaan; deze uiterlijke schijn, die soms realiteit wordt, brengt de historici, die sterk beïnvloed worden door het algehele pessimisme, nu en dan op een dwaalspoor. Tot het einde van 1708 kent Frankrijk de ene tegenslag na de andere... of in elk geval slechts hele kleine succesjes. Kleine overwinningen inderdaad, zoals die in de Cevennen dankzij Villards talenten als vredestichter; maar een catastrofe voor de domme Villeroy in Ramillies (mei 1706); en het verlies van Madrid voor Filips V, de nieuwe Bourbon-koning van Spanje en kleinzoon van Lodewijk XIV; zelfs een nederlaag voor de toch bekwame Vendôme bij Oudenaarde (juli 1708). Maar het eigenlijke Franse grondgebied wordt door deze tegenslagen nauwelijks aangetast, laat staan noemenswaardig verkleind. Bovendien wordt de stad Toulon in 1707 tijdelijk deels door de vijand ingenomen.

Onze schrijver verwart in zijn verslag van deze moeilijke periode nu en dan hoofdzaken en bijkomstigheden, waarbij ze, in elk geval in zijn eigen ogen, lastig van elkaar te onderscheiden zijn. Zo neemt hij er bijvoorbeeld aanstoot aan dat de koningin-weduwe van Spanje in Bayonne onterecht een fauteuil heeft gegeven aan Filips van Orleans (men gaat niet op een stoel zitten in het bijzijn van een koningin, hoe hoog men ook geplaatst is en ook al is zij weduwe). Daar moeten we nog aan toevoegen dat de kroniekschrijver in diezelfde tijd bijna werd aangesteld als gezant in Rome. Dat plan mislukt natuurlijk: het was niet de eerste keer en het zal ook niet de laatste keer zijn. In die periode dreigt de strijd rond het jansenisme, min of meer 'op de plank gelegd' sinds de kerkvrede van 1669, weer op te laaien door de pauselijke bul *Vineam Domini* (1705). Deze terugkeer van het jansenisme in de actualiteit laat Saint-Simon niet onberoerd.

Laten we hier in het kort even ingaan op wat men, in de terminologie van de econoom Jean Meuvret, het oogstjaar 1709-1710 kan noemen. De 'grote winter' (januari-februari 1709) vernielt al het zaaigoed in de grond en veroorzaakt daarmee, van de ene oogst op de andere, van de zomer van 1709 tot de zomer van 1710, een hongersnood die inclusief de epidemieën naast het normale aantal doden opnieuw een groot aantal Fransen wegmaait, en wel 600.000 personen die zich voor hun dood eerlijk gezegd weinig aantrokken van de hofintriges. Saint-Simon beschrijft deze lange periode van duurte, die door de hoge sterftecijfers nog ernstiger wordt. Vreemd genoeg herstelt de militaire situatie van het land zich tezelfdertijd weer; de offensieven van de geallieerden worden door Villars en Vendôme min of meer afgeslagen, eerst bij Malplaquet en daarna bij Villaviciosa (1709-1710).

Voor Saint-Simon draait het (afgezien van een schitterende beschrijving van de hofintriges)[2] dat jaar opnieuw om problemen met betrekking tot zijn verblijf in Versailles. Hij raakt zijn pied-à-terre kwijt dat hij in het kasteel bij de Lorges had (1709); vervolgens krijgt hij een ander onderkomen dankzij Pontchartrain, en wel een grote kamer met garderobekast (eind 1709); en ten slotte verovert hij, als klap op de vuurpijl en na hevige strijd, een onderkomen van vijf kamers met een keuken, beter gezegd tien kamers met een keuken, in de noordelijke vleugel van het paleis (1710). De schrijver kan voortaan open huis houden. De observatiepost van de hertog in Versailles heeft vanaf dat moment dus een fikse omvang; de kwaliteit van de aantekeningen wordt er zo mogelijk, want die was al uitstekend, nog beter door, natuurlijk rekening houdend met onopzettelijke en... opzettelijke vergissingen. Saint-Simon dankt dit nieuwe, ruime onderkomen aan het feit dat zijn vrouw kort daarvoor hofdame van de nieuwe hertogin de Berry is geworden, aan de totstandkoming van wier huwelijk onze schrijver naar het schijnt veel heeft bijgedragen.

De periode na de hongersnood (1710-1711) draait voor de kroniekschrijver om wat in zijn tekst een bravourestuk zal worden: het verslag van de dood van Monseigneur, de zoon van Lodewijk xiv, die in 1711 overlijdt. Hierdoor is de toekomst van onze hertog veel hoopvoller geworden; hij speculeert over de kans op de machtsovername van de hertog de Bourgogne, zijn persoonlijke vriend en de oudste zoon van de overleden troonopvolger, die voortaan dus de aangewezen opvolger van Lodewijk xiv is. Helaas volgen er een aantal tegenslagen: de nieuwe, jonge troonopvolger sterft in 1712, wat het optimisme, gewekt door het overlijden van de vader, logenstraft. Vrijwel tegelijkertijd verdwijnt de klassieke zeventiende eeuw op zijn tenen van het toneel met de dood van Boileau in 1711. De hertogin de Bourgogne, die kort daarna ook zal overlijden, is daarvoor (in 1710) bevallen van de toekomstige Lodewijk xv. De nieuwe extra belastingheffing, die een aanslag doet op de spaarcenten van de bevoorrechten, wordt goedgekeurd door het parlement van Parijs, wat de kroniekschrijver kreten van afschuw ontlokt, verontwaardigd als hij is over deze aantasting van de adellijke en fiscale vrijstellingen die hij geniet, en hij weigert op persoonlijke titel de militaire verdediging te bekostigen van een koninkrijk dat bedreigd wordt met omsingeling, zo niet een invasie.

Van april 1711 tot februari 1712 is het echter nog de tijd tussen twee sterfgevallen. Monseigneur is al heengegaan. Moge hij rusten in vrede. De hertog de Bourgogne leeft dan nog, maar niet lang meer, in de hoop dat hij de nieuwe koning wordt. En dit is dan ook een van de gelukkigste perioden in het leven van Saint-Simon. Hij heeft een mooie, charmante echtgenote, drie kinderen die hem overigens niet veel voldoening zullen geven, een kasteel op het platteland, twee herenhuizen, één in Parijs en het andere in Versailles; en een prachtig appartement in het kasteel, in het heilige der heiligen, in het hart van het systeem. Hij heeft ook schulden, maar daarin is hij niet de enige in deze hoge adellijke kringen: hier leeft men niet naar de inkomsten die men ontvangt, maar naar de eisen van een buitensporige luxe die samengaan met een hoge maatschappelijke positie.

Het gaat weldra weer beter met Frankrijk; niet dat de militaire situatie ideaal is, die is aan de noordgrens nog steeds gespannen en lastig. Maar Engeland is minder agressief geworden: het land luistert niet langer naar de zeer oorlogszuchtige Marlborough; de enigszins pro-Franse Tories zijn vanaf 1710 aan de macht; ze hebben nota genomen van de dood van keizer Jozef i van Oostenrijk in 1711 en vooral van een zekere oorlogsmoeheid bij het Britse volk. Voor Lodewijk xiv was deze vredelievende 'omslag' van de Engelsen ongeveer hetzelfde als wat later voor de door haar bedreigde Frederik ii van Pruisen de dood zou zijn van de fel tegen hem gekante tsarina Elisabeth Petrovna in 1762; ofwel het laatste redmiddel. Door deze ommekeer van de Londense machthebbers kan er al in het begin van 1712 in Utrecht een vredescongres gehouden worden. Saint-Simon broedt intussen in zijn vrije tijd hervormingsplannen uit die gelijke tred houden met die van de overige aanhangers van het aristocratisch liberalisme, onder wie Chevreuse, Beauvillier, Fénelon – 'maar van verre... ter ondersteuning' – en ten slotte de hertog de Bourgogne, van wie de kroniekschrijver zich voorstelt dat hij, eenmaal monarch, zijn vriend en helper zal blijven. De plannen van Saint-Simon aan het einde van de regering van Lodewijk xiv hebben goede en minder goede kanten: ze beogen een representatiever landsbestuur ten koste van het koninklijke absolutisme; maar ze zouden er ook toe leiden dat de adel (hiërarchischer en 'gelaagder' dan ooit) achter de schermen de volledige hegemonie krijgt. Op dit punt is het saint-simonisme onverenigbaar met de veel meer op gelijkheid gebaseerde ideeën die langzamerhand het Franse denken gaan overheersen wanneer onze auteur oud is geworden, en vooral na zijn dood, grosso modo vanaf de jaren 1750-1755.

Als we Saint-Simon mogen geloven betekende het uitbreken van de Spaanse Successieoorlog het 'einde van het geluk' voor Lodewijk xiv. Moeten we er dan ook van uitgaan dat het einde van deze oorlog, in 1713, samenvalt met het einde van de koninklijke ellende? Gezien de leeftijd die de monarch dan heeft – hij is al ver in de zeventig – zou een dergelijke bewering geen hout snijden. Maar we hebben geen enkele reden om hier opnieuw een beschrijving te geven van de vermeende treurige laatste jaren (1713-1715) van de regering van Lodewijk xiv. Het ontbrak de Zonnekoning slechts aan een lofredenaar als Carlyle die, in later tijd, de loftrompet zal steken over de stoïcijnse Frederik ii – eveneens een groot dienaar van zijn (Pruisische) monarchie. De armoede in Frankrijk is in 1713 weliswaar erg groot, maar deze is niet algemeen, en men bereidt zich al voor op de dertig, vijftig, zestig of meer glorieuze jaren die de achttiende eeuw na Lodewijk xiv zullen verlichten. Vooral de vrede van Utrecht in 1713 was, zoals François Bluche onderstreept, zeker geen volslagen mislukking voor Frankrijk: Santo Domingo, Frans Amerika, met name het Canadese deel en het gebied bij de Mississippi, de veroveringen in het noorden en oosten tijdens de laatste dertig jaar van de zeventiende eeuw (Lille, Straatsburg...), en ten slotte de bestijging van de troon van Spanje door een Bourbon zijn vanaf dat moment verworvenheden, sommige tot 1763, andere tot 1789 en weer andere tot het jaar 2000... en nog daarna.

Voor Saint-Simon, die licht geneigd is tot zelfmedelijden, ziet de situatie er al met al niet slecht uit: zeker, hij zal diep bedroefd zijn door de dood van zowel de hertogin als de hertog de Bourgogne in 1712, maar door zijn vrouw blijft hij dicht in de buurt van de hertog de Berry, een van de mogelijke troonopvolgers. En verder is hij aan het hof een min of meer belangrijk personage geworden. In prachtige uiteenzettingen, sommige ondertekend, andere anoniem, pleit hij voor een soort officieus Hogerhuis op zijn Frans, gevormd door benoemde hertogen en pairs en parlementsleden; anderzijds komt hij in een niet-ondertekende uiteenzetting op voor de derde stand en de boeren, die het trieste slachtoffer zijn van de door de oorlog ontstane crises, waarmee hij zijn reputatie van maatschappelijke egoïst die men hem soms wil toedichten logenstraft, maar die voor het overige niet geheel onverdiend is. Wat betreft de fiscale voorrechten van de adel ontwikkelt zijn denken zich in de richting van een grotere solidariteit van de tweede stand met de belastingplichtige burgers. Zijn adellijke ruzies, een bewijs van zijn hertogelijke vitaliteit, gaan voort: een geschil over bastaarden met de hertog du Maine, en met diens echtgenote, die niettemin in Sceaux de feestvreugde van de Verlichting uitdraagt; een geschil over protocollaire voorrang met La Rochefoucauld, kleinzoon van de schrijver van de *Maximes*; en ten slotte bureaucratische strubbelingen die Saint-Simon in conflict brengen met zijn 'kop van Jut', Pontchartrain junior, de niettemin zeer bekwame secretaris van Staat voor Marine. Van tijd tot tijd voelt onze schrijver de wind van een vermeende ongenade, zelfs van een verbanning, langs zich strijken, vermoedelijk op bevel van de koning. Maar dat duurt altijd slechts enkele weken en Mme de Saint-Simon, die zich verveelt op het platteland, wast haar echtgenoot dan zachtjes de oren en laat hem vervolgens snel weer naar het hof terugkeren.

Het laatste jaar dat Lodewijk xiv aan de macht is wordt volgens Saint-Simon gekenmerkt door de 'catastrofe' van het koninklijk edict over de bastaarden dat het parlement in augustus 1714 moet registreren. Dit geschrift wijst de vroegere bastaards van Lodewijk xiv (die te gelegener tijd gewettigd waren) aan als troonopvolgers, zowel zijzelf als hun nakomelingen, wanneer alle beschikbare prinsen van den bloede zijn overleden. Maar in 1714 zijn er minstens zes levende prinsen die geen bastaard zijn en die merendeels een goede gezondheid genieten. De woedeuitbarsting van onze hertog tegen deze voor bastaarden gunstige wetstekst getuigt van een zekere puristische, in hofkringen wijdverbreide ideologie waarop wij nog terugkomen. Maar het blijft onwaarschijnlijk dat er ooit een Maine op de troon komt, *a fortiori* een Toulouse die, gezien zijn meer dan gezonde verstand geen slecht figuur had geslagen als koning.

Overigens moeten we de klaagzangen van de kroniekschrijver niet al te letterlijk nemen met betrekking tot zijn isolement aan het hof in 1714-1715, een isolement en ook een veroordeling door Lodewijk xiv waarvan hij in het laatste jaar van diens regering het slachtoffer zou zijn geworden. Het is in feite meer de herhaling van de klaagzang over eenzaamheid die hij in zijn jeugd van zijn moeder hoorde over het in de steek gelaten gezin, toen hij nog de piepjonge zoon van een heel oude vader was die weldra dood of afgetakeld zou zijn. De vrienden van Louis de Saint-Simon, zoals de ministers Chevreuse, Beauvillier, Pontchartrain enzovoort, zijn inderdaad gestorven of afgetreden, en de vriendinnen die hem op de hoogte hielden van de geruchten die in Versailles de ronde doen zijn er nauwelijks beter aan toe, met name de 'beroemde demi-mondaine', geboren Chamillart, die kort daarvoor is overleden. Maar onze schrijver kan (zonder dat dit van zijn kant wederzijds is) rekenen op de achting en de vriendschap van Fénelon, wat hem bijzonder tot eer strekt, en datzelfde geldt voor de hertog d'Orleans. En nog belangrijker, ook Lodewijk xiv geeft tweemaal blijk van zijn achting en vriendschap jegens hem: de eerste keer spreekt de koning zeer welwillend over Saint-Simon wanneer de toekomstige regent onwel is; bij een tweede gelegenheid geeft Zijne Majesteit hem het onderkomen in Marly van landsheer Courtenvaux, die terstond bij de Zonnekoning in ongenade valt. Men krijgt vooral de indruk dat Saint-Simon het medelijden van zijn eventuele lezers wil opwekken, dat hij zo de martelaar wil spelen die zich tegen het regime verzet aan de vooravond van een mogelijke ineenstorting van de macht, in elk geval aan de vooravond van een bevrijdend moment, dat de dood van de oude Lodewijk xiv met zich mee zou brengen, waarna de kroniekschrijver zich in een uitstekende positie zou bevinden om aan de nieuwe machtsuitoefening deel te nemen. De Zonnekoning sterft dan ook in december 1715 en laat een koninkrijk na waar orde en vrede heersen, met daarboven een dreigend 'zwaard van Damocles', een zwaard dat elk moment kan neerkomen, namelijk de bul *Unigenitus*, in 1713 onbezonnen ingewilligd door de Heilige Stoel op verzoek van onze monarch. Alsof de oude Zonnekoning zijn opvolgers een poets wilde bakken. Wat hem dan ook uitstekend lukte.

Maakt de kroniekschrijver een goede indruk, komt hij 'tot zaken' in die laatste maanden van 1715? In elk geval was het regentschap van Filips van Orleans, vanaf september 1715, voor Saint-Simon de kans van zijn leven, een kans die hij natuurlijk niet volledig kon en wilde aangrijpen, aangezien hij stelselmatig belangrijke functies weigerde: het voorzitterschap van de raad van financiën, en misschien kapitein van de garde, wat bepaald niet gering was. Maar Saint-Simon werd wel lid van de regentschapsraad, ofwel een soort minister zonder portefeuille *in partibus*, die een vrij belangrijke rol speelde door te adviseren bij de vorming van een regering, dat wil zeggen bij het organiseren van de deelname van de hoogstgeplaatsten aan de besluitvorming, een 'participerend' organiseren dat in principe zeer lofwaardig is. Saint-Simon wordt nu dus medeverantwoordelijk voor een aantal ontslagen en benoemingen; hij volgt de koninklijke, of beter regenteske heerschappij bij de opeenvolgende verhuizingen van Versailles naar Vincennes, vervolgens van Vincennes naar de Tuilerieën (wanneer het om kind-koning Lodewijk xv gaat) en met name naar het Palais-Royal, de residentie van Filips van Orleans, die enkele jaren als regent de hoogste machthebber is. In het Palais-Royal, waar de schrijver vrije toegang heeft, slaat hij de verbazingwekkende carrière en activiteiten van abbé Dubois gade, de Franse bevorderaar van het vruchtbare bondgenootschap met de protestanten, zowel Engelsen als Hollanders, waarvan onze schrijver eerlijk gezegd geen snars begrijpt, geobsedeerd als hij is door de dynastieke banden met het Spanje van Filips v. De opkomst in het financiële machtscentrum van de econoom John Law in 1716 ergert hem echter totaal niet; het laat hem min of meer koud en hij staat nu eens lichtelijk vijandig, dan weer open en welwillend tegenover de plannen van de Schot.

De kleine hertog sleept ook hier en daar kleinoden van ijdelheid in de wacht: de

Orde van Saint-Louis, ruwweg de voorloper, zoals gezegd, van ons Legioen van Eer; hierbij moet het rode lint (van de Orde van Saint-Louis) volgens Saint-Simon voorafgaan aan het blauwe (van de Orde van Saint-Esprit), dat Saint-Simon pas in 1728 zal krijgen, terwijl het vandaag de dag eerder het omgekeerde is: het blauwe lint (de Orde van Verdienste) wordt vaak gezien als een opstapje voor het rode (het Legioen van Eer). Saint-Simon hult zich bovendien, nog een gunst van de welwillende regent, in een *justaucorps*, een nauwsluitende mansrok met galons en plastrons: dit kledingstuk, dat doet denken aan onze academische kledij, was een uitvinding van Lodewijk xiv bedoeld om de onderlinge rivaliteit en jaloezie van de hovelingen aan te wakkeren; jaloezie van degene die dit kledingstuk niet draagt ten opzichte van degene die het op speciaal bevel van de koning wel draagt. Bovendien verleent de regent aan zijn vriend de hertog toestemming de grote ontvangsten bij Zijne Majesteit bij te wonen; met als gevolg een gemakkelijker toegang tot de vorst. Eerlijk gezegd stellen die grote ontvangsten van een kind-vorst niet veel voor, en bovendien schenkt de altijd goedhartige Filips deze gunst welwillend aan rijp en groen, we mogen wel zeggen aan een hele menigte. En dit gaat zo door totdat Dubois, vlak voor zijn dood, een groot aantal mensen dit voorrecht weer ontneemt... inclusief Saint-Simon, die zich niet verwaardigt hierover zijn beklag te doen. Ondertussen wordt onze schrijver, als elk individu met enig politiek gewicht, hoe gering ook, het mikpunt (wat hij voor het regentschap nooit was) van satirische schimpscheuten en liedjes, die hem neerzetten als de krielkip, de pruilkop, het kleine jochie en de kleinburgerlijke lafaard (?)... Vandaag de dag is het feit dat iemand in de *Canard enchaînée* belachelijk wordt gemaakt immers ook nog steeds een teken van een inwijding, een promotie of een succes, hoe middelmatig ook, op politiek terrein. Inwijding, promotie en succes zijn overigens termen die, met betrekking tot onze hertog, niet alleen maar denkbeeldig zijn, in elk geval in eerste instantie.

In de maanden augustus en september 1718 werkt Saint-Simon mee aan de registratie van een aantal belangrijke koninklijke besluiten, met name het afschaffen van het polysynodale bestuur; deze koninklijke besluiten vormen de formele overgang van een liberaal naar een autoritair regentschap. Maar ook al verandert de vorm en lijkt deze zich te verharden, in feite verandert er aan de inhoud van de politiek van de regent, die gebaseerd is op een semi-liberale openheid, niet veel. Die inhoud kenmerkt zich nog steeds door een bondgenootschap met Engeland en Holland, een voorzichtig openstaan voor religieuze minderheden en een economische impuls met de uitgifte van papiergeld door Law,[3] die tijdelijk voor rijkdom zorgt; een verrijking die niet alleen maar kunstmatig is en waarvan Edgar Faure ons later het mechanisme zou aantonen: Saint-Simon bewonderde het of noteerde het in elk geval op goed vertrouwen, maar zonder het volledig te begrijpen.

In de loop van de herfst van 1719 wordt de kroniekschrijver voor een aantal jaren kasteelheer van Meudon. Eens te meer een bewijs van de bijzondere vriendschap die de regent voor hem had. Mme de Saint-Simon, die het lichamelijk slecht ging, wilde graag een aantal kamers in dit *palace* dat tot diens dood in 1711 had toebehoord aan Monseigneur (de zoon van Lodewijk xiv). De hertog d'Orleans leent de hertogin en haar echtgenoot dus niet slechts een handvol vertrekken, maar het complete huis in Meudon waar de Saint-Simons, op gevaar af te veel geld uit te geven, de ene na de andere ontvangst organiseren. Een leven dat een paar jaar lang veel lijkt op dat van een zeer aanzienlijke edele van het Ile-de-France, die hof houdt naar de mode van Versailles; maar het is een leven waarnaar onze schrijver later, wanneer hij weer een eenvoudige kasteelheer in de Perche is, geen moment heimwee heeft; hij is simpelweg tevreden dat hij het één keer in zijn leven heeft mogen meemaken.

Vanuit deze ideale observatiepost kan Saint-Simon wederom zijn vaardigheden als 'kampioen-weigeraar' tentoonspreiden. Als we hem mogen geloven kreeg hij achtereenvolgens de functie van huisonderwijzer van de dan bijna adolescente Lodewijk xv aangeboden, en ook de post van Zegelbewaarder, aangezien van degenen die op dat moment deze functies bekleedden – te weten Villeroy en d'Argenson – de een structureel en de ander conjunctureel in onmin waren met de regent. Het spreekt vanzelf dat de kroniekschrijver het aanbod, dat menig persoon van zijn stand zou hebben aangelokt, in beide gevallen met een onbeduidend smoesje verwierp. Moeten we, zoals een van zijn biografen beweert, in Saint-Simon dus een personage zien van Corneille met een voorliefde voor Spanje, die de voorkeur geeft aan zijn eer boven tastbaarder verworvenheden, een Cid Campeador op papier, die soms zo weggelopen lijkt uit een komedie? Saint-Simons voorliefde voor Spanje is in elk geval blijvend.

Op zijn post in Meudon is onze schrijver uit de verte, maar vaak hevig ontsteld, getuige van de vrijwel onstuitbare carrière van Dubois, door de belanghebbende zelf met meesterhand gedirigeerd door middel van intriges die hij tot in Rome bestuurt, alles gericht op het verwerven van een kardinaalshoed; een Dubois die uitstekend weet dat Saint-Simon weinig vriendelijke gevoelens jegens hem koestert; een Dubois die echter, wanneer hij 'rood geworden' is (kardinaal), niet kan of wil verhinderen dat Saint-Simon als buitengewoon gezant naar Castilië wordt gezonden om er de voorwaarden op te stellen voor het huwelijk van de dochter van de regent, een klein meisje dat beloofd is aan de zoon van Filips v, de vorst die dan al twintig jaar als eerste Fransman de 'Bourbon van Spanje' is, en daarbij soms helemaal geen gek figuur slaat. Saint-Simon is een fervent reiziger, een meesterlijk etnograaf die zich baseert op de fundamentele ongelijkheid van mensen, verzot op boekbeschouwingen over de lokale hiërarchieën onder de koningen van Afrika en de vorsten van Azië, hij noteert de visu de details van het bezoek van de tsaar aan het Ile-de-France en smult bij Lauzun van de voorname conversatie met de Ottomaanse gezant Mehmet Effendi. Saint-Simon reist dus graag, of het nu in Frankrijk is naar de Atlantische kust, in Duitsland tijdens zijn jonge jaren, of ten slotte naar de andere kant van de Pyreneeën tijdens de laatste jaren van het regentschap. Men moet goed geïnformeerd zijn om te kunnen nadenken over de standenmaatschappij.

De kroniekschrijver, die kan bogen op de vriendschap van de regent, gaat dus in de herfst van 1721 als buitengewoon gezant naar Spanje. Dit land is dan al een

twintigtal jaren in de greep van een zekere economische groei; het overheidsappa-
raat wordt gemoderniseerd door net als in Frankrijk secretarissen van Staat en
intendanten aan te stellen; het leger en de marine worden opnieuw opgebouwd,
wat niet wegneemt dat er aan land en op zee diverse nederlagen worden geleden.
Ondanks kortstondige tegenslagen gaat dit onder de laatste Habsburger begonnen
proces van herstel door onder Filips v, de eerste Madrileense Bourbon. Bekwame
auteurs mogen de intelligentie van deze koning dan betwist hebben, maar hij had
wel het uitmuntende idee om zijn nieuwe vaderland te verrijken met een Frans
overheidsmodel dat terstond in Madrid werd ingevoerd, evenals in de Spaanse
provinciehoofdsteden, hoewel die van nature roerig waren en zelfs geneigd tot
autonomie.

Saint-Simons missie naar het Iberische zuidwesten begint met een weinig flat-
teuze hielenlikkerij van de in die tijd zeer invloedrijke Dubois, op wiens graf Saint-
Simon later ter compensatie talloze keren zal spuwen, net zo lafhartig als zijn ge-
vlei in 1722-1723. Zowel op de heenweg als op de terugweg vergeet de reiziger niet
als toerist Segovia en Toledo te bezoeken. Ook als gastronomisch toerist... Ondanks
een aantal flaters, die typerend zijn voor een gelegenheidsdiplomaat, is de missie
in vrijwel alle opzichten een succes: over de wederzijdse huwelijken tussen de Franse en Castiliaanse 'takken' van de Bourbons wordt met goed gevolg onderhandeld;
een van die huwelijken, waarvoor Saint-Simon rechtstreeks verantwoordelijk was,
dat van de dochter van de regent met de kroonprins van Castilië, zal ook metter-
daad plaatsvinden. De toekomstige kroniekschrijver was zelfs van plan, zo wordt
ons verteld, om, behalve twee Grande-titels en een Orde van het Gulden Vlies voor
zijn gezinsleden, voor zichzelf een hoge functie te verwerven in Spanje, naar het
voorbeeld van de uiterst komische Ripperda, ook uit het noorden afkomstig (een
Nederlander), die een baan had in Castilië. Dit mislukte.

Ondanks alles kan onze hertog in april 1722 met geheven hoofd naar Frankrijk
terugkeren, ook al heeft de luisterrijke reis naar Spanje een flinke bres geslagen in
zijn financiën, aangezien Dubois de immense reiskosten (meer dan 800.000 pond,
bijna een derde van het kapitaal van de schrijver) slechts ten dele vergoedde. De
missie in kwestie duurde al met al een halfjaar. Tijdens de afwezigheid van onze
tijdelijk tot Madrileen geworden hertog vonden er in Frankrijk twee notoire gebeurtenissen plaats: ten eerste de arrestatie van Cartouche, een bandiet wiens wapenfei-
ten samenvielen met de door de regent ingevoerde liberalisering, die zelf weer
verband hield of samenging met een sterke toename van de criminaliteit; en verder
was er het terugtreden van de 'krokodillen' van het oude hof, d'Antin, Noailles en
Villars, uit de regentschapsraad, omdat die drie zich niet wilden laten bezoedelen
door het contact met de niet-adellijke Dubois die zijn intrede had gedaan in hun
hoge gezagscollege.

Wellicht is er na Saint-Simons terugkeer naar Frankrijk en naar zijn erfgoed al
in 1722-1723 sprake van een eerste teken van ongenade, die door de dood van de
regent zal worden voltooid. Onze beklagenswaardige hertog wordt in elk geval gedwongen (onder druk van zijn nog altijd dominante oude moeder) zijn lichamelijk

zwaar gehandicapte dochter een bespottelijk huwelijk te laten sluiten met de prins van Chimay, die voor alles uit is op een familieband met de schoonvader, ofwel onze schrijver, van wie Chimay, terecht of onterecht, het idee heeft dat hij een uitstekend contact heeft met Filips van Orleans en dat hij 'alles van hem gedaan kan krijgen'. Als dat al zo is, is Chimay de enige die hiervan overtuigd is, zelfs wanneer we er rekening mee houden dat de vriendschap tussen de schrijver Saint-Simon en de staatsman Orleans hecht is gebleven.

In augustus 1722 wordt Dubois tot eerste minister benoemd, een vervelende promotie voor Saint-Simon, die hierdoor min of meer uit het centrum van de macht wordt gebannen. Hoewel de verstandhouding van de kroniekschrijver met de nieuwe regeringsleider minder verfoeilijk is dan hij later zal beweren, is deze niet florissant: het is veelbetekenend dat in februari 1723, wanneer de regentschapsraad plaatsmaakt voor een klassieke Kleine Raad omdat Lodewijk xv inmiddels meerderjarig is, Saint-Simon hier geen lid meer van is; in juni 1723 raakt de kroniekschrijver zelfs het fraaie huis in Meudon kwijt dat sinds 1719 tot zijn beschikking stond door de welwillendheid van de regent, en dat zowel voor hemzelf als voor zijn echtgenote een soort immense ambtswoning was geworden. Door de dood van Dubois (zomer 1723) krijgt de schrijver Meudon weer terug, maar door het overlijden van de regent (december 1723) verliest hij alles wat er nog resteerde van zijn officiële en officieuze posities, met name opnieuw in Meudon, en vooral in Versailles waar het hof, dat Parijs had verlaten, sinds de zomer van 1722 weer was teruggekeerd.

Saint-Simon verviel zeker niet tot armoede, maar hij moest wel terugkeren naar het veel prozaïscher privé-leven, naar het, overigens plezierige, dagelijks leven van iemand die nog tientallen jaren 's winters 'burger van Parijs' en 's zomers kasteelheer in de buurt van de hoofdstad zal zijn. Vanaf 1723 leidt de hertog op zijn landgoed het productieve en zinvolle leven van een op vernieuwing gerichte edelman, erop gebrand zijn landerijen goed te beheren en begaan met het welzijn van 'zijn' boeren. Opnieuw verenigt de moderne inslag van Louis de Saint-Simon, die zo ver gaat dat hij later zelfs de eigenaar van hoogovens wordt, zich met zijn fascinerende ouderwetsheid, die blijkt uit zijn adellijke, niet-egalitaire manier van denken, kenmerkend voor iemand die een volstrekt professionele hertog en pair wil zijn.

Al met al verloopt het eerste deel van het, zogenaamde, teruggetrokken leven van Saint-Simon, zo tussen 1723 en 1740, zeer gunstig, het zijn in elk geval redelijk vrolijke jaren, zoals Georges Poisson[4] zal aantonen. Saint-Simon mag zich, om medelijden op te wekken, dan voordoen als iemand die 'dood is voor het oog van de wereld', in werkelijkheid is hij verlost van de zorgen van het hof die, zij het van verre, nog wel enige wrevel bij hem oproepen, en de kleine hertog neemt 'het schrijven van allerlei stukken' op zich die historisch en natuurlijk aristocratisch van aard zijn. Hij houdt zich ook onafgebroken bezig met 'het beheer van zijn landerijen en de omgang met uitgelezen vrienden'; hij onderneemt een aantal stappen om de toekomst en de carrière van zijn kinderen veilig te stellen, met name van zijn zonen van wie de militaire loopbaan weliswaar niet langdurig maar veel geslaagder was dan het gelijksoortige curriculum van hun vader; niettemin blijft burgerlijke onverschrokkenheid, bij gebrek aan militaire moed, het voorrecht van de ouder wordende, inmiddels bijna zestigjarige landsheer: in 1734 verdedigt hij publiekelijk de nagedachtenis van de in 1733 gestorven abbé Duguet; iemand van wie hij, zoals we in een later hoofdstuk nog zullen zien, vele uit het jansenistische en 'verzaken- de' credo voortgekomen ideeën had overgenomen.

De eerste historische en polemisch getinte stukken die Saint-Simon schrijft, profiterend van zijn 'creatieve' vrije tijd als man van in de vijftig ver van het hof, zijn al aanzienlijk: het gaat om geschriften als *Aantekeningen over alle hertogdommen met pairswaardigheid, Korte inleiding op de ridders van de Saint-Esprit, De verplichtin- gen van de kroon, De Franse kardinalen benoemd door Lodewijk XIV, Overzicht van veldmaarschalken sinds Lodewijk XIV*, enzovoort. Al doende neemt de hertog, met name in de jaren rond 1730, met de pen in de hand – en wat voor pen reeds! – steeds meer kennis van de kronieken van Dangeau, een zwaarlijvig, aan de grond gelopen karkas dat hij nieuw leven zal inblazen. Vanaf dat moment begint hij se- rieus te werken aan de eigenlijke *Memoires* (1739 en de daaropvolgende jaren). Hij is dan net vijfenzestig, en weet, zoals Poisson en Coirault benadrukt hebben, dat zijn mannelijke nakomelingen hem geen kleinzonen zullen schenken, ofwel geen erfgenaam van de hertogstitel. Wellicht is een literair nageslacht, dat volgens de wens van de auteur weliswaar tot lang na zijn dood ongepubliceerd blijft, dan een oplossing. In elk geval helpt het hem te leven en geeft het zin aan zijn bestaan (als aan zo vele oude kroniekschrijvers) tijdens de laatste jaren van zijn leven, of in elk geval gedurende het eerste deel daarvan. Om dit prachtige gedenkboek te kunnen voltooien, maakt de schrijver soms gebruik van reeds eerder door hem geschreven stukken, waarvan de vroegste volgens hem teruggaan tot 1694, tijdens zijn beschei- den begin als militair in de tijd van de Liga van Augsburg. Hierin is Saint-Simon nauw verwant aan iemand als Felix Platter die, na zijn zeventigste, voor het vastleg- gen van zijn herinneringen het materiaal gebruikt dat hij als baardeloze jongeling in zijn notities van jeugdige reiziger en daarna van medicijnenstudent in Montpel- lier had verzameld: onze hertog en pair is dus niet de enige in zijn soort.

De schrijver had niet het idee dat hij hierdoor 'hooghartig was', noch dat hij de geboden terughoudendheid geweld aandeed, te meer omdat hij zijn geschriften in manuscript tot de la veroordeelde, met de mogelijkheid dat ze een twintigtal jaren na zijn dood alsnog zouden worden gepubliceerd. In elk geval stond de hertogelijke pen vanaf 1739 niet meer stil, behalve gedurende een aantal maanden, van het eind van de winter tot het voorjaar van 1743, door de dood van zijn vrouw de hertogin. Daarna krijgt het schrijven opnieuw de overhand totdat hij in 1749 de laatste hand legt aan de *Memoires* die, zoals bekend, eindigen met de dood van de regent in december 1723. Werd Saint-Simons ijdele plan, dat hij aan het einde aankondigde, om een vervolg te schrijven op deze herinneringen dat tot 1743 zou gaan, het jaar dat kardinaal Fleury overleed, nooit uitgevoerd, niet voltooid of zorgde het voor een grote, onbepaalde hoeveelheid geschriften die zijn zoek geraakt? Een dergelijke vraag kan, gezien onze huidige kennis, slechts uitlopen op een reeks vaagheden en nutteloze hersenspinsels. Het heeft dus geen zin deze vraag te stellen. We willen bij deze eerste korte opmerking over de tekst van de *Memoires* slechts de vernietigende profetie van Saint-Simon citeren, die bijna een halve eeuw voordien 'het naderende einde en de ondergang van de Franse monarchie'[5] voorspelt, door de verzwakking van de aristocratie die sinds Mazarin en daarna zowel onder Lodewijk xiv als onder Lodewijk xv, hardnekkig is nagestreefd. Op dit punt, één maal is geen maal, verschillen wij van mening met de eminente specialist Yves Coirault:[6] hij is geneigd het volgens ons scherpe pre-revolutionaire oordeel van een uitmuntend futuroloog af te zwakken. Terwijl dit juist Saint-Simon op zijn best is.

De laatste jaren van onze hertog vallen samen met een niet geheel denkbeeldig hoogtepunt van de monarchie van Lodewijk xv. De triomfantelijke vrede van Aix-la-Chapelle (oktober-november 1748) is het einde van de zogenaamde Oostenrijkse Successieoorlog, waarbij Frankrijk bij wijze van uitzondering even sterk of zelfs sterker blijkt dan Groot-Brittannië. Bij deze vrede wordt bepaald dat Frankrijk het gezag over de Nieuwe Wereld, van de Saint-Laurent tot de Mississippi zal houden, hoewel dat niet voor lang zou zijn. De vrede van Aix bekrachtigt ook een Europees evenwicht, op grond waarvan Lodewijk xv, een goede leerling van de pacifist Fénelon, weigert wat nu België is te annexeren. Niettemin blijft de regering in Versailles kampen met financiële problemen die weliswaar chronisch zijn maar niet noodlottig worden, in elk geval niet op de korte of middellange termijn; en ze zullen voortduren tot in onze tijd. Deze regering probeert dus met gematigd succes de bevoorrechten belasting te laten betalen, en wel door middel van de nieuwe belasting van vijf procent op het onroerend goed: een verre, wellicht vervormde echo van de ideeën van Vauban.

De hertog de Saint-Simon overleefde zichzelf in zijn privé-leven. In Parijs verhuist hij van hot naar her. Hij corrigeert de al vrijwel perfecte tekst van de *Memoires* door die te 'grillen', een uitdrukking die ook gebruikt zal worden door De Gaulle, in zijn vrije tijd ook schrijver van memoires. Saint-Simon houdt in diezelfde periode, weliswaar humeurig, spreekuur over rangen en standen, waarin hij op latere leeftijd een erkend specialist is; hij merkt, in een fraai slotakkoord van zijn theorieën als etnograaf, op dat de 'rangen en standen' in kwestie in gewijzigde vorm ook te vinden zijn in Azië en zelfs bij de wilden van Afrika en Amerika. De 'rangorde der standen' (op maatschappelijk gebied), zoals hij het voortreffelijk noemt, is dus universeel, een verre van dwaze gedachte, die ingaat tegen de *Discours sur l'inégalité* (1754) van Jean-Jacques Rousseau, die – toevalligerwijs – is geschreven tijdens de laatste jaren van de hertog, die sterft in 1755. Volgens het testament dat Saint-Simon kort daarvoor had opgesteld, wil hij bij zijn begrafenis en de voorbereidselen daartoe geen barokke pracht en praal. Zo bleef hij op twee fronten trouw aan zichzelf, door zich in de achterhoede te plaatsen van een Ancien Régime dat, onder zijn pen, bijna mythische proporties had aangenomen omdat onze schrijver het vrijwel volledig had teruggebracht tot zijn hiërarchische en 'thearchieke'[7] essentie. Maar Saint-Simon was hierin ook een avant-gardist van christelijke ideeën die voortaan anti-barok, gezuiverd en jansenistisch zouden zijn, en die na zijn dood

een eigen leven gingen leiden en gestalte gaven aan een nieuwe ideologische opstelling die een revolutionair elan gaf aan de augustijnse, de augustijns-achtige en de
post-augustijnse denkers, die geen hertogen en zeker geen pairs waren, maar progressieve burgers.

Na de dood van Saint-Simon leeft het saint-simonisme verder; de literaire en
vooral historiografische geschiedenis van deze schrijver ontvouwt zich vrijwel geheel *post mortem*, zoals hij in wezen ook had verlangd. Het immense manuscript
van de *Memoires* wordt, ondanks erfgenamen die niets konden uitrichten met een
door schulden geteisterde hertogelijke nalatenschap, eerst ondergebracht bij een
notaris; vervolgens verhuist het grootste deel van de nog onuitgegeven geschriften
met behulp van Choiseul (in 1760) naar het depot van het ministerie van Buitenlandse Zaken; een eerste afschrift leidt, nog voor de Revolutie, tot deelpublicaties
vol fouten. Onder Lodewijk xviii en nog daarna wordt er, met name dankzij de
pocherige generaal de Saint-Simon, een neef van onze schrijver, serieuzer werk van
gemaakt, wat langzaam maar zeker leidt tot de grote uitgaven tijdens het leven en
ook na de dood van de generaal: de uitgave van Chéruel vanaf 1858; die van Boislisle en diens opvolgers tussen 1879 en 1927 en ten slotte die van Yves Coirault,
begonnen in 1983 en in deze tijd tot een goed einde gebracht. In dit boek hebben
wij, al naar gelang hun kwaliteiten, gebruikgemaakt van de uitgaven van Boislisle,
de eerste uitgave in de Pléiade-reeks (1953), Ramsay en natuurlijk Coirault, waarnaar we in onze noten verwijzen met de letters b, p, r en c; het overgrote deel van
deze noten is voorzien van een b of een c, refererend aan deze overigens zeer fraaie
uitgaven, elk met een uitstekende index, die de nieuwsgierige lezer een volledig
overzicht geven.

Over deze uitgaven nog een paar aanvullende opmerkingen: sinds de postume
verschijning, onder Lodewijk xvi en vooral na 1815, is het werk of wat er van over
is, en dat is heel wat, door wetenschappelijk onderzoek vrijwel perfect in zijn vroegere staat hersteld. Om ons te beperken tot de al eerder genoemde twee grote uitgaven: die van Boislisle is met meer dan veertig delen de onvervangbare metgezel van
de onderzoeker, omdat deze met behulp van de voetnoten en de monumentale
index het immense mozaïek van de *Memoires* alinea na alinea kan corrigeren, weer-
leggen of tegenspreken, maar ook kan bevestigen of verrijken – misschien moeten
we wel spreken van de oneindig lange 'film',[8] de onvergelijkelijke 'voorstelling' van
anderhalve regeringsperiode. De meest recente grote uitgave, die van Yves Coirault,
in dundruk, is een soort draagbare computer, of beter een 'portable' zoals het hedendaagse gezegde luidt: met de zeer compacte delen en de enorm uitgebreide
index is, zo nodig door vergelijking met Boislisle, snel een bepaald aspect van het
werk te vinden, hoe miniem of hoe groot ook.

De verschillende biografieën van Saint-Simon[9] hebben in de loop der tijd de
wezenlijke aspecten blootgelegd van de diverse gebeurtenissen in het leven van een
hertog, een leven van observeren en handelen, maar nauwelijks van activisme,
behalve dan enkele jaren van politiek engagement, soms bijna tegen zijn zin, tijdens het regentschap. We moeten ook rekening houden met het feit dat het beheer

van een landgoed, misschien niet erg rendabel maar ongetwijfeld verlicht, heel normaal en karakteristiek was voor de toenmalige grootgrondbezitters, onder wie ook Saint-Simon. Naast de eigenlijke biografieën heeft een auteur zelfs gepoogd een psychoanalyse van de kleine hertog te maken, met het gebruikelijke fiasco waartoe dit soort freudiaanse geschiedschrijving veelal leidt. De geheimen van een geniale schrijfstijl zijn, voor zover mogelijk, op een bewonderenswaardige manier doorgrond door, opnieuw, Yves Coirault.[10] Mevrouw Hélène Himelfarb en haar kundige en onverschrokken medewerkers van de *Cahiers Saint-Simon* ontsluieren jaar na jaar steeds meer van de, soms grote, raadsels rondom het werk, de gedachtewereld en de sociale omgeving van een landsheer.

We zouden graag kunnen zeggen dat de school van de *Annales* en wat men vervolgens aanduidde met de enigszins demagogische term 'Nieuwe Geschiedenis' hier niet bij achterblijven. Maar wat dat betreft moet er nog zeer veel gebeuren ondanks een bijzonder goed artikel van Jacques Revel.[11] De reden hiervan is dat de antropologische, sociologische of naar believen historisch-etnografische benadering van de onderzoekers die zich tot deze school rekenen te lang werd overheerst, zo niet verpletterd door de probleemstelling van Norbert Elias: deze heeft tot op heden de aandacht van de 'annalistische' historici[12] vrijwel volledig opgeëist zodra zij zich interesseerden voor de *Memoires* van Saint-Simon of voor het systeem van het hof, om nog maar te zwijgen van het systeem van het regentschap. Inzichten die mogelijkerwijs afwijken van deze dominante richting, inclusief die van onbetwiste 'annalisten' als wijzelf, konden lange tijd slechts smeulen onder de as.[13] Het is dus tijd om, na enkele deelpublicaties onzerzijds (sinds 1973), onze kaarten op tafel te leggen: in dit werk bieden wij een interpretatie aan die systematisch en zelfs volledig beoogt te zijn, zowel van het denken als van het werk van Saint-Simon (maar niet van zijn manier van schrijven of zijn stijl, aangezien geen van tweeën tot ons onderwerp behoren). Onze interpretatie, niet van de vorm maar van de inhoud, is in elk geval niet of nauwelijks schatplichtig aan de ideeën van Norbert Elias. Zij valt uiteen in twee delen, zoals ook het werk van de kleine hertog zelf: het systeem van het hof en het systeem van het regentschap.

Als we onderzoekers of een aantal grote auteurs moeten noemen die ons in meerdere of mindere mate de weg gewezen hebben bij deze onderneming waaraan wij, in alle bescheidenheid, meer dan twintig jaar hebben gewerkt, dan denken wij niet alleen aan Alain Besançon, maar ook aan Karl Popper en zijn boek *De vrije samenleving en haar vijanden*. Voor *Het leven aan het Franse hof* hebben we ons laten inspireren door Saint-Simon zelf en door het werk van velerlei onderzoekers en vanzelfsprekend door ons eigen denken. Er zijn echter twee lichtende voorbeelden die ons regelmatig de weg gewezen hebben die daardoor recht op het doel afging, naar wij hopen. Dat waren ten eerste de overdenkingen van Pseudo-Dionysius de Areopagiet, de beschrijver – of moeten we zeggen theoloog – van de menselijke als ook kerkelijke en hemelse hiërarchie, die leefde in het eerste millennium: zijn beschouwingen over de rangen en standen, het sacrale, de zuiverheid en de onthechting waren uiterst belangrijk voor ons. Sterker nog, de gedachten van de Areopagiet over hiërarchie zijn, zoals Yves Coirault in zijn *Forêt* (p. 183) aantoont, via middeleeuwse en latere auteurs die ad hoc als tussenpersoon optraden, bij Saint-Simon persoonlijk terechtgekomen, of konden daar terechtkomen. En verder moeten wij hier vanzelfsprekend, nog altijd vanuit een gelijksoortig, zo niet overeenkomstig perspectief, het onvergankelijke *Homo hierarchicus* van Louis Dumont noemen; alleen al de simpele Latijnse titel van dit boek was voor ons zeer veelzeggend. Niet alleen de titel, Dumonts tekst was dat evenzeer...

Sanctus Simo hierarchicus: vrijwel heel dit werk, in elk geval het eerste deel, kan worden samengevat in deze schijnbaar triviale maar in wezen veelbetekenende woorden, wanneer men, zoals wij zelf gepoogd hebben, zich het gedachtegoed van de Areopagiet heeft eigengemaakt, evenals die van een universeel denkende 'hiërarcholoog' als Louis Dumont; en wanneer men zich eveneens, dat spreekt vanzelf, duizenden pagina's van de kroniekschrijver heeft eigengemaakt, zoals wij dat hebben gedaan, ook al willen we ons niet vergelijken met mensen als Yves Coirault, Hélène Himelfarb of Georges Poisson, die elk veel deskundiger zijn dan wij. Hier kunnen we nog aan toevoegen dat voor de netwerken in het hofleven en voor de gezinsstructuur, met name van het patrimoniale huisgezin van de vorst, de kennis van de Britse historiografie à la Lewis Namier evenals het werk van talloze Europese onderzoekers gewijd aan de geschiedenis van het gezin – André Burguière, Antoinette Fauve-Chamoux, Peter Laslett en vele anderen – bijzonder belangrijk en waardevol voor ons waren.

I

DE HIËRARCHIE EN DE RANGEN EN STANDEN

Wat hier aan de orde komt is het probleem van de rangen en standen en van de hiërarchie in het leven aan een koninklijk hof (Versailles 1690-1715) en ook in het post-hofleven tijdens het regentschap (1715-1723). We gaan uit van de *Memoires* van Saint-Simon en soms van andere bronnen, onafhankelijk van dit grootse werk. Als een van de overige bronnen noemen wij hier als eerste de brieven van Liselotte, ook wel genaamd prinses Palatine of Madame, echtgenote van Monsieur, de broer van koning Lodewijk xiv. Liselotte en de kleine hertog[1] hebben elkaars geschriften nooit onder ogen gehad: ze werden beide pas na hun dood uitgegeven. Het gaat hier dus om twee onafhankelijke bronnen, wat tegemoet komt aan de wens van elke historicus die objectiviteit nastreeft. Aan de hand van deze twee auteurs krijgen we in elk geval ten dele toegang tot de ideologie van een beperkte groep (in dit geval het hof, of een deel daarvan); ofwel, toegang tot een 'min of meer sociaal geheel van ideeën en waarden', of eenvoudiger gezegd, tot een 'systeem van ideeën en waarden'.[2]

Ons werk verschilt van dat van Louis Marin, in zijn boek getiteld *Le Portrait du roi*,[3] geschreven in de lijn van Kantorowicz. Deze auteur neemt het lichaam van de koning als middelpunt van zijn analyse. Het onderwerp is relevant, maar te beperkt ten opzichte van de vragen die wij willen stellen. Met betrekking tot de ideologie van de bewoners van Versailles kunnen we wellicht zeggen dat het lichaam van de koning 'te krap gekleed gaat', ook al is de vorst zelf het meest essentiële principe van een aristocratisch centralisme. Dat lichaam vertegenwoordigt bovendien een tot in de puntjes gekleed 'brandpunt'.

Anderzijds maakten wij kennis met het gedachtegoed van Christian Ehalt, de auteur van het recent verschenen boek *De uitdrukkingswijzen van de absolutistische heerschappij. Het hof in Wenen in de zeventiende en achttiende eeuw*.[4] Van dit keizerlijke hof onderzoekt Ehalt met name de problemen die betrekking hebben op de dramatisering van de macht; hierbij gaat het om het tot hoveling worden, de modernisering en de rationalisering van de aristocraten, die voor die tijd krijgslieden waren. De hierin aangedragen ideeën zijn interessant en goed onderbouwd, maar soms missen ze diepgang en reikwijdte. Of het nu om een keizerlijk of een koninklijk hof gaat, het werpt het probleem van de macht op, maar ook, en grotendeels onafhankelijk daarvan, dat van de status. Bovendien neigt Ehalt er, in navolging van Elias, toe de demilitarisering van de hoge adel te overdrijven, die hij afschildert als iets verzachtends en rationaliserends. In werkelijkheid zijn de hovelingen uit de aanzienlijkste families, die de entourage van Lodewijk xiv vormen, op hun manier nog steeds krijgslieden, op uitdrukkelijke wens van de vorst.[5] Ze gaan als de gelegenheid zich voordoet een duel aan. Maar als jonge musketiers en daarna als officieren van diverse rang nemen ze met name actief deel aan de bloedige oorlogen in de jaren 1688-1713. Hun hovelingschap staat dus niet simpelweg gelijk met een overgang naar een nieuwe tijd die tot geweldloosheid zou leiden (de ideeën van iemand als Norbert Elias impliceren juist een dergelijke 'overgang'). Het hovelingschap is sui generis; deze behoort als zelfstandige entiteit bestudeerd te worden.

Voor de rangen en standen en de hiërarchie aan het hof – 'een ceremonieel festival van abstracties', volgens Yves Coirault – kan men het recente proefschrift van J.-P. Labatut[6] raadplegen. Op concreter niveau geven de gravures van Abraham Bosse een scherp beeld van dit soort vraagstukken: zie zijn *Noblesse française à l'église* en zijn *Cérémonies de l'ordre du Saint-Esprit*.[7]

Terugkerend tot onze twee *bronauteurs*, Liselotte en Saint-Simon, kunnen we zeggen dat de brieven van La Palatine alias Madame weliswaar beduidend minder goed geschreven zijn dan de geschriften van de kleine hertog (de vertaling van het Duits naar het Frans heeft ook hun bekoring verminderd), maar op de *Memoires* hebben ze voor dat ze soms beknopter zijn en meer zeggen met minder woorden. We citeren hier als voorbeeld een brief geschreven in Versailles op 27 december 1713.[8] In deze zeer compacte passage die wij als noot hebben opgenomen en die wij hierna zullen samenvatten, definieert Madame de stortvloed van rangen binnen de koninklijke familie en vervolgens die daarbuiten of 'eronder'.

We zien hier dus, behalve de koning, aan het hoofd van de groep, de *fils* of *enfants de France*, ofwel de kinderen van Frankrijk, onder wie de kroonprins, genaamd Monseigneur,[9] de zoon van Lodewijk xiv, en Monsieur, de broer van de koning en zoon van Lodewijk xiii. Ook Monsieur, in de bovenste lijn van het genealogisch overzicht, draagt de titel zoon van Frankrijk. Daarna komen de *petits-fils de France*, ofwel de kleinzonen van Frankrijk, de zonen van Monseigneur, zoals de hertogen de Bourgogne en de Berry; en de zoon van Monsieur, Filips van Orleans, wiens grootvader Lodewijk xiii heette. In de reeks meteen daaronder vinden we de prinsen van den bloede, Condé en Conti: zij zijn in verschillende graden verwant aan Lodewijk xiv, omdat ze net als hij afstammen van een gemeenschappelijke voorvader, Karel van Bourbon, tevens grootvader van Hendrik iv. Als laatsten noemen we in deze aflopende rangorde van de koninklijke familie de bastaarden van Lodewijk xiv: de hertog du Maine en de graaf de Toulouse zijn de onwettige kinderen van de Zonnekoning en Mme de Montespan. Deze hele, op zich al hiërarchisch ingedeelde groep, staat op haar beurt boven het plebs van hertogen en pairs, van wie Saint-Simon vol wrok moet constateren dat ze pas na de bastaarden komen. De tekst van Madame[10] verwijst ook naar de materiële of symbolische tekens die deze rangorde aanduiden: al dan niet eten met de koning; meer of minder tijd met hem doorbrengen; bepaalde officieren hebben die al dan niet hun meester dienen in het bijzijn van de vorst; wel of geen karos enzovoort. Tegelijkertijd maakt zij melding van de hofintriges die deze fundamentele hiërarchie nuanceren zonder haar evenwel ernstig aan te tasten: hierdoor hadden de bastaarden een zekere promotie gemaakt die volgens Saint-Simon ongerechtvaardigd was. In deze brief uit 1713 maakt Madame zich niet echt druk om de promotie van deze onwettige kinderen van de vorst: zij blijven hoe dan ook ver achter bij de prinsen van den bloede, die weer wettelijk worden voorafgegaan door de kinderen van La Palatine en door haarzelf. Madame heeft daarentegen niet kunnen verkroppen dat haar kleindochter, in termen van voorrang, ná de gehuwde prinsessen van den bloede komt; ditmaal is het haar eigen bloed en vooral dat van haar echtgenoot, het bloed van Monsieur en Madame, dat gedegradeerd of 'verlaagd' wordt, ten gevolge van de intriges van Madame de Hertogin, bastaarddochter van Lodewijk xiv, vrouw van een Condé, prins van den bloede, en lid van de kliek van de zoon van de koning: deze hertogin bezat, zowel hier als elders, voldoende invloed om de kleindochter van La Palatine ongestraft te kunnen beledigen. Het is duidelijk dat de kliekvorming doorwerkt in de rangen en standen.[11]

Andere teksten verduidelijken de posities (al of niet gaan zitten in een bepaalde situatie) die de rangen kenmerken.[12] Laten we niet vergeten dat de katholieken tijdens de mis gewoon zijn (of waren) om te knielen, te gaan zitten of te gaan staan al naar gelang de 'rang' of fase waarin de ceremonie was aangeland. Terugkerend naar het hof van Lodewijk xiv kunnen we, nog steeds volgens Madame, concluderen dat haar zoon, de hertog de Chartres en de toekomstige hertog d'Orleans, die kleinzoon van Frankrijk is, het recht heeft om in het bijzijn van de koningin te gaan zitten en in haar karos plaats te nemen.[13] Maar deze schijnbaar onbeduidende handelingen mogen niet worden verricht door de 'gewone' prinsen van den bloede, Condé en Conti. Hun verre verwantschap houdt hen op enige afstand van de koninklijke stamouder. Zij genieten niet de voorrechten van een kleinzoon van Frankrijk, zoals de hertog de Chartres. Eén keer echter liet Lodewijk xiv een Condé, prins van den bloede, plaatsnemen op de voor de jachthonden bestemde achterbank van de koninklijke kales, deze gebeurtenis werd gezien als een wonder en zou zich daarna ook nooit meer herhalen.[14]

Net als Saint-Simon, maar soms duidelijker en minder vurig, vat Madame het probleem van de zitplaatsen aan (stoelen met leuningen of fauteuils, stoelen met rugleuning alias gewone stoelen en ten slotte taboeretten) die de aflopende hiërarchie belichamen:[15]

'De koning wenste geen tussenoplossing in het protocol. De hertog de Lorraine beweerde dat hij op een stoel met leuningen moest zitten in het bijzijn van Monsieur en mijzelf, omdat de keizer hem die ook gaf. De koning antwoordde dat de keizer en hij elk hun eigen protocol hebben, zo geeft de keizer bijvoorbeeld een stoel met leuningen aan de kardinalen, terwijl deze in het bijzijn van de koning niet mogen gaan zitten... Monsieur wil wel een stoel met rugleuning geven en de koning stemt hiermee in, maar de hertog wil behandeld worden als een keurvorst en dat aanvaardt de koning niet. Monsieur stelde toen voor om net zo te handelen als bij de koning van Engeland. Deze wil ons geen stoel geven, wij van onze kant willen er wel een, vandaar dat hij alleen op een taboeret gaat zitten wanneer wij er zijn... Maar de koning wilde hier niet van horen en om niet na een hevige strijd de hertog te beledigen, zagen wij af van onze reis naar Bar' (1 oktober 1699).

Hieruit is duidelijk de 'verlaging' van de onderscheidingstekenen af te lezen die Monsieur, broer van de koning, wel wil toestaan (maar waartegen de hertog de Lorraine protesteert): stoel met leuningen, ofwel fauteuil, voor de keurvorsten (zij besloten met hun stem wie de keizerlijke waardigheid zou dragen en ontleenden daaraan hun prestige); een gewone stoel met rugleuning voor de hertog de Lorraine (die meer wilde); vervolgens eventueel een taboeret voor de Spaanse Grandes en vooral de vrouwelijke Grandes die daarna komen... Een schema van Henri Brocher geeft een goed overzicht van dit systeem van respect naar aanleiding van de vraag: 'Wie gaat al dan niet zitten in het bijzijn van wie en waarop?'[16]

In het bijzijn van Lodewijk xiv en onder bepaalde omstandigheden heeft alleen de koningin in partibus – ofwel, Mme de Maintenon – ergerlijk genoeg recht op een stoel met leuningen, dat wil de facto zeggen op een fauteuil; deze misstand wordt gemaskeerd door gezondheidsredenen aan te voeren. Het *vulgum pecus*, inclusief de dauphin ofwel de kroonprins, is van deze eer uitgesloten. Daarentegen zijn er buiten Versailles anarchistische zones, met name in Marly en in het Trianon, waar hovelingen en zelfs parketwrijvers gaan zitten waar en hoe het hen goeddunkt.[17]

Het gebruik van dit soort materiële tekens strekt zich ver langs de maatschappelijke ladder uit tot op het niveau van de hertogen en pairs die zich mobiliseren rond de (in onze ogen ridicule) kwestie van de muts, waarbij ze zich tegen de eerste president van het parlement keren.[18] Saint-Simon, die geobsedeerd is door het probleem van de rangen en standen en de symbolische uitdrukking ervan, en meer in het algemeen door de structuur van de maatschappij en de daarmee samenhangende symmetrieën – en die een timmermansoog heeft – denkt dat een gebrek aan eerbied voor de symbolen enorme gevolgen kan hebben. In 1718 blijft maarschalk de Montesquiou, de opperbevelhebber van Bretagne,[19] in zijn draagstoel zitten in plaats van te paard te gaan en vervolgens met de Bretonse adel naar de provinciale staten in Dinan te lopen.[20] Dit gebrek aan achting voor de tweede stand zou volgens onze schrijver bijdragen aan de ontevredenheid die zou culmineren in de samenzwering van de Bretonse aristocraten die in 1720 werd bedwongen.[21] Een ander voorval waarvan de gevolgen nog veel ernstiger waren, als we mogen afgaan op de denkbeelden en het (zonder meer onnauwkeurige) verslag van de kroniekschrijver: in 1688 constateert de koning ('die geen maîtresse meer had en graag wilde bouwen') dat een raam in het Trianon (ten onrechte) smaller is dan de overige, zodat hij het laat uitbreken en herbouwen. Hij wijst Louvois op deze asymmetrie, die het eerst ontkent. Uiteindelijk krijgt Lodewijk xiv gelijk, maar de woedende Louvois besluit zijn gebieder mee te slepen in de oorlog tegen de Liga van Augsburg, zodat deze kleine misstap zo snel mogelijk zal worden vergeten.[22]

Systeem van de stoelen

	DAUPHIN DAUPHINE ZONEN EN DOCHTERS VAN FRANKRIJK	KLEINZONEN EN KLEINDOCHTERS VAN FRANKRIJK	PRINSESSEN VAN DEN BLOEDE	PRINSEN VAN DEN BLOEDE	KARDINALEN	HERTOGINNEN BUITENLANDSE PRINSESSEN VROUWELIJKE SPAANSE GRANDES	HERTOGEN BUITENLANDSE PRINSEN SPAANSE GRANDES	VROUWEN VAN AANZIEN	MANNEN VAN AANZIEN
De koning	taboeret	taboeret	taboeret	staande	staande in het bijzijn van de koning taboeret in het bijzijn van de koningin	taboeret	staande	staande	staande
De koningin	taboeret	taboeret	taboeret	staande		taboeret	staande	staande	staande
Dauphin Dauphine Zonen en dochters van Frankrijk	fauteuil	taboeret	taboeret	staande en vervolgens taboeret	taboeret	taboeret	staande	staande	staande
Kleinzonen en kleindochters van Frankrijk	stoel met rugleuning	fauteuil	stoel met rugleuning	stoel met rugleuning	stoel met rugleuning	stoel met rugleuning	taboeret	taboeret	staande
Prinsen en prinsessen van den bloede	fauteuil		fauteuil	fauteuil	fauteuil	fauteuil	fauteuil	zittend	zittend

Deze tabel is overgenomen uit het interessante werk van Henri Brocher, *Le Rang et l'étiquette sous l'Ancien Régime*, Parijs, Alcan, 1934, p. 28. Verticaal de rangen van de koninklijke familie in dalende volgorde; horizontaal dezelfde rangen maar uitgebreid tot de hertogen en mannen van aanzien. De vraag is hoe de horizontale categorieën zich moeten gedragen in het bijzijn van de verticale. Deze tabel geeft de oplossing die Versailles hiervoor vond.

Symbolen kunnen van hoog naar laag langs de rangen en standen afglijden volgens het klassieke proces van devaluatie, wat het onveranderlijke principe van de hiërarchie alleen maar onderstreept. Zo vermindert inflatie de waarde van het geld zonder evenwel de invloed ervan op de economie te verzwakken. La Palatine is door haar huwelijk dochter van Frankrijk: Lodewijk xiv geeft haar, in afwijking van de normale gang van zaken, de beschikking over vier vrouwen die er permanent alleen voor haar zijn (in plaats van de twee die tot dan toe gewoon waren); zij fungeren als hofdame en kamenier. Vandaar gaat dit gebruik van een 'vierspan' van vrouwelijk gevolg over op een kleindochter van Frankrijk, de hertogin de Berry (echtgenote van een kleinzoon van Frankrijk), daarna op een andere kleindochter van Frankrijk (de hertogin d'Orleans) en vervolgens op de prinsessen van den bloede.

Nog een voorbeeld van de filtering van symbolen: na de dood van Monsieur (zoon van Frankrijk), krijgt de hertog de Chartres en toekomstige hertog d'Orleans, de zoon van de overledene (en die dus slechts kleinzoon van Frankrijk is) dezelfde eerste officieren, lijfwachten en soldaten van de Zwitserse garde als zijn vader had. Deze 'neergang' door de generaties van gelijkblijvende eretekenen is niet zuiver symbolisch en theoretisch: in dit geval kent de vorst eveneens enorme materiële en financiële voordelen toe aan zijn jonge neef Filips, bedoeld om hem te troosten met het feit dat hij getrouwd is met een koninklijke bastaard.[23]

Het syndroom van neergang of filtering van symbolen kan leiden tot een steeds verdergaande degradatie die ons tot ver onder de toppen van de hiërarchie voert, belichaamd door de uitgebreide familie van de vorst. Zo was het fluweel voor de nauwe jassen en de mantels aan het hof tot het einde van de zeventiende eeuw voorbehouden aan de hoge edelen, met uitsluiting van de magistratuur. Langzamerhand echter werden de 'lagere' rangen aangestoken. Caumartin, staatsraad en intendant van Financiën, 'is de eerste magistraat die het waagde in een jas of mantel van fluweel te verschijnen' tijdens de laatste jaren van Lodewijk xiv. 'Dat leidde in het begin tot kreten van afkeuring in Versailles. Deze doorstond hij; men raakte eraan gewend; het duurde lang voor iemand hem durfde navolgen, en sindsdien droegen de magistraten langzamerhand alleen nog maar fluweel, waarna de advocaten volgden, de artsen, de notarissen, de kooplieden en de apothekers, tot zelfs de belangrijke zaakgelastigden.'[24] De hoogste rangen moeten dus nieuwe statussymbolen vinden om zich te kunnen blijven onderscheiden van de 'standen' die onder hen komen.

Al met al gaat het bij deze hiërarchieën niet om een eenvoudig verschil tussen diverse maatschappelijke niveaus, maar om een duidelijk en 'holistisch' totaalbeeld van de relaties tussen mensen en groepen. Hoog aan de top van de maatschappij overziet Madame in een oogopslag de rangorde van de kinderen en kleinkinderen van de koning, de prinsen van den bloede, de gewettigde bastaarden, hertogen en pairs, enzovoort. De organisatoren van de processies in Toulouse deden hetzelfde; zij onderscheidden van hoog naar laag zes opeenvolgende categorieën: de rechterlijke macht, de vrije beroepen, de handelslieden, de burgers en renteniers, de kunsten en ambachten (81 ambachten in totaal, ingedeeld volgens een aflopende hiërarchie) en ten slotte de 'niet-ingelijfde' inwoners.[25] Bij de inwoners van Toulouse is de sociale opwinding minder groot dan bij Madame, maar het indelingsprincipe is van dezelfde orde. Maar de hiërarchie van de standen is niet het enige relevante. Geld en macht ondermijnen deze. Iemand als Béchameil, een rijk man en een vroegere pachter, mag dan bespot worden door een graaf en een schop onder zijn gat krijgen van een andere graaf (of van een hertog), maar hij is niettemin de minnaar van een hertogin, schoonvader van een minister en een hertog en een verlicht verzamelaar: hij wordt geraadpleegd door de koning en komt in de 'beste' kringen.[26]

Laten we ons echter beperken tot het probleem van de rangen en standen. Dit begrip is niet simpelweg het gevolg van de oorsprong en de genetische positie van een adellijk geslacht binnen de algehele hiërarchie van geslachten. Rang is zoiets als de grote blauwe mantel van de Barmhartige Maagd, die onder zijn plooien allerlei gegevens bergt, die soms volkomen van elkaar verschillen.[27] Rang impliceert natuurlijk de ouderdom van het betreffende adellijke geslacht, maar ook de daarin voorkomende belangrijke verbintenissen (door voorname huwelijken); belangrijke overheidsfuncties die leden van de familie ooit vervulden; leengoederen en domeinen die bij het bezit horen, enzovoort. Zoals de kleine hertog schrijft: 'anciënniteit, nakomelingen, leengoederen, verbintenissen en functies van enige duur verlenen de vroegst bekende periode van het geslacht in kwestie een wezenlijk aanzien.'[28] We zien hier dat Saint-Simon wat dit betreft zeker niet zo ver gaat dat hij de adel in zijn geheel wil laten afstammen van de oude Germanen of de eerste indringers in het Romeinse Gallië in de derde tot de vijfde eeuw van onze jaartelling... Hij is redelijker dan hij lijkt, zelfs wanneer hij beweert dat zijn eigen geslacht 'in elk geval via de vrouwelijke lijn' afstamt van Karel de Grote![29]

Desondanks blijft de rang, tenminste grotendeels, verbonden met afkomst. Dat geldt met name voor de tweede stand, ofwel de adel. Met betrekking tot de eerste stand (de geestelijkheid), liggen de zaken minder eenvoudig: iemand kan van vrijwel niet-adellijke afkomst zijn, zoals Dubois, en toch aartsbisschop of zelfs kardinaal worden, dat wil zeggen kerkvorst, bij gebrek aan vorst zonder meer. Maar zelfs in dat geval vertoont de benoemingspolitiek van bisschoppen door Lodewijk xiv en diens kerkelijke raadslieden de neiging om rang en afkomst te laten samenvallen. Men geeft de hoge functies, dat wil zeggen de bisdommen, aan 'aanzienlijke' geestelijken afkomstig uit de adel; deze kan dan hofadel zijn of de adel van de hoogste ambtsdragers, van het parlement of van het opperste gerechtshof, van het leger of van de provincie.[30] De onvervalste burgerij is in het bisschoppelijke scala nauwelijks vertegenwoordigd. Saint-Simon beschuldigde de sulpicianen – of, zoals hij zegt, de 'ergerlijke baardmannen van Saint-Sulpice' – er inderdaad van dat ze Mme de Maintenon en de koning ertoe hadden aangezet bisschoppen te rekruteren onder de lieden 'van niets' of 'van generlei waarde'. We moeten hieronder verstaan dat degenen die hij zo aanvalt uit een obscure ambtelijke of rechterlijke adel komen, maar zelden van buiten de tweede stand zelf.[31]

Behalve voor rang en afkomst spreekt Saint-Simon zijn waardering uit voor de verdienste; deze waardering van verdiensten is dan ook geen late uitvinding van de achttiende eeuw.[32] Seneca schijnt deze kwestie reeds te hebben opgeworpen, die in onze klassieke eeuw aanleiding geeft tot talloze essays en vertalingen van Latijnse teksten. Saint-Simon noemt dit cliché zelfs in de paar woorden van een van zijn ondertitels: 'Hervault, aartsbisschop van Tours, diens afkomst, verdiensten en dood.'[33] Nader bekeken benadrukt de kroniekschrijver hierin de deugden, het gallicanisme, het vernuft, de kennis, de cryptojansenistische neigingen en de toewijding van Hervault (dit zijn zijn verdiensten); en zijn hoedanigheid als integer en eervol edelman van oude en goed gelieerde huize (de afkomst), die samen zorgen voor 'een voortreffelijk en standvastig bisschop'. Elders merkt de kroniekschrijver op dat de afstamming van een familie van aanzienlijken en ook van vrienden (wat hemzelf aangaat), op zichzelf al een verdienste is die nog waardevoller is dan de eigenlijke verdienste. In 1715, in een periode dat hij een zekere invloed heeft bij de regent, zorgt Saint-Simon dat Puységur lid wordt van de raad van oorlog vanwege diens uitzonderlijke (militaire) verdiensten; datzelfde geldt voor de hertog de Lévis, een neef van de hertog de Beauvillier, aangezien deze verwantschap op zich al een 'uitnemende verdienste' inhoudt volgens de schrijver van de *Memoires*:[34] in het geval van Lévis staat afkomst gelijk aan verdienste.

De hiërarchie, zoals Saint-Simon die beleefde, vertegenwoordigt een algemene norm die rond 1700 voor de meeste Europese landen geldt. Tegelijkertijd wordt zij belichaamd in verschillende *nationale* rangordes, die niet met elkaar verward moeten worden; elk heeft haar specifieke eigenaardigheden. Een Engelse hertog heeft geen adellijke rang in Frankrijk en vice versa. Wanneer een Engelse hertogin wil gaan zitten in het bijzijn van Lodewijk XIV, moet zij wachten tot de vorst haar een 'taboeret uit goedgunstigheid' toewijst, maar dit zijn slechts bijzondere gunsten die geen gevolgen hebben voor de hertogelijke groep als geheel aan weerszijden van het Kanaal.[35] Hetzelfde geldt voor de Grandes van Spanje: nog in 1696 hebben ze geen enkele rang in Frankrijk; hun vrouwen moeten voor een taboeret aan het hof de goedgunstigheid van Zijne Majesteit afwachten.[36] Pas wanneer de Bourbons in Spanje op de troon zitten zal dit veranderen.

Wellicht is deze 'nationalisatie' van de hiërarchie wel het meest originele element of een van de geheimen van de *Memoires* van Saint-Simon, die zich op het kruispunt van het hiërarchische en het nationale bevinden. Cultureel gezien is Saint-Simon een tijdgenoot van Lodewijk XV (hij schrijft zijn *Memoires* tijdens de regering van deze koning); politiek gezien leeft hij in dezelfde tijd als Lodewijk XIV en vervolgens Filips van Orleans; existentieel gezien is hij een trouw onderdaan van Lodewijk XIII, de koning die hij hevig bewonderde en die zijn vader hertog en pair maakte,[37] en wiens gloednieuwe titel daarna op de kroniekschrijver overging. Welnu, tijdens de regeringsperioden van Lodewijk XIII en Lodewijk XIV, die door Saint-Simon zo intens werden beleefd en verinnerlijkt, nam de nationalisatie van de hiërarchie met rasse schreden toe. Een episcopaal voorbeeld is hier verhelderend: naar aanleiding van de aanstelling van bisschoppen, die andere hoge heren die traditioneel uit de lokale of regionale families kwamen, merkt Michel Péronnet op dat 'Lodewijk XIII ernaar streeft de geografische verbondenheid af te breken, wat ertoe leidt dat het episcopaat een nationaal geheel wordt met een nationaal aanstellingsbeleid'.[38] En dat wat geldt voor de eerste stand, blijkt ook te gelden voor de tweede stand: vanaf 1600 is er sprake van een soort geleidelijke eenwording van de Franse adel, zonder de piramidale hiërarchie ook maar in het minst aan te tasten; zij verenigt de hele groep onder een aantal zeer strikte noemers, met name wat betreft de uitsluiting van bastaarden. De zuidelijke toegeeflijkheid op dit punt wordt tenietgedaan door de noordelijke starheid, die kracht van wet krijgt in het hele koninkrijk.[39]

Waar het om een nationale hiërarchie gaat zijn wrijvingen onvermijdelijk zodra men in bepaalde gevallen buitenlandse rangen moet opnemen aan het Franse hof. Zo vormen de kardinalen regelmatig een probleem, aangezien zij prinsen van het Romeinse hof zijn; niettemin worden ze eervol ontvangen aan het Franse en Spaanse hof, met name wanneer ze potentieel kerkvorst zijn. Zo hadden ze tot 1696 een klapstoel bij de plechtigheden van de Orde van de Saint-Esprit, in plaats van een eenvoudig bankje zoals de overige ridders van deze orde.[40] Ze hebben een tijd lang het recht, net als de koning, een paars rouwkleed te dragen, terwijl de rest van het hof in het zwart rouwt.[41] In Spanje gaf Filips III hun zelfs een fauteuil... wat hem zo bedroefde dat hij ervoor zorgde dat hijzelf, en zij dus ook, alleen op een stenen tweepersoonsbank aan weerskanten van een raam zat.[42] Saint-Simon ergert zich des te heviger aan deze bevoorrechting omdat hij gallicaan is en dus vijandig staat tegenover de paus en de 'rode creaturen' die hem omringen, getooid met hun kardinaalshoed.

Buitenlandse prinsen, die leken zijn en niet van de kerk, vormen ook een probleem. Zij passen per definitie niet in de nationale hiërarchie. Ze worden echter meestal opgenomen tussen de prinsen van den bloede, die de laagste rang van het koninklijk huis vormen, en de hertogen en pairs, die het hoogste echelon van de aristocratie bevolken.[43] De afkeer die Saint-Simon hiervan heeft is eenvoudig te verklaren: als voorstander van een hiërarchisch nationalisme wil hij in zijn systeem geen plaats maken voor niet-Franse magnaten. Als hertog en pair voelt hij zich dubbel door hen vernederd; bovendien verwijt hij hen een ongepaste rang te hebben ingevoerd ten tijde van de Liga, die enerzijds zo gunstig is voor de Guises en het huis van Lotharingen en anderzijds de super-papistische, Iberische en ultra-vrome mentaliteit aanmoedigt waarvan onze schrijver gruwt.[44] Zelfs de beroemde Turenne, met zijn prinsdom Bouillon, vindt geen genade in de ogen van de kroniekschrijver, hoewel hij via de Lorges aan hem verwant is;[45] na hem een aantal complimenten te hebben gemaakt, kraakt hij de maarschalk af: 'Turenne, groot veldheer, maar *nog grotere oproerling*. Zijn bekwaamheid, zijn *geveinsde* bescheidenheid, zijn *dekmantel* van rechtschapenheid voor zijn *trouweloosheid en verraad*.'[46]

Een goed gestructureerde hiërarchie betekent in principe een oneindig doorgaande verticale onderverdeling. Zij moet niet slechts worden belichaamd in de onderverdeling in drie standen die, zoals iedereen weet, uit de geestelijkheid, de adel en de derde stand bestaat. Dit grove schema wordt al snel in verschillende niveaus onderverdeeld: Saint-Simon beweert[47] dat de rang van *kleindochter van Frankrijk* werd ingesteld door Lodewijk XIII voor zijn nicht Mlle de Montpensier, de kleindochter van Hendrik V, op aandringen van Claude de Saint-Simon, de vader van onze schrijver en schoolvoorbeeld van het hiërarchisme; deze nieuwe rang zou gehandhaafd zijn ten tijde van Lodewijk XIV ten bate van de mannelijke en vrouwelijke kleinkinderen van Lodewijk XIII en van de Zonnekoning. Als kleindochter van Frankrijk werd er bij de gestorven Montpensier dus gewaakt door drie dames van stand onder wie een prinses of een hertogin; een dochter van Frankrijk zou zes dames gehad hebben; anderzijds zou bij een prinses van den bloede, duidelijk minder goed voorzien, slechts gewaakt worden door haar huispersoneel. (De hiërarchie komt het duidelijkst tot uiting in de rouwgebruiken, waarbij het sacrale een zekere rol speelt.)

Als specialist in de onderverdeling had hertog Claude de Saint-Simon (als we zijn zoon mogen geloven) een halve taboeret weten te verkrijgen voor de echtgenote van de kanselier van Frankrijk, de *chancelière*; ze had er ten onrechte graag een hele veroverd, net als de hertoginnen. Ze moest zich tevreden stellen met deze halve zetel of deeltijd-taboeret die ze alleen bezette tijdens het toilet van de koningin: de vrouw van de kanselier bevond zich door dit initiatief voortaan halverwege de gewone vrouwen van stand (die altijd stonden) en de hertoginnen, die vaak zaten in het bijzijn van het koninklijk paar.[48] De kanseliersvrouw verwierf echter nimmer de scharlaken hoes waarmee alleen de hertoginnen de imperiaal van hun karos en hun draagstoelen mochten laten bedekken.

Kan men tot in het oneindige doorgaan met onderverdelen? De hertogin d'Orleans, de echtgenote van de toekomstige regent, schijnt dit wel gedacht te hebben; ze had in principe gelijk, ook al gaven de feiten haar ongelijk. 'De hertogin d'Orleans joeg toen vergeefs hersenschimmen na [...]; omdat ze zich niet tevreden stelde met de nieuwe rang van kleindochter van Frankrijk, die ze dankte aan Monsieur, haar echtgenoot [de hertog d'Orleans en kleinzoon van Lodewijk XIII], kon ze het niet verdragen dat haar kinderen slechts prinsen van den bloede waren en wilde ze [voor hen] een tussenvorm verzinnen met de naam *achterkleinzoon van Frankrijk*.'[49] Een vergelijkbare opmerking in 1710: 'De gedachte dat haar kinderen slechts prinsen waren vond zij onverdraaglijk en zij wenste voor hen een aparte rang boven de prinsen. Zij verzon dus onmiddellijk een derde stand *tussen de kroon en de prinsen* en deed haar uiterste best haar plan uitgevoerd te krijgen.'[50] Lodewijk XIV liet de zaak schipbreuk leiden, terwijl het toch zijn eigen verdienste was dat er een duidelijk onderscheid werd gemaakt tussen de feitelijke kroon ofwel het 'koninklijk huis'[51] (koning, zoon en kleinzoon van Frankrijk) en de prinsen van den bloede (die eveneens van koninklijken bloede zijn, maar minder nauw verwant). Deze vormen op hun beurt (behalve de kroon) het geheel van het 'regerende huis'.[52] Met de (nooit ingestelde) rang van achterkleinzoon van Frankrijk zou er een extra onderverdeling zijn aangebracht in het fijngelaagde geheel dat de Kroon heet.

Een fragment van de *Memoires*[53] verduidelijkt deze gegevens nog: in het regerende huis en de kroon onderscheidt men bovendien de 'huizen' van de zonen van Frankrijk en de eerste prins, terwijl de kroonprins, de oudste zoon van de koning, geen eigen huis heeft (met name militair) omdat hij één is met de koning. We kunnen kortom dus onderscheid maken tussen het huis van de koning in beperkte zin (vorst + kroonprins), als een autoritair gezin met eerstgeboorterecht; de aanvullende huizen van de zonen van Frankrijk die geen kroonprins zijn; de kroon of het vorstelijk huis (koning + zoon + kleinzonen van Frankrijk); en ten slotte het regerende huis dat alle mannelijke Bourbons en hun familieleden, inclusief de prinsen van den bloede, omvat.[54]

De teksten en de dossiers die Saint-Simon voor de gelegenheid bijeenbracht (naar aanleiding van de gestrande titel van achterkleindochter van Frankrijk) vormen een van de weinige nog bestaande wrakstukken van de algehele schipbreuk die zijn *bewijsstukken*[55] leden; ze laten duidelijk zien dat het hele hof tot in de hoogste regionen (en niet slechts een paar hoge edelen) warmliep voor deze problemen van hiërarchische onderverdeling *ad infinitum*.

In naam van de 'onderverdeling' verzet Saint-Simon zich ook tegen de opwinding van de adel in 1717: deze betwist[56] de 'natuurlijke' superioriteit van de hertogen en pairs; zij willen de Staten-Generaal opnieuw de zeggenschap geven over de problemen in verband met de troonopvolging. Tegenover de eisen van een ongeregelde groep edelen beroept Saint-Simon zich voor zichzelf en de overige pairs luid en duidelijk op het onderscheid binnen de tweede stand, en wel 'een onderscheidende rang naar geboorte, buiten het regerende huis [...] die stilzwijgend maar voortdurend alle mensen van stand concreet duidelijk maakt dat zij [de hertogen en pairs] zijn en hebben wat degenen van stand nooit kunnen zijn door het verschil in afkomst dat tussen hen bestaat'.[57] Als de adel vergeet dat hij op zijn beurt bestaat uit onderscheiden rangen, is hij niet langer zichzelf; dan is hij nog slechts een 'vermeende adel'.[58]

De min of meer heimelijke steun die deze kleine adellijke opstand van 1717 kreeg, ontstemde Saint-Simon natuurlijk alleen nog maar meer: onder de bondgenoten van het 'gepeupel van edelen' bevond zich Philippe de Vendôme, grootprior van de Maltezer orde in Frankrijk, een vermeende zuiplap en syfilislijder, evenals de gebroeders Mesmes, de een afgezant van deze 'Maltezer' orde in Frankrijk, de ander de eerste president van het parlement van Parijs en beschermeling van de hertog du Maine.[59] Vendôme en Maine, ofte wel bastaardafstammeling van Hendrik v en bastaard van Lodewijk xiv: Saint-Simons obsessionele afkeer van bastaarden voegde zich bij zijn hiërarchische en op onderverdeling gestoelde denken; dit samen deed hem de *globale* actiebereidheid van de adel veroordelen. In dat opzicht onderscheidde onze hertog zich duidelijk van Boulainvilliers, een andere progressieve theoreticus[60] van de tweede stand tijdens de Verlichting. Deze was voorstander van de gelijkheid van de edelen binnen hun blauwbloedige groep als geheel.[61] In die zin bejegende Boulainvilliers de adel als een 'substantie', of een ondoordringbaar geheel, dat kon zorgen voor rampzalige conflicten met andere substanties groter dan zijzelf (waaronder de derde stand). Saint-Simon daarentegen zag de tweede stand en ook de hele Franse samenleving als 'een onbestendig structureel universum' waarin de nadruk werd gelegd op het subtiele interne onderscheid van de standen, onderling verbonden door wederzijdse afhankelijkheid.[62]

De hiërarchie impliceert dus scheiding en onderverdeling in een geest van wederzijdse afhankelijkheid en totaliteit. Zij kan groepen afzonderen, maar ook individuen of op zijn minst families. Persoonlijke kwaliteiten onderscheiden zich in dit geval niet van het bijzondere karakter van een familie. Het is geen aanzienlijk persoon, maar een stamouder die zo naar voren komt; Saint-Simon merkt dit op naar aanleiding van de Spaanse feesten waarbij er 'onderscheiden plaatsen zijn bij elke ceremonie, zowel voor de hooggeplaatsten als voor hun vrouwen, *hun oudste zonen en oudste schoondochters*'.[63]

De hiërarchie raakt de moleculen maar ook de atomen. Elk van de categorieën die Liselotte, alias Madame gedienstig beschrijft (kinderen van Frankrijk, kleinkinderen van Frankrijk, enzovoort) kunnen op een bepaald moment heel goed uit slechts één enkele persoon bestaan, of zelfs een 'leeg geheel' vormen. Dat is het geval met de zonen van Frankrijk, waarvan na de dood van Monsieur (1701) nog slechts één exemplaar overblijft en geen enkele na die van Monseigneur (1711). Niettemin bevindt deze categorie zich, ondanks de schaarsheid of de afwezigheid van de leden ervan, op dezelfde verticale as, en op een hoger plan, als bepaalde groepen die in ieder geval beter gevuld zijn, zoals die van de prinsen en de hertogen en pairs.

Zoals we al zeiden maakt de hiërarchie bij de hertogen en pairs onderscheid tussen de familiehoofden of, wat op hetzelfde neerkomt, tussen de families; deze zijn dan ook genummerd aan de hand van anciënniteit en pairschap. 'De maarschalk de Luxembourg was trots op zijn successen en het applaus dat hij van iedereen kreeg voor zijn overwinningen, en hij dacht dat hij sterk genoeg stond om op te klimmen van de achttiende plaats in anciënniteit die hij onder de pairs innam naar de tweede plaats onmiddellijk na Monsieur d'Uzès.'[64] Natuurlijk is Saint-Simons woede over deze gang van zaken het gevolg van het feit dat hij er zelf het slachtoffer van is: als Luxembourg dit proces van prioriteit of anciënniteit wint, zakt onze hertog van de twaalfde naar de dertiende plaats in de rij van pairs; dan heeft een nieuwe familie, die van de Luxembourgs, zich tussen het elftal pairschappen gewrongen dat al aan dat van de kleine hertog voorafging. Bovendien is een van de medestanders van Luxembourg niemand minder dan Achille III de Harlay, de eerste president van het parlement van Parijs, aan wie onze schrijver een geweldige hekel heeft: Harlay heeft een voorwendsel bedacht om de bastaarden of 'dubbel overspelige kinderen' van de koning en Mme de Montespan te wettigen; erger nog, hij haalt een list uit waardoor deze bastaarden een positie krijgen tussen de prinsen en de pairs.[65] Deze door meerdere redenen ingegeven vijandigheid ten opzichte van bevoorrechting en het bastaardschap is typerend voor Saint-Simon: de kroniekschrijver is naar zijn eigen maatstaven volkomen redelijk wanneer hij zich kant tegen een maarschalk die, door zich te overladen met het prestige van zijn heldendaden, de zorgvuldige rangorde in het pairschap van de hertogen omvergooit. Ook al heet die maarschalk dan Luxembourg...

De affaire Luxembourg, met zijn problemen van nummering en differentiatie van rangen en families, is in alle opzichten exemplarisch. De passages van Saint-Simon over dit onderwerp vormen, volgens hemzelf, 'de meest wrange en bittere gedeelten van zijn *Memoires*'.[66] Hieruit blijkt het enorme belang dat hij hecht aan de onderverdeling ad infinitum van de hiërarchie. Zijn connotaties bij het dossier Luxembourg zijn eveneens typerend voor de globale manier van denken die hij bepleit ten opzichte van de zeden en gewoonten en de geest van het hof. Met betrekking tot Harlay noemde ik al enkele van deze connotaties; hier volgen er nog enkele. Maarschalk Luxembourg wilde de onaantastbare principes van de *hiërarchische* rangorde schenden; het is dus niet verbazingwekkend dat hij zijn dochter laat trouwen met een oude, obscure *bastaard* van een prins van den bloede, die te midden van het uitschot in de kroegen leeft.[67] Het dubbele thema van het bastaardschap en het wijn slempende uitschot valt onder het thema van de immoraliteit, waarvan wij zullen zien dat het centraal staat in het 'saint-simonisme'. Daartegenover zien we onder de medestanders van de hertogen en van Saint-Simon in hun proces tegen Luxembourg Henri-François d'Aguesseau, advocaat-generaal, daarna procureur-generaal en ten slotte kanselier; deze achtenswaardige man is de 'vijand der jezuïeten'.[68] Luxembourg, die a posteriori tot bastaard en uitschot en *a contrario* tot jezuïet is gemaakt, is voor Saint-Simon dan ook het schoolvoorbeeld van de schender van de hiërarchie. En dit alles gaat van generatie op generatie door: Jean de Maisons, president van het parlement en notoir ongehuwd samenwonende, staat achter Luxembourg, die de maîtresse van deze magistraat schaamteloos smeergeld geeft;[69] zijn zoon, Claude de Maisons, eveneens president van het parlement, is een atheïst, en hij is ook, weliswaar in het geheim, een enthousiast medestander van de hertog du Maine, de fameuze bastaard van Lodewijk XIV. Opnieuw vliegen via tussenpersonen overspel, bastaardij en goddeloosheid de verfoeilijke Luxembourg om de oren.[70]

Vergelijkbare affaires, maar met minder verzwarende omstandigheden, brengen Saint-Simon in conflict met een bepaalde hertog die vergeefs voor zijn familie en zichzelf de voorrang boven hem opeist; in 1714 wint de kroniekschrijver een proces over de rangorde[71] tegen hertog François VIII de La Rochefoucauld, die het bedroeft dat hij slechts dertiende pair de France is, terwijl Saint-Simon, die toch van veel lagere geboorte is, twaalfde is.[72] Onze schrijver dankt deze overwinning aan zijn vriend kanselier Pontchartrain; hij is hierom zo enthousiast en dankbaar dat hij de kanselier omhelst 'zoals men een maîtresse kust'.[73] Hierbij moet worden opgemerkt dat de ruzie in kwestie een familieaangelegenheid is, aangezien de vader van Saint-Simon al op slechte voet stond met La Rochefoucauld senior, de schrijver van de *Maximes*.[74]

De nagenoeg individuele rangorde speelt een rol bij de hertogen, maar ook bij de prinsessen, zelfs de bastaarden: twee natuurlijke dochters van de koning moeten een derde aanspreken met *Madame*, omdat zij door haar huwelijk hertogin de Chartres is geworden en daarmee kleindochter van Frankrijk. Deze nieuwe Madame beperkt zich er op haar beurt toe de twee anderen *zuster* te noemen. Ontevreden over deze ongelijke behandeling, denken ze dat ze zich uit deze netelige situatie kunnen redden door de hertogin de Chartres aan te spreken met 'schatje', maar Lodewijk xiv wijst hen terecht.[75]

Ook de vorsten zelf zijn 'geïndexeerd' ten opzichte van elkaar: de Franse vorst, zo beweert Saint-Simon, noemt de koning van Denemarken *Doorluchtigheid*, maar eist dat hij door hem wordt aangesproken met de veel hogere titel van *Majesteit*.[76] Het principe van de rangorde volgens nummering strekt zich uit tot de raadsheren van de koning en anderen: maarschalk Montesquiou wordt in 1721 lid van de regentschapsraad, die dan inmiddels 'de oude harem' wordt genoemd, en staat daar naar leeftijd en waardigheid op de dertigste plaats.[77] De leden van de ridderorden zijn op hun beurt gerangschikt naar anciënniteit, of het nu gaat om de Franse Orde van de Saint-Esprit of de Spaanse Orde van het Gulden Vlies: wanneer Filips v in Madrid aankomt om er te gaan regeren, ontvangt hij het Gulden Vlies uit handen van de ridder die het langst lid is van deze orde, de hertog de Monteleone Pignatelli.[78] Deze vormelijke rangorde in het Gulden Vlies contrasteert overigens met de goedmoedige anarchie die onder de hoogste adel van Spanje heerst: 'Ze nemen onderling geen enkele rang in acht naar anciënniteit of klasse (behalve dan dat ze de aartsbisschop van Toledo laten voorgaan, als primaat van de Spaanse landen); zo stellen zij zich de een na de ander op al naar gelang ze elkaar toevallig tegenkomen.'[79] Volgens Saint-Simon is deze buitensporige goedmoedigheid overigens een van de oorzaken van de minderwaardigheid van Madrid ten opzichte van het hof in Versailles, omdat in Frankrijk de hiërarchische geest een veel hogere vlucht heeft genomen. Spanje is een minder goed gelukt Frankrijk, zoals Frankrijk een minder perfect Duitsland is. Er is behoefte aan de rangorde van het Gulden Vlies, oorspronkelijk afkomstig uit het laat-middeleeuwse Bourgondië, om enige orde te scheppen in de slecht georganiseerde rangen van de Spaanse adel, die, volgens onze auteur, nog de schadelijke invloed ondervindt van de door de Moren veroorzaakte achterlijkheid.

Het subsysteem van de nummering staat echter niet centraal. Het blijft ondergeschikt aan het algemenere principe van de hiërarchie en kan er zelfs strijdig mee zijn, bijvoorbeeld in het geval van het *ordre du tableau* of *promotiesysteem* dat Louvois in het leger had ingevoerd: 'Promoties vonden alleen nog plaats door bevordering volgens anciënniteit, wat men het ordre du tableau noemde. Vandaar dat alle [hoge] edelen ingelijfd waren bij de grote massa van de officieren van allerlei pluimage. Vandaar deze verwarring [...] deze veronachtzaming van allen [...] van elk verschil naar persoon en naar afkomst, in deze gemeenzaam geworden militaire dienst.'[80] De positivistische geschiedschrijving heeft aangetoond dat Saint-Simon op dit punt overdreef: in werkelijkheid hield men bij de promoties rekening met de persoonlijke verdiensten en talenten,[81] maar men hield in grote lijnen ook rekening met de *afkomst* (de groep officieren bleef over het algemeen van adellijke afkomst). Hoe relevant ook, deze positivistische tegenwerping kan hier noch elders de diepere logica van Saint-Simons standpunten tenietdoen: in de strenge en schrandere ogen van onze auteur is de rangorde naar anciënniteit in principe slechts aanvaardbaar zolang zij de wezenlijke hiërarchie versterkt en niet vernietigt, deze hiërarchie die de families ten opzichte van elkaar ordent volgens de eerbiedwaardigheid van hun oorsprong of hun afkomst, geheel in tegenstelling met een 'volkomen gelijk gemeen volk'.[82]

Waar het de omgang van militairen onderling betreft, heeft Saint-Simon slechts sarcastische opmerkingen voor de adellijke legerofficieren die mensen naar militaire rang bij hen thuis te eten vragen, met uitsluiting van de onderofficieren, in plaats van alleen te kijken naar afkomst voor de keuze van hun disgenoten.[83]

Saint-Simons sociologische visie laat haar sporen na in zijn kijk op de biologie: men wordt geen hertog of prins, men wordt zo geboren; men is zo wanneer men uit de buik van de moeder te voorschijn komt, en zelfs al daarin. Een prinses bevalt van een hertog, een koningin bevalt van een prins: 'Op 6 juni kregen wij bericht dat de koningin van Spanje in Madrid was bevallen van een prins, die men don Filips noemde... Op 8 januari beviel Madame de hertogin de Bourgogne van een hertog de Bretagne.[84]

Men kan achteraf gezien zelfs bevallen van een prelaat! 'Florence Pélerin, actrice en danseres bij de Opéra, die lange tijd door Monsieur de hertog d'Orleans gemainteneerd was en hem de huidige aartsbisschop van Kamerijk had geschonken...'[85] De bevalling kon in principe een bepaalde hiërarchie tot uitdrukking brengen: vóór Lodewijk xiv waren de hertoginnen aanwezig bij de bevallingen van de koningin; deze en de dochters van Frankrijk brachten een tegenbezoek bij de bevallingen van de hertoginnen.[86] Later is dit allemaal min of meer verloren gegaan...

De bijna biologische systematiek blijft verticaal hiërarchisch ingedeeld: hoe hoger men in de rangorde zit, hoe meer erkenning men van de lagere niveaus verwacht, en hoe minder men die zelf geeft. Dit geldt met name voor de koningen, vooral die in Madrid. Zij ontvangen bezoek, maar zij leggen nooit een bezoek af, alleen bij hoge uitzondering. Tussen de regering van Filips ii en die van Filips v van Spanje bijvoorbeeld, noteert Saint-Simon in dat land geen énkel soortgelijk koninklijk bezoek. Het is begrijpelijk dat de kroniekschrijver in vervoering raakt wanneer zich in 1710 eindelijk onverwacht een dergelijke ongelofelijke gebeurtenis voordoet: 'Tijdens zijn driedaagse verblijf in Madrid deed koning Filips v iets wat in Spanje vrijwel ongehoord is[87] [...] en wel dat hij een bezoek bracht aan de markies van Mancera, die dacht dat hij zou sterven van vreugde.' Mancera had dit bezoek meer dan verdiend vanwege het patriottisme dat hij in de meest recente oorlog had getoond; hij was inmiddels 102 geworden dankzij een macrobiotisch dieet van water met ijs en gesuikerde rozen[88] en hij kon zich erop laten voorstaan dat hem, door dit koninklijke bezoek aan zijn huis, een met niets te vergelijken eer te beurt was gevallen, die waarschijnlijk niet meer was voorgekomen sinds de dood van de hertog van Alva in 1582: 'Voor zover ik weet,' voegt Saint-Simon daaraan toe, 'is er nooit meer een koning van Spanje bij iemand op bezoek geweest sinds Filips ii naar de beroemde hertog van Alva ging die op sterven lag en die, toen hij hem zijn slaapkamer zag binnenkomen, tegen hem zei dat het te laat was, waarna hij zich omdraaide en geen woord meer tegen hem wilde zeggen.'

De bezoeken van Lodewijk xiv zijn zeker talrijker dan die van zijn Spaanse even-knieën, maar zij worden beschouwd als gebeurtenissen waarvoor de ontvangende persoon wonderen van vleierij tentoon moet spreiden, zelfs en vooral wanneer de koning slechts door een kamerdienaar wordt vertegenwoordigd.[90]

Wanneer de jonge Lodewijk xv een bezoek wil brengen aan oud-kanselier Pont-chartrain, zorgt deze ervoor dat een dergelijke koninklijke inval, die van een mon-sterachtig protocol is, niet echt plaatsvindt: met de uiterste beleefdheid verbiedt hij de jonge koning in feite zijn huis binnen te gaan.[91]

Montesquieu beschrijft dit subtiel: een onderscheid naar rang is ook een onder-scheid naar grondgebieden: niet-adellijk, vrij erfleen of adellijk. Zij weerspiegelen in hun veranderlijke karakter de eventuele opklimming van de adellijke heersers en eigenaren op de ladder van rangen en standen: 'De koning [Lodewijk xv] heeft onlangs het gebied van Marigny-en-Brie, bij Coulommiers, tot markizaat verheven, ten gunste van Monsieur de Vandières [familie van de markiezin de Pompadour], die dit gebied van Marigny heeft geërfd van zijn vader.'[93]

Hoe geboeid Saint-Simon ook is door de onderlinge relaties van mensen en door de piramidevormige structuur van de maatschappij, hij interesseert zich nauwelijks voor de relatie van deze mensen met hun bezittingen, die van het individu een bezitter of een arbeider maakt.[94] Hij is niet degene die, net als een econoom als Quesnay, de adel gedefinieerd zou hebben als een 'bezittende klasse'. (Hij komt daar overigens dicht bij in de buurt, bij een bepaalde gelegenheid waarop ik nog terugkom, wanneer hij over zijn blauwbloedige collega's spreekt als een groep van 'grondbezitters'.) Hoewel Saint-Simon niet echt verzot is op politieke economie, ondanks zijn verlichte bewondering voor de geschriften van Vauban en Boisguil-bert,[95] is hij geneigd datgene waarvan de wetenschap van de middelen van bestaan op een dag verslag zal doen in termen van spelingen van de natuur of te geringe productiviteit, te wijten aan de domheid of de slechtheid van de tweevoeters. Vol-gens de kleine hertog treft het menselijk bestuur vaak meer schuld dan de loop der dingen: onze auteur legt fijntjes uit dat de rampzalige overstroming van de Loire in 1707 te wijten is aan het simpele feit dat de domme maarschalk de La Feuillade (aan wie hij een hekel heeft) rotsen langs de rivier heeft laten opblazen die tot dan toe dienden als een natuurlijke bescherming; God had ze hiertoe op die plek langs de rivier neergelegd.[96] Aangezien La Feuillade daarnaast ook nog een dief, een homoseksueel en een onbekwaam iemand is, en bovendien een vijand van de her-tog d'Orleans met wie Saint-Simon bevriend is,[97] klopt alles: de menselijke kwaad-willigheid veroorzaakt simpelweg de overstroming van de Loire. Zonder dat het toch zeer aannemelijke initiatief van de natuur hoeft te worden aangeklaagd.

Hierbij is Saint-Simons houding ten opzichte van hongersnoden een test. Wij zien deze als een 'bevoorrecht' moment (als we het zo mogen noemen) in de ver-houding tussen de mens en zijn omgeving. In de vroegere samenlevingen, toen de productiviteit nog gering was, waren een of twee slechte jaren waarin abnormaal weer minder graankorrels liet groeien, al voldoende om het graan schaars te laten worden, de prijs van de tarwe op te drijven, het aantal huwelijken en geboorten te verminderen en het sterftecijfer te laten stijgen, terwijl het tarwe-oproer of de *food riot* opvlamde op de pleinen. Het reële tekort aan broodgrondstof, veroorzaakt door de slechte weersomstandigheden, kon natuurlijk nog erger worden door speculatie en door de zwarte markt, die het gevolg waren van de slechtheid van de sjacheraars. Maar zowel het een als het ander waren voor Saint-Simon slechts nevenoorzaken. Saint-Simons houding tegenover het verschijnsel hongersnood is dubbel: ofwel hij negeert het (zoals bij de hongersnood van 1693), of hij neemt het op in het 'architectonische' systeem waarmee hij de samenleving als geheel verklaart: de invloed van de seizoenen speelt hierin een veel kleinere rol dan die van de maatschappelijke intriges.

Iets wat hij simpelweg negeert is de honger van 1693-1694. In de zomer van 1692 is onze hertog als jonge musketier getuige van de voorbereidingen voor de belegering van Namen. 'Het mooie weer,' zo schreef hij hierover, 'veranderde in zulke overvloedige en voortdurende regenbuien dat geen mens in het leger ooit iets dergelijks had gezien en ze bezorgden de heilige Medardus, wiens gedenkdag op 8 juni valt, een geduchte reputatie. Het stortregende die dag en men beweert dat het weer van die dag veertig dagen daarna aanhoudt. Het toeval wilde dat het dat jaar ook gebeurde. De soldaten, wanhopig door deze zondvloed, vervloekten deze heilige [Médard], zochten beelden van hem en sloegen alles wat ze vonden stuk en verbrandden het. Die regenbuien werden een ramp voor de belegering.' We zien dat Saint-Simon zich discreet distantieert van het volkse en bijna middeleeuwse bijgeloof van de soldaten die het beeld van de heilige regenmaker aanvielen, wanneer deze als het ware zijn mandaat overschrijdt en 'te veel besproeit'. Voor onze auteur, wiens christendom gezuiverd is, kan een heilige niet de veroorzaker zijn van weersverschijnselen waarover alleen de Voorzienigheid (God) en de nevenoorzaken (het toeval) beslissen. Maar verder gaat het inzicht van Saint-Simon, dat erg doet denken aan dat van Malebranche, niet. Want de jonge Saint-Simon was tijdens die verregende dagen voor de belegering getuige geweest van de 'oorsprong' van de grote hongersnood van 1693-1694. Deze was (naast andere factoren) inderdaad het resultaat van een zeer natte, regenachtige zomer, herfst en begin van de winter die een stempel drukten op de tweede helft van het jaar 1692; deze verschijnselen schaadden uiteindelijk de oogst van 1693, wat op zijn beurt in Frankrijk in 1693-1694 zou zorgen voor een menselijk tekort van een miljoen personen, vanwege de extra doden en het geringere aantal geboorten (een verlies van vijf procent van de totale bevolking). Maar over deze hongersnood zegt Saint-Simon geen woord. En toch had hij, zoals we zagen, er de klimatologische voorboden van opgemerkt. Het maakt hem dus des te 'schuldiger' dat hij tijdens die noodlottige twee jaren het alleen maar heeft over 'onbenulligheden' van het hof en de oorlog, terwijl zich voor zijn ogen een desastreuze hongersnood afspeelt.

Over de hongersnood van 1709-1710 is Saint-Simon daarentegen veel welbespraakter. Dat is normaal: ondertussen is hij een belangrijk iemand aan het hof geworden, al behoort hij tot het tweede garnituur. Hij is geheim raadsheer van de hertog d'Orleans en vooral van de hertogen de Bourgogne, de Beauvillier en de Chevreuse: deze drie vormen een hervormingsgezinde groep die zich ernstig bezorgd maakt over de enorme verarming van de bevolking. Met betrekking tot het jaar 1707 maakt Saint-Simon voor het eerst a posteriori of van tevoren melding van het geleerde werk van Vauban en van Boisguilbert, die beiden de armoede willen verlichten en de financiën willen saneren.[99] Het is begrijpelijk dat onze auteur in één adem door de strenge kou van 1709 noemt. Bovendien beschrijft hij tot in detail de hongersnood die in 1709 en 1710 het gevolg van deze vorst was.

De lezer moet zich echter niet laten misleiden door deze aandacht. Het verslag dat Saint-Simon van deze laatste verschijnselen geeft is vaak tendentieus: in 1709 rekent hij het onheil, dat voor een groot deel het gevolg is van de grillen van de thermometer, toe aan de verantwoordelijkheid van personen en autoriteiten. Hij beweert zelfs dat de luitenant van politie van Argenson (wiens liefde voor de jezuïeten hem mishaagt)[100] en de provinciale intendanten dat jaar een duistere zaak op touw hadden gezet.[101] Het zichtbaarste resultaat hiervan zou zijn dat het volk tot de hongersnood werd veroordeeld. Hij projecteert op het jaar 1709 beschuldigingen die veel gehoord worden in het decennium rond 1740, de periode waarin hij hard werkt aan de definitieve versie van zijn Memoires. Daarmee plaatst hij zich in een traditionele denkwijze: in plaats van de geringe productiviteit van de landbouw en de wisselvalligheid van het weer onder ogen te zien, houdt hij liever vast aan zijn overtuiging dat er in het geheim welbewust complotten worden gesmeed om het volk te laten verhongeren. Hij is ten prooi aan de obsessie met het brood (niet het zijne, hij heeft meer dan genoeg, maar dat van de armen aan wie hij met oprechte gulheid denkt). Deze bezorgdheid glijdt bij hem langzaam maar zeker af naar het idee-fixe van een samenzwering die men later lasterlijk het hongerpact zal noemen. Het feit dat de overheid in 1709-1710 het bedorven graan weggooit en het graan dat nog goed is probeert op te slaan, leidt ertoe dat onze hertog haar zowel verspilling als hamsteren verwijt. Het beeld van het hongerpact of beter het complot 'vindt zo geloof bij het volk, maar ook bij de magistraten en kooplieden' en zelfs bij onze kroniekschrijver! Min of meer te goeder trouw beweren zij allen dat de hongersnood 'kunstmatig, gewild, georganiseerd' is; degenen die daar verantwoordelijk voor zijn en van profiteren zijn degenen die aan de macht zijn en de 'heren van Financiën', die door de pairs worden verfoeid.[102] De vorst zelf, of het nu gaat om Lodewijk XIV in 1709 of Lodewijk XV in 1740 en daarna, komt eruit te voorschijn als de min of meer bewuste medeplichtige van de onbarmhartige bureaucraten en de malafide hamsteraars. Het mystieke beeld van de vaderlijke en vruchtbaarheid schenkende monarchie[103] is lastig te rijmen met de grilligheden van de zich steeds verder uitbreidende graanmarkt, en met de weerstand van de traditionele manier van denken: deze ziet de hand van slechte lieden waar wij de overlast van slechte weersomstandigheden en de beperkingen van een armoedige wereld zien. In die zin blijft de ideologie van Saint-Simon verankerd in de hiërarchische constanten van de toenmalige samenleving; zij wortelt eveneens in de mentale representaties die in die tijd gangbaar zijn bij de meerderheid: deze denkt, zowel boven als onder aan de lange menselijke keten, dat het raadsel van de hongersnood en de 'wrede kuiperijen met het graan' veeleer zijn te wijten aan sociale oorzaken dan aan rampen van de natuur, de economie of het milieu.

Binnen dit strakke kader, en met zijn persoonlijke beperkingen, is Saint-Simon met zijn hiërarchische visie geneigd van hoog naar laag 'gelaagde' structuren aan te brengen; en deze zijn weer van elkaar gescheiden in een redelijk groot aantal niveaus. Zoals we zagen bestaat het ideaal uit een hiërarchisering van de families ten opzichte van elkaar; dit leidt ertoe dat er tot aan de top van de hiërarchie tientallen, zo niet honderden onderverdelingen ontstaan. Het geheel – inclusief de top – blijft, we herhalen het nog maar eens, ingebed in het veel ruimere of eenvoudiger systeem van de drie standen: geestelijkheid, adel en derde stand.

Ondanks zijn geringe interesse voor alles wat niet zuiver en alleen met de hiërarchie te maken heeft en een zekere onwetendheid op economisch gebied, kent Saint-Simon de drie standen een aantal puur materieel afgebakende terreinen toe. Voor hem[104] bestaat de tweede stand (de adel) in wezen uit *grondeigenaren*: 'De landerijen en het zwaard, dat is al het bezit van de adel.' De derde stand daarentegen is verbonden met de rente die de staatskas van de koning uitbetaalt en waarvan magistraten, groothandelaren en eenvoudige burgers profiteren: deze vormt in de toplaag in wezen een groep van *renteniers*.

Hier valt op dat de socioloog Saint-Simon, door de magistraten van de rechtbank terug te verwijzen naar de derde stand,[105] vanuit juridisch oogpunt ongelijk heeft. De leden van de rechtbank zijn in principe en rechtens geadeld,[106] kortom edelen – in Parijs van vrij recente adel maar in de provincie soms van oude adel. Maar de kroniekschrijver, die zich wat Bretagne betreft vergist, heeft op zijn manier toch 'gelijk', gezien vanuit een existentieel snobisme dat kenmerkend is voor de hoge aristocratie van het hof[107] waarvan hij deel uitmaakt. Dit snobisme[108] wordt overigens gedeeld door de geadelde magistraten die het slachtoffer zijn van de neerbuigendheid van de aristocraten, maar deze niettemin op hun beurt ook toepassen, zozeer zelfs dat ze die minachting internaliseren en zich eigen maken; zozeer dat ze zelfs 'de minachting voor elke vorm van bourgeoisie [sic], of die nu gekleed gaat in het purper, authentiek geadeld is en gezeten is op de Franse lelie' aanvaarden. Bourgeoisie, zo noteert Roland Mousnier, meer stelde die hoge ambtsadel niet voor volgens een edelman. En om de woorden aan te halen van abbé de Choisy in zijn *Memoires*, geschreven tijdens Lodewijk xiv: 'Mijn moeder, die een Hurault de L'Hôpital was, zei vaak tegen me: Luister, mijn zoon, wees niet verwaand en bedenk dat je slechts een burger bent. Ik weet wel dat je vader en je grootvaders staatsraden waren, maar neem van mij aan dat Frankrijk alleen krijgsadel erkent. De hele natie ontleent haar roem aan wapens.'[109]

We herhalen dus, terwijl we de snob Saint-Simon corrigeren maar onder voorbehoud de authentieke groepsgeest waardoor hij wordt geleid aanvaarden, dat in zijn ogen de krijgsadel grondbezitters zijn en de magistratuur en de toplaag van de derde stand daarentegen tendentieel renteniers zijn.[110]

Het onderscheid tussen de top van de hiërarchie en de onderlaag ervan (die door Saint-Simon zo nu en dan, wanneer hij in een slecht humeur is, het gepeupel wordt genoemd) kan op twee heel verschillende manieren gemaakt worden. Zo blijken bepaalde figuren aan het hof, die in principe geen aanzien hebben en de eenvoudige titel kamerdienaar van de koning dragen, of beter nog die van eerste kamerdienaar, in werkelijkheid machtig te zijn en soms zelfs geducht, aangezien ze functioneren als vertrouwenspersoon van de vorst; ze dineren probleemloos met de hoge heren. Een zekere Louis Blouin, eerste kamerdienaar van Lodewijk xiv en minnaar van de prachtige dochter van de schilder Mignard, is intiem bevriend met de hertogen Villeroy en La Rocheguyon (alias La Rochefoucauld) 'die vrijwel elke avond bij hem souperen'.[111] Een zekere Beringhen, eerste kamerdienaar van Lodewijk xiii, die zich onderscheidde door zijn schitterende daden op het slagveld, werd onder Mazarin opperstalmeester van het hof, wat niet gering is.[112]

Nu het over de aanzienlijke afstand gaat tussen de hoge rangen van het hof en de grote massa van het niet-adellijke volk, is de houding van Saint-Simon anders maar niet eenduidig. Het gebeurt wel dat hij, ten opzichte van de lager geplaatste standen, een minzame, zelfs vriendelijke toon aanslaat: zo noemt hij bijvoorbeeld de (technisch voortreffelijke) landbouwers van de streek Alleu, 'die vruchtbaar is, maar die bovendien slechts harde werkers kent, mensen met een gezond verstand en een uitstekend oordeel'.[113] Hij vermeldt ook kapitein Le Fèvre, vroeger varkenshoeder, drager van de Orde van Saint-Louis, nog steeds analfabeet, officier geworden door zijn militaire verdiensten en die door de aristocraten in het leger graag gezien was en werd gewaardeerd.[114] Hij vermeldt ook de echtgenote van de postmeester van Nonancourt, 'een zeer rechtschapen vrouw die esprit, gezond verstand, een goed geheugen en moed had'; hij verklaart zelfs dat zij troonpretendent Stuart van Engeland had behoed voor een aanslag door Engelse huurmoordenaars.[115] De pastoor van La Ferté, een onbeduidend iemand in een dorp waarvan Saint-Simon de leenheer is, verschijnt als een 'geestige en geleerde man'.[116] Ten slotte wordt Ducasse, de vermeende 'zoon van een kleine varkensslager die worsten verkocht in Bayonne', beschreven als een dappere matroos die terecht, zo zeggen de *Memoires*, is opgeklommen tot de rang van gezagvoerder van een eskader.[117]

Het gebeurt ook dat Saint-Simon oprecht de misère van het volk als geheel betreurt. Maar zijn minachting voor individuen afkomstig uit een lage maatschappelijke klasse of zelfs uit de middenklassen, en voor de oorsprong van families die zijn voortgekomen uit dat soort 'tufsteen', wordt meermalen duidelijk zichtbaar en laat geen twijfel bestaan over zijn ware gevoelens... in elk geval wanneer het gaat om mensen die hij verfoeit. Kardinaal Dubois was in het begin slechts, zoals hij het noemt, 'een bediende zonder wat dan ook'. (In werkelijkheid is dit overdreven: Dubois is de jongste zoon van een apotheekhoudende arts uit Brive; als adolescent studeert hij met een beurs aan het Saint-Michelcollege in Parijs.)[118] Kardinaal Fleury werd, in het gewone leven, geboren bij 'een ontvanger van de tienden in het diocees van Lodève' (een burgerlijke, zelfs adellijke betrekking en zeker niet zo gering als Saint-Simon wil doen geloven). Onze hertog aarzelt echter niet ook hem te minachten: 'Fleury was als jongeling tussen de dienaren van kardinaal Bonsy terechtgekomen...'[119] Vertaald is dat: Fleury was een van de beschermelingen, die bepaald niet in laag aanzien stonden, van kardinaal Bonsy. De jezuïet Tellier, die Saint-Simon ook niet kon uitstaan, is 'de zoon van een keuterboer in Normandië'.[120] Neergezet als oud vuil![121] De Lanti's zijn vermaard in de Romeinse en zelfs Franse aristocratie: in werkelijkheid *stellen die Lanti's helemaal niets voor*, ze hebben de naam Della Rovere aangenomen omdat het een naam van moederskant was, en die Roveres zelf kwamen voor hun pontificaat *uit de heffe des volks*' (dat wil zeggen voordat Francesco della Rovere in 1471 onder de naam Sixtus IV paus werd).[122] De uitdrukking *heffe des volks* vloeit regelmatig uit de pen van de kroniekschrijver en verbindt de lagere rangen met het begrip onzuiverheid. (Saint-Simon schrijft bijvoorbeeld regelmatig dat een bepaalde hertog getrouwd is met 'een schepsel uit de heffe des volks', lees een dienster uit een taveerne.) Anderzijds wijst de term *armoedzaaier* op de armoede van de besproken persoon; door analogie suggereert hij ook de middelmatigheid van de vooroudere: 'Abbé Tencin was priester en armoedzaaier, achterkleinzoon van een edelsmid... Guérin was zijn naam en Tencin die van een stukje land waarvan de hele familie moest leven.'[123] Wanneer men deze laatdunkende woorden leest is nauwelijks te bevroeden dat de Tencins, zeker van recente adel (maar minder recent dan Saint-Simon beweert), behoorden tot een van de voornaamste, zo niet rijkste families van de Dauphiné.

De harington riekt altijd naar haring; de notariële en rechterlijke burgerij brengt moeiteloos oplichters en nietsnutten voort. *Oplichters*: 'Een zekere Tessé, intendant van mijn vader, die een aantal jaren bij hem in dienst was, verdween plotseling waarbij hij vijftigduizend pond meenam [...] waarvoor hij valse kwitanties had uitgeschreven.'[124] Men had natuurlijk nooit moeten afgaan op het schijnheilige uiterlijk van deze pennenlikker: 'Hij was een zachtaardig, beminnelijk en handig mannetje dat zich van zijn goede kanten had getoond, dat vrienden had, een advocaat bij de rechtbank van Parijs...' De *nietsnut* is nog erger. Een dergelijk individu is niet alleen nutteloos, hij is ook schadelijk voor zijn land: 'Ik zou hier niet vermelden dat Arouet [Voltaire] [in 1717] in de Bastille belandde vanwege zijn aanstotelijke verzen, als hij niet befaamd was geworden om zijn poëzie, zijn avonturen en de manie die de wereld voor hem heeft. Hij was de zoon van mijn vaders notaris, die ik vele malen akten heb zien komen brengen ter ondertekening. Hij [de notaris] heeft nooit iets kunnen aanvangen met zijn libertijnse zoon, die in de libertinage ten slotte fortuin heeft gemaakt als Voltaire, de schuilnaam die hij aannam.'[125]

De rangorde, het zij nogmaals gezegd, is gebaseerd op een indeling naar voorkeur van de families, gerangschikt naar aanzien in dalende volgorde. Aan deze overdracht de jure van de rangen, zoals op de man volgens het eerstgeboorterecht, zouden de door Saint-Simon geobserveerde edelen graag het erfrecht de facto van de ambten toegevoegd zien.

Deze lenen zich daar niet altijd toe omdat ze niet alleen vacant kunnen zijn na het overlijden van de ambtsdrager (dat spreekt vanzelf), maar zelfs zodra de vorst is gestorven: de eerste lijfarts verliest bijvoorbeeld automatisch zijn ambt na de dood van de koning, omdat dit ambt deel uitmaakt van zijn strikt persoonlijke en zelfs huiselijke entourage.[126] Afgezien van dit speciale geval en nog een aantal andere doen de elitaire, bureaucratisch ingestelde families als de Colberts en de Phélypeaux-Pontchartrains hun uiterste best om hun ambten van vader op zoon te laten overgaan: 'Maurepas, die nog praktisch een kind is, is benoemd tot secretaris van Staat in de plaats van zijn ontslagen vader Pontchartrain.'[127] Dit verlangen naar eeuwigheid of in elk geval naar voortbestaan geldt evenzeer voor de ambten en waardigheden die meer eer of status met zich meebrengen dan werkelijke macht. Dat zijn in de eerste plaats de ridderorden: de markies van Listenois had het Gulden Vlies verworven dankzij de steun van zijn schoonmoeder de gravin van Mailly, geboren Saint-Hermine; zij had dit Gulden Vlies met steun van Mme de Maintenon in de wacht gesleept om haar schoonzoon te troosten met het feit dat zij zijn echtgenote geen gepaste bruidsschat had meegegeven.[128] Genoemd Vlies 'bleek nogal barbaars' want kort daarvoor had Listenois zijn schoonmoeder 1200 pistolen afgetroggeld met als voorwendsel dat het het losgeld was dat betaald moest worden voor een gefingeerde gevangenschap.[129] Maar Madame Mailly besloot dit door de vingers te zien. Enige tijd later wordt Listenois gedood bij de belegering van Aire-sur-la-Lys.[130] Het jaar daarop (1711), verwerft Bauffremont, de broer van Listenois het Vlies dat door de roemrijke dood van de eerste ontvanger was vrijgekomen.[131] Dit op frauduleuze manier verkregen onderscheidingsteken werd uiteindelijk familiebezit.

Hetzelfde kan gezegd worden over het gouverneurschap van de provincies: door de uitbreiding van het aantal intendanten was het min of meer een eretitel geworden,[132] maar de intendant of gouverneur had nog wel een aantal militaire bevoegdheden. Het gouverneurschap van Anjou gaat bijvoorbeeld over van vader op zoon en daarna op de kleinzoon: de vader (de graaf van Armagnac) dwingt uiteindelijk de zoon (de graaf van Brionne) het ambt van gouverneur van Anjou over te dragen aan de kleinzoon (de prins van Lambesc), die de derde generatie vertegenwoordigt.[133] Soms moet er een prijs voor betaald worden: Ségur (uit de kring van de hertog d'Orleans) was 'de volgende in lijn' voor het gouverneurschap van de streek Foix dat zijn vader had bekleed. Bijgevolg gaat hij recht op zijn doel af: hij trouwt met de niet-erkende bastaarddochter van de hertog d'Orleans en de comédienne Desmares.[134] De nieuwe schoonvader, in zijn hoedanigheid van regent, toont zijn dankbaarheid door Ségur 200.000 Tournooise ponden te geven... en het gouverneurschap van Foix[135] dat Ségur senior, met toestemming van Lodewijk XIV, oorspronkelijk had gekocht van maarschalk de Tallard. Hetzelfde spel van verwerving, benoeming en erfrecht de facto zien we bij het gouverneurschap van Douai: na de dood van de oude gouverneur Pomereu (ex-kapitein van de garde en broer van een staatsraad), geeft de regent deze post aan graaf François d'Estaing, een luitenant-generaal die tijdens de oorlog met Spanje onder hem had gediend.[136] D'Estaing, die zijn pappenheimers kende, had zijn zoon Charles voordien al laten trouwen met de enige dochter en rijke erfgename van een Fontaine-Martel. Een uitstekende zet! De moeder van dit meisje was net als d'Estaing een beschermelinge van de regent.

Gesteund door deze dubbele vriendschap kost het François d'Estaing daarna geen enkele moeite om aan zijn zoon Charles het lucratieve gouverneurschap van Douai door te geven. De regent zou opnieuw van harte met deze kunstgreep instemmen.[137]

Dit soort opvolgingen houden, in een tijd van inflatie, ook een indexering in van het traktement dat bij het ambt hoort: in 1710 laat maarschalk de Matignon, een gierige Normandiër, zijn zoon Gacé trouwen met de dochter (voorzien van een bruidsschat van 100.000 ecu) van maarschalk de Châteaurenault (het zal trouwens geen gelukkig huwelijk zijn). Om de 'bruidsschat' van zijn zoon aan te vullen, legt Matignon ten behoeve van hem zijn gouverneurschap van La Rochelle en de streek Aunis[138] neer, waarvan de opbrengsten 16.000 pond bedragen en de waarde 230.000 pond is. In 1719, wanneer het economisch beter gaat en de kosten van levensonderhoud hoger zijn, regelt Matignon met de regent dat het traktement van het gouverneurschap van Aunis met 6.000 pond wordt verhoogd.[139] Toegegeven, deze familie van leenheren in het westen hadden verstand van geldzaken: ze hadden schatten vergaard via Chamillart, toen deze minister was.[140] Lodewijk XIV verleende van harte toestemming voor de erfelijke overdracht van provinciale gouverneurschappen, mits de begunstigde niet uit die streek kwam, in welk geval er bepaalde subversieve intriges, die de Zonnekoning wijselijk wilde voorkomen, konden ontstaan door het samenspannen van de begunstigde met de plaatselijke adel.[141]

De ambten aan het hof en daaromheen (paramilitair, enzovoort) zijn eenvoudig als erfgoed overdraagbaar wanneer onder de regent de toegeeflijkheid bloeit: in 1717 erkent Filips van Orleans de *overerving* van de rang van kapitein van de gendarmerie, grootvalkenier, opperkamerheer, kapitein van de lichte cavalerie, eerste kamerheer en opperjachtmeester, die daarmee alle bestemd waren over te gaan van vader op zoon, zelfs al was de spruit nog maar twaalf! Deze welwillendheid van Filips 'opent voor alle kinderen de deur door de overerving van hun vaders'. De Rohans, Trémoïlles, Chaulnes en andere, onbekendere families profiteren van deze overheidsgunsten. In diezelfde tijd, en soms ten gunste van dezelfde families verleent en verhoogt men de lucratieve *brevets de retenue*, die het ereambt de onontbeerlijke financiële basis geven; de tegenwaarde ervan kan te zijner tijd worden nagelaten aan de afstammelingen, aangezien de titel zelf niet kan worden overgedragen.[143] In het hele proces van erfelijk maken van ambten, verleent Filips ook een overerving van aalmoezenier van de koning aan de Maulévriers, natuurlijk niet van vader op zoon, maar van oom op neef.

Deze stortvloed van gunsten leidt in 1721 voor de Beringhens tot de overdracht van de titel opperstalmeester van vader op oudste zoon en vervolgens op de jongste zoon, en de titel wordt gewaardeerd op 400.000 pond plus het recht om de blauwe geborduurde nauwe jas te dragen. En de Antins zijn al even gelukkig met het lucratieve ambt van hoofdintendant der gebouwen, dat rechtstreeks wordt overgedragen van grootvader op kleinzoon.[144] In 1722 valt de Courtenvaux', die in feite Le Tellier-Louvois' zijn, het geluk ten deel dat een van hun mannelijke telgen die nog in de wieg ligt bij de dood van zijn vader het, de facto al aan de familie behorende, ambt van kapitein van het Zwitserse regiment ontvangt, dat daarmee overgaat van grootvader op vader en op kleinkind.[145] Bij de Mortemarts zien we drie generaties eerste kamerheren.[146] Ook de Trémoïlles hebben drie generaties eerste kamerheren, tot kardinaal Fleury[147] hen dit ambt uiteindelijk ontneemt om het aan zijn neef te geven. De Tessés waren al voorzien van de maarschalksrang en een ambassadeurschap: in 1723 verwerven zij de overerving van grootvader op kleinzoon van het ambt van opperstalmeester van de toekomstige koningin.[148] De hertog de Tresmes slaat meerdere vliegen in één klap wanneer hij aan zijn zoon (niet zonder enkele nuances) zijn dubbele ambt van gouverneur van Parijs en van eerste edelman overdraagt, beide zeer waardevol.[149] En dat alles opgesierd met toelagen en jaargelden.[150] In 1718 verwerven de Charosts, de Luxembourgs, de Berwicks en de Ségurs voor hun kinderen de fraaie overervingen van provinciale gouverneurschappen of de waardigheid van luitenant-generaal (Picardië, Normandië, Limousin, Foix).[151]

Lodewijk XIV was terughoudender dan zijn neef de regent met het verlenen van de (tijdelijke) overerfbaarheid van ambten. Filips betoont zich hierin toegeeflijk en bindt zo de hoge adel aan zich. Hij verstevigt de maatschappij van rangen en standen: naast de 'eeuwige' rangorde der families plaatst hij een tweede indeling; deze is gebaseerd op de langdurige vervulling van hoge ambten, maar is minder blijvend dan het eeuwenoude doorgeven van het adeldom via de mannelijke lijn. Deze tweede indeling betreft ereambten die niettemin lucratief zijn. Tot de vasthoudendste families behoren in dit opzicht die van de reeds genoemde Beringhens: ze zijn van relatief lage afkomst en stammen af van een immigrant uit het hertogdom Kleef wiens zoon, kleinzoon en twee achterkleinzoons successievelijk de functie van opperstalmeester bekleden vanaf 1645 tot onder de volwassen Lodewijk XIV en Lodewijk XV.[152]

Nog opmerkelijker zijn de gouverneurs en gouvernantes van de koningen en kinderen van Frankrijk: maarschalk de Souvré, gouverneur van Lodewijk XIII, Mme de Lansac (dochter van Souvré), gouvernante van Lodewijk XIV, maarschalkse de La Motte, kleindochter van Mme Lansac en gouvernante van de kinderen, kleinkinderen en achterkleinkinderen van Lodewijk XIV, de hertogin de Ventadour, dochter van deze maarschalkse en erfgename van haar taak als gouvernante, de prinses de Soubise en de hertogin de Tallard, respectievelijk klein-schoondochter en kleindochter van Mme Ventadour en op hun beurt weer erfgenamen, vormen samen zeven generaties, waarvan vijf actief als gouverneurs en gouvernantes van de kinderen van Frankrijk, onder wie drie koningen en meerdere kroonprinsen.[153] De maarschalkse en de hertogin de Tallard hebben alleen al drieëntwintig kinderen van Frankrijk opgevoed! Hier zien we de grote betekenis van de opvolging in vrouwelijke lijn, waarvan de opmerkelijke doeltreffendheid aan het oog wordt onttrokken door het prestige van de vaak veel kortstondiger zuiver mannelijke afstammingen, wanneer we deze niet op zichzelf beschouwen.

De adellijke verdiensten die de rang uitmaken vloeien niet alleen voort uit de mannelijke of vrouwelijke afstamming, zij hangen ook simpelweg samen met moed of militaire dapperheid. Ontvangen bloed verlangt vergoten bloed. Norbert Elias heeft het gewoonlijk over de 'beschaving' of de aanpassing van de krijgslieden, die hierdoor 'burgerlijker' zijn geworden. Hij wil daarmee aangeven dat de hovelingen de erfgenamen zijn van de middeleeuwse krijgslieden, maar getemperd door de nieuwe 'zedelijke beschaving' die een deel van haar strijdlustige ruwheid heeft verloren en hedendaagser is geworden. Op deze visie is echter wel het een en ander af te dingen. In feite laten de hofadel en aanverwanten zich onder Lodewijk xiv in groten getale afslachten aan de grenzen. Zij heeft een veel sterker militair of krijgslustig karakter dan bepaalde niet aan het hof residerende edellieden tijdens de renaissance (want de bloei van het hof was vanaf het einde van de vijftiende eeuw positief gerelateerd aan de opkomst van deze 'moderne' krijgsman;[154] het gebeurde maar al te vaak dat de lagere edellieden 'uit het bos' zich verscholen in hun landhuis om te ontkomen aan het dienen van de koning: het geval van de heer van Gouberville is wat dit betreft een stichtend voorbeeld, als we het zo mogen noemen).

Een snelle inspectie van het werk van Saint-Simon laat geen twijfel bestaan over de militaire risico's die de hovelingen lopen: de markies de Beaumanoir, schoonzoon van Noailles en luitenant-generaal van Bretagne sterft kinderloos, als laatste van zijn geslacht, in 1703 in de slag bij Speyer;[155] samen met hem sneuvelden een Choiseul-Pracomtal, beschermeling van Boufflers en van Mme de Maintenon evenals de schoonzoon van de hoveling Montchevreuil, en ten slotte een Hessische prins in de vijandelijke rangen. De zoon van maarschalkse de Clérembault kwam om bij Hoechstaedt, weliswaar toen hij op de vlucht sloeg voor het vijandelijke leger, en met hem Blainville (de derde Colbert gedood in dienst), Zurlauben, een aangetrouwde neef van de hertog de Montausier, en La Baume, de zoon van de onbekwame maarschalk de Tallard.[156] In de slag bij Luzzara (1702) worden twee Lotharingse prinsen, Commercy en Vaudémont, gedood of dodelijk gewond in de keizerlijke rangen;[157] datzelfde geldt voor een La Rochefoucauld en de markies de Créquy, zoon van de gelijknamige maarschalk, en schoonzoon van de hertog d'Aumont en aangetrouwde neef van Louvois, die laatste twee in de Franse rangen; de hertog de Lesdiguières raakt slechts gewond en de koning van Spanje, kleinzoon van Lodewijk xiv, betoont zich moedig. Bij Cassan (1705) worden vijf officieren die bekend zijn aan het hof of er deel van uitmaken, gedood, onder wie een Choiseul-Praslin: 'Zo kwamen bij hun gezamenlijke taak vooraanstaande heren om.'[158] In de slag bij Turijn (1706) sterven vier aan het hof verwante officieren (op 1500 gedode Fransen), onder wie Mursay, 'onbeholpen, dom en dwaas', een familielid en beschermeling van Mme de Maintenon, een verwantschap die in de ogen van de onbarmhartige Saint-Simon ongetwijfeld alleen maar een verzwarende omstandigheid was.[159] In 1705 sneuvelt de prins van Hessen-Darmstadt, van wie men – waarschijnlijk ten onrechte – beweerde dat hij de minnaar was van de vroegere koningin van Spanje, bij Barcelona, in de vijandelijke rangen.[160] Een Nangis, de in dit geval aannemelijke minnaar van de hertogin de Bourgogne, ofwel de 'toekomstige' koningin van Frankrijk, en sindsdien een heel onbeduidende veldmaarschalk, had zich in zijn jeugd eveneens een oorlogsheld betoond.[161] In de levensbeschrijving van Nangis houden zijn successen in de liefde gelijke tred met zijn prestaties als strijder. Verder noemen wij een Rupelmunde, een Lautrec en een prins d'Elbeuf[162] (Lotharingen) die vielen op 'het veld van eer',[163] samen met vele anderen... De hertog de Chevreuse verliest zijn zoon, Montfort, aan de oorlog, en zijn schoonzoon, Morstein junior;[164] de hertog de Beauvillier verliest zijn zwager Marillac.[165] Bij Chivasso, aan de Po, loopt Marcillac, de vroegere adjudant van maarschalk de Villeroy, tien verwondingen op, waarvan een in zijn buik; zijn handen zijn verminkt.[166]

Al met al kan een groot deel van het werk van Saint-Simon worden samengevat in de formulering: 'neem de wapenen serieus,' ofwel, in de woorden van de hertog: 'het is gevaarlijk te schertsen met de wapenen.'[167] Oorlog is geen spelletje! Op dit punt volgt onze schrijver het voorbeeld van Castiglione die in zijn *De hoveling* aandringt op de militaire opleiding van de hoveling. Alleen schrijft de Italiaan in de tijd van de laatste toernooien en de Fransman in de tijd van de eerste bureaucratische legers. Hun 'militaire' teksten dragen daar het stempel van en verschillen als zodanig.

Behalve door veldslagen is Saint-Simon altijd geboeid geweest door het duel, waarvan recent onderzoek aantoont dat het nog een zeker belang had onder Lodewijk XIV en meer nog onder het regentschap, ondanks de sympathieke maar soms vruchteloze pogingen van de godvruchtigen om het een halt toe te roepen.[168] Na de dood van de Zonnekoning in 1715 'wakkeren de duels weer aan'.[169] Er zijn minstens drie voorbeelden van: de jonge hertog de Richelieu wordt als duellist in de Bastille gevangengezet; de hertogen die hem daar opzoeken eisen dat ze hun zwaard ook in de gevangenis mogen dragen, een voorrecht dat hun in tegenstelling tot andere edelen wordt verleend. Is de gemiddelde hertog en pair hier wellicht gewoon 'degene die meer bewapend is dan de andere edelen',[170] en die zijn wapen mag blijven dragen waar de anderen het aan de kapstok in de ontvangkamer van de gevangenis moeten hangen? Bepaalde duellisten vermaken zich volgens de *Memoires* met een slachtpartij onder aristocraten: de prins van Lixin (een Lotharinger) doodt de broer van zijn schoonmoeder vanwege een onenigheid over een volkomen onbelangrijk historisch feit.[171] De jonge hertog de Richelieu doodt op zijn beurt deze Lixin die kritiek had geleverd op zijn afkomst en de euvele moed had te trouwen met een dochter uit het huis van Lotharingen en de schoonzuster van een Bouillon. Dit duel vindt plaats in 1734, bij het begin van een belegering van Philipsburg, waar een andere hoge edelman, Berwick, sterft, maar niet bij een duel. Bij een veel eerdere gelegenheid, in 1716, staan Coigny en Mortemart tegenover elkaar. Net als bij het laatste treffen van Richelieu junior, geeft Saint-Simon ook in dit geval blijk van zijn vriendschap voor Coigny.[172] In wezen acht hij de duellisten alleen schuldig wanneer ze van 'lage stand' zijn, ofwel uit een familie van magistraten;[173] het duel is voorbehouden aan de hoge edelen. Bij de confrontatie in 1716 tussen een Jonzac en een Villette toont Saint-Simon begrip voor de families van de beide jongemannen: vanwege hun eergevoel dwongen zij hen tegen elkaar te vechten, terwijl zij daar zelf geen enkele prijs op stelden.

Saint-Simon zelf heeft niets van een heroïsche strijder. Maar hij blijft wel trouw aan de nagedachtenis van zijn vader: deze duelleerde met Vardes en stond op het punt hem een houw toe te brengen.[175] In het verslag van dit avontuur duidt Saint-Simon zijn vader en Vardes aan als 'dappere mannen die beleefd uit elkaar gingen' nadat ze elkaar bijna hadden afgemaakt. Volgens het impliciete waardeoordeel van onze schrijver is het duel slechts ongerechtvaardigd wanneer een van beide deelnemers laf is en als zodanig wordt aangemerkt, in welk geval zijn tegenstander zich onterecht met hem zou meten. Dat is het geval bij het mislukte duel tussen prins Conti en Philippe de Vendôme, grootprior en bekend om zijn lafheid.[176]

Een enkel woord over het probleem van de lafheid. Deze wordt bij Saint-Simon belichaamd door degenen die hij niet mag: de grootprior is het schoolvoorbeeld van de lafaard, hij is een dronkaard (?) en afkomstig uit een bastaardfamilie, ook al is hij zelf een wettig kind; zijn opvolger in de Maltezer orde is overigens 'alweer' een bastaard, nu van de regent.[177] D'Antin is bang tijdens veldslagen,[178] en deze d'Antin is overigens de vriend en halfbroer van bastaards, en ook van een vrouwelijke bastaard (Madame de Hertogin). Als altijd gaat bij onze schrijver de afwezigheid van een adellijke deugd (adellijke durf) hand in hand met de neiging tot het onzuivere bastaardschap, zo niet tot fecale viezigheid: een Bullion-Fervacques, laf in de oorlog en dus veroordeeld om opnieuw magistraat te zijn, stamt af van de befaamde financier Bullion die altijd een doosje bij zich droeg dat gevuld was met 'heel verse stront' (sic). Deze anekdote is ongetwijfeld 'verfraaid' door een min of meer nauwkeurige overlevering die Saint-Simon heeft geërfd of 'herzien', maar hij is des te veelzeggender: laffe afstamming is vieze of onzuivere afstamming.[179] In elk geval zijn lafheid of dapperheid een natuurgegeven, dat een eenheid vormt met iemands genetisch erfgoed,[180] precies zoals de adeldom van een familie 'genetisch' is of zou moeten zijn. Dit verband is niet toevallig: men wordt dapper of laf geboren, zoals men ook al dan niet met blauw bloed ter wereld komt; geen mens die daar iets aan kan veranderen.

De afkeer van Saint-Simon van lafheid gaat 'aan het andere eind' samen met een diepe minachting voor de extraverte gebarentaal van de moed, voor de snoeverij van de Gascogners, die meer te maken heeft met 'geklets' dan met handelen: dat is volgens hem de negatieve kant van de hertog d'Orleans, een 'opschepper over misdrijven',[181] maar die hij voor het overige als een positief en sympathiek persoon beschrijft. Vooral hierdoor haat Saint-Simon Villars wiens pocherij tot het uiterste gaat, en wiens luister van 'Gascogner' nauwelijks een extreme gierigheid verhult.[182] Zijn kritiek op deze man is opnieuw niet eenduidig: in wezen verwijt Saint-Simon de van ongeduld trappelende Villars dat hij een beschermeling is van Mme de Maintenon en later gelieerd raakte aan de hertog du Maine.[183] Villars senior was in dit opzicht 'nauwelijks een haar beter' dan zijn zoon de maarschalk: hij was weliswaar godvruchtig en dapper, maar van 'lage' afkomst, bevriend met Mme de Maintenon en had ten onrechte het vooruitzicht op de Orde van de Saint-Esprit.[184]

Om terug te komen op d'Antin, het is opmerkelijk dat Saint-Simon ook deze persoon (inderdaad afkomstig uit het zuiden) uitmaakt voor Gascogner.[185] D'Antin heeft dus twee tekortkomingen ten opzichte van de ware aristocraat, aangezien hij tegelijkertijd schuldig is aan onbekwaamheid (lafheid) en overdrijving (Gascons gedrag). Een oeverloos en zeer ongunstig Gascogne lijft in het zuidwesten de Dauphiné van Villars in, waaruit hertog d'Antin, via zijn voorvaderen, afkomstig is.

Oorlogen en duels roepen het probleem van de eer op. Dit gevoel of deze code, hoe men het ook wil noemen, is typerend voor de tweede stand die gevormd wordt door de adel; ook typerend, volgens Montesquieu, voor een maatschappij van rangen en standen[186] in het algemeen (zie het werk van Yves Castan over het belang van de erezaak bij de niet-adellijke Zuid-Fransen onder het Ancien Régime, als bewaarders van een hiërarchisch opgebouwde cultuur; deze refereert aan het Spaanse model, ondanks de barrière die de Pyreneeën vormen). Het eergevoel zorgt dat een adellijk iemand[187] steekpenningen versmaadt... in elk geval wanneer ze al te opvallend zijn. Het kan sommigen er ook tijdelijk toe brengen, want zo grillig is het nu eenmaal, een ereambt te weigeren omdat dit niet past bij het ware eergevoel zoals deze personen het op dat moment beleven.[188] Zo probeert de hertogin de Saint-Simon zich (overigens tevergeefs) in 1710 te onttrekken aan de positie van hofdame van de hertogin de Berry, een positie die, volgens de echtgenote van de kroniekschrijver, geschikt is voor een staande vrouw, maar niet voor een gezeten vrouw als Marie-Gabrielle de Saint-Simon, de rechtmatige eigenares van een taboeret aan het hof.

De liefde voor het eergevoel komt ook tot uiting in een ander tijdverdrijf aan het hof: het spel. Net als het duel komt het in aanvaring met de christelijke beginselen zodra een vrome (en dus tegen het spel gekante) hoveling zich er strikt aan wil houden. Een botsing dus van twee waardesystemen: de hertog de Mortemart heeft bij het spelen honderdduizend pond verloren; maar hij had al grote schulden bij zijn leveranciers.[189] De godvruchtigen, onder wie Chevreuse en Beauvillier (schoonvader van Mortemart), willen voor alles wat 'om reden van het geweten' de hertogelijke schulden 'aan de kooplieden en arbeiders die eronder lijden' worden afbetaald. Saint-Simon daarentegen houdt Beauvillier voor 'dat de eer ermee gediend is dat speelgulden onmiddellijk betaald worden en dat men hierin onverbiddelijk is'. De aristocratische zorg (de eer) komt *hic et nunc* in conflict met de christelijke motivering (het geweten). De ongunstige positie van Mortemart in deze affaire, en over het algemeen in de *Memoires*, komt ook voort uit het feit dat hij aan de dominante groep aan het hof Saint-Simons vijandige houding heeft doorgegeven ten opzichte van de Lotharingse prinsessen (van de Maintenonkliek), van de Soubises (kruiperige hovelingen van Lodewijk xiv) en van d'Antin, die het hertogdom Epernon ambieert waarop zijn normale plaats in de rangorde hem geen enkel recht geeft. Bovendien is Mortemart een ramp voor de continuïteit van zijn adellijke geslacht: zijn vrouw krijgt een miskraam wanneer ze hoort dat hij speelschulden heeft. Saint-Simon zal al zijn diplomatieke gaven moeten aanwenden om voor de zoon Mortemart de functie van eerste kamerheer te behouden die zijn vader door dwaasheid dreigde te verliezen.[190]

Bij Saint-Simon betekent het spel in het uiterste geval de segregatie die kenmerkend is voor een maatschappij van rangen en standen. Op een dag komen onze schrijver en de hertog de Chevreuse onaangekondigd bij de hertog de La Rochefoucauld, die zit te schaken met een van zijn lakeien. Verbazing! En schaamte bij de drie hertogen![191] Alleen een La Rochefoucauld, 'ten prooi aan zijn bedienden', kon zo laag vallen.

Een aristocraat, wiens hoge geboorte afhangt van het toeval, moet deze primordiale wisselvalligheid compenseren met spelen die niet zuiver en alleen van het toeval afhangen, maar te maken hebben met behendigheid of intelligentie: Dangeau maakt redelijk fortuin door zijn volkomen gewettigde handigheid bij gokspelletjes.[192] Chamillart verwerft zijn ministerschap om allerlei redenen, maar mede dankzij de goede relaties[193] die hij dankte aan zijn handigheid bij het biljarten.[194] Daarentegen staan de zuivere kansspelen (lotto, farao, bassette...), waarbij men zich beperkt het trekken van kaarten, slecht aangeschreven en ze zijn vaak verboden (tenminste in principe). De veldmaarschalken, de hoogste hoeders van het tribunaal van eer, stellen zelfs dat men niet gehouden is de schulden te betalen die men bij dit soort amusement heeft gemaakt.[195] Maar de bij eervoller spelen opgelopen schulden kunnen, als ze niet worden betaald, leiden tot zelfmoord of minstens tot ballingschap, wanneer men een goed edelman is.[196]

Het spel kan dus de dood tot gevolg hebben.[197] Omgekeerd schort de dood gewoonlijk het spel op: Saint-Simon ergert zich eraan dat de speeltafels in Marly weer veel te snel in bedrijf zijn na de dood van Monsieur, van Monseigneur, van de hertog de Berry en de hertog en hertogin de Bourgogne.[198]

Ophouden met spelen is voor een prins min of meer een verlies van waardigheid, zelfs wanneer hij het excuus heeft dat hij moet besparen om te kunnen bouwen: Monseigneur 'was eertijds een groot speler die veel won, maar sinds hij bouwde zat hij fluitend in een hoek van de salon van Marly met zijn vingers trommelend op zijn snuifdoos en keek hij met grote ogen naar de anderen bijna zonder iets te zien, zonder te spreken, zonder zich te amuseren, ik zou bijna zeggen zonder gevoelens en zonder gedachten'.[199]

Laten we, na deze kwesties van eer en spel, terugkeren naar het uitgestrekte terrein van de semantische en materiële symbolen van de rangen en standen. Met betrekking tot de woorden die de titels definiëren of aanduiden, onderscheiden sommige zich door hun interpunctie: zo heten de dochters van Frankrijk kortweg *Madame*, of Madame, *komma* (zoals *Madame, hertogin d'Orleans*, die door haar huwelijk een dochter van Frankrijk is, en niet Madame *de* hertogin d'Orleans, een titel die slechts geldt voor een 'eenvoudige' kleindochter van Frankrijk).[200] Een koning (of regent) van Frankrijk gebruikt in een gesprek de termen van een zeer nauwe verwantschap (*mijn oom, mijn broer, mijn neef*) alleen in het bijzijn van zijn naaste familieleden (broers, zonen van broers, volle neven); dit stelt Zijne Majesteit in staat de dragers van het kostbaarste bloed van de Franse dynastie af te zonderen (de 'Kroon'),[201] in tegenstelling tot de minder nauw verwante familieleden (prinsen van den bloede), die de koning aanspreekt met hun titel en die slechts deel uitmaken van het 'regerende huis'. Het neusje van de zalm op het gebied van titels is voor een zeer hoog-geplaatst persoon in dit geval dus er geen te hebben en ten opzichte van de koning simpelweg *mijn oom* of *mijn nicht* te zijn.

Daarentegen glijden andere titels af door het gebruikelijke proces van inflatie, waardoor ze afzakken zonder volledig hun waarde te verliezen: ondanks Saint-Si-mons kritiek spreekt de regent de koning van Denemarken uiteindelijk aan met *Majesteit* en de Staten-Generaal van de Zeven Provinciën met *Hoogmogende He-ren*.[202] Door een vreemde roofbouw op de verhevenheid van de Franse kroon krijgt de hertog de Lorraine als gevolg van de zwakte van de regent de titel *Koninklijke Hoogheid*, die men echter weet te onthouden aan andere prinsen (Deense, Zweedse en Florentijnse).[203] Omgekeerd weten sommige kleine vorsten op te klimmen door weglating in plaats van toevoeging van een deel van de titel! De keurvorst van Beie-ren lukt het bijvoorbeeld om zich *de Keurvorst* zonder meer te laten noemen, en niet *Mijnheer de Keurvorst*: in zekere zin een vermindering van titel, maar o zo bevredi-gend! Dit brengt hem dichter bij een koning, aangezien men nooit Mijnheer de Koning zegt (noch Mijnheer de Keizer of Mijnheer de Paus), maar kortweg de koning, de keizer of de paus.[204] Daarentegen zou, op het niveau onmiddellijk daar-onder, de gewoonte om de prinsen van den bloede, met name de Condés, titels als *Mijnheer de Prins, Mijnheer de Hertog* en *Mijnheer de Graaf* te geven, slechts terug-gaan op de godsdienstoorlogen.[205] De geschreven titel 'Monseigneur' is altijd veel gebruikt, maar *mondeling* is hij onder de leken vervolgens (door de titel onrechtma-tig te voeren) van de kroonprins, de zoon van Lodewijk xiv, overgegaan op de prin-sen van den bloede, daarna op de bastaarden en zelfs op de legeraanvoerders in de provincie![206] Vanaf het midden of het einde van de zeventiende eeuw zijn de bis-schoppen zichzelf 'monseigneur' gaan noemen, een nieuwe titel die ze lang zullen blijven dragen. Saint-Simon heeft, naar eigen zeggen, echter de archaïstische zui-verheid behouden om alleen koningszonen Monseigneur te noemen.[207] In Madrid vond een zelfde proces van inflatie plaats: de titel *Excellentie* was in het begin alleen voorbehouden aan de Grandes van Spanje en aan buitenlandse ambassadeurs; deze zakt vervolgens af tot het niveau van een groot aantal gewone heren.[208]

Net als onze hertog kunnen we in deze voorbeelden een algehele ontwaarding van de symbolen zien, maar deze geeft op een platvloerser niveau ook aan dat titels een geschiedenis hebben. Zij illustreert het hiërarchische principe dat haar niette-min overstijgt. Zelfs de simpele afschaffing van een titel is in dit verband illustra-tief. We zien dit wanneer Lodewijk xiv de Condés de titel Monsieur le Prince ont-neemt: de koning doet dit niet om zijn hoogadellijke verwanten te vernederen, maar juist om de waarde van de titel eerste prins van den bloede te verheffen; de situatie is simpelweg zo dat die titel voortaan is voorbehouden aan de Orleans en niet meer aan de Condés, als gevolg van het genealogische uitbotten van het ko-ninklijke 'bloed'.[209]

De materiële symbolen van de rang zijn in het begin nog triviaal: in Spanje zijn de wijn en de olijfolie bij de leenheren uitstekend, maar elders middelmatig door de luiheid van de mensen.[210] En alleen bij enkele Grandes van Spanje[211] eet men de beste ham van dat land, gemaakt van varkens die gevoed zijn met adders (het toppunt van onreinheid en slechtheid bestemd voor de hoogstgeplaatsten!). Het materiële onderscheid dat gemaakt wordt in 1709 is rigoureuzer: de koning van Frankrijk verplicht de edelen hun zilveren vaatwerk af te staan aan de Rijksmunt; hij geeft zelf zijn gouden vaatwerk. De koning en de koninklijke familie eten voortaan van verguld zilver en van zilver en de prinsen van den bloede uit aardewerk,[212] ondanks 'de vuilheid van de klei' (hier komt het idee van onreinheid aan de oppervlakte in de vorm van een materiële hiërarchie).[213] Men kan tegenwerpen dat dit een uitzonderlijke situatie is, veroorzaakt door de financiële crisis van 1709. Maar andere materiële zaken verwijzen ook voortdurend naar de rangorde: bij de bals aan het Spaanse hof zitten de vrouwen van de Grandes op fluweel en de vrouwen van hun oudste zonen (die nog geen Grande zijn) op gewoon satijn of damast.[214]

Dit 'textiele' voorbeeld uit Spanje komt uit de hoogste regionen; op een vergelijkbare manier speelt het 'hoge Spanje' ook de fauteuil, de stof en het 'eten met' (of zonder) uit. Aan het hof van Madrid hebben de infanten een fauteuil (zelfs ceremonieel in het bijzijn van de koning en de koningin); deze zetel is altijd van een minder kostbare stof dan die van de vorst; 'weliswaar eten de infanten nooit publiekelijk met Hunne Hoogheden.'[215] De eisen van de hiërarchie gaan voor datgene wat, in lagere milieus, de normale familiale uitdrukking is van het gezamenlijk leven en eten. We kunnen ook een lijst maken van eerbewijzen op grond van de delen van het lichaam.[216] Het *hoofd*: in bepaalde gevallen mogen de hooggeplaatsten hun hoofd bedekt houden in het bijzijn van de koning:[217] in Genua spreekt Filips v, in navolging van Karel v, de doge aan met Hoogheid en laat hij enkele senatoren zelfs hun hoofd weer bedekken.[218]

De *hand*: 'tussen twee heren van ongelijke rang, c en d, moet degene (d) die de ander ontvangt en die verondersteld de mindere is, zijn gast (c) de ereplaats laten,' die dus gezeten is aan de rechterhand van d. Dit heet *de hand geven*.[219] Een ambassadeur bijvoorbeeld 'heeft de hand bij de prinsen van den bloede: ofwel, deze staan de plaats aan hun rechterhand af, als hij een vorst of een bevriende natie vertegenwoordigt'.[220]

Het *zitvlak*: de rangorde van fauteuils, stoelen en taboeretten hebben we al behandeld. We kunnen daar nog aan toevoegen dat de opeenvolgende rangen van de 'zitposities' niet specifiek zijn voor de kroon en zelfs niet alleen voor zijn naaste omgeving. De aanzienlijken staan de fauteuil of een bepaalde zetel af aan de koning of aan de hoogstgeplaatsten van zijn entourage. Maar zij eisen op hun beurt de voorrang van deze zetel ten opzichte van hun minderen: 'Saint-Pierre was bovendien een kleine edelman, uit Normandië, die nooit was gaan zitten in het bijzijn van de oude hertogin de Ventadour, de moeder van maarschalkse Duras, wanneer hij haar opzocht in Sainte-Marie waar hij in de buurt woonde.'[221]

Ten slotte het uiteinde van het lichaam en in sommige gevallen een bijna absoluut scheidingselement: de *voet*. Die van de koningin van Spanje is heilig, niemand mag hem aanraken. De hertog del Arco, de man van de adderham en favoriet van Filips v, had het geluk dat hij de voet van de koningin mocht bevrijden uit de stijgbeugel van een galopperend paard waar ze op een gevaarlijke manier vanaf gevallen was. Deze edelman en vaardige redder was zo galant zich vervolgens in een klooster terug te trekken om er de koninklijke 'vergiffenis' af te wachten voor de schending van het voettaboe; die werd snel verleend door Filips v. Dit taboe verklaart ook – wat nog een gevolg ervan is – waarom de koningin van Spanje bijna helemaal alleen is tijdens het korte moment dat ze haar schoeisel aantrekt: daar kan men overigens van profiteren om haar snel een bericht te doen toekomen dat het kamermeisje of de *azafata* haar dan overhandigt, een bericht dat is toegestaan tijdens deze privé-ceremonie waar de 'huisbediende' onvermijdelijk bij aanwezig is.[222] Vanuit een andere denktrant dient de voet ook voor eerbetoon: door met de voet te stampen begroet de garde van de Franse koning een op bezoek komende hertog en pair, terwijl ze 'presenteer geweer' geeft voor de prinsen van den bloede en voor de kapitein van de garde.[223]

Terugkerend van de voet naar de mond noemen we ook de (ceremoniële) *kus* van de Franse koninginnen, of degenen die dit kunnen of zouden kunnen worden: van hen noemen we de kleinschoondochter en de schoonzuster van Lodewijk xiv, ofwel de hertogin de Bourgogne en Madame Palatine. Deze toegestane en ontvangen kus definieert door middel van onderscheid de kring van de grote edelen en hun echtgenotes, met uitsluiting van hun dochters en alle anderen; de grote edelen die het is toegestaan 'Madame te kussen' zijn de prinsen, de hertogen, de Grandes van Spanje (vanaf 1701), de grootofficieren van de kroon, de veldmaarschalken na terugkeer van een veldtocht en de ambassadeurs. Daarentegen kust de huidige of toekomstige koningin in het bijzijn van de koning niemand.[224] Dit verbod is veelzeggend! Bij afwezigheid van de koning is de gemalin van de kroonprins 'kusbaar', omdat ze in dat geval slechts als een manifestatie van de vorst fungeert die zelf tijdelijk buiten bereik is; deze voorstelling komt op haar beurt weer voort uit de regel dat man en vrouw slechts één vlees vormen – in het onderhavige geval worden de echtgenote of de oudste schoondochter de vertegenwoordigsters van de verhevenheid van de koninklijke echtgenoot, die tijdelijk niet beschikbaar is. Het is hier niet de plaats om in te gaan op de rangorde van het kussen bij de bourgeoisie, die ver onder het hof en de aristocratie komt: bekend is het beroemde 'Geef ik een kus, papa?' bij Molière.

De mond kust... en eet. Het eten leidt tot afscheidingsrituelen waarvan de betekenis ambigu is. Met betrekking tot het bijeenkomen van tafelgenoten verbindt het voedsel de mensen evenzeer als dat het hen verdeelt.[225] De koning eet in principe alleen, of in elk geval afgezonderd. 'Behalve in het leger[226] heeft de koning nimmer met een andere man gegeten, in welke omstandigheden dan ook [afgezien van feestelijkheden ter gelegenheid van een huwelijk].' Wanneer de jonge hertog d'Anjou in 1700 Filips v van Spanje wordt, eet hij vanaf dat moment alleen en hoort hij zelfs afgezonderd van zijn broers de mis.[227] Per slot van rekening is de mis in eerste instantie een (eucharistische) maaltijd. Over het algemeen tekent zich echter een aantal kringen van disgenoten rondom deze eenzaamheid van de vorst af – net als bij de ceremoniële kus. Want kussen is al een beetje eten, is iemand metaforisch

opeten. Bij de grote maaltijd van Lodewijk xiv bijvoorbeeld, zijn de naaste familieleden van de vorst aanwezig en zij eten ook, hoewel op enige afstand; deze groep
omvat de koninklijke kinderen en kleinkinderen, zowel de mannelijke als vrouwelijke.[228] Dit is de eerste kring. Bij een bruiloft van familieleden van de vorst worden
de prinsen en prinsessen van den bloede aan tafel genood: dit is de tweede kring.[229]
Ten slotte staat tijdens een oorlog[230] de tafel van de koning op veldtocht voor veel
meer mensen open: maar zelfs dan is het aanzitten beperkt tot de allerhoogsten van
de militaire aristocratie en de hoge edelen (twee aanduidingen die in dit geval syno-
niem zijn). Kortom: naaste en verder verwijderde koninklijke familie, hertogen,
veldmaarschalken, kapiteins van de lijfwacht (die zelf hoge edelen zijn), plus enkele
helden van de aan de gang zijnde veldslag. Maar 'als bij toeval' komen deze heldhaftige strijders altijd uit zeer goede families of beschikken ze minstens tegelijkertijd over een hoge militaire rang en een adellijke afkomst. Nog steeds is afkomst
belangrijker dan rang. De geestelijkheid is uitgesloten van deze krijgsdis, behalve
de kardinalen en de bisschoppen die ook pair zijn (omdat zij ook prinsen of hertogen zijn). Ten slotte mogen zelfs de voornaamste magistraten, of ze nu van het
parlement of van de raadsorganen zijn, niet met de koning eten: de echtgenotes
van de hoge magistraten kan hooguit de eer verleend worden dat ze de vrouw van
de kroonprins bedienen.[231]

Deze eetkringen kenschetsen, beter dan een lange verhandeling, de onderlinge
betrekkingen van de persoon van de koning en de hoogste lekenrangen. In de eerste plaats houdt de koninklijke entiteit zich blijkbaar op aan de rand van het heilige;
zij belegert en koloniseert het maar vormt er zeker niet het hart van. Het feit dat de
geestelijken (behalve wanneer zij strikt samenvallen met de lekenaristocratie van
prinsen of pairs) zijn uitgesloten van de koninklijke dis, is wat dat betreft veelzeggend. Deze afscheiding verlaagt hen niet, maar verheft hen juist. De koning voelt
zich geenszins superieur aan het sacrale. Integendeel! Lodewijk xiv heeft meermalen zijn ondergeschiktheid of gehoorzaamheid, op geestelijk vlak, ten opzichte van
de kerk erkend. Laten we zeggen dat de vorst, in zijn vermeende hoedanigheid van
genezend handoplegger, een voet of een hand heeft in het sacrale, maar meer ook
niet. Hij bevindt zich aan de poort van het heilige, of, zo men wil, aan de voet van
het altaar. De gedeeltelijke ontwaarding van de kroning sinds het eind van de Middeleeuwen heeft overigens de rol van de koning als 'priester' dan al afgezwakt. We
kunnen hooguit zeggen dat de koning onder meer een beeld van God is, maar wel
op aarde; een 'bisschop van het uiterlijke'.

In de tweede plaats onderstreept de 'eettafel' van de vorst het koninklijke bloed,
zowel het naaste (de nazaten van Lodewijk xiv) als het verder verwijderde (prinsen
van den bloede); hij onderstreept ook de hoge geestelijke en militaire aristocratie
(hertogen, veldmaarschalken, alle dapperen van blauw bloed, enzovoort). In die zin
plaatst de koning zich zeer beslist aan het hoofd van de tweede stand en, wat op
hetzelfde neerkomt, boven aan zijn tweede (adellijke en militaire) taak.

De magistraten en officieren, of ze nu dienaren van de staat of van de rechtbank
zijn, zijn van deze eetkringen uitgesloten. Deze verwijdering is van groot belang.

Zeker, de koning bekleedt het hoogste ambt in zijn koninkrijk en staat aan het hoofd van een min of meer gecentraliseerde bureaucratie. Maar met betrekking tot het eerbetoon verdwijnt deze administratieve functie naar de achtergrond: de vorst is voor alles de eerste edelman en (theoretisch) de eerste krijsman van zijn land, en in zijn aderen verdicht zich het kostbaarste bloed van de krijgsadel. Deze superioriteit van het (ontvangen of vergoten) bloed wijkt slechts voor die van het heilige, waaraan Zijne Majesteit ook deel heeft, maar slechts marginaal. Hij is voor alles 'krijgskoning' (Joël Cornette).

Geografisch gezien benadrukken de bekleders van de hoogste waardigheden hun positie door een 'territoriale inscriptie'. Eenvoudiger gezegd, zij laten hun karossen, met uitsluiting van die van anderen, het binnenplein van het Louvre oprijden. Het gaat hier niet om een oeroud recht: de rangorde is niet tot in eeuwigheid vastgelegd, de karossen zijn immers ook een recente uitvinding.[232] Dit gebruik gaat waarschijnlijk slechts terug tot het midden van de zestiende eeuw.[233] Deze eer van het Louvre komt, opnieuw, alleen de bevoorrechte kring toe die bovendien het recht heeft (heel af en toe) met Zijne Majesteit te eten en de koningin of haar plaatsvervangster te kussen. Die kring omvat de prinsen, de hertogen, de veldmaarschalken, de hoge ambtsdragers van de kroon en hun echtgenotes.[234] In Spanje beschikt het paleis Buen Retiro ook over een speciale binnenplaats, uitsluitend bedoeld voor de koetsen van de kardinalen, de ambassadeurs en de Grandes van de lekenstand. Maar over het algemeen hebben de aristocratische geestelijken als zodanig, alias van de eerste stand, bisschoppen en zelfs aartsbisschoppen, geen recht op de eerbewijzen van het Louvre, aangezien deze zijn voorbehouden aan de hoogsten van de tweede stand.[236] Dit is heel begrijpelijk: het is onvoorstelbaar dat, in andere omstandigheden, een bisschop 'de hertogin de Bourgogne zou kussen'. Niettemin stelt kanselier Pontchartrain (die in dit opzicht veel toegeeflijker is dan zijn voorganger Boucherat) zijn binnenhof, ofwel zijn 'parkeerplaats', open voor de aristocratie en de hoge geestelijkheid, maar zij blijft gesloten voor de magistratuur, hoe welgesteld ook: voor een veel minder belangrijk persoon dan de koning is dit ook een manier om de meetlat van het onderscheid of de exclusiviteit flink hoog te leggen.[237]

Wanneer we kijken naar de *entrée*, ofwel de toegang tot de koning, is het beeld niet veel anders: de belangrijkste entrées, in het openbaar en privé, zijn voor de hoogste ambtsdragers van het hof en voor de naaste familieleden van de koning, zowel de legitieme als de bastaarden. Zij 'doorkruisen' de meer onofficiële gangen van de reële machthebbers: degenen die 'achterom' toegang hebben kunnen op elk uur de werkvertrekken van de vorst binnengaan, behalve wanneer er een raadsvergadering is of de koning overlegt met een minister.[238] De minder in aanzien staande toegang tot het slaapvertrek en het kabinet strekt zich uit tot de prinsen en de kardinalen.[239]

Laten we ons voor dit moment beperken tot de discrete toegang achterom die het gelukkige lot was van een zekere d'O, gouverneur van de graaf van Toulouse en zelf bastaard van Lodewijk XIV. Dit 'gouverneurschap' en de gevolgen daarvan gaven d'O 'een persoonlijkheid, een vet inkomen, een blijvend contact met de koning en een bevoorrechte toegang tot de koning op alle mogelijke tijdstippen, die aan de voorkant niet gebruikelijk was, dat wil zeggen zoals die van de kamerheren, maar die veel groter en vrijer was, omdat hij achterom de vertrekken van de koning vrijwel op elk tijdstip kon binnengaan'.[240]

De bewering dat een minister macht heeft en een prins of een hertog niet is een simplificering van de situatie: de grote edelen benaderen de koning (via de entrées) en verkrijgen van hem en zijn medewerkers gunsten, toelagen en de mogelijkheid om financieel lucratieve zaken te doen.[241] De hertogen de Chevreuse en de Beauvillier, die geen magistraten zijn, beschikken niettemin over een ministersambt, officieel (Beauvillier) of officieus (Chevreuse).[242] Het is waar dat zij beiden schoonzoons zijn van de zeer invloedrijke magistraat van de Kleine Raad, Colbert. De nakomelingen van andere hertogen, gelieerd aan de families van hoge bureaucratische staatsambtenaren, leveren op hun beurt volwaardige ministers onder Lodewijk xv. Dat geldt bijvoorbeeld voor de Choiseuls (gelieerd aan de Bouthillier-Brûlarts, zelf weer afkomstig uit de hoogste ministeriële magistratuur). Een zekere Maurepas, minister van Marine onder Lodewijk xiv, is gewoon een hoge edele geworden als de anderen, ook al is hij door zijn nakomelingen gelieerd aan de familie Phélypeaux-Pontchartrain, de verfijnde belichaming van het ministerschap van de eerste Bourbons. Sinds Lodewijk xiv hebben de hertogen weliswaar niet de macht om beslissingen te nemen, maar wel om ze tegen te houden, wat niet onbelangrijk is: zo verhinderen Harcourt en La Rochefoucauld dat Chevreuse – een collega-hertog die zij een kwaad hart toedragen – openlijk zitting neemt in de Kleine Raad, waarvan hij nimmer publiekelijk lid zal zijn.[243]

Bovendien heeft de hoge adel, die op bestuurlijk niveau weliswaar geen rechtstreekse en beslissende invloed heeft, nog steeds een grote invloed op militair terrein. In 1693 zijn vijf van de zeven nieuwe veldmaarschalken[244] hoge edelen: Choiseul, Villeroy (hoewel hij een nul is op militair gebied), Joyeuse, Noailles en Boufflers. Evenzo hebben bij de promotie van de tien maarschalken in 1713 slechts twee van hen, Rosen en Vauban, hoewel ze van adel zijn,[245] maar een middelmatige status in de adeldom. De acht anderen hebben een afkomst (Harcourt) of minstens verwantschappen door huwelijk (Châteaurenault) die hen, zoals men toen zei, de hoogste eer aandoen. En velen van dezen en genen doen daadwerkelijk dienst in de oorlogen. De militaire macht van de hoge adel is dus onbetwistbaar, zelfs al wordt ze uiteindelijk overheerst door de 'burgers' van de recente adel van de magistratuur, zoals een Louvois-Barbezieux, die op het ministerie van Oorlog heersen.[246]

Ten slotte moeten we nog een wezenlijk onderscheid maken tussen *status* en *macht*, even verschillend van elkaar als een linker- en een rechterhand.[247] In de geest van de tijdgenoten, bezeten van onvervalste hiërarchie, wint het eerste (status) het duidelijk van het tweede (macht), met name wanneer deze slechts militair is. Tussen hertog zijn (een solide waardigheid verrijkt met een erfelijke status) en veldmaarschalk worden (een gewapende macht maar slechts voor één leven), aarzelt een hooggeboren iemand geen seconde: Harcourt, van de oudste Normandi-sche adel, zegt 'luid en duidelijk dat het zijn bedoeling was om hertog te zijn, en dat als hij zeker wist dat hij veldmaarschalk zou worden, maar nooit hertog, hij onmiddellijk uit het leger zou stappen en naar huis zou gaan'.[248] Maarschalk of hertog zijn, het is zoiets als vandaag de dag lid zijn van het Collège de France of de Académie française, met dit verschil dat dit laatste niet erfelijk is. Maar we zien ook hier de oude strijd tussen functioneren en eerbewijzen ontvangen.

Net als zijn tijdgenoten was Saint-Simon verbaasd over de discrepantie tussen enerzijds de rangorde van de sociale status waarvan hij de materiële en symbolische kenmerken vaststelde, en anderzijds de rangorde van de effectieve macht. De hië-rarchie maakt weliswaar onderscheid tussen status en macht, maar uiteindelijk wil zij dat datgene wat status heeft ook machtig wordt. Vandaar de klachten van de hertog.

In de eerste plaats klachten over de ministers. In tegenstelling tot zijn voorgan-gers en tot Mazarin heeft Lodewijk xiv hen vrijwel uitsluitend gekozen uit de hoge magistratuur van de 'beslissers'; hij sluit de prinsen, de hertogen en pairs (behalve Beauvillier) en de krijgsadel en hofadel uit van zijn Kleine Raad. De ministers staan ver onder de hoge edelen, in elk geval wat de symbolische rangorde betreft. Zij proberen dus een vergelijkbare status te verwerven, eerst nog onrechtmatig, later ook wettelijk, om dichter bij de genoemde edelen te komen (over wie zij in ieder geval 'met gezag regeren', zozeer dat ze zelfs de prinsen knechten).[249] Het gevolg is dat de ministers het kleed en het zwaard van de mannen van aanzien gaan dra-gen.[250] Zoals de vrouwen van de ministers, in bepaalde omstandigheden, niet ver van de koning eten; ze stappen als hertoginnen in de karos van Zijne Majesteit. De ministers 'slepen' voor hun kinderen ook erebaantjes aan het hof 'in de wacht', zoals opperheer van de garderobe, hofmaarschalk en kapitein van de deurwachters van de koning; dit 'kapiteinschap' maakt het mogelijk, en dat is heel belangrijk, met de vorst te spreken en, ook financiële, gunsten van hem te krijgen.[251] Zo hebben onder meer de ministersfamilies Chamillart, Colbert, Desmarets, Louvois-LeTellier dit soort functies aan hun nakomelingen gegeven.

Hetzelfde kunnen we zeggen van de secretarissen van Staat, die Driestuiver-ministers (zoals wij zouden zeggen) elk belast met een politiek-bestuurlijk departe-ment, maar die ipse facto niet deelnemen aan de Kleine Raad. De koning, schrijft Saint-Simon, 'had zich aangewend deze functies te laten vervullen door mensen van geringe statuur [lees: vaak zeer voorname magistraten] om hen weg te kunnen jagen als bedienden, als hij daar zin in had, en om te voorkomen dat hun gezag hen te veel opleverde [...]. Hij zou nooit een *edelman* secretaris van Staat hebben ge-maakt.'[252]

Laten we deze opmerking van Saint-Simon maar door de vingers zien, die overi-gens bevestigd wordt door een geschrift van Lodewijk xiv persoonlijk. Hoewel de Zonnekoning er inderdaad prat op ging dat hij nogal gemakkelijk beschikte over zijn ministers en onderministers, omdat ze van relatief lage rang waren, was dit niet de enige reden voor deze aanstellingen: in werkelijkheid was het in Frankrijk de gewoonte geworden om magistraten op regeringsposten te zetten, vanwege de bestuurlijke kwaliteiten die men hen toeschreef, in vergelijking met de krijgs- en hofadel, die al dan niet terecht als onbekwaam werd beschouwd.

Deze secretarissen van Staat 'van geringe statuur' die, door hun daadwerkelijke macht, als vier onderkoningen ver boven de rest van het mensdom zijn verheven, eigenen zich bovendien onrechtmatig de uiterlijke aspecten van aanzien en rang toe: in navolging van Louvois en enkele buitenlandse prinsen, weigeren ze de hertogen aan te spreken met Monseigneur, maar ze laten zichzelf in brieven wel zo aanspreken door mensen van aanzien die geen hertog of prins zijn.[253] Ze ontdoen zich van het wezen van hun vroegere taak als notaris van de koning door de huwelijkscontracten van de hoge edelen niet langer mee te ondertekenen: zo werden zij hybriden, na-apers, schaduwwezens, een soort hovelingen van hoge afkomst.[254] Bovendien beschouwen de secretarissen van Staat zich allang als de feitelijke gelijken van de hertogen en pairs, zozeer dat ze het in hun hoofd halen te trouwen met de aanzienlijke dochters van de voornaamste adel.[255] Zij dragen het zwaard, hoewel dat voor magistraten verboden is;[256] ze leggen de mantel, de bef en het zwarte kleed af en hullen zich in de kledij van de overige hovelingen, maar wel bescheidener van kleur en versiering.[257]

Hetzelfde geldt voor de staatsraden: zij nemen rechtmatig deel aan verschillende adviesraden, of het merendeel ervan; zij vormen de 'politieke' of 'beslissende klasse' van het systeem van Lodewijk xiv. Zij staan als groep naar rang, naar prestige en waarschijnlijk ook naar rijkdom ver onder de prinsen, maar daar staan zij daarentegen boven wat betreft de collectieve macht, in verschillende hoedanigheden, die zij als staatsraden samen hebben. Zij zijn dus kleine goden, die boven de menselijke natuur geplaatst zijn en onder de ministers, die op hun beurt beschouwd worden als aardse goden.[258] Een hiërarchisch ingedeeld meergodendom... Zij vormen allen te zamen de magistraten van de Grote Raad, recentelijk geadeld, maar soms ook van oude adel; enkelen van hen stammen zelfs af van krijgsadel die al sinds het einde van de Middeleeuwen gunstig bekendstaat.

Wat status betreft stellen ze niet veel voor, maar nog wel iets: ze laten alleen prinsen, kardinalen, hoge ambtsdragers van de kroon, hertogen en pairs en maarschalken probleemloos voorgaan. Ze betwisten daarentegen de voorrang, in elk geval in de adviesraden, van niet-hertogelijke personen, van luitenant-generaals van het leger, ja zelfs van bisschoppen en aartsbisschoppen; deze willen natuurlijk niets weten van dergelijke pretenties.[259] In de Raad van Arbitrage beschikken de staatsraden zelfs over fauteuils, maar die worden discreet als stoelen met leuningen aangeduid om ze te onderscheiden van de eigenlijke fauteuil die men reserveert voor de koning, wanneer hij zich verwaardigt te komen.[260]

De aanspraak van de staatsraden op voorrang boven 'aanzienlijke personen zonder titel' (adellijk maar geen hertog) zou van recente datum zijn en pas ontstaan in 1714. In dat geval getuigt die aanspraak van het opwaartse streven van deze mannen en van hun verlangen om de symbolische status meer en meer te laten samenvallen met de werkelijke macht. De staatsraden vinden voor deze houding overigens zelfs steun bij de voornaamste aristocraten, zoals Noailles: hij vond Saint-Simons bewering dat genoemde staatsraden in werkelijkheid tot de derde stand behoren en dus voorrang moeten verlenen aan élke edele, hoe laaggeplaatst ook, bespottelijk.[261]

Ondanks deze pogingen van de magistraten van de Grote Raad om de minachting te overwinnen, blijft er onder Lodewijk xiv een zeer groot verschil bestaan tussen de sterk symbolische status van de ene groep (de hoge edelen) en de zeer reële macht van de andere groep (de hoge magistraten).[262] De Zonnekoning wilde deze kloof in stand houden, ja zelfs vergroten toen hij, meteen aan het begin van zijn persoonlijke bewind, in tegenstelling tot Mazarin, alle hoge adel, of die nu krijgsadel, adel van geboorte of van de kerk was, uitsloot van zijn adviesraden (op enkele uitzonderingen na). Deze kloof wordt iets kleiner onder Lodewijk xv, ongeacht wat Saint-Simon, de immer gefrustreerde, ervan vindt. In zekere zin kunnen we zeggen dat ten tijde van Lodewijk xv de ideeën van Saint-Simon gedeeltelijk aan de macht komen, ook al wordt hun schepper ervan uitgesloten. De aristocratie van het hof en van de kerk bezet dan de adviesraden en de ministeries, inclusief de post van eerste minister, en bekleedt dan de functie van secretaris van Staat. De magistraten van de Grote Raad houden vanzelfsprekend belangrijke posten, met name bij de controle van de financiën. Maar de kloof tussen macht en status wordt kleiner zonder geheel te verdwijnen, waarbij de tweede steeds meer samenvalt met de eerste. Het onderscheid tussen deze twee, zo typerend voor een op hiërarchie gebaseerde samenleving, zal niettemin met volle kracht en op een paradoxale manier opnieuw verschijnen na de Franse Revolutie: deze zal de aristocratie een groot deel van haar macht ontnemen, maar het zal nog lang duren voor zij het prestige en de superioriteit van de status van de edelen de facto zal opheffen.

2

HET SACRALE EN HET PROFANE

Monseigneur, de zoon van Lodewijk xiv en (in principe) de toekomstige koning, 'kwam de dag na het Paasfeest op weg naar Meudon in Chaville een priester tegen die Onze Heer [de hostie] naar een zieke bracht en hij steeg af om ervoor te knielen [...]. Hij hoorde dat de zieke de kinderpokken had. Hij [Monseigneur] was er doodsbang voor en hij zei die avond tegen zijn arts dat hij niet verbaasd zou zijn als hij het ook had...'[1] En inderdaad ging Monseigneur vroeg naar bed en stierf enkele dagen later.

Ook de koning knielde gewoonlijk voor een reizende hostie en begeleidde die tot bij de zieltogende ontvanger.[2] De vorst, en ook zijn mogelijke opvolger boven aan de wereldlijke en politieke hiërarchie, aarzelt dus niet om te knielen voor de hogere machten van het sacrale, op dat moment belichaamd in de hostie.

Het sacrale omringt en doordringt van alle kanten de profane hiërarchieën. Zoals bij het feestmaal in het stadhuis van Parijs op 24 januari 1705 bij de aanstelling van de hertog de Tresmes als gouverneur van de stad: de hertog wordt met veel pracht en praal in het stadhuis ontvangen.[3] Hij wordt er aangesproken met *Monseigneur* door de provoost van de handelskamers. Tijdens het feestmaal zaten 'de mensen van het hof en van Parijs [dat wil zeggen de aristocraten], zowel de krijgsadel als de ambtsadel, aan de *rechterkant* van een lange tafel op dertig *fauteuils*. Tegenover hen zaten op dertig *stoelen met rugleuning* de schepenen [...] en andere "gemeentelijke" personen. De provoost van de handelskamers zat alleen met de hertog de Tresmes en *links van hem, aan het hoofdeinde van de tafel, in twee fauteuils* [...]. *Er werd vis gegeten omdat het zaterdag was*. De hertog de Tresmes wierp geld naar het volk[4] bij het binnengaan en het verlaten van het stadhuis.' Een opmerkelijke tekst, waarin de voorrang (aristocratie/schepenen, hertog-gouverneur/provoost der handelskamers, hoofdeinde/ondereinde van de tafel, rechts/links, fauteuil/stoel, edelen/volk) prachtig wordt weergegeven. Het menu van vis geeft aan het tafereel iets 'sacraals': het is de religieuze vasten op de zaterdag door het onreine vlees af te wijzen.

Meer in het algemeen overheerst het sacrale als onzichtbare macht van ordening en harmonisatie: de theologie wordt hier in verband gebracht met de antropologie, en volgens Saint-Simon weerlegt zij de theorie van de sociale gelijkheid, die wel voorspeld wordt voor de toekomst. 'Het is volkomen onjuist dat alles gelijk zou zijn voor de koning [... want] de koning is het beeld van God op aarde, het is zijn taak Hem voor zover het in zijn vermogen ligt na te volgen.' Vervolgens wendt Saint-Simon opnieuw en nog krachtiger de thearchie en de hiërarchie aan, 'de Schrift en de kerkvaderen', die het niet kunnen helpen. Er is, zo zegt hij, 'een rangorde in de hemel, negen koren of negen *soorten* engelen waarvan de ene hoger is dan de andere', en nog 'zeven engelen die hoger zijn dan de andere' die God voortdurend zien, volgens het boek Tobit, om nog maar te zwijgen van Pseudo-Dionysius de Areopagiet. Zou de maatschappij van rangen en standen een maatschappij van engelen zijn? Waar het over Johannes de Doper gaat, was deze 'de grootste onder de mensenkinderen'. De kerk bidt tot de Maagd Maria 'als koningin van de hemel, de engelen en de heiligen, ziedaar een rangorde die betrouwbaar is omdat zij van het geloof is'. Overigens is de ouderdom van de verering van de aan God en Maria ondergeschikte heiligen voor onze hertog een bewijs van de waarachtigheid van het katholicisme, zoals bewezen wordt, zegt Saint-Simon nadrukkelijk, op de portalen van de kathedralen.

Terugkerend naar de aarde schetst Saint-Simon zelfs een hiërarchie van de republieken die hij voor aristocratisch houdt (Zwitserland, de Zeven Provinciën). Hij baseert zich zelfs op de wilden: 'In Azië en Afrika ziet men overal een rangorde in de daar bestaande landen, tot bij de kleine Afrikaanse koningen van Kaap-Verdië, de Goudkust, Senegal [...] van wie de paleizen iets grotere hutten zijn dan die van hun onderdanen, en dit beïnvloedt alle onderlinge relaties. Als we kijken naar de volken die geen koningen en regering kennen, zien we dezelfde rangorde bij de Hurons, bij de Irokezen, bij alle primitieve volken. Elk onderkomen, hoewel het draagbaar en onstabiel is, heeft een leider die weer raadslieden en oudsten heeft aan wie de andere wilden zich eerbiedig onderwerpen bij hun raadsvergadering, bij hun dansen en feestmalen, bij het weinige ceremonieel dat ze kennen, kortom op alle gebieden.' Zelfs de everzwijnen kennen volgens onze schrijver een eigen hiërarchie.

We keren terug naar de mensen, naar Europa en naar de problemen van de rangorde onder de hertoginnen die hem na aan het hart liggen. Saint-Simon ontkent in ditzelfde fragment opnieuw 'dat alles en iedereen gelijk is voor de koning. Zijn grootheid en majesteit bestaan in de ongelijkheid van al zijn onderdanen ten opzichte van hem. Zijn troon is daar het beeld van door de treden die ervoor beklommen moeten worden. Geen orde zonder gradatie, zonder ongelijkheid, zonder verschil.' Waarna hij de despoot Cromwell noemt die mislukte omdat hij alles wilde gelijktrekken. En vervolgens noemt hij de rangen in de aristocratie, het leger, de magistratuur, de groep van kooplieden, in de dorpen waar de kerkmeester vooraan in de processie loopt en de geestelijkheid achteraan. Waarna hij fulmineert tegen gelijkheid in het algemeen, naar aanleiding van prinsen, bastaarden, fauteuils,[5] stilistische formuleringen, bezoeken, rouwslepen en slepen zonder rouw, begrafenisplechtigheden en wapenschilden.

Ik heb hier deze fragmenten[6] en enkele andere geciteerd omdat ze een antropologisch en theologisch beeld van de hiërarchie[7] (van de 'gradatie') geven. De aartsengelen en engelen, de duivels en zelfs de wilden worden onder de loep genomen, evenals de ontelbare gradaties tussen hemel en hel,[8] via onze wereld 'onder de maan' die, vanuit dit gezichtspunt, gelaagder is dan de natuur.

Iedereen heeft zo zijn eigen kwelgeesten en ook wilden. Saint-Simon is van mening dat de mensheid, nog voor zij geciviliseerd was, hiërarchisch was ontstaan; zij bleef dit, als we hem mogen geloven, nadat zij was gecultiveerd. Hiermee loopt onze auteur vooruit op de conclusies van de etnologen en zelfs de ethologen, die bij gelegenheid de pikorde en de dominantie bij de dieren beschrijven. Hobbes, de verdediger van de oorspronkelijke gelijkheid, gaat, zoals men weet, van volkomen tegengestelde premissen uit: volgens de Engelse filosoof worden de mensen gelijk geboren – een stelling die hij nooit zal opgeven. In het systeem van Hobbes bestaan er in het begin geen orde en hiërarchie; de nog niet geciviliseerde mensen voeren een oorlog van allen tegen allen; hun leven is daardoor eenzaam, hard, meedogenloos en kort. De wilden van Amerika zijn een schoolvoorbeeld van dit gewelddadige en ongeordende bestaan. De enige remedie hiertegen is de herinvoering van een Leviatan, een algeheel staatsmonster dat het *holisme* moet terugbrengen waar op een rampzalige manier slechts het individu heerste.

Enerzijds de leer van de sacrale hiërarchie van Saint-Simon. Anderzijds het ruwe, individualistische en egalitaire atomisme van Hobbes. Onze hertog is hier precies op zijn plaats, gesteld tegenover een tegenstrijdige hypothese. De Franse cultuur, of in elk geval dat deel ervan dat Saint-Simon vertegenwoordigt, heeft de rangorde lange tijd een bevoorrechte plaats gegeven, wat bij Jean-Jacques Rousseau zeker niet meer het geval zal zijn. Daartegenover effenen de Britse voorlopers, Hobbes,[9] Locke en later Smith, het pad voor het individualisme, zo niet de economische gelijkheidsleer. Om in Engeland een even consequente hiërarchische denker te vinden als Saint-Simon, moeten we een eeuw teruggaan naar de Shakespeare van *Troilus and Cressida*.[10] Wellicht is dit opnieuw een teken van een zeker voorlopen in de tijd van de Engelsen, die al aan het begin van de zeventiende eeuw in wezen een handelsnatie werden, vergeleken met de Fransen die zich pas veel later bevrijdden van het aristocratische model.

Met betrekking tot de hiërarchische problemen en hun samenhang met het sacrale komt de visie van onze kleine hertog overeen met die van La Palatine, en deze overeenstemming van de beide auteurs – die, we herhalen het nog maar eens, elkaars teksten niet kennen – fungeert als een wederzijdse bevestiging: zowel voor Liselotte als voor de kroniekschrijver staat het hiërarchische gelijk aan het sacrale. Het verband dat tussen deze beide wordt gelegd is in het geval van de echtgenote van Monsieur des te opmerkelijker omdat haar geloof verlicht, tolerant en aan twijfel onderhevig is, en al in de greep van de vermaarde 'Europese gewetenscrisis'. Op latere leeftijd komt Madame, die, zoals zij het zelf noemt, *haar eigen kleine geloof* heeft, dicht in de buurt van een sympathieke devotie van het hart, die niets verstards of vormelijks meer heeft. Maar zodra het over de hiërarchische indeling van de samenleving of van het hof gaat, krijgt de vroomheid van Madame een rituele en ceremoniële vorm.

'U moet bedenken dat men hier, tijdens de mis, *onderscheid maakt naar rang*. Zo hebben alleen de kleindochters van Frankrijk een kapelgeestelijke die het responsorie zegt en een kaars vasthoudt vanaf het *sanctus* van de *prefatie* tot het *Domine non sum dignus*. De prinsessen van den bloede hebben geen eigen kaars en geestelijke, en zij laten het responsorie zeggen door hun pages. Aan het eind van de mis brengt de priester het altaardoek om het te laten kussen: dit is alleen voor de kinderen van Frankrijk. Hetzelfde geldt voor de miskelk waaruit wijn en water wordt gedronken; *alleen wij* [ofwel de kinderen van Frankrijk, waartoe ook Madame behoort als echtgenote van een jongere zoon van Lodewijk xiii] hebben daar recht op, en deze kelk gaat niet door naar de prinsen van den bloede. U ziet dus dat er, naast de devotie, bij alles sprake is van rituelen. In dit land heeft men in alle geestelijke aangelegenheden altijd rekening gehouden met het wereldlijke, zodat wanneer het de lieve Heer niet voldoende behaagt, er een wereldlijke kant is die goed is; zo is niet alles verloren, zoals u ziet...'[11]

We zien het schema, terloops door de briefschrijfster gelardeerd met enige ironie: de kinderen van Frankrijk mogen het altaarkleed kussen. Dit kleed, waarop de hostie wordt neergelegd, is het hoogste symbool van de zuiverheid (wij komen nog terug op het probleem van het zuivere en het onzuivere, in samenhang met de hiërarchie). Zij mogen ook drinken van een kelk water en wijn. De kleindochters van Frankrijk hebben een kapelgeestelijke die het responsorie zegt; zij nemen dus rechtstreeks deel aan de handelingen van een bepaalde 'geestelijkheid', die weliswaar onbeduidend is omdat hij bestaat uit lage geestelijken. Ten slotte laten de prinsessen van den bloede 'het responsorie zeggen door hun page'; deze speelt hierbij slechts de rol van een eenvoudige koorknaap, per definitie een leek. De prinsessen van den bloede zijn hierdoor iets verder verwijderd van het sacrale dan de eerder genoemde vrouwspersonen van veel hogere rang, maar zij houden er nog wel enig contact mee. (We kunnen hier nog opmerken dat de aanzienlijke dames dus deelnemen aan het religieuze mysterie door middel van hun hogere huispersoneel, geestelijken of pages die aan hun familie en zelfs aan hen persoonlijk toebehoren. Bekend zijn de vermaarde woorden van twee zusters uit de hoogste adel, die berouw wilden tonen over hun zonden: 'Zuster, we laten onze mensen vasten.')

Zodra Madame over rangen en standen begint, heeft zij een andere religie op het oog dan die welke gewoonlijk het onderwerp van haar godsvrucht is, nu eens oprecht dan weer sceptisch. Bij deze maatschappelijke perceptie van het sacrale gaat het om een veel archaïscher godsdienstigheid. Het geestelijke vormt daarin het wereldlijke en vice versa, in tegenstelling tot wat andere, 'modernere' of 'meer onthechte' gelovigen op het oog hebben, die vrome toewijding los zien van het maatschappelijke. Van deze andere gelovigen noemen we hier de godvruchtige abdis de Maubuisson, geboren als Duitse prinses, en die weigert de 'voorrang van de hand' te eisen of te verlenen, omdat ze, zoals ze zegt, geen onderscheid meer maakt tussen haar linker- en haar rechterhand, alleen nog om een kruis te slaan.[12]

In een ander fragment beschrijft Saint-Simon gedetailleerd de rangorde met betrekking tot, opnieuw, de eucharistie: 'Daar [bij de warmwaterbronnen van Forges-les-Eaux, in 1707] vernam ik van een nieuw plan van de prinsen van den bloede [tegen de hertogen], die prinsen die, in de machteloosheid [...] waarin de koning hen hield, mateloos profiteerden van zijn verlangen zijn bastaarden, die hij aan hen had gelijkgesteld, aanzien te verschaffen, door nieuwe voorrechten te verwerven. De uitgesproken superioriteit en verschillen in rang van de boven hen geplaatste kleinkinderen van Frankrijk vonden zij [de prinsen] onverdraaglijk.' Nadat Saint-Simon zo de gebruikelijke rangorde heeft neergezet (kleinkinderen van Frankrijk, prinsen van den bloede, bastaarden, hertogen), vervolgt hij:

'Een van die verschillen [tussen de hoge rangen] kwam tot uiting bij de communie van de koning. Men schoof, na de opheffing van de hostie, een vouwstoeltje tot onder aan het altaar; dat werd bedekt met een stuk stof en vervolgens met een groot kleed. Bij het *pater* stond de aalmoezenier van die dag op en fluisterde de koning in het oor welke hertogen er in de kapel aanwezig waren. De koning noemde hem twee namen, die steevast van de oudste geslachten waren, waarna diezelfde aalmoezenier naar hen toe ging en een buiging maakte. Zodra de priester met de communie begon, stond de koning op en knielde hij zonder kleed of kantkussen [vierkant kussen om op te zitten of te knielen] bij dit vouwstoeltje en pakte hij het kleed vast [...]. De twee hertogen die samen met de aanwezige kapitein van de garde van hun kussens waren opgestaan en hem hadden gevolgd, de oudste rechts en de ander links, pakten gelijk met hem elk een punt van het kleed dat ze naast hem op enige afstand ophielden, terwijl de twee aanwezige aalmoezeniers de beide andere punten van datzelfde kleed aan de kant van het altaar ophielden; alle vier knielden zij, evenals de kapitein van de garde, als enige achter de koning. Nadat de communie was ontvangen en even later de ablutie had plaatsgevonden, keerde de koning [...] naar zijn plaats terug, evenals de kapitein van de garde en de beide hertogen. Als er alleen een zoon van Frankrijk was [in de kapel], hield deze alleen de punt van het kleed vast en niemand de andere kant. Als een kleinzoon van Frankrijk [de hertog d'Orleans] aanwezig was, zonder dat er een zoon van Frankrijk was, gold hetzelfde: een aanwezige prins van den bloede diende hem hierbij niet. Als er slechts een prins van den bloede was, werd meestal slechts één hertog in plaats van twee gewaarschuwd, en deze diende aan de linkerkant en de prins aan de rechterkant. De koning wees de hertogen aan om te laten zien dat hij hun uitverkoren gebieder was, zonder onderworpen te zijn aan de anciënniteit [van hun pairschap]. Maar het is nooit voorgekomen dat hij aan hertogen van minder oude geslachten de voorkeur gaf.'[13] Later lukte het de prinsen de hertogen uit te sluiten van deze communie van de koning.

Dit is een bijzonder belangrijk fragment: het sacrale domineert dat wat niet of nauwelijks sacraal is. De koning knielt voor de hostie op de kale grond. De voorkant, gevormd door het verhoogde altaar is superieur aan de achterkant, gevormd door het schip van de kerk, en rechts is superieur aan links. De aflopende rangorde – tegenover het lichaam van Christus – gaat van de koning naar de zonen van

Frankrijk, dan naar de kleinzonen van Frankrijk (de hertog d'Orleans), dan naar de prinsen van den bloede (die hun positie nog proberen te verbeteren), dan naar de hertogen en pairs, naar volgorde van anciënniteit. Deze zorgt er opnieuw voor dat de systematische indeling reikt tot op het niveau van het individu, of in elk geval tot dat van hun respectieve geslachten.

We kunnen deze rituele gebruiken en gebaren vergelijken met een uitspraak van Tocqueville, die zegt: 'Het katholicisme verenigt bij voorkeur alle maatschappelijke klassen aan de voet van hetzelfde altaar, zoals zij ook verenigd zijn in de ogen van God [...]. Het bereidt de gelovigen dus niet voor op ongelijkheid.'[14]

We zien dat deze grote denker in dit fragment een flater slaat: in elk geval is er in Versailles, aan de voet van het altaar, geen sprake van een gelijkgestelde menigte voor God en achter de koning, maar van een verfijnde hiërarchie. De vorst staat daar aan het hoofd van een aflopende rangorde, belichaamd in de voorrang naar rang en anciënniteit die de ophouders van het kleed van de koninklijke communie kenmerken. Onder het wezenlijke geheim van de eucharistie, het centrale mysterie van de godsdienst, bevindt zich de monarchie, het centrale mysterie van de staat. Als evenbeeld van God op aarde staat de koning aan het hoofd van de tweede stand (aristocratie en adel) zoals God en zijn gemijterde vertegenwoordigers op dit ondermaanse aan het hoofd staan van de eerste stand (geestelijkheid). Het is opmerkelijk dat in twee essentiële handelingen, die van het eten zonder meer (zie hiervoor) en die van het eten van God (de communie), de koning zich aan het hoofd plaatst van een zuiver aristocratische hiërarchie (koninklijk bloed + hertogen + aanzienlijke personen op de achtergrond), die de magistraten uitsluit (die weliswaar ook van adel zijn, maar in mindere mate), en natuurlijk ook de gewone burgers.

Aan de hand van de rouwgebruiken kunnen we het beeld van deze hiërarchie, die ondergeschikt is aan de eucharistie en de koning, vervolledigen. Deze rituelen grenzen aan het sacrale omdat zij samengaan met religieuze begrafenisplechtigheden en er een voortzetting van zijn. Zij sluiten door hun overdreven verfijnde vorm de magistratuur en de burgerij uit. Zij onderstrepen en nuanceren zelfs de wezenlijke hiërarchie der aanzienlijken. Zij schrijven in dalende rangorde letterlijk de lengte van de rouwsleep van elk individu voor, die in een belangrijke rouwstoet wordt gedragen of gesleept: 'De hertoginnen zijn de laatsten [na de dochters van Frankrijk, de prinsessen van den bloede enzovoort] die zich mogen tooien met deze rouwslepen.' Wat betekent dat de niet-hertogelijke dames van aanzien bij dit soort begrafenisplechtigheden de eer van de sleep wordt onthouden. Volgens de aflopende rangorde, 'is de sleep van de koningin elf el lang, de dochters van Frankrijk dragen negen el, de kleindochters van Frankrijk zeven, de prinsessen van den bloede vijf en de hertoginnen drie el. Het verzinsel van de rang van kleindochters van Frankrijk heeft de sleep van de koningin en die van de dochters van Frankrijk elk met twee el doen toenemen.'[15]

Overgangsrituelen, en met name rouwgebruiken, laten zien hoe het sacrale kortstondig binnendringt in een wereld die in normale tijden gedeconfessionaliseerd is. Zij bieden de kans om de rangorde opnieuw te bevestigen, met daarbij natuurlijk ongelofelijke ruzies over de prioriteiten. Zo is het opmerkelijk dat de eerste tekst die van Saint-Simon bewaard is gebleven, en die hij in 1689 op zijn vijftiende schreef, handelt over de begrafenisplechtigheden die plaats hadden na de dood van de dauphine, ofwel de vrouw van de kroonprins, met de details over de hiërarchische rangorde van de aanwezigen en over de ruzies, zoals het hoort, tussen monniken en aalmoezeniers.[16]

De koning is het verbleekte, verflauwde beeld van God. Hij is áls een god. Hij is zeker niet God, laat staan 'een' god, ongeacht de interpretatie van de woorden van Bossuet hierover. Aan het hoofd van zijn aristocratische en hiërarchische schare functioneert hij veeleer als een soort heilige, wat niet in tegenspraak is met zijn hoedanigheid van gezalfde van de Heer, hoezeer die sinds de laatste Valois en de eerste Bourbons ook in waarde is gedaald. Het lichaam van de koning levert letterlijk relikwieën op, evenals dat van de overigen van koninklijken bloede. 'De jezuïeten vragen Hendrik IV of ze na zijn dood zijn hart mogen laten uitnemen om het in een reliekhouder te plaatsen.'[17] Ook onder Lodewijk XIV worden uit het lijk van de leden van het koninklijk huis, inclusief de koning, diverse organen (hart, darmen enzovoort) gehaald, die vervolgens aan bepaalde kerken in Parijs worden geschonken.

De koning produceert ook in meer institutionele zin het sacrale. Sinds het concordaat van 1516 beslist de koning over de benoeming van tien aartsbisschoppen, tachtig bisschoppen en 527 abten, terwijl de paus nog slechts bisschoppen kan aanwijzen zonder dat hij de door de koning voorgedragen kandidaten kan afwijzen.[19] Zijne Majesteit ontvangt ook de eed van trouw van de nieuwe bisschoppen, zodat we, weliswaar in de terminologie van de twintigste eeuw, kunnen spreken van een staatskerk, ook al overstijgt de kerk de staat verder in alle opzichten.[20] Zo worden de prebendes bijvoorbeeld verleend op de dagen dat de koning ter communie gaat, na overleg met biechtvader Tellier, een jezuïet van niet-adellijke en wellicht boerenafkomst. Anders gezegd, de adviezen en inzichten van Tellier komen van een hooggeplaatste bediende (Tellier dus) zodat de koning volledig zelf kan beslissen, ook al oefent de jezuïet de facto natuurlijk een grote invloed uit.[21] Lodewijk XIV blijft onvermijdelijk een bemiddelaar tussen Rome en de eenmaal benoemde bisschoppen: Mailly, de aartsbisschop van Arles, krijgt een uitbrander wanneer hij deze regel overtreedt.[22]

Daarentegen worden de kardinalen benoemd door de paus, maar de Franse koning en enkele andere gekroonde hoofden houden de zeggenschap over een aantal kardinaalsbenoemingen: Coislin, de bisschop van Orleans, profiteert in 1695 van deze koninklijke bevoegdheid,[23] Noailles (Parijs) in 1700[24] en Rohan (Straatsburg) in 1712.[25]

We kunnen opmerken dat deze drie op koninklijk initiatief benoemde kardinalen naar geboorte hoge edelen zijn. Wat betreft de rode hoed, die een koerier uit Rome voor de nieuwe kardinaal komt brengen (of deze nu koninklijk of pauselijk benoemd is): de koning staat erop hem deze hoogstpersoonlijk op het hoofd te zetten; het is een manier om te herinneren aan de wederzijdse afhankelijkheid die, zowel op wereldlijk als op geestelijk vlak, Zijne Majesteit en de gelukkige ontvanger bindt. Toen kardinaal Le Camus de hoed eigenhandig op zijn hoofd zette, raakte hij hem bijna weer kwijt, en hij werd voor de rest van zijn leven verbannen naar zijn bisdom Grenoble.[26] Le Camus, niettemin een uitstekende bisschop, weet zijn ongenade niet alleen aan deze nietige speldenprik, maar ook aan de herroeping van het Edict van Nantes en aan de jezuïeten. Hij was niet alleen een voorstander van het jansenisme, maar ook van het quiëtisme! Dit compliceerde zijn geval en droeg bij aan het feit dat hij in ongenade viel.[27] De juiste handelwijze van een potentiële kardinaal is de hoed van de koerier aannemen, hem in zijn zak steken en ten slotte aan de koning geven die hem de nieuwe ambtsbekleder opzet.[28]

Het sacrale karakter van de koning (en van de naaste koninklijke verwanten als geheel) is inferieur aan dat van de kerk. Er zit meer mysterie in de pink van een priester die de hostie wijdt dan in het hele lichaam van de vorst. Niettemin bevindt de koning (of de kroonprins, of de zoon of de dochter van Frankrijk) zich tijdens de communie en meer in het algemeen tijdens het bijwonen van de mis, aan de voet van het altaar; de beperkte ruimte die de vorst of zijn rechtstreekse afstammelingen innemen hebben een strategische waarde. Deze ruimte krijgt *in situ* gestalte in een voetkleed waarop de vorst en eventueel zijn rechtstreekse of aangetrouwde nakomelingen plaatsnemen, met uitsluiting van de prinsen en de hertogen, want deze beide groepen bevinden zich (zoals we bij de communie al zagen) ten opzichte van elkaar in een aflopende rangorde tegenover het 'voetkleed' en het 'communiekleed', omdat deze twee stukken stof slechts bestemd zijn voor de koning. Het vorstelijke voetkleed vormt zo de overgang van het goddelijke naar het menselijke, ofwel – ter plaatse – van de priesters (die achter het altaar de mis opdragen) naar de hoge aristocratie, in gepaste orde (prinselijk, hertogelijk enzovoort) opgesteld achter de koning of zijn nakomeling. De vorst zelf is een schakel tussen het sacrale en het profane, tussen de twee belangrijkste standen, die van de geestelijken en de edelen.

Een beschrijving van Madame Palatine, als 'dochter van Frankrijk', van de intrede in een klooster, levert ons enig inzicht op in de hiërarchie van het sacrale en het 'subsacrale', die gestalte krijgt in de 'tussenplaatsing' van het voetkleed ofwel ad hoc-kleed van Madame (aan de voet van het altaar), een kleed dat is voorbehouden aan het koninklijke bloed in de engste zin. In dit fragment gaat het om het in het klooster treden van een kleindochter van Madame en dochter van de regent, die onmiddellijk abdis wordt van dit klooster. Madame, die in haar hart protestant is gebleven, verfoeit het monnikenwezen en de nonnen; zij beschrijft deze gebeurtenis echter met veel gevoel voor hiërarchie aangezien het hier opnieuw om een sacralisering van de rangen en standen gaat:

'Wij kwamen om halftien in Chelles aan; mijn kleinzoon de hertog de Chartres was al eerder gearriveerd. Even na tienen begaven we ons naar de kerk. De bidstoel van de abdis stond in het koor van de nonnen, hij was van paars fluweel en geheel bedekt met op de stof geborduurde gouden lelies. Mijn bidstoel stond tegen de balustrade van het altaar; mijn zoon [Filips van Orleans, kleinzoon van Frankrijk] zat naast mij; zijn dochter, ofwel mijn kleindochter, stond achter mijn stoel *want de prinsessen van den bloede mogen niet knielen op mijn voetkleed; dit recht hebben alleen de kleinkinderen van Frankrijk, zoals mijn zoon en mijn dochter* [...]. Kardinaal de Noailles droeg de mis op [...]. Nadat de kardinaal het epistel had gelezen, ging de ceremoniemeester naar het koor van de nonnen en haalde hij de abdis [ofwel de kleindochter van Madame]. Zij kwam. Zij boog diep voor het altaar, daarna voor mij, liep vervolgens de treden op en knielde voor de kardinaal, die voor het altaar zat in een grote stoel met leuningen [een fauteuil]. Men droeg plechtig de geloofsbelijdenis naar de abdis, die deze voorlas, waarna zij languit op de laatste trede van het altaar ging liggen.'[29]

We zien hier opnieuw, tot in het knielen, het verschil tussen de kinderen van Frankrijk, de kleinkinderen van Frankrijk (op het voetkleed) en de prinsen van den bloede (uitgesloten van het voetkleed). Tegelijkertijd ordent de hiërarchie van het sacrale de diverse groepen ten opzichte van het voetkleed van Madame. De sacrale hiërarchie overtreft ruimschoots alle andere, want de jonge, nieuwe abdis, die oorspronkelijk een prinses van den bloede is, gaat languit op de grond liggen voor haar God, op waardige wijze vertegenwoordigd door de kardinaal.

Deze verschillende opmerkingen (de tegelijkertijd hiërarchische, sacrale en subsacrale opeenvolging, de voor het koninklijke bloed gereserveerde ruimte als overgang van de eerste stand, de geestelijkheid, naar de tweede, adellijke, stand) worden uitstekend geïllustreerd door het ontwerp van de kapel van de koning van Spanje. Dit heiligdom legt zeer strikt de vorm van de Franse en Spaanse gebruiken vast. Door de bijzonder hechte band tussen de beide monarchieën, door een huwelijk tussen verwanten en vervolgens een dynastieke versmelting, is er al een neiging om de gebruiken aan beide hoven te uniformeren of in elk geval nader tot elkaar te brengen.[30]

De koning van Spanje heeft aan de voet van het altaar naast het evangelie, een eigen bidstoel en een 'groot kleed' of 'voetkleed'. Hierop neemt het koninklijke 'bloed' (belichaamd door de lokale dauphin ofwel kroonprins, in Spanje de 'prins van Asturias' geheten) tijdens de mis eveneens plaats, maar op een plek die ondergeschikt is aan die van de koning. Aan hem biedt de aartsbisschop van de Indiën de wierook aan en het evangelie om dit te kussen. Deze dubbele ceremonie voltrok zich, tot Filips v uitsluitend, in een kleine vierkante tent die de vorst afzonderde. De onbetwistbare sacraliteit van de koning legt het natuurlijk af tegen die van de kardinaal, voor wie Zijne Majesteit knielt om van hem de kaars voor Maria-Lichtmis te ontvangen. Als compensatie is de fauteuil van de kardinaal slechts van glad hout terwijl die van de koning bekleed is met prachtige stoffen! Een nuanceverschil... Achter het koninklijke kleed, aan de kant van het middenschip, staat de bank van de hoge edelen, de enige leken die tijdens de koninklijke mis mogen zitten. Daar tegenover, aan de andere kant van het middenschip, staat de bank van de hoge geestelijkheid. De gewone priesters blijven staan. De wereldlijke magistraten en burgers hebben nu en dan toegang tot deze koninklijke kapel, maar zij blijven staan, als toeschouwers; hun plaats is zo officieus dat de magistraten en burgers niet eens genoemd worden bij de opsomming van de aanwezigen bij de betreffende ceremonieën. De sacrale positie van de Katholieke Koning is die van eerste edelman van het koninkrijk. Deze wordt ook hier, mede dankzij het kleed, het noodzakelijke overgangspunt tussen God en de geestelijken enerzijds en de wereldlijke hoge aristocratie anderzijds. Als vooruitgeschoven post van de adel staat de vorst in rechtstreeks contact met de eerste stand, die zichzelf beschouwt als de behoeder van het goddelijke.

De kapel van Lodewijk xiv is, op een paar variaties na, naar hetzelfde model ingericht en gaat uit van een vergelijkbare ideologie. De hoge edelen doen hun best om, niet ver van hun privé-verblijf, in de diverse provincie- en parochiekerken een positie te verwerven die vergelijkbaar is met die van de koning (in diens afwezigheid). Zij hebben hun eigen bidstoel, hun eigen voetkleed, hun eigen priesters die zich naar hen keren en voor kardinaal spelen, allemaal aan de voet van het altaar en (in Spanje) aan de kant van het evangelie: Dangeau in Saint-Germain-des-Prés, Noailles in de Languedoc en Saint-Simon zelf tijdens zijn missie naar Spanje, zij profiteren allen van deze voorkeursbehandeling en 'pronken te midden van de pracht en praal'.[31] We zijn hier wel heel ver verwijderd van het gelijkheidsbeginsel dat Tocqueville a priori aan het katholieke geloof toeschrijft: zogenaamd allemaal gelijk aan de voeten van God. In feite lijkt het er eerder op dat tijdens de mis in Versailles 'de menigte hovelingen de vorst aanbidt, terwijl de vorst God aanbidt'.[32] Van dit systeem zijn in onze tijd verschillende vormen van verwereldlijking denkbaar: tijdens een groot concert in 1992, waarbij ik de eer had aanwezig te zijn in het bijzijn van het staatshoofd, keken de televisiecamera's naar de president terwijl hij naar het concert keek.

Het sacrale dringt door in het ceremoniële leven van de vorsten, maar het sijpelt ook door in hun dagelijks leven. Dit geldt opnieuw met name voor de Spaanse monarchie. Deze wordt 'katholiek' genoemd, terwijl die van Frankrijk sléchts 'zeer christelijk' is. We hoeven maar te kijken naar de dagindeling van Filips en zijn tweede vrouw Elisabeth Farnese om hier een idee van te krijgen. Ontbijt, gebed, opstaan, toilet maken, mis, biecht, communie, middagmaaltijd. Daarna volgen de jacht (de aristocratische bezigheid bij uitstek) en het dagelijkse werk van de koning met secretaris van Staat Grimaldo: dit is het specifiek bureaucratische deel van de dag dat samenvalt met de biecht van de koningin. Het geheel wordt bekroond met een avondmaaltijd, gevolgd door gebed en geestelijke lectuur voor het slapen gaan.[33]

Het sacrale botst gemakkelijk met de hiërarchie van de protocollaire voorrang. Zo is de koninklijke bidstoel een strategische plek; de afstand van een geestelijke of wereldlijke hoveling tot deze 'knielbank' vormt de inzet van een permanente rivaliteit: mag een eenvoudige cantor met zijn zwarte mozetta gaan zitten op een taboeret vlak bij de befaamde bidstoel, terwijl een dergelijke onderscheiding gewoonlijk slechts aan een bisschop is voorbehouden?[34] Wie biedt de koning het evangelie aan om dit te kussen tijdens de hoogmis van de Orde van de Saint-Esprit? Is dat de dienstdoende aalmoezenier of kardinaal de Polignac, die helemaal niet tot deze orde behoort, maar zich wel vlak bij de koninklijke bidstoel bevindt?[35] Wie bezet de vierde plaats achter de verheven bidstoel? De hertog de La Rochefoucauld, opperheer van de garderobe, of de bisschop van Orleans, de hoogste aalmoezenier?[36]

De kleine steden brengen het er in deze ruzies op hiërarchisch en sacraal terrein niet beter af dan het hof: 'Er is één ding dat men op deze aarde nog nooit heeft aangetroffen en naar alle waarschijnlijkheid ook nooit zal aantreffen, en dat is een kleine plaats die niet is verdeeld in meerdere partijen [...], waar een huwelijk nooit een burgeroorlog veroorzaakt, waar de onenigheid over rangen en standen niet elk moment opleeft wegens de offerande, de bewieroking en de hostie, wegens de processies en de uitvaarten [...], waar de deken het goed kan vinden met zijn kanunniken, waar de kanunniken niet neerzien op de kapelaans en waar deze de cantors niet slechts node dulden.'[37] Opnieuw doen de kerkelijke en aanverwante rituelen (huwelijk, processie, uitvaart, offerande tijdens de mis, wierook, hostie, een vloed van minachting tussen dekens, kanunniken, kapelaans en cantors) telkens weer de demonen, of veeleer de engelen en aartsengelen van de kleinzielige hiërarchie ontwaken. De *Lutrin* van Boileau, het verbazingwekkende gedicht geschreven naar aanleiding van niets of vrijwel niets, is hier een sprekend voorbeeld van.

De kroning van de koning is een ander voorbeeld van de samenvoeging van het sacrale met de top van de hiërarchie, juist op het (sacrale) ogenblik dat deze toppositie ontstaat en zichzelf opnieuw vastlegt, terwijl zijzelf alleen op de lange duur uiteindelijk verandert. De kroning heeft weliswaar sinds de vijftiende eeuw, toen Jeanne d'Arc dit nog als haar voornaamste doel zag, iets, zo niet veel aan belang ingeboet. In de zestiende eeuw bestaat de kroning nog steeds, maar het strategische moment van de machtsoverdracht ligt dan bij het begraven van het lichaam van de gestorven koning, wanneer men de banieren uit het graf heft onder de kreet *De koning is dood, leve de koning!*[38] Tot deze begrafenis heeft een modelpop van de overledene symbolisch de macht in handen gehouden. De mate van sacraliteit is overigens niet afgenomen; we kunnen zelfs stellen dat deze is versterkt door deze nieuwe praktijk: de nog steeds krachtige rituelen van de kroning worden in feite aangevuld of beter gezegd opgewaardeerd door deze gebruiken aan het einde van de rouw, die niets wereldlijks hebben, maar volledig gestoeld zijn op een zeer intense religiositeit.

Daarentegen wordt de vorst sinds de troonsbestijging van Lodewijk XIII, de eerste Bourbon die min of meer zeker is van zijn positie, gepresenteerd aan het parlement tijdens de eerste plechtige zitting daarvan, een onontbeerlijke en vrijwel zuiver wereldlijke ceremonie, die de overgang aangeeft. Bij de kleine Lodewijk XV, weeskind van zijn overgrootvader Lodewijk XIV sinds 1 september 1715, wordt de eerste plechtige zitting waar men het kind mee naar toe zal nemen, bepaald op 7 september 1715, maar omdat Lodewijk ziek is wordt deze verschoven naar 12 september. Getuigt Saint-Simons scherpe kritiek op de misstanden rondom de kroning van een afname van het sacrale en een vermindering van het hiërarchische besef? Het besluit van 1711 dat duidelijk voorrang geeft aan de prinsen van den bloede en de gewettigde bastaards om de rol van de zes wereldlijke pairs te vervullen bij de kroning, waarvan de hertogen en pairs dan vrijwel zijn uitgesloten,[39] leidt inderdaad tot een treurige constatering: dit besluit bevestigt dat er voortaan 'weinig steun is van een grote maatschappelijke entourage voor een kroning die in wezen verricht wordt enkel, of vrijwel alleen, door de mannelijke verwanten van een erfelijke koning', dit alles onder de voorwaarden van de Salische wet die karakteristiek is voor de Franse monarchie. En inderdaad belichamen de hertogen en pairs, nu zij niet langer de natie vertegenwoordigen, de top van de hiërarchie, en in naam die hiërarchie zelf, en komen zij, als steunpilaar die de spreekbuis wilde zijn van een hele samenleving en die vlak na de koninklijke familie kwam, nauwelijks nog tussenbeide. Met betrekking tot de kroning zelf klinkt de vormelijke kritiek hierop van Saint-Simon (oververtegenwoordiging van de magistraten van de Grote Raad en van het ministerie ten koste van de hoge adel, het nalaten van de toejuichingen van het 'volk' in het middenschip als wezenlijk onderdeel van de ceremonie) wellicht futiel. Toch kan deze kritiek licht werpen op de onder Lodewijk xiv begonnen relatieve ontwaarding (?) van een ceremonie en een monarchistische sacraliteit.

Zou de ceremoniële zalving van de koning soms, al was het maar deels, overhellen naar het terrein van de juristen? We moeten toch toegeven dat deze zalving nog steeds een flinke dosis sacraliteit heeft. Overigens raakt deze gedeeltelijke 'desacralisatie', die bovendien nogal twijfelachtig is, nauwelijks het dagelijks leven van de vorst, dat nog steeds doorweven is van religieuze handelingen – mis, vespers, sacramentslof en vooral de communie – en dat zelfs dwars door de eucharistische stakingen van Lodewijk xiv, die te zeer een overspelige is om altijd het recht te hebben de gewijde hostie te ontvangen.

Het sacrale, aanwezig aan de top van de hiërarchie aan het hof, is ook aanwezig in de daaronder komende rangen. Deze vormen, in aller ogen, de schakels van de daaropvolgende hiërarchie: de Orde van de Saint-Esprit, voorbehouden aan de adel, illustreert een bijzondere verering voor de derde van de heilige drie-eenheid en getuigt tegelijkertijd van een scherp hiërarchisch besef. Elk lid van de Orde heeft hierin een eigen plaats (naar anciënniteit) tijdens de geëigende processies. Saint-Simon, en hij niet alleen, heeft pagina's vol geschreven over deze orde en haar blauwe lint; deze zijn vandaag de dag vrijwel onleesbaar in onze egalitaire, gedesillusioneerde wereld. Het lijdt geen twijfel dat de Orde van de Saint-Esprit zowel de rangorde van de mensen als het sacrale verheerlijkt: men kent in feite elk jaar drie grote vieringen; twee daarvan zijn gewijd aan de reiniging (Maria-Lichtmis) en aan de uitstorting van de Heilige Geest (Pinksteren). Bij deze vieringen gingen de ridders van de Saint-Esprit, in elk geval tot 1661, in groot tenue.[40] Wanneer een nieuwe ridder de halsketting van deze orde ontving, sprak hij de woorden die een weldra door een wonder genezen zieke tot Jezus sprak: *Domine, non sum dignus* – Heer, ik ben het niet waard, maar spreek slechts één woord en mijn lichaam zal genezen zijn![41]

De Orde van de Saint-Esprit staat volgens de aristocraten wellicht niet gelijk aan het bezit van de titel van hertog en pair, maar niettemin is zij het sluitstuk van een geslaagde internationale carrière, die onderweg al was onderscheiden met het Gulden Vlies en de Spaanse Grande-titel: Scotti, een grote forse man, 'heel zwaar en dik', maar afkomstig uit een van de eerste Parmezaanse families, is de favoriet van de koningin van Spanje, de tweede vrouw van Filips v. Dankzij deze aanzienlijke dame is Scotti gouverneur van de jongste infante en daarna bezorgt ze hem het Gulden Vlies en vervolgens de titel van Grande, 'en om het geheel te bekronen maakte ze hem, arm als hij was, eerst ontzettend rijk en bezorgde hem de Orde van de Saint-Esprit'.[42] Op vergelijkbare wijze kan een levensloop die in Spanje begonnen is en is voortgezet in Frankrijk, leiden tot een Gulden Vlies nog voor iemand de Saint-Esprit heeft ontvangen. Maar deze twee ordes hebben vrijwel dezelfde waarde, al naar gelang de ontvangers: wanneer de hertog van Uceda, die de titel en de functie van ambassadeur van Spanje heeft, Filips v verlaat om naar de Habsburgers te gaan, besluit hij onmiddellijk zijn ketting van de Saint-Esprit terug te sturen naar Lodewijk xiv, en in ruil ontvangt hij van de aartshertog van Oostenrijk, die dan 'koning' van Spanje is in opdracht van de keizer en de Engelsen, een Gulden Vlies, dat vanzelfsprekend valt onder de aartshertog en niet onder Filips v. Het was dus Saint-Esprit tegen Gulden Vlies. Maar ook aartshertogelijke orde tegenover de orde van Filips v.[43]

Een ander voorbeeld van de altijd mogelijke uitwisseling van Saint-Esprit en Gulden Vlies is de reis van Maulévrier-Langeron. In 1720 vertrekt deze edelman, wiens familie onder bescherming staat van de Condés en de hertog du Maine, naar Madrid met het blauwe lint van de Saint-Esprit voor de pasgeboren infante don Felipe. Als beloning krijgt hij in opdracht van de Spaanse koning, voor zichzelf en niet zonder incidenten, de belofte dat hij het Gulden Vlies zal ontvangen.[44]

In principe zijn de grote ordes die een, vermeende, sacrale oorsprong hebben, een onderscheiding voor een verdienstelijke carrière, maar alleen voor mannen die door hun hoge afkomst ontvankelijk zijn voor een dergelijke onderscheiding. Toch wordt de koningen verweten dat zij deze eretekenen in waarde doen dalen: de markies de Bay, een dappere militair, was helaas, zo zegt Saint-Simon, de zoon van een herbergier uit de Franche-Comté. Filips v maakte dus 'een grote fout' toen hij hem het Gulden Vlies verleende.[45] Zijne Katholieke Majesteit maakte dus een grote fout... of juist niet wanneer het klopt dat Bay in werkelijkheid (ongeacht zijn persoonlijke verdiensten) de zoon van een edelman was en niet van een gaarkeukenhouder.[46] Het aan d'Asfeld verleende Vlies was vanuit het strikt saint-simonische perspectief nog twijfelachtiger.[47] D'Asfeld was de zoon van een handelaar in zijde, goud- en zilverfluweel in de rue aux Fers in Parijs.[48] Deze koopman kreeg een adellijke titel met een Duitse klank (Asfeld) van de koningin van Zweden; zij had gebruikgemaakt van zijn diensten als algeheel zaakgelastigde en hem op die manier beloond. De zoon van deze zijdehandelaar was een eervol en getalenteerd iemand en een uitstekend specialist op het gebied van vestingwerken en intendance, verbonden met de groep rond de hertog d'Orleans; hij verkreeg van Filips v het Vlies vanwege zijn militaire verdiensten die werkelijk indrukwekkend waren en die een

groot tegenwicht vormden voor zijn geringe komaf. De puristen hadden er niettemin aanmerkingen op.

Zij hadden ook bezwaar tegen het feit dat Morville het Vlies kreeg. Deze Morville
was weliswaar van goede familie, maar functioneerde alleen in de magistratuur.
Morville kwam uit Armenonville, uit de bekende technocratenfamilie Fleuriau, die
gelieerd was aan de Le Peletiers die weer beschermelingen waren van de Le Tellier-
Louvois', en trad in de voetsporen van zijn vader die aan het begin van de achttiende eeuw een machtig man was in het geldwezen. Deze vader werd vervolgens in
alle rust gedegradeerd door Desmarets en tijdens het regentschap er weer bovenop
geholpen, waarna hij secretaris van Staat voor Buitenlandse Zaken werd en eindigde als Zegelbewaarder. Morville werd, na een briljante carrière bij de rechtbank van
Parijs, het parlement, de Grote Raad, de ambassade in Holland, de Orde van Saint-
Louis, de Staatsraad en als secretaris van Staat, minister van Staat, belast met het
ministerie van Buitenlandse Zaken van 1723 tot 1727, tot hij door Fleury in ongenade viel, vrijwel gelijktijdig met de val van Monsieur de Hertog. Morville was achtereenvolgens de beschermeling van Dubois, van Orleans en de Bourbon-Condés, hij
was anglofiel en een vergaarder van titels die zijn ijdelheid graag liet strelen en
uiteindelijk in 1723 lid werd van de Académie française, waarna hij enige tijd later
het Gulden Vlies ontving van Filips v. De koning dacht zich daarmee steun te verwerven in de Franse regering, in de persoon van een minister van Staat die zich tot
dan toe meer anglofiel dan hispanofiel had betoond. Hij moest dus naar Spanje
gelokt worden. Hiermee week Filips v niet van zijn gewoonten af, want hij had al
meermalen invloedrijke personen uit de Franse elite 'bevliesd', die een goede positie hadden aan het hof van Lodewijk xiv en Maintenon (Villars, Caylus), en later
bij Filips van Orleans (Ruffec, de zoon van Saint-Simon, en zelf bevriend met de
regent). Maar het klopt dat – en op dit punt is het protest van Saint-Simon wel min
of meer terecht – Filips v, door het Vlies aan Morville te geven, afweek van zijn
gewoonte om het Vlies alleen aan Fransen van hoge geboorte te geven, of het nu
om een bastaard ging (Toulouse, Berwick), om hofadel (Béthune-Sully) of om lieden die zich militair hadden onderscheiden bij gebrek aan een hoge geboorte (Villars, d'Asfeld). Door Morville het Vlies te geven, slechts een tot minister geworden
magistraat, een banale technocraat, verlaagde Filips v zich tot het niveau van Monsieur de Hertog, die bij de verlening van de Orde van de Saint-Esprit in 1724 'het
gepeupel, het gespuis en het schorem voorzag', zoals onze lichtgeraakte kleine
hertog met enige overdrijving fulmineert.[49]

De Spaans-Franse carrière van de hertog d'Ossone is minder moeizaam, rechtlij-
niger. De kinderloze oudste broer van Ossone verkwistte al zijn geld aan de meisjes
van de Opéra. Door de dood van deze broer verkreeg Ossone de titel van hertog,
gevolgd door een luisterrijke missie naar Parijs om daar het huwelijk te regelen
tussen de dochter van de hertog d'Orleans en de erfgenaam van Filips v. De regent
kan niet anders dan deze afgezant het blauwe lint van de Saint-Esprit verlenen na
een zo schitterende prestatie.

Soms wordt het blauwe lint verkregen door ongebruikelijke, om niet te zeggen verwerpelijke methoden. Een beetje chantage kan soms nuttig zijn: d'Estampes had de homoseksuele neigingen ontdekt van Monsieur, de broer van de koning, voor Châtillon. Hij chanteerde Monsieur, met het zwaard in de hand, terwijl die op het stilletje zat en verkreeg zo van zijn slachtoffer de toezegging dat hij bij de lichting van 1688 benoemd zou worden in de Orde van de Saint-Esprit, op voordracht van de hertog de Chartres, de zoon van Monsieur.[50]

Bij gebrek aan dergelijke discutabele methoden kan men de Orde eenvoudigweg verwerven als gunst (wat in elk geval een minimum aan afkomst en titels, hoe weinig inhoudend ook, vereist). Dit gold voor hertog Claude de Saint-Simon, de vader van de kroniekschrijver. Lodewijk xiii, platonisch (?) liefhebber van jongemannen, benoemde hem op zijn vijfentwintigste met genoegen tot ridder in de Orde, en twee jaar later tot hertog en pair. Het blauwe lint van Saint-Simon senior leverde geen hertogdom op, maar hij baande zich er binnen twintig maanden een weg naar toe. Veel later zou Lodewijk xiv zijn vriend Puyseulx, toen in de zestig, ridder in de Orde maken. Puyseulx had vele verdiensten, maar hij dankte deze bevordering ook aan het feit dat de jonge koning hem een halve eeuw daarvoor, toen hij blindemannetje met hem speelde, het blauwe lint had beloofd.[51]

Op ministerieel niveau hanteerde Louvois een vergelijkbare vriendjespolitiek ten gunste van La Trousse, die in 1688 ridder in de Orde werd. Madame Maintenon deed hetzelfde ten gunste van Villarceaux senior, met wie zij van oudsher in alle eer en deugd bevriend was. Deze genegenheid levert de dan veertigjarige Villarceaux junior datzelfde jaar, 1688, de Saint-Esprit op: hij was sinds 1677 kapitein-luitenant en hij werd brigadier-generaal in 1690, twee jaar nadat hij de Orde had ontvangen. Het blauwe lint is dus werkelijk een bonus die voorafgaat aan een promotie, net als in het geval van Saint-Simon senior. Het is tegelijkertijd een signaal voor degenen die op de hoogte zijn dat een bepaald iemand in de gunst komt. Wat betreft Villarceaux junior, deze gedroeg zich heldhaftig in de laatste slag bij Fleurus, maar werd gevangengenomen door de vijand: toen ze zijn blauwe lint zagen slachtten ze hem in koelen bloede af.[52] Een wreed tijdperk.

Het samengaan van rangen en standen met het sacrale is duidelijk aanwijsbaar in de voordracht voor de rang van ridder van de Saint-Esprit,[53] en we zien hier opnieuw de vertrouwde hiërarchie aan de top: wanneer er weer een nieuwe rist ridders moet komen, mogen de kinderen van Frankrijk twee, zo niet drie kandidaten voordragen; de kleinkinderen van Frankrijk en de eerste prins van den bloede slechts één. De overige prinsen van den bloede mogen er ook één voordragen, maar alleen wanneer het totale aantal meer dan acht nieuwe ridders bedraagt. Saint-Simon is natuurlijk van mening dat deze voordrachten recent zijn en dateren uit 1688, ja zelfs uit 1724, toen Monsieur de Hertog, zoals we al zeiden, het gepeupel, het gespuis en het schorem voorzag van een orde.[54] Deze voordrachten onderstrepen echter, in een nieuwe stijl, de traditionele verschillen binnen de hoogste rangen. Teksten uit de tweede helft van de zestiende eeuw wijzen erop dat de Saint-Esprit in elk geval 'het neusje van de zalm' belichaamt van de gesacraliseerde hiërarchie en Saint-Simon haalt ze aan naar aanleiding van de processies waaraan de ridders van deze orde deelnemen. Deze teksten geven nauwkeurig de verschillende opeenvolgende niveaus weer, die als een jakobsladder afdalen van de toppen van de kerk en de 'ondertoppen' van het koninklijk huis: religieuze gezagsdragers, koning en koningin, prinsen en hoge heren als Montmorency, ridders van de Orde, edellieden ofwel aanzienlijke heren met hoge ambten, magistraten van het parlement en andere opperste gerechtshoven, die verzocht worden helemaal achter aan de stoet plaats te nemen.

De Saint-Esprit en het Vlies maken, net als de titel van Grande en de hertogdommen, deel uit van een nationale hiërarchie. Wanneer de omstandigheden dit vereisen laat Lodewijk xiv dit duidelijk merken: voor hun heldendaden bij Gerona ontvangen twee Fransen, Montmorency-Estaires en Noailles, in 1711 van Filips v respectievelijk het Gulden Vlies en de titel van Grande. De Zonnekoning is hier diepbedroefd over omdat hij in die periode een breuk met Spanje overweegt om gemakkelijker vrede te kunnen sluiten met zijn vijanden, ten koste van zijn Spaanse geallieerden. Maarschalkse Noailles wordt zelfs gedwongen de gelukwensen die zij voor de onderscheiding van haar zoon had ontvangen terug te sturen. Enige tijd later loopt alles toch nog goed af voor Montmorency-Estaires, die onder de naam prins van Robecq daarna carrière maakt in Spanje, zodat het Gulden Vlies voor hem, zoals het hoort, slechts een eerste opstap was naar de titel van Grande.[55]

Op een prozaïscher vlak zijn de ridderorden ook een merkteken en een springplank[56] die gelijktijdig de strategische etappes afbakenen van een carrière en al dan niet[57] de toegang tot een hogere trede voorbereiden. Markies Henri d'Harcourt, een intelligente, gewiekste en berekenende Normandiër van zeer oude adel, is een hoge bevelvoerder aan de noord- en oostgrenzen tijdens de oorlogen van Lodewijk xiv. Hij is luitenant-generaal in 1693 (wanneer hij negenendertig is), ambassadeur in Spanje in 1697, hertog in 1700, veldmaarschalk in 1703 (op zijn 49ste), kapitein van de lijfwacht en vervolgens ridder van de Orde in 1705.[58] Hij wordt pair in 1710, na een lucratieve opwaardering van zijn functie van luitenant-generaal in Normandië (1709). Zijn deelname aan de regentschapsraad bekroont deze loopbaan. Harcourt wordt getroffen door een beroerte en komt financieel in moeilijkheden door de economische crisis van 1690-1715 omdat hij zijn royale inkomen grotendeels spendeert aan de instandhouding van zijn leger, reden waarom hij minder profiteert van deze belangrijke voorrechten dan zijn nakomelingen, die Normandië tot 1789 zullen besturen[59] en die in verscheidene hoedanigheden aan het einde van de twintigste eeuw nog steeds bij ons zijn. Handige verbintenissen, eerst met de Villeroys en vervolgens met de Louvois-Barbezieux', effenen verder het pad van deze familie die François d'Harcourt, de zoon van de maarschalk, vanaf 1718 weer laat opbloeien.[60]

Henri d'Harcourt mikte vooral op de ridderorde van de Saint-Esprit; het Spaanse Gulden Vlies is voor hem daarentegen slechts een bijkomstigheid. Wanneer hij hem ontvangt voor zijn verdiensten in Spanje staat hij hem graag af aan zijn broer Sézanne en, na diens (kinderloze) dood laat hij hem overgaan op zijn tweede zoon die spoedig sterft, en daarna op zijn derde zoon.[61] 'Na de voortijdige dood van deze derde zoon verdwijnt dit *zo opeenvolgende* Vlies bij de Harcourts.'

Voor Saint-Simon zelf[62] is het Vlies vooral iets amusants, een onderscheiding voor jonge mannen die hij bestemt voor zijn oudste zoon, in afwachting van de dag dat deze kennismaakt met de veel betrouwbaarder status van hertog en pair. Saint-Simon geeft er de voorkeur aan voor zijn jongste zoon regelrecht de titel van Spaanse Grande te verwerven. In de ogen van de hertog wordt deze geacht de jongste zoon te troosten met het feit dat hij geen hertog en pair is, een waardigheid die per definitie is voorbehouden aan de oudste zoon van Louis de Saint-Simon, een oudste zoon die al sinds enige tijd de branie uithing met zijn Gulden Vlies.

Villars gaat, als inhalige en moedige Gascogner, verder dan Saint-Simon en Harcourt want hij cumuleert alleen voor zichzelf de Saint-Esprit, het Vlies en de titels van hertog en Grande. Net als Harcourt is Villars een 'beschermeling' van Mme de Maintenon, en ook hij is door zijn verdiensten zeer wel in staat zichzelf een positie te verwerven. Hij is van lagere afkomst dan de Normandiër Harcourt omdat zijn adeldom veel minder oud is, maar deze is minder onbeduidend dan Saint-Simon beweert, die hem laat afstammen van een 'griffier uit Condrieu' in de Dauphiné (ongetwijfeld een zuidelijke provincie, maar door onze auteur nogal lichtvaardig in verband gebracht met Gascogne). Villars werd geboren in 1653, hij was luitenant-generaal tijdens de oorlog tegen de Liga van Augsburg en hij trouwt in 1702 met een mooie, rijke Normandische; datzelfde jaar wordt hij veldmaarschalk, na de slag bij Friedlingen, hij wordt hertog en ridder van de Orde in 1705, daarna herstelt hij de rust en orde in de Cevennen, hij wordt pair in 1709 na zijn verwonding bij Malplaquet en hij triomfeert bij Denain in 1712 (Frankrijk dankt aan hem de Vrede van Utrecht in 1713, waarbij een Bourbon op de Spaanse troon mocht blijven zitten). Vanaf die tijd wordt duidelijk dat Villars ook naar Spaanse titels streeft, hoewel deze maarschalk nog nooit aan de andere kant van de Pyreneeën is geweest. In 1714 verwerft hij het Gulden Vlies... tegelijkertijd met een (Franse) toelage van 3000 pond voor Choiseul, de man van zijn zuster.[63] In 1723 wordt hij Grande van Spanje, wellicht als beloning voor zijn discrete steun aan de samenzweerder Cellamare en aan de hertog du Maine, tegen de regent. In elk geval is het een schitterend besluit van zijn carrière, die een grote maar zeer zeker ongerechtvaardigde jaloezie oproept bij Saint-Simon. Onder Fleury wordt Villars, dan in de zeventig, lid van de Kleine Raad. Zijn zoon trouwt met een Noailles, van zeer hoge adel en uit een pro-Maintenonfamilie, zoals het hoort. Het was Villars gelukt om oud te worden en zijn verdiensten te tonen, hij wist Mme de Maintenon, het oude hof en kardinaal Fleury voor zich te winnen, hij wist via de Saint-Esprit pair van Frankrijk te worden en gebruikte het Vlies als opstap voor de titel van Grande in Madrid. Harcourt verdeelde zijn Franse en Castiliaanse titels onder zijn vele verwanten en nakomelingen. Villars daarentegen behield alles voor zichzelf om het geheel vervolgens over te dragen aan één erfgenaam. Deze 'Gascogner' bleef met beide benen op de grond en zette alles op één kaart – die van hemzelf! Ook in Duitsland, waar Villars succesvol oorlog had gevoerd, had hij zich fors verrijkt ten koste van de Teutonen om zijn kas beter te kunnen spekken, ofwel die van zijn kasteel Vaux-le-Vicomte, dat hem fortuinen kostte.

De (Spaanse) ceremonie voor de inwijding in de Orde van het Gulden Vlies is typerend voor wat ons hier interesseert: ook al draagt deze orde een naam die aan de antieke mythologie refereert, hij is volledig bedolven onder een christelijke sacraliteit.[64] Voordat het aspirant-lid met het grote zwaard van Gonzalves van Cordoba tot ridder wordt geslagen, knielt hij voor een tafel met daarop een verguld zilveren crucifix, een missaal dat openligt bij de canon en een evangelie van Johannes de Doper. Duidelijker kan het niet. Deze heilige tafel heeft tijdens de onderhavige ceremonie de prioriteit, ook ten opzichte van de fauteuil van de koning, die zelf weer domineert ten opzichte van de overige aanwezigen, ofwel ten opzichte van de reeds 'bevliesde' ridders van de orde. Zij zitten naar anciënniteit op een bank met een tapijt en het hoofd bedekt. In de rangorde komen vervolgens de (bureaucratische) beambten van de orde, die op een kale bank zitten met onbedekt hoofd; en ten slotte volgen de dames die simpelweg als 'toeschouwers' staan. (De term 'toeschouwer', die Saint-Simon vaak gebruikt, betekent in feite een positie buiten de rangen, die Saint-Simon zelf ook zal bekleden wanneer hij zijn memoires schrijft; deze is enigszins vergelijkbaar met die van de wereldverzakers, die buiten de wereld en toch in de wereld staan, en die regelmatig voorkomen in andere delen van de *Memoires*.)

Saint-Simon noteert bij de beschrijving van het Gulden Vlies nauwkeurig[65] dat de fauteuil van de koning, die een dominante positie heeft ten opzichte van de wereldlijke aanwezigen, ondergeschikt blijft aan de voorwerpen die het sacrale verbeelden op de heilige tafel (crucifix en missaal). De koninklijke zetel staat achter in de zaal waar de ridderslag plaatsvindt en is iets naar links geplaatst vanwege deze verheven, centrale tafel, 'en uit eerbied voor wat er zich op bevindt'.

De verbreiding van het sacrale via de saint-simonische hiërarchie vindt op drie niveaus plaats: in de zuiver kerkelijke instellingen voor de eerste stand (de geestelijkheid); in de kroning en de bijzondere ceremonieën (de bevoorrechte communie) voor de vorst die, aan het hoofd van de aristocratie, toch de overgang of de verbinding tussen de eerste en de tweede stand vormt; en ten slotte het tot ridder slaan voor de tweede stand, of in elk geval voor die leden ervan die door hun verdiensten en geboorte waardig bevonden zijn om in een ridderorde in te treden (Saint-Esprit, Gulden Vlies). De ridderslag, die Saint-Simon zeer nauwkeurig beschrijft wanneer zijn zoon ridder in de Orde van het Gulden Vlies wordt, 'wordt beschreven in termen van religieuze mystiek of inwijding, die het stempel van het christendom dragen; het is volgens de augustiniaanse definitie van het *heilige teken* nagenoeg een sacrament.' Sinds de ridderslag in de Middeleeuwen voor het eerst werd omschreven, was hij onverbrekelijk verbonden met de theoretische en praktische handelwijze van een koning-priester à la David of Melchizedek.[66]

Van het sacrale komen we weer terecht bij het probleem van de rangen en standen. Het is waar dat de intrede in de Orde van de Saint-Esprit plaatsvindt op leeftijden die omgekeerd evenredig zijn aan de hiërarchische positie van de persoon in kwestie: de kinderen van Frankrijk en de infanten van Spanje ontvangen het blauwe lint van de Saint-Esprit bij de geboorte, zodra de nooddoop is voltooid;[67] de prinsen van den bloede worden ipso facto ridders in de orde op hun vijfentwintigste, en later, bij het verval van het koninklijk bewind, op hun veertiende, opdat de bastaarden hen niet de loef afsteken.[68] De minder hooggeplaatsten moeten wachten tot ze ouder zijn om dit ridderschap te verkrijgen. In hun geval is het heel raadzaam om regelmatig staat te kunnen maken op militaire heldendaden die een ietwat 'korte' afkomst gunstig aanvullen.

Deze genealogische regels zijn ook verinnerlijkt door degenen die de koning overweegt de Saint-Esprit toe te kennen. De kroniekschrijver citeert vol bewondering een aantal weigeringen de orde te ontvangen. Zij komen van diverse 'decorabelen' die hun niet-adellijke afstamming hiervoor veel te gering vinden. We kunnen onder meer twee legeraanvoerders noemen, Fabert en Catinat (die niettemin beroemd waren vanwege hun heldendaden), en een aartsbisschop van Sens, Fortin de la Hoguette, wiens ouders, als we de belanghebbende, of beter de niet-belanghebbende, zelf mogen geloven, *helemaal niets waren.*[69] Met name waar het Catinat betreft, die een goede vriend van de kroonprins was maar niet erg werd gewaardeerd door Mme de Maintenon, bedroefde diens weigering om de orde te ontvangen de koning maar matig.

Wanneer alles goed gaat en de bewijzen vlot en vrijwillig worden geleverd, is de (religieuze) orde een beloning voor (krijgs-) verdiensten; zo komt het aristocratische systeem, zoals het behoort, samen met de ridderschap en de ridderslag van het sacrale. Soms is er meer tijd nodig: Charles de Revel, onbemiddelde jongste zoon van de in opkomst zijnde familie Broglie, doorloopt moedig en zonder bravoure een voor een de rangen van de militaire hiërarchie en wordt luitenant-generaal. In 1702, wanneer hij al ver in de vijftig is, haalt zijn heldhaftige verdediging van Cremona hem onverwacht uit de onbekendheid die tot dan toe pijnlijk geïllustreerd werd door zijn kortstondige verhouding met de actrice Champmeslé. Zijn heldendaad bij Cremona levert hem in één klap de Orde van de Saint-Esprit op, het relatief lucratieve gouvernement van de stad Condé (22.000 pond per jaar) en een eervol besluit van zijn carrière. Financieel zal hij er nooit florissant voorstaan, en bovendien doet hij een vooraanstaand huwelijk, maar zonder grote bruidsschat, met de zuster van de hertog de Tresmes, een oude vrijster. Stemde zij in met dit huwelijk om niet het klooster in te hoeven? Revel, zwaarlijvig en jichtig geworden, overleefde zijn bruiloft niet lang; hij werd niet eens maarschalk. Al met al deed de Orde van de Saint-Esprit dienst als maarschalksstaf.[70]

De Saint-Esprit kan dus een hoogtepunt zijn, maar men ziet hem liever als opstap in een zo mogelijk vollediger en geldelijk gesproken substantiëler traject dan de loopbaan van Revel. Louis-Vincent, markies de Goesbriand, die zonder meer van hoge geboorte is, doet een rijk huwelijk met de dochter van minister en financier Desmarets.[71] Vervolgens ontvangt hij voor het moedige verzet dat hij in 1710 in Aire betoonde de Orde van de Saint-Esprit, plus een toelage van 20.000 pond en het gouvernement van Verdun dat eveneens bijna 20.000 pond per jaar oplevert.[72] Zijn schoonvader Desmarets bezorgt hem in 1712 een nieuwe toelage van 12.000

pond.[73] Eenmaal rijk kan Goesbriand zijn zoon laten trouwen met de dochter van de markies de Châtillon; dit huwelijk, dat eervol is voor de Goesbriands, is lonend voor de Châtillons wier dochter vrijwel zonder bruidsschat wordt aanvaard.[74] De bekroning van een dergelijke carrière, waarvan de Saint-Esprit slechts een van de onderdelen was – zonder meer essentieel en objectief gezien lucratief – volgt bij de kroning van Lodewijk xv.[75] Goesbriand is daarbij, als ridder in de Orde, een van de vier edellieden die de offergaven van de kroning dragen (een beker met wijn, een goudstaaf, een zilverstaaf en een fluwelen beurs met dertien goudstukken). Hij zit bij die gelegenheid dus op de eerste rij, of beter gezegd op de voorste stoelen in het koor van de kathedraal in Reims. Tijdens het eerste deel van deze briljante loopbaan, tussen 1700 en 1725, werd Goesbriand gesteund door de welgezindheid van Desmarets, maarschalk de Villeroy en Mme de Maintenon. Hij had het stramien van de eerbewijzen doorweven met tekenen van materiële welvaart. Zijn zwager Maillebois, veldmaarschalk en zoon van Desmarets, zal ook het blauwe lint verwerven. De Orde is zo een zeer 'nauw verweven' club van families.[76]

De Orde van de Saint-Esprit (voor de gelegenheid tegelijk toegekend met het gouvernement van Le Havre, dat wordt geschat op 300.000 pond aan vermogen en 18.000 pond aan inkomsten) vormt in 1661 eveneens een strategische mijlpaal in de carrière van een zekere Navailles, een edelman uit Gascogne met grote verdiensten maar gespeend van verstand, waardoor hij trouw is aan Mazarin en zijn vrouw aan Mme de Maintenon (de geheime echtgenote van de koning had in haar armoedige jeugdjaren de kalkoenen gehoed bij de schoonmoeder van Navailles). Deze Navailles wordt, na een korte periode van ongenade, uiteindelijk veldmaarschalk in 1670 en gouverneur van de toekomstige regent. Ondanks het blauwe lint blijft hij relatief arm (zijn mensen stierven van de honger) en loopt hij een hertogstitel mis, die hij alleen theoretisch krijgt zonder deze ooit echt te bezitten. Dit lint zal echter een geluksbode zijn voor de familie Navailles als geheel, die zich stevig zo niet luxueus geworteld heeft in Versailles en in het Palais-Royal: een van de dochters van maarschalk Navailles gaat een briljant huwelijk aan met prins Karel iii van Lotharingen, de hertog d'Elbeuf, lid van een regerende dynastie en overigens vermaard geworden omdat hij een kolonel een klap in het gezicht gaf met een lamsschouder waarvan het litteken voor altijd op de wang van de ongelukkige militair zichtbaar zou blijven.[77] De jonge Navailles, de nieuwe hertogin d'Elbeuf, hoefde zich alleen nog maar fatsoenlijk te gedragen.

Kortom, de bevordering tot de Orde betekent in principe afkomst, militaire verdienste, een eervolle positie en politieke steun. Dat is ook het geval bij Coëtenfao, een Bretonse edele, broer van een bisschop, held op sokken en erecavalier van de hertogin de Berry, een voorname functie (die hij heeft verworven met steun van Saint-Simon die tijdens het regentschap invloedrijk was) en een waardigheid met als voornaamste belang de drager ervan aan te wijzen voor een benoeming in de Orde van de Saint-Esprit. Maar helaas sterft Coëtenfao te vroeg om het blauwe lint te verwerven.[78]

Omdat het sacrale zich uitbreidt van de eerste stand (geestelijkheid) naar de tweede (adel) en van de koning naar de hertogen, doordringt het de hele groepsgewijs georganiseerde samenleving. Deze omvat rond 1700 nog een belangrijk deel van de Franse bevolking. Het hof is vervuld van het sacrale: missen, vespers en sacramentslof volgen elkaar voortdurend op in de kapel van Versailles, één verdieping hoger gelegen dan de rest van het paleis. Vormt het hof een groep op zichzelf, of een weinig hecht conglomeraat van soms onderling verdeelde groepen? We kunnen in elk geval constateren dat op het veel lagere niveau van ambachtslieden en dorpelingen, de gilden en wat men al te snel corporaties noemt, de plaats innemen van de broederschappen, georganiseerd rond de verering van een patroonheilige (daarbij kan het opnieuw om de Saint-Esprit, de heilige geest, gaan bij de gemeenschappen in de steden en dorpen in het zuidwesten van Frankrijk; om de heilige Crispijn bij de leerbewerkers; om de heilige Eligius voor de smeden, enzovoort). Zelfs vandaag de dag nog hebben onze vakbonden, de verre erfgenamen van het corporatisme, een ideologie die in zekere zin een surrogaat is voor de vroegere religieuze basis. Om nog maar te zwijgen van hun op processies lijkende demonstraties, die zorgen voor eindeloze opstoppingen.

De hiërarchie van het hof hangt in haar hoogste regionen en in haar opeenvolging ook samen met de hemelse rangorde. Hierbij zij opgemerkt dat de tegenstelling tussen het sacrale (als hoogste waarde) en het profane aan het andere einde van dezelfde as, nog geen religieuze onverdraagzaamheid inhoudt. Door het sacrale aan de top van een hiërarchie te plaatsen, geeft men ook toe dat er op minder hoog niveau geledingen van de maatschappij bestaan die haar rechtmatig ontglippen. Saint-Simon en La Palatine registreerden, op een reeds ernstig ontregelde schaal van Richter, heel nauwkeurig de hofhiërarchie waaraan zij met al hun vezels gehecht waren; en niettemin stonden zij beiden open voor een religieus pluralisme. Zij stonden niet a priori vijandig tegenover het jansenisme dat door de regering vervolgd werd. Zij betoonden zich pas vijandig – en dan nog! wij komen hierop terug – toen genoemd jansenisme zich belichaamde in een kamp binnen de kerk. Saint-Simon schreef zelfs een aantal paragrafen over de kluizenaars van Port-Royal, voor wie hij een grote sympathie toont, zelfs een niet-aflatende bewondering; hij bewondert met name hun ascetische en op studie gerichte manier van leven,[79] en dit komt voort uit de onverflauwde belangstelling van de hertog voor de theologie van Augustinus, en met name voor de strikte moraal van de schrijver van de *Staat Gods.*[80]

De hertog en La Palatine zijn overigens stelselmatig afkerig van botte intolerantie, zoals de herroeping van het Edict van Nantes. De uitsluiting van de hugenoten (1680) valt samen met het ontstaan in Frankrijk van een moderne nationale staat, die wordt gekenmerkt door het verbond tussen troon en altaar. Hetzelfde geldt voor het Engeland in de zeventiende eeuw, waar het agressieve antipapisme de bindende kracht vormt voor de nationale eenheid. De Franse staat heeft dan al een tendens tot egalitarisme; deze schept een afstand tussen degenen die volledig lid zijn van de staat of de natie enerzijds en anderzijds de zondebokken wier uitsluiting de nationale verbondenheid bevestigt en bevordert. Zo wordt de periode 1680-1700, zowel in Frankrijk als op de Britse eilanden, gekenmerkt door een golf van vervolgingen: tegen de hugenoten in Frankrijk en tegen de katholieken en de Ieren in Engeland.

Als hiërarchisch denker staat Saint-Simon absoluut afwijzend tegenover uitingen van onverdraagzaamheid: hij veroordeelt streng het barbaarse gedrag van de staat ten opzichte van de hugenoten bij de herroeping van het Edict van Nantes.[81] De Franse protestanten wordt verweten dat ze in de zestiende en zeventiende eeuw hebben aangezet tot burgeroorlog. Hij maakt duidelijk dat de werkelijke aanstichters van de godsdienstoorlogen de Guises en andere aanhangers van de Katholieke Liga zijn, en niet de protestanten.[82] Hij betreurt terecht (en tegelijkertijd bewondert hij het) dat de koning van Pruisen zijn voordeel heeft gedaan met de vervolgingen onder Lodewijk xiv door Franse werklieden (en calvinisten) naar zijn gebied te halen.[83] Maar hoewel Saint-Simon geneigd is tot tolerantie, gaat hij hierin minder ver dan de hertog d'Orleans die bij gelegenheid met het idee speelt de herroeping in te trekken en de hervormde emigranten naar Frankrijk terug te laten keren.[84] Al met al neemt Saint-Simon ten opzichte van de hugenoten een afwachtende houding aan: hij betreurt de vervolgingen van 1685, maar pleit niet voor een terugkeer naar de coëxistentie van weleer. Het is begrijpelijk dat hij als zodanig niet altijd waardering kon opbrengen voor de pro-Engelse diplomatie van Dubois.

Door diezelfde geestesgesteldheid staat hij overigens uiterst vijandig tegenover, onder meer, de opstand van de camisards, die hij gelijkstelt met fanatici.[85] Deze vijandigheid is soms wel gerechtvaardigd: de zinloze wreedheid van de camisards boezemde afkeer in, en in bepaalde gevallen met recht. Maar het wezenlijke kenmerk blijft toch dat Saint-Simon, *homo hierarchicus*, en Madame, *domina hierarchica*, zich niet laten meevoeren door de golven of stormen van uitsluiting die volgen op de herroeping. In de strikte hiërarchie van de maatschappij van rangen en standen, belichaamd in de kleine hertog en La Palatine, was er in de diverse niveaus altijd plaats voor bepaalde protestanten, of zij nu van heel hoge of heel lage adel waren.

Men trof deze groepen hugenoten aan te midden van de katholieke meerderheid op een aantal niveaus, en lang niet altijd in de laagste echelons van het systeem van goed- of afkeuring. In de familie van de echtgenote van Saint-Simon was de schoonvader van de hertog zeer nauw verwant aan Louis de Durfort, graaf van Feversham, uitgeweken naar Engeland om het geloof en die, zo zei men, zijn leven 'briljant' (maar clandestien) eindigde als geheim echtgenoot van de koningin douairière van Engeland, de weduwe van Karel ii.[86] Lorges, de schoonvader van Saint-Simon, was bovendien de broer van de gravin de Roye die vanwege haar protestantisme naar Engeland was uitgeweken. Saint-Simon heeft altijd een uitstekende relatie gehouden met de kinderen van deze vrouw.[87]

Aan de Duitse kant heeft de kleine hertog groot respect voor de lutherse ideeën. Hij constateert dat het zeer sterk gehiërarchiseerde Duitsland zich logischerwijs de luxe kan permitteren om gedeeltelijk protestant te zijn. Onze schrijver noemt vol bewondering het geval van de graaf van Nassau-Saarbrücken, als buitenlander luitenant-generaal in het Franse leger: 'Hij was een uitmuntend man van de wereld, met een voornaam en imposant voorkomen, uiterst beleefd, zeer moedig, een bijzonder oprecht iemand met [evenwel!] weinig esprit, die zeer gewaardeerd werd. Hij was ook zeer rijk, *maar luthers* en nog helemaal niet oud. De koning zelf had al een aantal keren niet onvriendelijk zijn religie bekritiseerd en hem duidelijk gemaakt dat alles voor hem open lag als hij katholiek werd, zonder hem echter aan het twijfelen te kunnen brengen.'[88]

Dit respect voor het lutheranisme gaat gelijk op met Saint-Simons respect voor het gallicanisme in Frankrijk en het anglicanisme op de Britse eilanden. Zolang een kerk zowel christelijk als nationalistisch, kortom niet ultramontaans is kan deze, weliswaar met een aantal nuances, onveranderlijk rekenen op de goedkeuring van de kroniekschrijver. Met betrekking tot de hertog d'Ormond, jakobiet en anglicaan, door de omstandigheden uitgeweken naar Madrid, noteert hij: 'De hertog d'Ormond was klein, dik en gedrongen, maar niettemin in alle opzichten charmant, en hij had de manieren van een groot edelman, een en al voorkomendheid en waardigheid. Hij was zeer gehecht aan zijn anglicaanse geloofsovertuiging en weigerde steevast de zeer goede huwelijken die hem werden aangeboden mits hij zijn overtuiging zou loslaten.'[89] Saint-Simon is zeer gesteld op anglicanen wanneer ze vanaf het begin ook jakobiet zijn.

In de hugenotenkwestie is Saint-Simon, die ver afstaat van een ideologisch monopolisme, natuurlijk voorstander van een *Realpolitik* ten opzichte van de grote en kleine protestantse mogendheden, uitgezonderd wellicht het huis Hannover in Engeland. Hij vergeeft het Du Luc, Frans ambassadeur in Zwitserland, niet dat deze alleen het bondgenootschap met de katholieke kantons hernieuwde, met uitsluiting van de protestantse kantons, die hierover wrok koesteren jegens het hof van Versailles.[90] Het bondgenootschap met alle Helvetische kantons zal pas veel later worden hernieuwd.[91]

Kunnen we in dit opzicht stellen dat de rigoureus antiprotestantse handelwijze van Lodewijk xiv dan al verwijst naar een zekere ideologische vernieuwing van de 'naar gelijkheid strevende' staat, en als zodanig naar een streven naar religieuze en politieke eenwording: één wet, één geloof, één koning? Het ongetwijfeld betrekkelijke religieuze pluralisme van Saint-Simon gaat daarentegen goed samen met de vele openingen in het hiërarchische denken: het huis van de Vader telt vele kamers... Langs de verticale as die van de laagste regionen naar de hoogste rangen en standen voert zijn zeer veel verschillende en ook zeer 'multiconfessionele' nissen. Omgekeerd ontstaat er in deze tijd racisme in onze min of meer egalitaire samenlevingen. Zij vervangen de subtiele discriminatie van het verleden door de meedogenloze uitsluiting van grote religieuze of 'genetische' minderheden, die als zodanig worden benoemd en vervolgens ongewenst worden verklaard.[92]

In wezen staat Saint-Simon dicht bij Burke, eveneens een aristocratisch denker. Het is opmerkelijk dat beide auteurs er dezelfde theorie op nahouden, die overigens getuigt van gezond verstand, over de Glorious Revolution van 1688 en haar gevolgen. Zowel de Franse hertog als de contrarevolutionaire Brit, die volslagen onbekend waren met elkaar (en terecht!), beschouwen deze eenvoudigweg als een manier om de Engelse kroon in de protestantse lijn te plaatsen.[93]

De verschillen tussen beide auteurs liggen eerlijk gezegd op een ander terrein. Ze komen voort uit het felle antisemitisme van Burke, waarvan we bij Saint-Simon nauwelijks iets terugvinden. (Daarvan is ook geen spoor te bekennen bij prinses Palatine, die graag en veel in het Oude Testament las; hier zouden we echter de volledige correspondentie nauwkeurig op na moeten lezen.) Saint-Simon heeft hooguit een vaag antisemitisch vooroordeel tegen de families van de Spaanse Grandes, die hij een afkomst van moren, joden of bastaarden toeschrijft.[94]

Het (zeer twijfelachtige) antisemitisme van Saint-Simon had echter tot uitbarsting kunnen komen bij de affaire d'Aquin, de eerste lijfarts van Lodewijk XIV, die in 1693 onder druk van Mme de Maintenon in ongenade viel.[95] D'Aquin was een kleinzoon van een rabbijn in Avignon, 'bekeerd in Aquino [koninkrijk Napels] en die de naam van dit stadje had aangenomen'. Zeker, Saint-Simon lijkt een stereotiep beeld te cultiveren wanneer hij de gierigheid en hebzucht van d'Aquin afkeurt, voor wie hij overigens zijn sympathie uitspreekt, maar hij heeft het nimmer over de joodse afkomst van de eerste lijfarts, waarom hij naar het schijnt zich nauwelijks iets bekommert.

Duidelijker is de zinspeling op de afkomst van maarschalk d'Estrades, wiens grootmoeder van vaderskant 'van Spaans-joodse origine was'. Saint-Simons aanval op deze dame, die hij nog onder een bastaard plaatst en op het weinig roemvolle niveau van haar echtgenoot, 'een burger uit Bordeaux behangen met het ambt van adviseur van het parlement', laat duidelijk zien dat in het denken van Saint-Simon het judaïsme samenvloeit met de onzuiverheid van de bastaarden en het slecht vermomde uitvaagsel van de 'burgers'.[96] Maar dit zijn slechts vluchtige opmerkingen. In feite vormen de protestanten in het Frankrijk van Lodewijk XIV, waar nauwelijks joden wonen, een veel groter probleem, dat leidt tot pesterijen en discriminatie, dan de Israëlitische kwestie. Pas wanneer er definitief een eind is gekomen aan de vervolging van de hugenoten blijkt Frankrijk, nu het niet langer anticalvinistisch is, de joden nu en dan vijandig gezind te zijn.

Alles welbeschouwd zal het belang van het sacrale in een hiërarchische maatschappij niemand verbazen: de *Memoires* zijn gesitueerd in een daadwerkelijk gesacraliseerde wereld waar het openlijke atheïsme niet erg wijdverbreid is. Zoals Saint-Simon naar aanleiding van de goddeloosheid van de hertog d'Orleans schrijft: deze prins had, ondanks zo veel ongodsdienstigheid, 'te veel inzicht om tot de atheïsten te behoren, *die een speciaal soort dwazen zijn die veel minder voorkomen dan men denkt*'.[97]

De 'terugslag' van het sacrale op de wereldlijke hiërarchie en met name op die van de hoge edelen is op talloze terreinen aanwijsbaar. Maar we kunnen de zaak ook omdraaien en nagaan welke invloed de hiërarchie op het sacrale heeft, of in elk geval op de eerste stand, die van de geestelijkheid. Zeker, we spreken vandaag de dag nog steeds van de 'kerkelijke hiërarchie'. Deze aanduiding gold in de tijd van Saint-Simon nog sterker: de rangen en standen bij de geestelijken zijn ten opzichte van elkaar vastgelegd en genummerd, net als bij de aristocraten. De abt van Cîteaux behoudt bijvoorbeeld zijn zetel in de staten van Bourgondië, door een contradictoir vonnis van de koning, ten koste van de bisschop van Autun die persoonlijk aanspraak maakt op het kerkelijke monopolie van deze 'zetel met leuningen' in het Bourgondische parlement.[98] Zo eist Villeroy, de aartsbisschop van Lyon en 'primaat van Gallië' het *primaatschap* op (voorrang bij de bidstoel van de koning, plus een aantal rechten op het gebied van beroep, officialaat en het bij versterf overgaan van prebendes) ten opzichte van zijn collega in Rouen, de zeer goed geplaatste Colbert, jongste zoon van de beroemde minister. Opnieuw treedt Lodewijk xiv op als scheidsrechter bij dit hiërarchische geschil (hij wordt in dit geval bijgestaan door een rekwestmeester). Hij wijdt twee hele raadsvergaderingen op één dag aan deze zaak en geeft Colbert junior ten slotte gelijk.[99] Maar de Villeroys, die hoge posten bekleden in Lyon en Versailles, krijgen genoegdoening: door hun invloed 'krijgen beide Villeroys, aartsbisschoppen van Lyon, voorrang boven de al langer zittende aartsbisschoppen bij hun opneming in de Orde van de Saint-Esprit'.[100]

Het hiërarchisch-sacrale of adellijk-kerkelijke snobisme bereikt een hoogtepunt in de toelatingstoets voor het kapittel van de kanunniken van Straatsburg, bestaande uit grafelijke kapittelheren die moeten bewijzen dat zij van adel zijn.[101] In dit kapittel balt zich de aristocratische aanmatiging van de eertijds Duitse Elzas samen, waar men dus zeer streng toeziet op rangen en standen. Om toegelaten te worden tot dit kapittel eist men bewijzen 'gebaseerd op volgens de vorm opgemaakte notariële akten die aantonen dat men zestien hoog-adellijke kwartieren van vaderskant en evenveel adel van moederskant heeft', ofwel 32 mannelijke en vrouwelijke voorouders uit een familie van prinsen of graven van het keizerrijk voor de Duitsers en prinsen, hertogen en pairs of veldmaarschalken voor de Fransen.[102] 'Dankzij deze strengheid is het kapittel het erfgoed van een aantal families geworden.' Wat een contrast met de kapittels in de Languedoc, die in diezelfde tijd wijd open staan voor niet-adellijken! Lodewijk xiv, die het kapittel van Straatsburg wil verfransen en er beschermelingen wil installeren, lukt het echter om in deze ultraselectieve club, en tegen alle gewoonten in, Armand de Rohan te laten opnemen, de zoon van Mme de Soubise die zijn vroegere vriendin, maar niet noodzakelijk zijn maîtresse was.[103]

De koppeling van de hiërarchie en het sacrale heerst ook op universitair terrein, wat nauw samenhangt met de vorming en de aanstelling van een competente geestelijkheid: de verdediging van een proefschrift door een hoge edele, voorbestemd voor het priesterschap en daarna het episcopaat – of hij nu de wettige of onwettige zoon is van een prins, een hertog of een minister, een Bouillon, een Orleans, een Colbert of een Chamillart – is een schouwspel dat door het hele hof wordt bijgewoond, afgezien van La Rochefoucauld junior die nooit in de buurt van de koning komt. Dit is opnieuw een aanleiding tot onenigheid over de voorrang tussen de hertogen en de parlementsleden, waarbij die laatsten het, in tegenstelling tot wat Saint-Simon beweert, vaak gewonnen schijnen te hebben. Bij het proefschrift van een bastaardkleinzoon van La Palatine, matigt deze zich het (voor een vrouw ongehoorde) recht aan aanwezig te zijn wanneer de jongeman het verdedigt – en wat erger is, gezeten in een fauteuil! Zoiets had de Sorbonne nog nooit gezien.[104] Er zouden nog veel van dergelijke gebeurtenissen volgen.

De feesten en met name de processies die ruimtelijk het religieuze karakter van bijzondere dagen laten zien zijn overal een uitstekende gelegenheid om de rangen en sub-rangen, de standen en groepen in de vereiste orde te tonen. Het Parijse parlement wil voor de regent gaan bij de jaarlijkse processie van Maria-Hemelvaart, ter herdenking van de gelofte van Lodewijk XIII die het koninkrijk aan de Heilige Maagd wijdde. Deze affaire roept bij Saint-Simon zeer pertinente vermaningen op.[105] Hij vermeldt onder meer, aan de hand van oude registers, de processie uit 1557 voor de inname van Calais, waarbij de prelaten werden gevolgd door de koning, de prinsen van den bloede, de hertoginnen, gravinnen, enzovoort en ten slotte, als allerlaatsten door het parlement en de rekenkamer.[106]

Is de processie altijd zo geordend? In feite kan zij, in de vorm van onthechting – niet te verwarren met het sacrale van de vasten – een breuk met de gebruikelijke hiërarchie inhouden. Zo nam Hendrik III, ten tijde van de Liga of kort daarvoor, in weerwil van zijn waardigheid, deel aan de vrome optochten van zich kastijdende boetelingen. In de *Memoires* zijn sporen te vinden van deze op verootmoediging gebaseerde geestesgesteldheid. In 1722 drijft Saint-Simon de spot met het gedrag van hertog Adrien de Noailles, door de regent verbannen naar zijn heerlijkheid tussen Tulle en Aurillac:[107] 'De hertog hing er de vrome uit, droeg een koorkap bij de processies en de koorlessenaars van zijn parochies en hij maakte zich daar en in Parijs belachelijk, waar men het wist en waar hij, om gemakkelijker de gunsten van de regent te winnen, sinds het begin van het regentschap een actrice onderhield...' Dezelfde retrospectieve spot, ongetwijfeld vermengd met woede, over Henri de Lorraine, de hertog de Guise (vermoord in 1588), die, om populariteit te verwerven bij de priesters en de burgerij, op het vreemde idee kwam zich tot erekoster van zijn parochie te laten benoemen en die zich zelfs de titel raadsheer van het parlement aanmat, een ridicule benaming voor iemand uit de hoogste adel.[108] Saint-Simon keurt het vernederende gedrag van de Guises en de Noailles' af, aangezien het voortkomt uit de geveinsde devotie van kwezels, *Ligueurs* en andere hypocrieten. Het voordeel is echter dat dit gedrag duidelijk maakt dat de godsdienstige processie en het parochiale leven een tegenovergesteld effect kunnen hebben, dat zij de hiërarchie kunnen verheerlijken maar deze in andere omstandigheden ook kunnen neerhalen of uiteen laten vallen, vanuit een al dan niet welbegrepen christelijke geest. Dit was, zoals we al opmerkten, de 'egalitaire' kijk van Tocqueville op het katholieke geloof.

Ten slotte is er bij Saint-Simon een groot sacraal of beter gezegd bovennatuurlijk en niet-christelijk gebied, dat evenwel min of meer samenhangt met religieuze of, in sommige gevallen, duivelse zaken. Het kan gaan om voorspellingen: Mme Du Perchois voorspelt het overlijden van de graaf de Coëtquen;[109] zij vertelt hem dat hij zal verdrinken. Saint-Simon beknort deze jongen vanwege 'een zo gevaarlijke en dwaze nieuwsgierigheid', en hij wijst hem op de onwetendheid van dat soort waarzegsters. Maar een andere waarzegger in Amiens doet Coëtquen dezelfde voorspelling. En inderdaad verdrinkt de jonge edelman in de Schelde, in het bijzijn van zijn hele regiment, in juni 1693. Zo wordt ook de dood voorspeld van de jongste zoon van maarschalk d'Humières, de zoon die in 1684 zal worden gedood in Luxemburg, 'en die dit zo duidelijk en precies was voorspeld dat hij er met verscheidene vrienden over sprak alsof hij er geen seconde aan twijfelde'.[110] Saint-Simons houding hierin is duidelijk tweeslachtig: enerzijds waarschuwt hij, als christen, tegen dit soort mysterieuze dingen, anderzijds is hij ondanks alles onder de indruk van de bovennatuurlijke prestaties van de waarzegger en waarzegster. Hij wil er niet in geloven, maar wordt wel aan het twijfelen gebracht.[111] Anders gezegd, voor hem is het terrein van het bovennatuurlijke veel groter, wat hij ook zegt, dan de beperkte plek die de katholieke theologie eraan wil toekennen. Saint-Simon neemt dezelfde houding aan tegenover het kleine meisje dat in 1706, door in een glas water te kijken, de hertog d'Orleans impliciet duidelijk maakt dat hij regent zal worden en dat iedereen die dit regentschap had kunnen voorkomen, namelijk de zonen van de kleinzonen van de koning, daarvóór zou sterven.[112] Saint-Simon keurt deze duivelse intrige af, maar hij ontkent niet dat het (zogenaamd) waar is.

Hij is terughoudender ten opzichte van een bezeten vrouw uit de Sarre bij wie de duivel werd uitgebannen, en zonder zich ter plekke ervan te vergewissen concludeerde hij dat het slechts om een krankzinnige ging of een arm schepsel dat zich van voedsel wilde laten voorzien.[113] De tijd van de hysterische vrouwen van Loudun is al voorbij, ook voor iemand die verknocht is gebleven aan de tijd van Lodewijk XIII.

Saint-Simon toont dezelfde goedgelovigheid of behoedzame ongelovigheid, al naar gelang, in de zaak van een hoefsmid uit Salon-de-Provence, iemand à la Nostradamus, die in 1699 de overleden koningin, echtgenote van Lodewijk XIV, als blonde dame had gezien bij een Provençaalse boom, vele jaren na haar dood: deze ziener had vervolgens in het bijzijn van de koning de geest opnieuw opgeroepen die voor hem was verschenen in het bos van Saint-Germain; wellicht was het bedoeld om Lodewijk XIV aan te sporen zijn geheime huwelijk met Mme de Maintenon officieel te bekrachtigen.[114] Wanneer we Saint-Simon en zijn collega's mogen geloven is dit verhaal even waar als het feit dat de koning van adel is: waarmee het sacrale, zelfs al riekt het verdacht naar ketterij, opnieuw verbonden wordt met de hiërarchie. De kroniekschrijver vestigt ook nadrukkelijk de aandacht op het, voor hem geloofwaardige, bestaan van de *huisgeest* van maarschalk Fabert waarmee deze militair 's nachts stevig over religie discussieerde, zelfs wanneer er een goede vriend bij hem in bed lag. Deze huisgeest had overigens een grote bijdrage geleverd aan het opmerkelijke succes van Fabert die van kleinzoon van een boer (?) en zoon van een boekhandelaar was opgeklommen tot veldmaarschalk.[115]

In diezelfde geest, als we het zo mogen noemen, onderhield Effiat, de, vermeende, ex-gifmenger, zich toen hij in de tachtig was elke avond in de periode voor zijn dood, tussen zeven en negen, met geheimzinnige bezoekers, die blijkbaar bovennatuurlijke handlangers van de duivel waren.[116] We hoeven ons minder over deze goedgelovigheid van Saint-Simon te verbazen wanneer we beseffen dat onze hertog in zijn bibliotheek het tijdens Lodewijk XIII gepubliceerde werk van De Lancre had staan, en dat hij wellicht, samen met deze duivelse bespiegelingen, van zijn vader had overgenomen. Zo bezien is Saint-Simon hier opnieuw een tijdgenoot van of in elk geval iemand die terugverlangt naar de zo door hem geliefde koning Lodewijk XIII. En de vergelijking die hij maakt tussen de duivel enerzijds en Maine en Noailles anderzijds, twee volgens hem negatieve personen en vooral typische 'laat-Lodewijk-XIV-lieden', komt hierdoor des te scherper uit.

3

ZUIVERHEID EN ONZUIVERHEID

De hiërarchie wordt gemagnetiseerd door het sacrale, als ijzervijlsel. Omgekeerd heeft zij een afschuw van onzuiverheid. De tegenstelling tussen het *sacrale* en het profane, behandeld in het voorgaande hoofdstuk, wordt hierna aangevuld met het contrast tussen de zuiverheid en de *onzuiverheid*.

Louis Dumont heeft dit probleem uitgebreid behandeld met betrekking tot de kasten in India: de zuiverste kasten, zoals de brahmanen, moeten zich hoeden voor lichamelijk contact met leden van de lagere kasten, en zij moeten zich reinigen van lichamelijke afscheidingen (uitwerpselen, menstruatiebloed, enzovoort). Zij vermijden bepaalde contacten en hun leden nemen vaak een bad. Een pijp mag niet rondgaan tussen leden van een lagere en een hogere kaste omdat hierdoor contact zou ontstaan tussen de, nu eens zuivere dan weer onzuivere, lippen van de opeenvolgende gebruikers.[1]

De situatie in een gehiërarchiseerde samenleving als het Franse hof (die de westerse rangorde in zijn meest uitgelezen vorm in kaart brengt) is anders. Ten eerste zijn er geen kasten in de strikte betekenis van het woord, in de nabije of verder afgelegen entourage van Lodewijk xiv, maar alleen rangen en standen. Overigens stellen de opvattingen met betrekking tot de reinheid van het lichaam evenveel eisen aan de hooggeplaatste tijdgenoten van de Zonnekoning als aan de brahmanen, maar zij concentreren zich op andere delen van het lichaam.

De brahmaan maakt zijn buitenkant schoon, ofwel de huid. In de hoogste Franse kringen van rond 1700 streeft men er vooral naar het inwendige van het lichaam te zuiveren door middel van braakmiddelen[2] en door het laxeren en de aderlating, ofte wel met behulp van het klysma en het lancet! Er bestaat wel een taboe op ontlasting, maar veel minder krachtig dan in onze tijd. De *Memoires* van Saint-Simon gaan pagina's lang over stilletjes en geslaagde klysma's: het stilletje van de koning van Frankrijk, van het Spaanse koninklijk paar en van Mme de Maintenon. Het laxeren voert ook de beroemde liefhebbers ten tonele, onder wie de oude Richelieu. Deze oude hertog neemt elke avond het laxerende kassie en 's ochtends vaak een lavement, waarmee hij de deur uitgaat 'en waarmee hij drie of vier uur rondwandelt en het er weer uitlaat bij wie hij maar is', in een stilletje 'waar hij een zodanige prestatie levert dat die niet in de po past'.[3] De geneeskundige dagen, ofwel de laxeerdagen, waaraan Lodewijk XIV zich elke maand onderwerpt, zijn van groot belang geworden sinds dokter Fagon, voorstander van het klysma, zijn collega d'Aquin in Versailles heeft vervangen, die meer hechtte aan aderlaten. Het purgeren van de vorst wordt gevolgd door een mis en door een bezoek van de koninklijke familie aan de op zijn bed liggende koning; bij die gelegenheid blijft de kroonprins staan, maar krijgt de hertog du Maine een taboeret omdat hij mank is.[4] Dit is ook de enige dag dat Mme de Maintenon haar echtgenoot een bezoek brengt, als bij een zieke vriend. Omdat hun huwelijk geheim is, gaat hij gewoonlijk naar haar toe en niet andersom.[5]

Ook de aderlating schijnt een noodzakelijke voorwaarde te zijn voor een vitaal evenwicht. Onze hertog is niet de eerste die wijst op de grote waarde van deze techniek. Hoe hoger geplaatst, hoe vaker men wordt adergelaten en gepurgeerd; de jonge Lodewijk XIII heeft er ernstig onder geleden. Saint-Simon laat geen enkele twijfel bestaan over de deugdelijkheid van het afnemen van bloed en het reinigen van de ingewanden. Zelfs wanneer hij door een aderlating een ontsteking oploopt, stelt hij de chirurgijnen en hun methoden niet ter discussie. Voor Mareschal, eerste chirurgijn van de koning en een vroom en tot het jansenisme geneigd man, heeft hij grote bewondering. Madame is terughoudender, maar of ze wil of niet, ze aanvaardt het regime van purgeren en aderlaten waaraan ze onderworpen is, net als de overige hooggeplaatsten in het koninkrijk. Uiteindelijk stemt ze zelfs (mopperend) in met de interne schoonmaakoperaties van de ingewanden. Zoals geschreven staat onder een gravure van Abrahem Bosse, getiteld *De dokter en de aderlating*:[6] 'Aderlaten met de lancet schoont de geest en zuivert het bloed van zijn bederf.'

In een nog niet uitgegeven artikel rangschikt Piero Camporesi deze verschillende methoden onder de reinigingstechnieken die worden toegepast op het lichaam om dit te ontdoen van verontreiniging, inclusief die van de duivel.[7] Camporesi noemt in dit verband zelfs combinaties van een superpurgering samen met braakmiddelen, linimenten, pleisters en blaartrekkende middelen: zij hebben tot doel het hele ratjetoe van lintwormen, zwarte gal, gele gal en opgehoopt slijm uit te drijven, weliswaar ten koste van afmattende nerveuze spasmen. Deze al te drastische 'spoelingen' schaden het zenuwstelsel van de patiënten. De zo verkregen supercatharsis is niet los te zien van een obsessie met het weerzinwekkende en een medisch-geestelijke ideologie die Camporesi in verband brengt met de heksenjacht, die typerend is voor de barok. Deze artsenij is gericht op het zuiveren, een erfenis van Hippocrates en Galenus. De universitaire rangen, ingebed in het grotere hiërarchische systeem, verkondigen deze geneeskunst; zij leidt tot het hele 'uitdrijvende, kwellende, martelende' arsenaal van apothekers die *helleborus* en braakmiddelen voorschrijven, en tot de ridders van het lancet en het klysma. Daartegenover stelt Camporesi de milde, niet-hiërarchische en kalmerende kruidengeneeskunst die vrouwen onopvallend toepassen, een geneeskunst die hij zelfs aanbeveelt.

De obsessie met zuiverheid van onze 'hiërarchen' nestelt zich dus ergens anders dan bijvoorbeeld in India: zij interesseert zich nauwelijks voor een verbod op het contact met uitwerpselen en menstruatiebloed; zij legt de nadruk op een grondige schoonmaak van het inwendige. Daar kunnen we nog aan toevoegen dat ze zich bij Saint-Simon ook richt op de symbolische en erfelijke bezoedeling van het bloed, op de 'gebreken' van de afkomst en de vervorming van de seksualiteit. (Ditzelfde geldt voor Mme Palatine.)[8]

Bezoedeling van het bloed: wanneer er in een familie een terechtgestelde misdadiger voorkomt heeft dit nauwelijks belang voor de eer van deze familie, zolang diegene maar onthoofd is; radbraken brengt daarentegen een heel geslacht tot wanhoop, vooral bij de Duitse en Nederlandse adel, 'omdat er in die landen,' zo zegt Saint-Simon, 'een groot en zeer belangrijk verschil is tussen de vormen van terechtstelling van aanzienlijke personen die een misdaad hebben begaan; een onthoofding heeft geen enkele invloed op de familie van de terechtgestelde, maar radbraken is zo'n grote schande dat ooms, tantes, broers en zusters en de eerstvolgende drie generaties uitgesloten zijn van elk adellijk kapittel, wat, afgezien van de schande, een zeer nadelige ontzegging is, en wat kwijting van schulden, huwelijken en de hoop van de familie ooit een plaats te veroveren in een stift of een vorstelijk diocees de bodem inslaat.' Vandaar de vergeefse smeekbeden van de familie Horne, al sinds de elfde eeuw bekend in Nederland, waarvan twee leden al eervol waren onthoofd in de zestiende eeuw: zij wil gedaan krijgen dat een van hen, de graaf van Horne die in 1720 een speculant vermoordde, onthoofd wordt en niet geradbraakt.[9]

Gebreken van de afkomst en afwijkende seksualiteit: wat dit betreft is het grootste probleem voor onze schrijver dat van de koninklijke bastaards. Zij brengen de hoogste onzuiverheid (de bastaardij) tot in het hart van wat het centrum van de ultieme zuiverheid van het systeem zou moeten zijn (de vorst en zijn familie). De onwettigheid is vanuit dit gezichtspunt een soort absoluut schandaal: dit was volgens Madeleine Foisil al het geval met het kind Lodewijk XIII, en het is heel normaal dat Saint-Simon (en Madame soms ook) hier buitengewoon heftig tegen tekeergaat; voor lezers van de twintigste eeuw lijkt deze schande overdreven omdat zij, egalitair als zij geworden zijn, de eisen en doelstellingen niet meer begrijpen van een op hiërarchie gebaseerd systeem. Maar de onzuivere geboorte uit een overspelige of onwettige relatie is volkomen strijdig met de waarden van het sacrale: de reglementen van de Orde van de Saint-Esprit bepalen sinds 1597 dat 'geen enkele bastaard kan worden opgenomen in de Orde behalve die van de koning die erkend en gewettigd zijn'.[10] (Deze uitzondering bevalt Saint-Simon natuurlijk in het geheel niet.) Terwijl ze deels zijn uitgesloten van de Orde, zijn ze volledig uitgesloten van de rol van drager van het kleed tijdens de communie van de koning.

Saint-Simon gebruikt heftige woorden wanneer hij het heeft over de koninklijke bastaarden, zowel de mannelijke als de vrouwelijke, die Lodewijk XIV 'schaamteloos' laat huwen met prins(ess)en van den bloede en zelfs met een kleinzoon van Frankrijk; de felle woorden van de kleine hertog onderstrepen dat het begrip zuiverheid zelf wordt geschaad door het binnendringen van de onwettigheid. We zouden hiervoor tientallen bladzijden van de *Memoires* moeten citeren, dus beperk ik me hier tot het samenvatten van een essentieel gedeelte. Saint-Simon vaart eerst uit[11] tegen het huwelijk van de hertog de Chartres, de zoon van Monsieur, de broer van de koning, en de toekomstige regent, met een bastaarddochter van de vorst en Mme de Montespan; hij bekritiseert ook het huwelijk van Monsieur de Hertog (prins van den bloede en een Condé) met een zuster van de nieuwe hertogin de Chartres, net als zij een bastaard. Hij merkt op dat de (weliswaar wettige) dochters van deze twee verbintenissen vervolgens door nieuwe verbintenissen de afkomst hebben bedorven van een kleinzoon en een neef van de koning, ofwel die van een Berry en een Conti. Een andere bastaarddochter, wier moeder La Vallière was, was getrouwd met een Conti van een generatie daarvoor, maar had 'goddank' geen kinderen gekregen. Saint-Simon beweert in diezelfde tekst zelfs dat de weigering van Willem van Oranje om te trouwen met een bastaarddochter van de koning hem tot een vijand van Frankrijk maakte; hij veroorzaakte hiermee voor Frankrijk zeer onfortuinlijke oorlogen. Hieruit komt voor en na 1700 alle ellende van het koninkrijk voort. Het thema van de onzuiverheid, de vermenging en het overschrijden van grenzen vloeit opnieuw met alle kracht uit de pen van onze schrijver: 'Deze *vermenging* van het *zuiverste* bloed van onze koningen en ronduit gezegd van het hele universum met de *weerzinwekkende drek* van een dubbel overspel was het levenswerk van de koning. Het is hem gelukt een in alle eeuwen *ongehoorde vermenging* tot stand te brengen...'

Wij benadrukken hier opnieuw de centrale plaats van het huwelijk, het leven en ten slotte de dood van de hertog de Chartres, de toekomstige regent. Het huwelijk van de jonge Filips luidt de *Memoires* van Saint-Simon in onder het teken van de bastaardij. En het overlijden van de hertog d'Orleans in de armen van een courtisane besluit het werk van Saint-Simon vanuit het perspectief van overspel en de uiteindelijke verdoemenis van de betrokkene. Het wezenlijk onzuivere van het huwelijk van de jonge 'Chartres-Orleans'[12] wordt duidelijk zichtbaar in de betreffende ondertitels die Saint-Simon zijn verhalen meegeeft: 'Het huwelijk van de hertog d'Orleans [...], de *verwikkelingen* rond dit huwelijk, de *schande* van Monsieur, de publieke *wanhoop* van Madame, de *verlegenheid* van de hertog de Chartres, de *verbijstering* van het hof, de *woede* van Madame de Hertogin, oudste zuster van de bruid...'[13] Dit huwelijk bezoedelt alles en iedereen die ermee te maken hebben: de erfzonde van Dubois, de toekomstige kardinaal in wie alle ondeugden om de voorrang strijden, is dat hij de hertog de Chartres heeft doen toestemmen in dit bastaardhuwelijk.[14] Van Dubois gaat de smet over op Noailles, wiens belangrijkste vergrijp is dat hij 'van oudsher bevriend' was met deze figuur, ver voor hij kardinaal werd.[15] Het hoeft dus niet te verbazen dat de ondertitels van Saint-Simon de situatie voortvarend samenvatten wanneer hij het heeft over de 'onpeilbare verschrikkingen' van hertog Noailles.[16] De bastaard Maine, de 'bastaardgezinde' Dubois en de 'Duboisgezinde' Noailles zijn de drie fundamentele booswichten van de *Memoires*.[17] Samen met nog een paar anderen...

De hele verdere levensloop van de hertog d'Orleans wordt (vanuit het bevooroordeelde oogpunt van Saint-Simon) beheerst door zijn relaties met de bastaarden en aanverwanten, wat voortdurend tot uiting komt in de ondertitels van de *Memoires*.[18] Dan gaat het in de eerste plaats om de verstandhouding van Orleans met zijn eigen bastaarden voor wie hij, eenmaal aan de macht, een afkeurenswaardig zwak heeft: 'De chevalier d'Orleans, gewettigd bastaard van de hertog d'Orleans, krijgt [schandalig genoeg] het grootpriorschap van Frankrijk, de abdij van Auvillé, het bevel over de galeien en de Spaanse grandetitel.'[19] Dan volgt de conflictueuze relatie van Orleans met Vendôme, afstammeling van een bastaard van Hendrik IV en als zodanig door Saint-Simon aan de schandpaal genageld. En ook Orleans' relatie met de bastaarden van de koning, die hem aan de lopende band vernederen, maar die hij desondanks bejegent met een 'verbazingwekkende sympathie'.[20] Zijn vrouw, de hertogin d'Orleans, geeft op haar beurt blijk van een 'extreme dwaasheid over haar koninklijke bastaardij'.[21]

De schandelijke toewijding van Orleans reikt zelfs tot de bastaarden van andere Europese vorstenhuizen: hij behandelt een bastaard van de keurvorst van Beieren alsof het zijn eigen uit overspel geboren telg is en laat de jongeman benoemen tot Spaanse Grande, net als zijn eigen onwettige zoon; hij verhindert dat hij duelleert en verzekert hem van een militaire carrière.[22] Wanneer Saint-Simon niet uitvaart tegen 'de weerzinwekkende drek van een dubbel overspel' (ofwel de maximale onzuiverheid), heeft hij het over 'het riool van de Europese wellust' met betrekking tot de bastaarden van alle vorsten van het continent en niet alleen die van Lodewijk XIV. De *weerzinwekkende drek* en het *riool* vullen elkaar aan in de optekening van het onzuivere:

'De voorliefde, het voorbeeld en de welwillendheid van wijlen de koning [als minnaar en overspelige vader] had van Parijs *het riool van de Europese wellust* gemaakt, wat het nog lang na zijn dood bleef. Afgezien van de maîtresses van wijlen de koning, zijn bastaarden, die van Karel IX, want daarvan heb ik een weduwe en haar schoondochter gekend, die van Hendrik IV [die een] immens fortuin [vergaarden], de twee [bastaard-]takken van de beide broers Bourbon, Malauze en Busset, de Vertus', bastaarden van de laatste hertog van Bretagne, de bastaarddochters van de laatste drie Condés, en zelfs de Rothelins, bastaarden van bastaarden, dat wil zeggen van een jongste zoon van Longueville, van wie de laatste bastaard van Orleans in mijn tijd is gestorven, en zijn zuster Mme de Nemours nog veel later; die Rothelins die in deze tijd denken dat ze heel wat zijn en dat bijna hebben doen geloven doordat ze de brutaliteit hadden te pralen met de kroon van een prins van den bloede. Afgezien van deze schare Franse bastaarden heeft Parijs de maîtresses van de koningen van Engeland en Sardinië vergaard, en twee van de keurvorst van Beieren, en de talloze bastaarden uit Engeland, Beieren, Savoie, Denemarken en Saksen, tot die van Lotharingen toe, die er allemaal fortuin gemaakt hebben, er ordes en ambten hebben vergaard, een eindeloze hoeveelheid gunsten en onderscheidingen, een aantal van de aanzienlijkste eerbewijzen en rangen, waarvoor geen van hen waar dan ook in Europa in aanmerking gekomen zou zijn; tot zelfs de meest infame vruchten van de monsterlijke en zeer openlijke bloedschandigheid van een miezerige hertog de Montbéliard, die de brutaliteit hadden voor prinsen te willen doorgaan [...]. Van al dit uitschot, dat alleen Frankrijk binnen haar grenzen kon ontvangen, moeten we evenwel toegeven dat een bastaard uit Engeland en een andere uit Saksen de staat grote diensten hebben bewezen door roemrijk het bevel te voeren over het leger.'[23]

Deze tekst is aangrijpend en hartstochtelijk: de vrouw en de schoondochter van een bastaard van Karel IX worden ongenuanceerd gelijkgesteld met de onwettigheid van hun echtgenoten en vader, hoewel hun afkomst en hun huwelijk volmaakt wettig zijn. Er wordt echter een uitzondering gemaakt voor twee bastaarden, beiden veldmaarschalk en krijgsheld: Saksen en Berwick. Alsof in dit geval de krijgsverdiensten, als traditioneel voorrecht van het adellijk bloed, het onwelriekende bederf van een slechte afkomst compenseerden.

Als zodanig is het fragment over het 'riool' van essentieel belang: het toont aan dat Saint-Simons afkeer zich niet alleen (om politieke redenen) richt op de *koninklijke* bastaardij, die volgens hem (mogelijkerwijs) de volgorde bij de troonopvolging in de war stuurt. Zijn afschuw is, op veel ruimere schaal, van existentiële aard. Deze richt zich op bastaardij in het algemeen, in elk geval op die van de hoge edelen, omdat hun hiërarchische verheerlijking rechtstreeks wordt gedwarsboomd door een onzuivere smet. Saint-Simons afkeer van bastaardij gaat alle perken te buiten en brengt zelfs de smet van de onwettigheid in verband met de opperste onzuiverheid van de *incest*: naar aanleiding van de bastaarden van een prins de Montbéliard[24] heeft Saint-Simon het over de 'brutaliteit' van deze lieden, 'hun kuiperijen, hun schaamteloosheid' en ten slotte hun 'huichelachtigheid' en hun 'monsterachtige bloedschande'. Léopold-Eberhard, prins de Montbéliard, had immers vier van zijn natuurlijke kinderen, die weliswaar van twee verschillende maîtresses waren, twee aan twee laten huwen.[25] Het hoeft geen verbazing te wekken dat de aanspraken van zo iemand om deze aanvechtbare maar originele nakomelingen te laten wettigen in Duitsland 'de grond werden ingeboord door het Duitse hooggerechtshof',[26] terwijl een koninklijk besluit in Parijs 'dit infame uitschot weer in het niets liet verzinken', onder bijval van de opgeluchte kroniekschrijver.[27] Het hoeft evenmin verbazing te wekken om in het voorbijgaan te vernemen dat genoemd incestueus en onecht uitschot ook verknocht was aan de jezuïeten, aan de sulpicianen en aan de Rohans, nog drie extra blijken van schande volgens onze auteur![28]

Wellicht is het goed om eraan te herinneren dat het woord *bastard* in het Engels *klootzak* betekent, terwijl de Franse term daarvoor, *salaud*, komt van het woord voor 'viezigheid'.

De kwantitatieve geschiedenis geeft Saint-Simon op dit punt 'gelijk', als we het zo mogen noemen. In de tijden daarvoor werden er veel, met name adellijke, bastaarden geboren, zonder echter ooit de meerderheid van de geboorten te vormen. Maar in de tijd van Saint-Simon, laten we zeggen in de zeventiende en de achttiende eeuw, zijn onwettige kinderen uiterst zeldzaam, wat ervan getuigt dat het systeem van de tegen de bastaardij gekeerde normen en waarden dat Saint-Simon met een bijna waanzinnige energie verdedigt, in feite door onze medeburgers werd aanvaard en kalm en vastberaden door hen verinnerlijkt: 0,5 procent bastaardgeboorten ten opzichte van alle dopen in de Beauvaisis ten tijde van Lodewijk XIV; 0,6 procent in Crulai (Normandië) van 1604 tot 1799; hooguit 2 tot 5 procent in de meest tolerante gebieden zoals het gebied Auge; 1,2 procent voor heel Frankrijk, steden en platteland samen, in het midden van de achttiende eeuw, tegen 12 procent buitenechtelijke geboorten in de loop van de jaren zeventig van deze eeuw. In de tijd van Lodewijk XIV en Lodewijk XV moest men zich al interesseren voor uitzonderlijke groepen (rechtstreekse nakomelingen van de vorst... en het proletariaat van een zeer grote stad zoals Parijs) om veel hogere percentages bastaarden tegen te komen, die dan ook des te 'afkeurenswaardiger' zijn.[29]

Zo bezien heeft Saint-Simon door zijn 'bastaardofobische' haat een ietwat dwaze, maar wel energieke en logische synthese gemaakt tussen de obsessie met de hiërarchische zuiverheid en de voorschriften van de christelijke moraal. We zien in deze synthese de traditionele argwaan van bepaalde mensen ten opzichte van geslachtsdrift en hartstochtelijke liefde, wanneer deze niet worden gekanaliseerd via het netwerk van de sociale voorkeuren en de sacramenten van de kerk: 'We hebben te maken met iemand die doof is en erger nog, die verliefd is,' schrijft Saint-Simon[30] over zijn familielid Sandricourt die hij vergeefs probeert af te houden van een dwaze 'mesalliance' met Mlle de Gourgue.

Het is in dit opzicht interessant om in het kort na te gaan welke woorden bij onze auteur samengaan met de onzuiverheid. Met betrekking tot de bastaarden is de verwijzing regelrecht fecalisch: 'de weerzinwekkende drek', 'het riool van de Parijse wellust'. Wanneer het erom gaat de gevoelswaarde van een minder ernstige onzuiverheid uit te drukken, die meer te maken heeft met een lage dan met een onwettige afkomst, gebruikt Saint-Simon de woorden 'droesem' of 'heffe', of 'slijk', woorden die niet meer naar de ontlasting verwijzen, maar eenvoudigweg – en dat is minder erg – naar het bezinksel in wijn en het vuil van de aarde. Zo schrijft hij over de Lanti's, afstammelingen van de Della Roveres uit welke familie in 1471 paus Sixtus IV kwam: 'Deze Roveres kwamen voor hun pontificaat uit de heffe des volks: François della Rovere was de zoon van een visser uit de omgeving van Savona.'[31] Twee hele eeuwen van fraaie verdiensten op familiaal en pauselijk terrein tussen 1471 en 1700 kunnen deze oorspronkelijke 'heffe des volks' van de Della Roveres, noch hun visnetten doen vergeten. In het geval van kardinaal Sala,[32] afkomstig uit een benedictijner klooster, is de 'heffe' nog recenter, dus nog afstotender. 'Deze monnik kwam uit de heffe des volks, hij was voerman in zijn jonge jaren[33] en daarna werd hij benedictijn om brood op de plank te hebben en iets te worden. Het was een schelm naar geest en daden, die het volk van Barcelona opstookte tegen de koning van Spanje en die een belangrijke rol speelde bij de opstand in Catalonië zodat hij werd beschouwd als de ziel van de partij van de Aartshertog.'[34] (De koning van Spanje, Filips V, 'pispaal' van kardinaal Sala, was in vele opzichten een van de 'dierbaren' van Saint-Simon en het symbolische substituut van zijn broer, de overleden hertog de Bourgogne; dat wordt nog duidelijker tijdens het regentschap, wanneer Saint-Simon als gezant naar Madrid gaat.)

'Die Sala was een razende gek die tot alles in staat was.' Merk op dat in dit geval razernij samengaat met de heffe des volks, waar het dan hevig gist, zoals ook de hef van de wijn of de wijnmoer in bepaalde stadia van fermentatie het druivennat heftig laat gisten als een soort 'oersoep': paus Julius II, neef van Sixtus VI, geboren uit de heffe, was volgens Saint-Simon ook een razende gek. Een zelfde ziedende woede bij de heffe van de camisards in de Cevennen, waartegen het leger van graaf Broglie het tot diens grote schande aflegt. Broglie was een middelmatig legerleider die door Saint-Simon door het slijk wordt gehaald vanwege zijn relaties met Basville en met de jezuïeten: 'Men hing een aantal aanvoerders [van de camisards] op, die bij verscheidene kleine gevechten gevangen waren genomen.[35] Zij waren allen uit de heffe des volks, zonder dat dit hun groep afschrok of afzwakte.'

De heffe des volks staat natuurlijk lijnrecht tegenover de hoge aristocratie en veroorzaakt bij uitstek het soort huwelijken dat Saint-Simon als van nature disharmonisch beschouwt: 'De hertog de Saint-Aignan[36] [weduwnaar van een zekere Mme Servien van ministeriële en hertogelijke familie] had de dwaasheid begaan om daarna een schepsel uit de heffe des volks te huwen dat, nadat ze jarenlang voor de honden van zijn vrouw had gezorgd, was opgeklommen tot haar kamenier.' De heffe des volks is in dit geval een zuiver sociologisch begrip; het verhindert niet dat de in het begin door deze smetten bezoedelde dame (die in feite uit de lage adel kwam...) esprit en deugdzaamheid kan tonen. De nieuwe hertogin de Saint-Aignan 'was zo bescheiden [...] en leefde altijd zo teruggetrokken en deugdzaam dat zij haar hele leven, dat lang was, gerespecteerd werd'.[37] Merk op dat de uitdrukking heffe des volks gepaard gaat met een redelijk lage afkomst (hoewel uiteindelijk presentabel, omdat het toch gaat om een kleine 'landfreule'), maar met name een connotatie is van een schaamtevolle functie ('zorgen voor de honden'). In die zin behoort Mme de Maintenon oorspronkelijk de facto ook tot 'de heffe des volks', door de vernederende functies die ze als jongvolwassene uitoefende bij Mme de Neuillan.[38] De toekomstige Mme de Maintenon, 'die jong en arm terugkeerde uit Amerika, kwam terecht bij Mme de Neuillan, in de Poitou. Deze kon er niet toe besluiten haar brood te geven zonder dat er een dienst tegenover stond: ze gaf haar dus de sleutel van de zolder waar het hooi en de haver lagen dat ze de paarden te eten moest geven...' (Het schijnt dat ze haar ook de kalkoenen liet hoeden.)

De begrippen 'heffe des volks' en 'slijk', ipse facto plebejisch of zelfs boers, zijn dus iets minder pejoratief dan noties als 'weerzinwekkende drek' en 'riool van de wellust', die rechtstreeks verbonden zijn met zowel de metaforische ontlasting als met de bastaardij: 'Niets zo kort nog maar in toga[39] als de Chauvelins die schooiers waren zonder ambt, toen kanselier Le Tellier hen *uit de modder trok*' (ten gevolge van een nauwe verwantschap door huwelijk tussen de Chauvelins en de Le Telliers). In feite stamden deze Chauvelins[40] af van een procureur in de Nivernais onder Frans I: daar lag dus de drek waardoor zij vroeger, metaforisch, met hun blote voeten hadden gebaggerd! Saint-Simon zal deze metafoor overigens onophoudelijk gebruiken en er ook met onzuiverheid samenhangende begrippen aan toevoegen als misvorming, ongepaste kruising, homoseksualiteit (hier zuiver figuurlijk) en zelfs jezuïtisme! Wanneer advocaat-generaal Chauvelin, onze voornoemde 'drekkige', thesaurier van de Orde van de Saint-Esprit is geworden en dus min of meer geoorloofd drager van een blauw lint is, haast Saint-Simon zich aan zijn woorden toe te voegen:[41] 'Een advocaat-generaal [ofwel een onbeduidende magistraat verre inferieur aan de parlementspresidenten] met een blauw lint, dat was een *monstrum* dat zelfs het parlement choqueerde, maar deze advocaat-generaal was *de lieveling van de jezuïeten*, dus de favoriet van de koning.' Het staat vast dat bij Saint-Simon, net als bij alle theoretici van de onreinheid,[42] het ideaal van zuiverheid onverbrekelijk verbonden is met een afwijzing van de vermenging en dus van de misvorming: de bastaard Maine, ten onrechte voorzien van de rang van koninklijk erfgenaam,[43] is een 'monster van aanzien' geworden, een meester in 'hels bedrog', die uit eigenbelang parlementspresident Mesmes diep in de 'modderpoel' trekt waarin deze graag rondspartelt.

De modder van Mesmes heeft zowel te maken met (persoonlijke) immoraliteit als met (een onbeduidende boeren-) achtergrond. De Chauvelins stappen met genoegen op blote voeten door dit slijk en de Mesmes stampten er lange tijd doorheen op klompen die waren als het onderscheidingsteken van hun boerenafkomst: 'Die Mesmes zijn *boeren* van Mont-de-Marsan.[44] De eerste die duidelijk *uit de klompen gestapt is*, was een professor in de rechten in Toulouse die optrad als zaakgelastigde voor de zuster van Frans i...' En met zijn gebruikelijke overdrijving gaat Saint-Simon door over de ambtelijke en magistrale functies waardoor de Mesmes zich 'van hun vuil konden ontdoen', toegang kregen tot de van belasting vrijgestelde (ambts)adel en zelfs, 'vilein' [sic] als ze waren, hun zonen konden laten huwen met aanzienlijke dochters.

Ik noteerde zojuist (onder meer) twee woorden van Saint-Simon, *vuil* en *vilein*, die bij de kroniekschrijver ook samenhangen met een sociologische onreinheid, maar die minder smerig zijn dan de *weerzinwekkende drek* en de *riolen* van de bastaardij. De 'ondeugden', die doen denken aan een soort middeleeuwse horigheid die in de zeventiende eeuw geheel verdwenen is (behalve in een paar oostelijke Franse provincies), zijn volgens Saint-Simon de geadelde afstammelingen van burgers of boeren die voor niets, ofwel zonder bruidsschat, trouwen met aanzienlijke dochters. Zo weten ze het hele fortuin te vergaren van het luisterrijke geslacht waaruit die dochters stammen, zodra dit zonder mannelijke nakomelingen uitsterft.[45] Mme de Sévigné heeft het, met betrekking tot genoemde 'ondeugden' – met meer flegma dan de kroniekschrijver – over kalkoenen met pauwenveren.[46]

Wat betreft het 'vuil' dat van tijd tot tijd[47] uit de geringschattende pen van de hertog vloeit, dit had de secretarissen van Staat gekenmerkt die zich sindsdien hebben weten 'schoon te wassen' van hun bescheiden status als notaris van de koning en bijna ministers zijn geworden. De secretarissen van Staat pasten diverse methoden toe 'om hun bestaan te *schonen*. Dit stond [voor die tijd] volledig in het teken van hun functie als notaris van de koning.' Hierdoor (door dit schoonmaken) 'werden de secretarissen van Staat eerst halfbloeden [sic], daarna apen, spoken, een soort hovelingen en lieden van stand [...], ze hebben zich langzaam maar zeker ontdaan van het vuil van hun afkomst [...]. Van pygmeeën zijn zij reuzen geworden en ze hebben zich ten slotte geschoond van hun knoeierige notarisstudie.' Opnieuw zien we hier naar aanleiding van het oorspronkelijke (maar hier gematigde) idee van onzuiverheid ofwel vuilheid (vuil, schoonmaken), begrippen die er regelmatig mee worden geassocieerd, zoals het idee van vermenging (halfbloed, aap), van wanverhouding (pygmee en reus) en van onvolledig bestaan door een onvoltooide overgang van het sociale niet-zijn naar het er zijn (spook). Hierbij is de bastaard slechts een grensgeval, de abstracte verwezenlijking van een sociologische onzuiverheid in het algemeen, die allen treft die zichzelf niet in acht nemen en die willen ontsnappen aan de bezoedelde staat waartoe de Voorzienigheid hen in theorie had voorbestemd.

De bastaardij of het zwak hiervoor wijkt dus van het gemeenrecht af: deze zorgt er indirect voor dat de gewoonlijk zo hoffelijke en 'harmonieus' met alle mensen omgaande Lodewijk xiv uit zijn vel springt. Wanneer zijn zoon Maine (wellicht onterecht) wordt beschuldigd van onbekwaamheid en lafheid op het slagveld, slaat de gekrenkte vorst een rotting stuk op de rug van een tafelbediende of 'schenker'.[48]

De wettige zoon is het kind van het sacrament. De bastaard dat van de misdaad.[49] Er zijn echter geestelijken die 'opkomen voor' de onwettige kinderen: vanzelfsprekend wijst Saint-Simon in dat geval met een beschuldigende vinger naar de jezuïeten. Pater Daniël, van de Sociëteit van Jezus, maakt in zijn *Histoire de France*, op een discretere manier dan de kleine hertog, gewag van Merovingische koningen die niettemin bastaarden waren.[50] Onze auteur neemt de goede pater een 'dergelijke op de troon gekomen bastaardij' hevig kwalijk en betreurt het dat het boek zo'n succes heeft bij de koning, die natuurlijk opgetogen is, en ook bij het publiek. 'Alles en iedereen, tot aan de vrouwen toe, wilde het lezen.'

Nog een geval van overdeterminering van de bastaardij, die in dit geval ver uitstijgt boven de jezuïtische connotaties: dat van de familie Soubise, die Saint-Simon verfoeit. François de Rohan-Montbazon, prins de Soubise (1631-1712), telt onder zijn voorouders in de eeuw daarvoor de bastaard van de laatste hertog van Bretagne. In de ogen van Saint-Simon is dit niet iets om trots op te zijn en het had normaliter moeten verhinderen dat de zoon van deze Soubise werd toegelaten tot het kapittel van de kanunniken van Straatsburg, dat op zo'n Duitse manier afkerig is van bastaardij, hoe ver weg ook. Maar er is meer: Soubise zou eveneens de pooier van zijn vrouw zijn; hij zou haar tegen een fiks honorarium tot prostituee van Lodewijk xiv hebben gemaakt. Tot overmaat van ramp zou La Varenne, de overgrootvader van moederszijde van Soubise de vernederende functie van kok van Hendrik iv hebben bekleed; hij zou de bemiddelaar of de pooier (ook hij) voor de genoegens van deze koning zijn geweest. Hij stierf, hoe afgrijselijk!, als vriend van de jezuïeten.[51]

Bastaardij, pooierschap, jezuïtisme, schending van de hiërarchische scrupules van een kapittel van kanunniken: dat zijn vier redenen om iemand samen met zijn familie te veroordelen, volgens het waardesysteem van de kleine hertog. Om de zaak aan te dikken is een groot deel van deze aanklacht vals. Soubise en zijn vrouw waren bovenste beste mensen en in werkelijkheid noch de pooier noch de hoer van de Zonnekoning; zij was niet eens diens maîtresse. Wat betreft Varenne, die was in zijn jeugd geen koksjongen maar hofmeester: dat is heel wat minder laaggeplaatst dan onze kroniekschrijver doet voorkomen. De ideologische uitgangspunten in het proza van Saint-Simon zijn voor ons evenwel belangrijker dan de feitelijkheden. Zo nu en dan is dit het grootste probleem van een systematische geschiedenis in tegenstelling tot een positivistische geschiedschrijving.

Het idee van 'soubisisme' is dus relevant in de denkwereld van de kroniekschrijver, maar feitelijk gezien is het een verzinsel. Dit weerhoudt Saint-Simon er niet van dit discutabele begrip, dat hij zelf zo genoemd heeft, toe te passen op andere feiten en andere personen: zo heeft hij het over de 'soubise-achtige schanddaad' van de markies de Prye wiens echtgenote met toestemming van haar man de maîtresse wordt van Monsieur de Hertog, de eerste minister na de dood van de regent.[52]

'Sommige van mijn beste vrienden zijn joden.' Deze uitdrukking, die typerend is voor antisemitisme, geldt ook voor de gezworen vijanden van de bastaarden, onder wie Saint-Simon. Ondanks zijn afkeer van elke uit overspel voortgekomen geboorte, geeft Saint-Simon ten opzichte van de graaf de Toulouse, bastaard van Lodewijk xiv en Mme de Montespan, die admiraal is geworden, blijk van een zekere sympathie of in elk geval van een welwillende neutraliteit, een *benign neglect*.[53] Toulouse is inderdaad niet afschuwelijk noch monsterlijk, zoals de hertog du Maine zogenaamd is; het is een kil, zelfs ijzig iemand, kortaf, bars, onkreukbaar, rechtschapen, te goeder trouw, moedig en bekrompen van geest maar wel een man van eer en deugd. Dit alles verwijst naar een positieve, zo niet actieve neutraliteit van Saint-Simon.[54]

Saint-Simon is op dezelfde manier toegeeflijk voor maarschalk van Saksen, bastaard van de koning van Polen en Marie-Aurora van Königsmark.[55] Door zijn triomf bij Fontenoy (1745) verwerft hij ook nog als militair de clementie van de kroniekschrijver. Saksen heeft het echter van geen vreemde: de broer van zijn overspelige moeder was Philippe-Christoph, graaf van Königsmark (1665-1694); deze was de minnaar van de hertogin van Hannover en werd, volgens één versie, op bevel van dier echtgenoot levend in een hete oven gegooid of, volgens een aannemelijker versie, vermoord en vervolgens begraven in ongebluste kalk.[56]

Ook Berwick, eveneens een onwettig kind van koninklijke afkomst en een groot krijgsman, vindt genade in de ogen van de kleine hertog; door zijn militaire verdiensten verdient hij evenveel respect als Saksen en Toulouse. Berwick is 'zachtaardig, betrouwbaar, trouw, waakzaam en actief...'[57] Bepaalde antisemieten hebben, zoals we al zeiden, hun 'goede jood'. In Berwick heeft Saint-Simon zijn 'goede bastaard' gevonden, die hij tegenover Vendôme stelt (en die ook diens tegenpool is), de slechte bastaardachtige, of beter de weerzinwekkende wettige afstammeling van een bastaard van de koning.[58] Maarschalk Puységur, vriend van Berwick maar vijand van Vendôme, en die deze laatste toen hij in ongenade viel volkomen de grond in boorde, dient Saint-Simon tot tussenpersoon om de tegenstelling te benadrukken tussen Berwick en Vendôme, ofwel tussen 'goed-onwettig' (Berwick) en 'slecht-bastaard'[59] (Vendôme). Niettemin kan de bastaard in sommige gevallen genade vinden in de waakzame ogen van Saint-Simon, als hij op een buitengewone manier bekwaam en moedig is op het slagveld op zee (Toulouse) of aan land (Saksen, Berwick). Maar Vendôme, die overigens slechts een vermeende bastaard is, heeft geen recht op dergelijke blijken van respect. Komt dat omdat hij al dan niet vermeend homoseksueel is?

Al met al staat de bastaardij in wezen, enkele uitzonderingen daargelaten, lijnrecht tegenover de aristocratische identiteit. Deze laatste impliceert moed, vrijgevigheid en militaire verdienste; het andere lafhartigheid en gierigheid. De hertog du Maine[60] '*beeft* voor zijn vrouw; hij sterft voortdurend van *angst*'. Met zijn duivelse geest is de timide en boosaardige[61] Maine 'een volmaakte *lafaard* naar hoofd en hart'. Zijn wettig geboren echtgenote, ofwel een Condé, dus van het kostbaarste koninklijke bloed, wordt daarentegen neergezet als iemand 'met een bovenmatige moed, ondernemend, *stoutmoedig*; ze hield hem onder de duim door hem als een negerslaaf te behandelen [...]. Ze dreef hem met stokslagen voort'.[62] Waarmee de lafheid van het onzuivere bloed en de dapperheid van het zuivere bloed lijnrecht tegenover elkaar worden gezet. Ook d'Antin[63] is laf in de oorlog. Laat degene die op het slagveld nooit bang is geweest de eerste steen werpen, zouden wij willen zeggen! D'Antin is van wettige geboorte, maar door zijn moeder Mme de Montespan is hij de halfbroer van de bastaarden van Lodewijk xiv. Saint-Simon is in ieder geval geneigd om d'Antin op dezelfde eerloze hoop te gooien.

De bastaard is niet alleen angstig maar ook inhalig, in tegenstelling tot de gulheid waarvan een uit een eervol huwelijk geboren hoge edelman blijk geeft. De prinses de Carignan ('bastaarddochter van de hertog de Savoie en de gravin de Verue') en haar echtgenoot getuigen eveneens 'van een ongeëvenaarde inhaligheid'; het echtpaar 'maakt op allerlei manieren her en der een profijt van honderden francs en maakt miljoenen winst, waarvan een aantal uit die Mississippi-zaak...'[64] Saint-Simon, die zelf ook een half miljoen aan de Mississippi-zaak had verdiend, was niet bepaald de aangewezen persoon om de eerste steen naar Carignan te werpen.[65]

Bastaarden zijn niet alleen inhalig en lafhartig, maar ook van nature tot verraad geneigd. Bij gelegenheid omringen ze zich als door besmetting met ernstig verraad, tot aan hun huwelijksbanden toe: de markies de Lassay trouwt met een enigszins geschifte bastaarddochter van Monsieur le Prince (Condé); Lassay laat later natuurlijk de Condés in de steek voor andere bastaarden.[66] Dit soort verraad wordt erfelijk: Elisabeth, prinses d'Espinoy, is de dochter van een bastaarddochter van Karel iv van Lotharingen en Béatrix de Cuzance.[67] Het zal dus geen verbazing wekken dat deze Elisabeth het verraad in het bloed heeft, dat zij de geheimen van het hof doorbrieft aan het Weense hof[68] en dat ze de hertogin de Bourgogne bespioneert voor Mme de Maintenon.[69]

In dat geval is het natuurlijk wenselijk (naar de maatstaven van Saint-Simon) dat de bastaard zich niet voortplant – kortom, dat hij *onnozel* blijft, net als de muilezel, geboren uit de liefde tussen een paard en een ezelin, en die ipse facto steriel blijft. Lodewijk xiv zei het over zijn eigen onwettige zonen: 'Dat slag zou nooit nakomelingen moeten krijgen,' maar hij voegde de daad niet bij het woord en liet zijn eigen bastaarden uiteindelijk trouwen. Saint-Simon juicht wanneer een mogelijke bastaardlijn 'in de kiem smoort': 'Kinderloos overlijden van de getrouwde, niet-erkende bastaarddochter van wijlen Monseigneur,' noteert hij tweemaal vol vreugde; zo triomfeert hij dubbelop bij een zo onbeduidende gebeurtenis.[70] In 1713 maakt hij, met een heimelijke, goed verholen voldoening, ook melding van de kinderloze dood van de tot armoede vervallen 'bastaard-schoondochter' van Karel IX, ofwel de (niettemin wettig geboren!) latere echtgenote van een oude onwettige zoon van deze koning, die overigens, wat Saint-Simon ronduit erkent, zeer vroom en deugdzaam was.[71]

Het is inderdaad beter dat de bastaardij uitsterft. Als dat niet gebeurt, komt zij na enkele generaties weer te voorschijn als een onuitwisbare smet die al het water van de wereld niet kan wegwassen: denk maar aan Victor-Amédée, hertog de Savoie.[72] Hij imiteert op een schandalige manier Lodewijk XIV voor zijn eigen bastaarden: hij wettigt ze en laat zijn bastaarddochter trouwen met een van de prinsen van zijn bloed. Moeten we ons daarover verbazen? Helemaal niet! Per slot van rekening is Victor-Amédée II niemand minder dan de achterkleinzoon in de vrouwelijke lijn van César de Vendôme, bastaard van Hendrik IV en de mooie Gabrielle.[73] Een bastaardhond jaagt nog als een rashond... Dat is nou juist waarom men het een bastaardhond noemt: de kop van een spaniël, het lijf van een *briard* en de poten van een Duitse herder. Genoeg... meer kan er niet bij!

De bastaardij, of wat eruit voortkomt, is als gangreen, uiteindelijk bederft het de hele omgeving van een beroemde prins: zoals Monseigneur, niettemin de zeer wettige zoon van Lodewijk XIV, met zijn maîtresse, Mlle Choin. In Meudon wordt het koppel omringd door de 'Lotharingse zusters' Espinoy en Lillebonne, beiden dochters van een bastaarddochter van Karel IV van Lotharingen; een van de zusters spioneerde voor Maintenon. Het huishouden van Monseigneur wordt bovendien geflankeerd door Vaudémont, bastaard van Karel IV en oom van deze twee zusters; en daarnaast door Madame de Hertogin, bastaarddochter van Lodewijk XIV, en door d'Antin, (wettige) halfbroer van deze bastaarddochter; ten slotte wordt het huishouden langdurig geflankeerd door Vendôme, van de bastaardlijn van Hendrik IV. Er was ongetwijfeld geen hof dat zo door Saint-Simon werd verafschuwd als dat van Meudon. Hij vond het, met enige overdrijving, tot op het bot aangevreten door overspel en bastaardij.

De bastaard is wezenlijk onzuiver. Er zijn echter een aantal mogelijkheden tot zuivering, natuurlijk niet voor de bastaard zelf, maar wel voor zijn moeder, die zich door een vrome retraite wellicht van de bevuiling kan ontdoen. Mme La Vallière trok zich terug bij de karmelietessen en leefde in strikte onthechting, 'een zo strenge boetedoening van lichaam en geest [...] dat zij een heel jaar lang geen druppel dronk, waardoor ze ziek werd en op sterven lag'.[74] Mme de Montespan, eveneens moeder van vermaarde bastaarden kwam op latere leeftijd in hetzelfde schuitje terecht: 'Langzamerhand gaf ze alles wat ze bezat aan de armen weg. Ze deed voor hen dagelijks grof naaiwerk aan nederige zaken zoals hemden [...]. De overdadige dis die haar altijd zo lief was geweest werd uiterst karig en zij vastte steeds vaker [...]. Haar beddengoed was van het grofste ongebleekte katoen [...]. Ze droeg een gordel met ijzeren punten waar ze vaak zweren van kreeg...'[75] Hier verschijnt het belangrijke thema van de onthechting voor het eerst in het werk van de kroniek-schrijver, samen met de afkeer van de onzuiverheid.

Terwijl de bastaardij het gevolg is van een vervorming van de voortplanting, betekent sodomie, in het denken van die tijd, een scheefgroei van de seksualiteit. Op het vlak van de onzuiverheid wordt zij – zowel in de *Memoires* als in andere bronnen – meermalen geassocieerd met onwettigheid, alsof homoseksualiteit een verzwarende omstandigheid is die leidt tot de hoogste graad van onzuiverheid. Chevalier Lorraine, homoseksueel en minnaar van Monsieur de broer van de ko-ning, onderhandelt in opdracht van Mme de Maintenon over het huwelijk dat Filips van Orleans, zoon van vriendlief Monsieur, moet sluiten met Mlle de Blois, bas-taarddochter van Lodewijk xiv. In dit geval wordt het samengaan van sodomie met het dubbele overspel zowel door La Palatine als door de kleine hertog nadrukkelijk en heftig veroordeeld. Dit 'misdadige'(!) verband vergroot zo mogelijk de maximale onzuiverheid nog die voortkomt uit de bastaardij en de daaruit volgende gevaren. Daar kunnen we nog aan toevoegen dat chevalier Lorraine, waarschijnlijk ten on-rechte, in de ogen van Madame en Saint-Simon doorgaat voor degene die Henriette van Engeland heeft vergiftigd. Sodomie, gif en steun aan de bastaardij bereiken zo samen een maximale intensiteit in het schema van de onzuiverheid.

Ook kardinaal Bouillon was homoseksueel en een fraai portret in het museum in Perpignan schildert hem wellicht als pedofiel af. Zijn collega Maidalchini noem-de hem *il cardinale coglione*. Door deze overdeterminering heeft de kleine hertog een des te grotere hekel aan hem: Bouillon is een buitenlandse prins, uit een huis dat soeverein was in Sedan. Hij kan dus moeilijk geplaatst worden in het Franse systeem van rangen en standen waaraan Saint-Simon zo gehecht is, net als een beroemd genealoog als Hozier.[76] Daar kunnen we nog aan toevoegen dat deze Bouillon dubbelop een buitenlandse prins is omdat hij als kardinaal ook hoogwaar-digheidsbekleder van het hof in Rome is. Hij is bovendien familie van Turenne, aan wie onze schrijver heimelijk een hekel heeft.[77] Hij heeft banden met de jezuïe-ten, die meesters van het bedrog, en ook met hun vriend Fénelon die hij (vergeefs) bij de paus verdedigt: nog twee verzwarende 'slechte cijfers' volgens de *Memoires*. Ten slotte tastte Bouillon de rangorde bewust aan: in het bijzijn van de paus houdt hij, tegen alle gewoonten in en tot verontwaardiging van de overige kardinalen, zijn rode hoed op. Het zal geen verbazing wekken dat een dergelijke sodomiet, die bo-vendien gebukt gaat onder zo veel negatieve eigenschappen, uiteindelijk de koning verraadt en ook een falsaris wordt door de al te welwillende hulp van Etienne Balu-ze, een groot geleerde die, uit vrije wil of zijns ondanks, enige tijd zijn (later verwar-de) inzichten deelde met kardinaal Bouillon.[78]

De andere sodomieten in de *Memoires* komen er niet beter af. Onder hen is La Feuillade junior, een dwaze generaal, die wordt afgeschilderd als een 'modderige ziel': hij heeft het goud en de edelstenen van zijn oom geroofd; hij is bijna door kardinaal Le Camus geëxcommuniceerd vanwege een waarschijnlijk aanstootgeven-de maskerade; en ten slotte is hij het kamp van de hertog d'Orleans, waartoe Saint-

Simon behoort, vijandig gezind.[79] Huxelles,[80] die ook homofiel is, is onoprecht, bedrieglijk, onwelvoeglijk, lui, onbekwaam, jaloers, infaam en tot besluit prostitué (figuurlijk gesproken); hij is een handlanger van de bastaarden en medeplichtig aan de samenzweringen van de hertog du Maine.[81] Zijn grote hoofd, zijn enorme pruik en zijn flaphoed nemen bij hem de plaats in van intelligentie en esprit.

Longepierre, een andere homoseksueel, overigens een bijzonder intelligent bibliofiel en hellenist, past volgens onze auteur, die de feiten versimpelt, bij de vermaledijde driehoek Maine/Dubois/Noailles. Een Bermudadriehoek. Alweer een. Longepierre stond inderdaad ter beschikking van de graaf de Toulouse en daardoor van de hertog du Maine, die hem verjoeg, waarna hij door Noailles werd 'aangeklampt': dat was nogal veel voor één enkel iemand.[82] De abbé d'Auvergne, neef van kardinaal Bouillon, deelt, alsof hij er de draak mee steekt, de speciale zeden van deze oom van vaderskant; hij gedraagt zich als een deugniet die de aartsbisschop van Kamerijk probeert te ontroven aan kardinaal La Trémoïlle.[83] Het feit dat de Bouillons[84] gezworen vijanden van de Noailles zijn, welke laatsten Saint-Simon verfoeit, vermindert de vijandigheid ten opzichte van onze auteur voor de homofiele abbé d'Auvergne geenszins. De vijanden van onze vijanden zijn niet per definitie onze vrienden. Abbé Servien, afkomstig uit een familie van beroemde ministers, een geestig man en onverschrokken satiricus, had als enig gebrek dat hij sodomiet was, hoewel hij stipt zijn gebeden zei; maar zijn schandalige en zeer 'moderne' dood (in het huis van een danser) laat op duivelse wijze zien hoe een familie van ambtsdragers (eindelijk!) uitsterft, die met hun fortuin één lange uitdaging vormden van de adellijke hiërarchie.[85]

En wat te denken van Rémond en Canillac, met elkaar bevriend door dezelfde duistere voorkeur voor 'Griekse' ontucht,[86] de ene spion van Dubois, de ander bijrijder te paard van dezelfde Dubois en in dienst van het parlement, en ook nog degene die de sodomiet La Feuillade verzoende met Orleans.[87] Wat te denken van abbé d'Entragues, de enige travestiet in de *Memoires*, die zich eveneens en daarenboven schuldig maakte aan een zwak voor de hertog du Maine en zelfs voor het protestantisme.[88] En als laatste sodomiet: Brissac, met het voorkomen van een vulgaire apotheker, dik, kort op de poten, met een drankneus, geweigerd bij de Orde van de Saint-Esprit, zonder gastentafel, zonder krijgservaring, zonder hofhouding, zonder eigen rijtuig, en die het bezit van zijn echtgenotes verbrast.[89]

Al met al zien we dat de homoseksualiteit zich bij Saint-Simon in de meest negatieve regionen van het werk bevindt: gemene zaak met bastaarden, vijandige complotten tegen de vrienden van de kleine hertog, aantasting van de rangen en standen, ondeugendheid, verraad, spionage, uitsluiting van het sacrale, gedrag dat indruist tegen de aristocratische normen en waarden. Er zijn echter twee uitzonderingen die in zekere zin de basisvoorwaarden van Saint-Simons purisme bevestigen: Conti is inderdaad homoseksueel,[90] maar dit sympathieke en moedige personage, 'de Germanicus van Frankrijk', komt veel clementie toe door de 'zuiverheid van zijn bloed, het enige wat niet met bastaardij was vermengd'.[91] Zo wordt ook Monsieur de broer van de koning van harte door Saint-Simon vergeven: deze verwijfde en homoseksuele prins is niettemin moedig op het slagveld en respecteert zorgvuldig de rangen en standen. Maar waarom zou dat verbazen? Zijn bloed is dat van Lodewijk de Heilige en van Lodewijk XIII, het zuiverste bloed ter wereld. In het uiterste geval kan de maximale onzuiverheid (de sodomie) dus niet op tegen de hoogste zuiverheid, die van een vorstelijk ras dat nooit is aangetast door onwettigheid.

Een andere belangrijke onzuiverheid vloeit, nog rechtstreekser, voort uit de seksualiteit. Dat betreft de geslachtsziekte syfilis. Bastaardij, sodomie en 'sief' worden bij elkaar opgeteld om de persoon van Vendôme volslagen de grond in te boren van wie, behalve de verwensingen van de kwaadsprekende Saint-Simon, vooral de geschiedenis is ingegaan dat hij een goed militair was (omdat hij Lodewijk XIV uit de brand hielp in de Spaanse Successieoorlog) en een zeer bekwaam man. Vendôme is de kleinzoon van een bastaard van Hendrik IV. En Saint-Simon is pietluttig over de zuiverheid van het bloed, vooral wanneer het om iemand gaat die hij verafschuwt; die smet op het blazoen vergeeft hij niet. Vendôme is ook nog sodomiet en maakt daar nauwelijks een geheim van. En ten slotte lijdt hij zo erg aan syfilis dat zijn neus half is weggevreten; en om het geheel te bekronen trouwt hij met een prinses van den bloede, Mlle d'Enghien, onder leiding van het prototype van de bastaard, de hertog du Maine.[92] De koninklijke erfmassa van dit uit de Condés geboren meisje wordt drie- of viervoudig bezoedeld door de talrijke bijkomende smetten van haar echtgenoot.[93]

De vieze onzuiverheid van Vendôme heeft dus te maken met zijn afkomst, zijn zeden en zijn ziekten, maar ook nog met iets anders: 'Alles aan Vendôme scheen goed, zijn buitengewone en gezochte smerigheid, zijn *buitensporige gebruik van tabak* dat de koning van geen ander verdroeg [...], zijn zeden [...] in hun meest vervallen staat [homoseksueel], enzovoort.'[94] Interessant is de aanwezigheid van tabak in deze opsomming van vuiligheid. Saint-Simon heeft er inderdaad niet veel mee op: de tabak van de hertog de Noailles had misschien (?) gediend om de Dauphine te vergiftigen.[95] Boudin, handlanger van de hertog du Maine, 'stopt zich vol tabak, waarmee zijn gezicht altijd besmeurd is', net als Vendôme.[96] Huxelles, ook een sodomiet, neemt tabak op een vieze manier, 'wiens jas en das er altijd onder zaten',[97] enzovoort. De hertogin de Bourgogne heeft een enorme hekel aan de, tot aan de voeten van de vorst uitgespuugde, tabaksfluimen van Pontchartrain junior, de vileine, eenogige jezuïetenminnaar. De hertog d'Ossone, die zich heeft dood geniest, zou, dat hoeft geen mens te verbazen, vergiftigd zijn door de tabak, net als de hertogin de Bourgogne[98] die de jezuïeten en de tabak tegen had, wat nogal veel was voor één enkele vrouw. En inderdaad, wat is er, in het algemeen gesproken, *smeriger* dan dit kruid van Nicot, of het nu gerookt, gesnoven of gepruimd wordt...

Afgezien van de tabak heeft bij onze auteurs onzuiverheid vooral te maken met de seksualiteit en de factoren die een rol spelen bij het doorgeven of niet doorgeven van het leven (bastaardij, sodomie, syfilis), terwijl het domein van de, eventueel erfelijke (in het geval van de onaanraakbaren), onreinheid zich in India uitstrekt over allerlei gebieden, met name van de ongepaste en ongezonde contacten: uitwerpselen, de pijp van een ander roken (opnieuw tabak!), enzovoort. Zonder een voorbarig oordeel te vellen over de situatie in India, kunnen we stellen dat onze Franse auteurs zeer veel geloof hechten aan de erfelijkheid van verworven en eventueel ook door contact overgedragen eigenschappen, en wel 'contactueel' in de ruimste zin van het woord, zoals door blikken en dergelijke.

Een elleboog in het oog van een zwangere vrouw in het gezin van een prins, kortom 'een blauw oog', en prompt zijn de ogen van het kind, wanneer het geboren is, inktzwart.[99] Een man wordt kwaad op zijn zwangere vrouw en dreigt haar uit het raam te gooien: het kind zal 'bevend' geboren worden en draagt de bijnaam 'bangerik' waardoor het zelfs het eerstgeboorterecht kan verliezen.[100] Ook krankzinnigheid komt via de vrouwelijke lijn uit de familie.[101] Een zenuwtrek in het gezicht kan zelfs op een baby in de buik van een vrouw worden overgedragen wanneer zij de persoon met deze tic te vaak aankijkt,[102] die deze zelf weer heeft gekregen door een vergelijkbare tic van een non na te volgen.

Kortom, de zwangerschap is een gevaarlijke, kwetsbare toestand: de *Memoires* hebben het vaak over de miskraam van vrouwen die daardoor 'gekwetst worden', zoals de geijkte term in die tijd luidt. Als we de denkers van de zeventiende eeuw mogen geloven – zelfs de grote denkers – is de voortplanting een kwetsbaar en aan alle mogelijke risico's blootstaand proces, inclusief die waarmee de wetenschap vandaag de dag heeft afgerekend. In die omstandigheden is het begrijpelijk dat een letsel of een afwijking van het seksuele leven en van de voortplanting in de vorm van een onzuiverheid (homoseksueel, venerisch, bastaard) gezien kan worden als een gevaar voor de zuiverheid van een familie van zeker aanzien. Niettemin voert Saint-Simon een redenering als altijd tot in het extreme door. De kleine hertog is hierin zo paradigmatisch als maar kan.

Bij Saint-Simon, en in mindere mate ook bij Madame, is er sprake van een geografie van de zuiverheid en de onzuiverheid. De sodomie huist zonder meer in het zuiden: een Griekse en Italiaanse ondeugd. Of men nu de *Brieven*, de *Memoires* of Tallemant des Réaux leest, telkens weer komt men bij deze schiereilanden uit. Bij de hertog wordt homoseksualiteit vaak aangegeven door mediterrane bijvoeglijke naamwoorden: het woord 'Grieks' verwijst naar de Helleense of klassieke Oudheid; het woord 'Italiaans' heeft betrekking op gewoonten die men toeschrijft aan de Romeinen uit de zeventiende eeuw of andere bewoners van de 'Laars' – aan de andere kant van de Alpen, dus a priori verdacht.[103] Het Iberische schiereiland is 'onzuiver' op een andere, aangeboren, manier omdat de bastaardij zich er als gewoonte genesteld heeft. 'Bijna alle hooggeplaatste en zelfs de aanzienlijkste huizen van Spanje zijn aangetast door bastaardij, en vaak meer dan eens, zodat vrijwel alle aanzienlijken en de hoogste adel hierin verstrikt zijn.'[104]

Voor zover we kunnen nagaan bevestigen de statistieken deze uitspraken van Saint-Simon waar het de feiten betreft: vanaf de Gouden Eeuw zien de demografen in de Spaanse steden een groter aantal buitenechtelijke geboorten en bevruchtingen voor het huwelijk (ook bij de adel) dan in Frankrijk in diezelfde tijd.[105] Ook de Castiliaanse en Franse schrijvers uit die tijd maken zich ongerust over de lakse houding ten opzichte van bastaardij van de Spanjaarden. De uitleg die zij geven is dezelfde als die van Saint-Simon: de overspeligheid in het rijk van Filips v was het gevolg van de vroegere invloed van de moren en hun 'gemêleerde omgang' met de Spanjaarden, 'bijna tot in de tijd' van de katholieke koningen. In feite doet het er niet toe of deze bewering strookt met de waarheid. Het komt erop neer dat de onzuiverheid een gebrek aan sacraliteit inhoudt: zij gaat samen met de onmacht van een langdurig gebreideld en zelfs door de islam beïnvloed christendom.

Bij Saint-Simon kan een dergelijke verklaring niet los gezien worden van algemenere ideeën over het land aan de andere kant van de Pyreneeën. Wij noemen er hier de voornaamste kenmerken van zonder na te gaan of ze gegrond zijn. Saint-Simon heeft deze ideeën zeer waarschijnlijk al lang voor zijn gezantschap in Madrid (1721-1722) ontwikkeld, waarna hij ze aanscherpte en definitief vastlegde tijdens deze diplomatieke missie. Hoewel de kroniekschrijver op het gebied van buitenlandse politiek[106] hispanofiel en anglofoob was, betreurde hij niettemin de bastaardij die volgens hem een smet wierp op het denkbeeldige collectieve blazoen van Castilië. Saint-Simons antropologie verschilt dus radicaal van de diplomatieke oriëntatie van de kleine hertog die volledig hispanofiel is. Zo krijgen de bastaarden van de Spaanse koning bijvoorbeeld veel te hoge posities in de staat en buitensporige eretitels.[107] De Castilianen hebben anderzijds een afkeer van de 'gezonde' Franse praktijk van het *publieke* naar bed gaan van een vorstelijk paar, op de avond van hun huwelijk.[108] Deze werkwijze garandeert echter, op een symbolisch niveau, dat de kinderen van deze pasgetrouwden wettig zijn en niet uit overspel geboren ofwel bastaarden. Ziehier nog een voorbeeld van de belachelijke Spaanse preutsheid, opnieuw een van de vele betreurenswaardige erfenissen van de vroegere mosliminvasie. Iedereen weet immers dat de moslims... en de Spanjaarden geneigd zijn hun vrouwen op te sluiten of te verbergen, met name wanneer ze in bed liggen.[109]

Volgens onze auteur loopt Spanje dus niet bepaald voorop met wenselijke inzichten ten opzichte van de bastaardij. Dit land heeft in het algemeen geen passend respect voor de hiërarchie. Zeker, de Castilianen hebben een sterk gevoel voor hoffelijkheid en eer,[110] dat is een waarheid als een koe. Ze kennen zelfs beleefdheidsrituelen die overdreven zijn, pietluttig en soms ronduit belachelijk, zoals iemand tot aan de deur thuisbrengen, vervolgens vice versa en zo eindeloos door.[111] Maar de authentieke, ware hiërarchie is niet Spanjes sterke kant. Zo hebben de Castilianen bijvoorbeeld geen koninklijk kroningsritueel. De Spaanse koninkrijken waren zo klein en werden zo vaak lastiggevallen door de moren dat een hof een kroning niet kon vieren met de vereiste riten en gebruiken.

Over het algemeen hebben de koningen en de hoge edelen in Spanje geen galakleding, zoals zij ook geen waardigheidstekens aan hun koetsen, wapens en huizen hebben.[112] Pas onder Franse invloed verscheen er rond 1700 een hertogelijk wapen op een aantal koetsen in Madrid.[113] De Spaanse Grandes hebben geen voorrang in de Orde van het Gulden Vlies ten opzichte van gewone ridders,[114] en onderling nemen zij geen enkele anciënniteit in acht.[115] Zij aanvaarden uiterst bescheiden ambten waarvoor een Franse hertog en pair zich zou schamen.[116] Deze

Spaanse Grandes zijn overigens veel te talrijk omdat de koningen de titel aan overdreven veel mensen hebben gegeven, met name om financiële redenen.[117] Getergd geeft Saint-Simon nog een heleboel voorbeelden van de Spaanse ontoereikendheid op hiërarchisch gebied. Zo merkt hij geërgerd op dat men Spaanse Grandes helemaal alleen hun *puchero*[118] heeft zien eten, bijna als de Hollandse edelen die in alle eenvoud hun boterham met kaas die ze uit hun zak halen opeten.

Bovendien maken in Spanje de *visites* geen deel uit van een wezenlijk sociaal leven; zij zijn simpelweg een onderdeel van de eindeloze en saaie vertoning van goede manieren. Een verdienste van de Spaanse Grandes is dat ze niet veel wijn drinken en zich daardoor niet afgeven met het uitschot; zij hebben echter geen mooie tanden en ook niet het blonde haar van hun Germaanse evenknieën.

Wat de zuiverheid of reinheid betreft is een van de opvallendste kenmerken van het katholicisme het verbod om tijdens de vasten vlees te eten, dat als onrein wordt beschouwd. Dat houdt in dat er dan een grote handel zou moeten zijn in zoetwater- en zeevis, net als in Frankrijk, een beschaafd land waar de welgestelden zich het vastenvoedsel kunnen verschaffen. Zo bezien is Castilië[119] onderontwikkeld, met name door de 'luiheid' van de inwoners: tijdens de vasten is er geen zeevis, behalve één soort (de *vesugo*). Hierdoor is men dus gedwongen[120] om op zijn Spaans te vasten door eieren en zelfs chocolade te eten, wat erbarmelijk is, want is chocolade niet het lievelingsvoedsel van de jezuïeten?[121] We moeten hier natuurlijk opmerken dat zeevis in het hete Spaanse klimaat niet over grote afstanden kan worden vervoerd en slechts kort houdbaar is, maar Saint-Simon zou zich als gewoonlijk niet bekommeren om een dergelijke tegenwerping.

We zien hier een vooronderstelling te voorschijn komen die in de *Memoires* latent aanwezig is: op het gebied van de hiërarchie en van de 'zuiverheid' is Frankrijk verder *ontwikkeld* of volmaakter dan Spanje, ook al is het minder volmaakt dan Duitsland (met name inzake de afwijzing van bastaardij). De maatschappij van rangen en standen is in Frankrijk beter ontwikkeld dan in Spanje, ondanks het feit dat deze ook in Frankrijk begint te ontaarden.

De tegenstelling tussen ontwikkeling en onderontwikkeling overstijgt natuurlijk de kwesties van rangorde en van 'zuiverheid/onzuiverheid'; zij krijgt bij Saint-Simon, naar aanleiding van een vergelijking tussen Frankrijk en Spanje, zelfs iets heel moderns. Zo merkt de kroniekschrijver impliciet op dat de dames aan het hof van Filips v te snel achter elkaar zwanger raken. Dit gebeurt per ongeluk of om de tweede vrouw van Filips v, een vrome Italiaanse, een plezier te doen.[122] Daarentegen weten de Franse hertogen en pairs, en met hen Saint-Simon, hun nakomelingen te beperken. Ze hebben bijna nooit meer dan twee kinderen per hertogin en per echtpaar.[123] Aan het hof van Lodewijk xiv is een Pontchartrain junior, die zijn vrouw gebukt doet gaan onder meerdere zwangerschappen, een beklagenswaardige uitzondering, en het levert hem de, overigens zeer ongerechtvaardigde, hoon van Saint-Simon op.[124] De geboortebeperking, die wij hebben leren zien als een ontwikkelingscriterium, speelt al dezelfde rol bij de schrijver van de *Memoires*, wanneer hij het hof van Frankrijk vergelijkt met dat van Spanje ten voordele van het eerste.

Zoals we in dit voorbeeld zien, staat het strikte hiërarchische denken van de kleine hertog niet altijd een authentiek modern denken in de weg. Als een gespleten persoon heeft Saint-Simon dus kritiek op Spanje die zich tegen zichzelf kan keren, want deze is tegelijkertijd archaïsch en *up to date*. Hij bekritiseert het land omdat de aristocratie er niet zuiver en hiërarchisch genoeg is, maar ook omdat de vrouwen er te vruchtbaar en de monniken bijgelovig en lomp zijn.

Voor Italië heeft Saint-Simon een nog grotere minachting dan voor Spanje: behalve zijn algemene afkeer van de zogenaamde 'Italiaanse' zeden (lees homoseksualiteit), vaart de kroniekschrijver met name uit tegen de aan de paus onderworpen Romeinen en tegen de eeuwig rebellerende Napolitanen en de tot verraad geneigde Sicilianen.[125]

Daartegenover plaatst hij het centrum van de zuiverheid voor wat betreft de eerbied voor rangen en afkomst meer in het noorden, in het Germaanse en in tweede instantie in het Britse gebied. De Duitse adel verfoeit bastaarden en verafschuwt mesalliances. Madame is hiervan het levende voorbeeld, zoals de *Memoires* en de *Lettres* meermalen benadrukken: wanneer zij verneemt dat Lodewijk XIV zijn zoon wil laten trouwen met een vrouwelijke bastaard van de koninklijke familie, geeft ze de ongelukkige jongeman een klap in zijn gezicht en reageert ze op dezelfde manier op de buiging die de vorst bij die gelegenheid voor haar maakt 'zodat hij toen hij zich oprichtte nog slechts haar rug zag en [zij] al een stap naar de deur had gedaan'.

Saint-Simon, die overigens germanofiel is en zelfs Duitstalig tot in zijn stijl,[126] heeft een diepe bewondering voor de Duitse verering van de rangen en standen: hij waardeert de dochters van de Duitse adel, van wie de beurs leeg is maar het blauwe bloed onloochenbaar.[127] In feite wordt het hiërarchische besef in Duitsland erg ver doorgedreven: bepaalde aanzienlijke functies, zoals die van kanunnik van het adellijke kapittel in Straatsburg, vereisen adeldom van beide zijden, zowel van vaderskant als van moederskant (terwijl in een vergelijkbaar instituut van de Franse kanunniken in principe alleen de eerste voldoende is). De Duitse 'buik' draagt voor de helft bij aan de overdracht van het adellijke aanzien, terwijl in Frankrijk alleen de mannelijke lijn al voldoende is. En hoewel ook de vrouwen en dochters van de Duitse aristocratie het blauwe bloed doorgeven, krijgen zij vrijwel geen erfdeel,[128] om het grootste deel van het familiebezit naar hun oudste broer te laten gaan. Wanneer Saint-Simon deze ongelijkheid noteert, benadrukt hij nogmaals dat de adellijke status (die verbonden is met mannelijke, en in Duitsland ook met vrouwelijke, 'chromosomen') niet per se samengaat met rijkdom: deze wordt geërfd volgens het mannelijke eerstgeboorterecht waardoor de aanzienlijke families, wanneer ze niet in verval willen raken, zich gemakkelijker van man op man handhaven. Het aristocratische Duitsland dat hij beschrijft is wellicht voor een deel denkbeeldig: het toont ons in elk geval de obsessies van Saint-Simon.

Deze fascinatie voor het buurland houdt verband met de 'Germaanse' instelling van de Franse adel. Vanaf de tweede helft van de zestiende eeuw hebben verscheidene theoretici en historici (Hotman, Vignier, Belleforest) beweerd dat de wortels van de Franse adel gezocht moeten worden in de uit de wouden afkomstige stammen die de Rijn overstaken en tussen de derde en de vijfde eeuw na Christus Gallië binnenstroomden.[129] De bewierokers van de zeventiende-eeuwse monarchie versluieren dit idee enigszins,[130] maar bij Saint-Simon en een aantal anderen komt de Duitse afkomst weer in volle kracht naar voren: onze hertog heeft in zijn bibliotheek het ad-hocwerk van Pasquier en Boulainvilliers; deze laatste is op dit terrein overigens heel wat genuanceerder dan men over het algemeen denkt.[131] Volgens Saint-Simon waren de Franken, een oorlogszuchtig volk dat uit Germania naar Gallië trok en dat onder Clovis door het christendom was geciviliseerd, de oorsprong van de edelen, de opperleenheren en vazallen, de leengoederen en de ridderschap. De overwonnen (Gallische) volken werden de lijfeigenen van de Germanen en ontwikkelden zich daarna tot de derde stand. De Frankische heren hadden deel aan de macht van de vorst tijdens de bijeenkomsten van de 'Champs de Mars et de Mai'. De grote Merovingische en Carolingische vazallen waren dus de voorouders of voorlopers van de pairs van Frankrijk (in werkelijkheid verschijnen deze pas veel later op het toneel, in de dertiende eeuw!).[132] In elk geval is het aristocratische germanisme – zonder te reppen van adellijk pangermanisme – waar Saint-Simon naar verwijst wezenlijk ongelijkwaardig: de in rangen geordende en door het christendom geciviliseerde Franken van Saint-Simon brengen een adel voort die niet alleen de derde stand overheerst, maar op zijn beurt van hoog tot laag is ingedeeld in groepen en lagen; aan het hoofd daarvan staan de belangrijke vazallen, die spoedig daarna hertogen en pairs zullen zijn.[133] Het Duitsland van rond 1700, dat eveneens de rangen en standen eerbiedigt, houdt de Franse adel dus de spiegel van de eisen en voorschriften van zijn structuur voor; het maant de Franse adel zich te spiegelen in het blauwe meer van de ogen van de jonkers. Wat dit betreft dankt Saint-Simon veel aan de 'germaniserende' teksten van Boulainvilliers, die hij had gelezen en aanzienlijk had gesimplificeerd. Maar het zeer moderne gelijkheidsstreven dat Boulainvilliers binnen de adel zelf wilde doorvoeren volgens de min of meer vermeende normen van de oude Germanen,[134] kon Saint-Simon niet bekoren. Vandaar zijn bedekte kritiek op deze schrijver, die hij weliswaar aanmerkt als een groot geleerde en genealoog, maar die hij er ook van beschuldigt dat hij een astroloog is, een vriend van de afschuwelijke en duivelse Noailles en dat hij zijn krachten versnippert.[135]

Saint-Simon gaat van het hiërarchische Duitsland naar de Nederlanden en maakt zich geen enkele illusie over de zuiverheid van het bloed en de ouderdom van de adellijke families in de Lage Landen, ook al behoort het Nederlands sprekende gedeelte daadwerkelijk tot het Germaanse gebied. Wanneer de kroniekschrijver het over Bergeyck heeft, een Brabants bestuurder die door Spanje wordt betaald en voor wie hij persoonlijk grote achting heeft, merkt hij op dat deze man, die niet echt graaf of baron is, 'niettemin van betere familie is dan gewoonlijk in de Nederlanden'.[136] Het toch zo rijke Vlaanderen is slechts een Duitsland van de armen, in termen van adel. Saint-Simon benadrukt ook de 'gierigheid' van de Hollanders, zelfs bij de hoogste gezagsdragers: dit druist in tegen alle aristocratische normen en waarden. Deze Vlaamse edelen, wij herhalen het, dineren met het brood dat ze uit hun zak halen, waarmee ze zich elke adellijke omgang onwaardig betonen.[137] Men moet hun gezelschap dus niet opzoeken, zelfs niet als ambassadeur.

De oosterburen van Duitsland zijn nog erger: Polen was een doorn in het oog van onze prinsen, met name van Conti, die vergeefs trachtten er koning te worden. Om nog maar te zwijgen van Hendrik III. De Polen zijn dronkelappen en hansworsten.[138] De voormalige koningin van Polen, van Franse afkomst, is zelf een verraadster van Frankrijk.[139] Slechts één 'Poolse' prins vindt genade in de ogen van Saint-Simon, de zoon van de koning van Polen; maar deze prins lijkt uiterlijk dan ook op een Duitser of desnoods op een hoogwaardigheidsbekleder van het Franse hof: 'Hij was een grote, forse jongeman van achttien jaar, blond en met een frisse kleur, die sterk deed denken aan de hertog de Berry.'[140] Blijkbaar maakt Saint-Simon er zich nauwelijks druk over dat de vader van deze charmante jongen, Augustus II van Saksen, de koning van Polen, 354 bastaarden had; wat dat betreft zou zijn zoon overigens geen haar beter zijn.[141] Nog verder oostwaarts gaand beschrijft de kroniekschrijver de Russen als nog erger dan de Polen, evenzeer alcoholisten 'met een restant van barbaarse zeden, grillig en met een vreemde manier van doen...' Een van hen, prins Koerakin, had veel gereisd, maar 'had nog steeds iets Russisch en zijn buitengewone gierigheid deed veel afbreuk aan zijn talenten'.[142]

Kortom, te midden van de twijfelachtige landen van het Europese vasteland (Nederlanden, Polen, Rusland), flonkert Duitsland als een diamant van hiërarchische zuiverheid; het land doet denken aan die zeer heldere edelstenen die Saint-Simon fascineren, zoals de Pérégrine, een 'druppel van het zuiverste water dat men ooit heeft gezien, [...] uniek in Europa en misschien wel in de hele wereld in perfectie, gewicht en grootte',[143] of de Regent-diamant, 'ter grootte van een reine-claude, bijna rond van vorm [...], perfect wit, zonder welke onzuiverheid, wolk of gles dan ook, van een prachtige helderheid en met een gewicht van meer dan 125 karaat'.[144] Om de zuiverheid van deze edelsteen nog beter te doen uitkomen door een volledig contrast met het onzuivere, verklaart Saint-Simon zelfs dat de Regent-diamant het land· uit was gesmokkeld, 'verstopt in het achterste van een bediende van de grootmogol, die ze vergeten waren te purgeren'.[145] Dat was vanzelfsprekend een legende, maar wel met een pedagogische waarde passend bij de ideeën van Saint-Simon over zuiverheid en onzuiverheid, helderheid en vaagheid, het anale en het astrale. Vanuit deze zelfde optiek benadrukt ook de befaamde 'trap onder de kont van Madame de hertogin de Berry'[146] – alom gewaardeerd in Versailles als de gerechtvaardigde straf die de hertog de Berry zijn levensgezellin in 1714 in Rambouillet had toegediend – beter dan een lang vertoog, het contrast tussen de kristalheldere Berry, drager van het zuiverste (koninklijke) bloed, en diens naargeestige, bloedschendige, lage echtgenote, dochter van een bastaard.

Saint-Simon zou Groot-Brittannië graag toevoegen aan zijn opsomming van landen die uiterst precies met de hiërarchie omgaan: hij merkt terloops op dat Berwick, 'als fanatiek Engelsman sterk gekant was tegen de verwisseling van rangen'.[147] Het is een kenmerkend geval omdat Berwick zich kant tegen d'Antin die ten onrechte de waardigheid van hertog en pair van Epernon wil verkrijgen. D'Antin, de wettige zoon van Mme de Montespan, laat zich daartoe voorstaan op de steun die hij bij de koning geniet vanwege 'de schandelijke vruchtbaarheid van zijn moeder'.[148] Berwick, de bastaardzoon van een Engelse koning, wil dus dat d'Antin, de wettige zoon van een moeder van bastaards en vroegere maîtresse van een Franse koning, de rangorde eerbiedigt. Waarmee een naar wettigheid strevende bastaard (Berwick) zich keert tegen een wettige zoon die bastaardij gedoogt (d'Antin).

We laten deze paradox voor wat hij is en constateren dat Saint-Simon niet helemaal ongelijk heeft wat Engeland betreft... In tegenstelling tot de situatie in Frankrijk worden bastaarden daar beschouwd als 'nietswaardigen zonder status en zonder naam, behalve wanneer ze hier door een of andere waardigheid aan ontstijgen [aan de nietswaardigheid] die hen precies de rang geeft van die waardigheid waarmee ze bekleed zijn'.[149] De tolerantie ten opzichte van bastaarden, die aan het einde van de achttiende eeuw zeer groot is in Engeland, was in de zeventiende eeuw veel minder groot[150] (waarbij sprake was van een maximale intolerantie rond 1650). In het algemeen is de situatie in Engeland bijzonder pijnlijk voor Saint-Simon: de buik houdt er de adel in stand,[151] omdat hij die zelf niet of nauwelijks volgens de regels kan voortbrengen; de sociale mobiliteit is er veel sterker dan in Frankrijk; de gedragscode voor de adel is in Engeland veel minder strikt dan in Frankrijk.[152] Saint-Simon verfoeit hoe dan ook de Britten en de anglofielen.[153] Hij neemt Groot-Brittannië dus niet op in zijn gepolariseerde landkaart van zuiverheid en onzuiverheid. Hij beperkt zich in een zelfverzonnen kosmologie in wezen tot het vasteland. Het homoseksuele Griekenland en Italië, vergezeld van het ontaarde Spanje, staan hierin lijnrecht tegenover het 'goede Duitsland', dat de hiërarchie naar afkomst instandhoudt en respecteert. Frankrijk wordt tussen het noorden en het zuiden heen en weer geslingerd. Zij twijfelt tussen twee tegengestelde modellen: het mediterrane, dat onzuiver is, en het zuivere Germaanse model.

Saint-Simons houding ten opzichte van de bastaardij in het bijzonder en de onzuiverheid in het algemeen is anders dan die van een willekeurig lid van de hiërarchie of de aristocratie, of eenvoudigweg van de adel. In feite was de adellijke stand, en met name in de zuidelijke streken, rijk aan onwettige nakomelingen; in de zuidelijke provincies was het, in navolging van Spanje, gebruikelijk dat deze nakomelingen erfden, gewettigd werden en in de adelstand verheven. Saint-Simon daarentegen vertegenwoordigt met zijn doorgevoerde logica een tendens, een gewoonte, een moment in de geschiedenis van de blauwbloedigen, en in hun houding ten opzichte van de onwettigheid. Hierbij is religie een belangrijk onderwerp. Het calvinisme en het jansenisme stellen zich, in naam van de augustiniaanse stroming die argwanend staat tegenover de vleselijke lusten, steeds strenger op tegenover de buitenechtelijke seksualiteit en de eventuele vruchten daarvan. De kleine hertog is beïnvloed door deze theologie van de genade die eisen stelt, in elk geval door de katholieke, dat is de jansenistische, versie ervan. Het maakt zijn houding ten opzichte van overspel en de daaruit voortgekomen kinderen alleen maar onbuigzamer.

Ook het regionale aspect is van belang. Als lid van de noordelijke adel heeft Saint-Simon de, vaak tegen de bastaardij gerichte, gevoeligheden van de noordelijke provincies: 'Het hooggerechtshof van Normandië, het gewoonterecht van Parijs (art. 158), het gewoonterecht van Calais (art. 169), het gewoonterecht van Etampes (art. 182) en vele andere gelijksoortige teksten sluiten de bastaard uit van successie-rechten.'[154] Het gewoonterecht van Anjou, Maine, Melun, Poitou en Bretagne ver-bieden of beperken de testamentaire vrijheid van de verwekker ten aanzien van diens bastaarden. In Lotharingen werd in de vijftiende eeuw het bezit van een bas-taard na zijn dood nog teruggevorderd door de leenheer in rechte. De zuidelijke gebieden met hun Romeinse recht en Occitaanse cultuur (Toulouse, Dauphiné, Auvergne, zelfs de Marche) weigeren daarentegen de bastaarden systematisch erf-rechtelijk achter te stellen. Met betrekking tot de uit overspel voortgekomen nako-melingen stelde Saint-Simon het toegeeflijke Spanje tegenover het overdreven strenge Duitsland. Diezelfde tegenstelling tussen noord en zuid zien we binnen de Franse grenzen; deze moet echter genuanceerd worden: Vlaanderen (en de Neder-landen als geheel) zijn toleranter ten opzichte van de onwettige erfgenaam dan de noordelijke gebieden in Frankrijk. Zijn de Vlamingen dan wellicht mislukte Duit-sers?

Op Frans grondgebied zal de Noord-Franse taal (*langue d'oïl*) de toon zetten; deze is nauw verbonden met de effectieve machtscentra. De adel van Auvergne (*langue d'oc*) telt onder de Valois' en de eerste Bourbons meer dan twee bastaarden per blauwbloedig gezin; die van Beauce (d'oïl) is veel minder kwistig met 'onzuive-re' kinderen. Bovendien spreekt in maart 1600 een koninklijk edict met betrekking tot de belastingen voor de derde stand zich definitief uit voor de noordelijke, strikte-re gewoonten. Deze tekst bepaalt in artikel 26 dat de bastaarden van edelen ipso facto tot de derde stand behoren, behalve wanneer zij beschikken over uitdrukkelij-ke adelbrieven, gebaseerd op hun persoonlijke of familiale verdiensten. De door Colbert afgekondigde hervormingen binnen de adel verwijzen vele, niettemin uit edelen geboren bastaarden naar de derde stand (om te voorkomen dat te veel men-sen ontheven zijn van belastingbetaling onder het mom van adeldom; bij bastaar-den wordt deze vrijstelling voortaan gezien als iets wat ten onrechte is verworven). Zelfs Lodewijk xiv, op latere leeftijd zo trots op zijn bastaarden, schaamde zich in het begin voor hen; hij verheimelijkte hun bestaan zoveel mogelijk, in tegenstelling tot zijn grootvader Hendrik iv, die er bijna mee te koop liep. Dit is duidelijk een teken dat er in de koninklijke familie, op het gebied van onwettige kinderen toch altijd aanstootgevend, een subtiele verandering plaatsvindt gedurende de laatste dertig jaar van de zestiende eeuw en het eerste kwart van de zeventiende eeuw. Saint-Simon hoort dus bij de vrome, strenge, noordelijke tendens binnen de aristo-cratie: deze zal mettertijd zegevieren over de voorgaande toegeeflijkheid; de adellij-ke stand zal voortaan de zichtbare onzuiverheid uit haar rangen proberen te ban-nen. De demografische statistieken, waarin de onwettigheid tussen 1660 en 1730 op het laagste niveau ligt, geven de kleine hertog gelijk gezien vanuit de samenle-ving als geheel en niet alleen het adellijke deel daarvan.

Tegelijkertijd wordt de uit de tijdgeest voortkomende fanatieke houding ten opzichte van bastaarden bij Saint-Simon samengevoegd met hiërarchische denkpatronen: zij 'blinken uit' in hun gestrengheid en hun intellectuele samenhang. Deze tendens zwakt niet af: de seksuele avonturen van Lodewijk xv in een Frankrijk dat neigt tot puritanisme of in elk geval jansenisme, worden tijdens het leven van deze vorst veroordeeld door de publieke opinie, en veel strenger dan indertijd de 'capriolen' van Lodewijk xiv, om maar te zwijgen van Hendrik iv. Hierdoor begrijpen we des te beter de grote (postume) affectie van Saint-Simon voor Lodewijk xiii, de allerdeugdzaamste der koningen. En de aanvallen van Saint-Simon op de bastaardij richtten zich waarschijnlijk evenzeer op de liefdesverhoudingen van Lodewijk xv, die weliswaar nauwelijks genoemd worden in de *Memoires*, omdat deze eindigen in 1723, maar die ongetwijfeld in de gedachten van onze hertog waren, als aandachtig en kritisch beschouwer van de zeden van staatshoofden door de tijden heen, inclusief Lodewijk xv die regeerde toen Saint-Simon de *Memoires* schreef: hij was zeker niet doof toen heel Parijs, waar hij na 1723 woonde, gonsde van het spectaculaire liefdesavontuur van de zusters Nesle, en vervolgens Mme de Pompadour, in gezelschap van een nog jonge vorst.

4

CABALEN, FAMILIES, MACHT

Nu we het sacrale en de onzuiverheid behandeld hebben, en voor we toekomen aan de vrouwelijke hypergamie en de onthechting, keren we terug naar het centrale idee van de hiërarchie. Aan de hand daarvan onderzoeken we hoe onze schrijver aankijkt tegen de hofconflicten en het Hof als geheel.

We hebben al een aantal mogelijke indelingen van de rangorde gezien:

A Koningspaar, kinderen van Frankrijk, kleinkinderen van Frankrijk (deze drie niveaus vormen samen de top van de hiërarchie).

B De eigenlijke koninklijke familie versus de prinsen van den bloede (hier geldt hetzelfde, op een iets lager niveau).

C Legitiem versus bastaard, of legitieme verbintenissen versus koninklijk overspel (in deze derde hoofdlijn staat de zuiverheid tegenover de onzuiverheid en zien we de extremen aan boven- en onderkant van de hiërarchie).

De eerste rangorde (A) is het meest effectief voor een analyse van de conflicten en de cabalen aan het hof. Madame en Saint-Simon hebben elkaar hier niet over gesproken: zij zagen elkaar maar weinig; de kleine hertog was sociaal gesproken uitschot in de ogen van de hooggeplaatste dame; volgens haar waren hij en zijn gelijken ver ondergeschikt aan de paltsgraven. En bovendien bleven de geschriften van de dame en de hertog ongepubliceerd en 'bleven zij onbekenden voor elkaar' tot in de negentiende eeuw. We kunnen er dus opnieuw van uitgaan dat hun eenstemmigheid die uit deze analyse naar voren komt een nauwkeurig beeld geeft van de werkelijkheid, en ook van de manier waarop het hof zichzelf zag (in elk geval in die onderdelen die het meest neigden naar een 'objectieve' sociologische zelfreflectie). We citeren als eerste een brief van Madame aan de hertogin van Hannover, van 28 september 1709:[1]

'Het hele hof zit vol intriges. Sommigen trachten in de gunst te komen bij de *machtige dame* [Mme de Maintenon], anderen bij *Monsieur le Dauphin* [Monseigneur, de zoon van Lodewijk XIV], en weer anderen bij de *hertog de Bourgogne* [zoon van Monseigneur], want hij en zijn vader mogen elkaar niet: de zoon minacht de vader, hij is ambitieus en wil regeren; de dauphin [Monseigneur] staat onder de absolute heerschappij van zijn bastaardzuster Madame de Hertogin. De prinses de

Conti [ook een bastaard] heeft een verbond met die laatste gesloten om niet alle macht over hem kwijt te raken. Allen staan afwijzend tegenover mijn zoon [de hertog d'Orleans]: ze zijn bang dat hij bij de koning in de gunst komt en dat die zijn oudste dochter [de dochter van de hertog d'Orleans] zal laten trouwen met de hertog de Berry. Madame de Hertogin zou die graag voor haar eigen dochter willen: vandaar dat zij de hertog de Berry inpalmt; maar de hertogin de Bourgogne, die evenveel zeggenschap over de dauphin wil als de koning, is jaloers op Madame de Hertogin: dus heeft zij een pact gesloten met onze Mme d'Orleans [de vrouw van de hertog d'Orleans] om de ander tegen te werken. Het is een vermakelijke komedie van ingewikkelde intriges, en met het lied zou ik kunnen zeggen: "Als we niet van honger stierven [de hongersnood van 1709-1710 is dan in volle omvang losgebarsten], zouden we doodgaan van het lachen..." Het *ouwe mens* [Maintenon] zet al die lieden tegen elkaar op om des te beter te kunnen heersen.'

Nog een 'krabbeltje' van Madame over de hofcabalen, dit keer in 1710: 'Ik zal u melden hoe het momenteel aan het hof is gesteld. De koning is meer dan ooit gecharmeerd van zijn bejaarde schoonheid. Alles loopt via haar en alles gaat scheef net als het postuur van de *oude dame*: zij legt een flinke spaarpot aan, slaat overal geld uit en leert de hertogin de Bourgogne de kneepjes van het vak: ze is op de hoogte van alle staatsgeheimen en brieft die aan haar door, zodat niets verborgen blijft. *Monsieur le Dauphin* [Monseigneur, de zoon van Lodewijk XIV] is nog steeds verliefd op Mlle Choin, met wie hij wellicht zelfs getrouwd is. Die Choin is een gewiekste dame, ze weigert aan het hof te verschijnen, want als ze daar zou komen, zou ze onder het gezag van de schoonmoeder van de dauphin [Maintenon] komen, waarvoor ze wel uitkijkt. Ze ziet alleen de hertogin de Bourgogne en haar favorieten en Madame de Hertogin die de favoriet is van Monsieur de Dauphin. Ze [Choin] kan hen geen grotere gunst bewijzen dan hen toe te staan met haar te eten: dat noemt men hier het *parvulo*. Dit is een uiterst geheim en privé groepje. Deze Choin heeft overal haar gunstelingen; maarschalk d'Huxelles, Albergotti, staatsraad Monsieur Bignon zijn ook haar adviseurs. *Monsieur de hertog de Bourgogne* [zoon van de Grand Dauphin] is de aanvoerder van de kwezels, en dat zijn verder de hertog de Beauvillier, de hertog de Chevreuse en Monsieur d'O.[2] Deze kliek is de andere twee niet altijd goedgezind en voert vaak oppositie tegen hen in de Raad [met name Beauvilliers tegen Pontchartrain en Maintenon]; *het hele hof is opgedeeld in de drie cabalen...*'[3]

In deze twee fragmenten heeft Madame het dus over de drie cabalen die zich ophouden langs de vorstelijke generatielijn, rondom het driemanschap koning van Frankrijk/zoon van Frankrijk/kleinzoon van Frankrijk, en wel: de *vader*, Lodewijk XIV en zijn vrouw Maintenon; de *zoon*, de Grand Dauphin, ofte wel Monseigneur, en zijn maîtresse (of waarschijnlijk zijn heimelijke echtgenote) Choin; en ten slotte de *kleinzoon*, de hertog de Bourgogne. De historici schrijven deze laatste het leiderschap toe van een verlichte en liberale groep (Fénelon, Beauvillier, Chevreuse), maar Madame ziet in hem vooral de leider van een hofkliek van kwezels (waarin ze niet helemaal ongelijk heeft).

Ook Saint-Simon heeft in het jaar 1709, en eveneens in een schitterend frag-ment,[4] deze zelfde 'drie cabalen' beschreven: de eerste [*vader*] behoudend, seigneu-riaal en militair (die van Mme de Maintenon); de tweede [*zoon*] banaal konkelend (die van Monseigneur); de derde [*kleinzoon*], op intelligente wijze hervormingsge-zind en ministerieel, ondanks een vleugje jezuïtische kwezelarij (die van de hertog de Bourgogne). We komen later nog terug op deze essentiële fragmenten,[5] die we dan vergezeld zullen laten gaan van een grafiek.

Een kwart eeuw daarvoor (brief van Madame, 11 augustus 1686), was Lodewijk xiv nog niet echt oud: men maakte zich geen zorgen over zijn opvolging; de drie-ledige tegenstelling koning/Grand Dauphin (geboren in 1661)/Petit Dauphin (ge-boren in 1682), ofwel vader/zoon/kleinzoon had nog geen reden van bestaan, al was het maar vanwege de leeftijd van de laatste twee betrokkenen. Er moest iets anders gevonden worden. Om 'een overzicht van het hof' te geven gebruikte Mada-me in 1686 dus de tegenstelling tussen de koninklijke familie in beperkte zin ver-sus de kleinkinderen van Frankrijk en de prinsen en prinsessen van den bloede. De beperkte koninklijke familie bestaat in dit geval uit het cryptomonarchale paar dat dan al wordt gevormd door Lodewijk xiv en Maintenon; de kleindochters van Frankrijk zijn de twee dochters van Gaston d'Orleans, de broer van Lodewijk xiii (ofte wel de Grande Mademoiselle en Mlle de Guise); de prins(ess)en van den bloe-de zijn mannelijke en vrouwelijke Conti's en Condé-Bourbons (Monsieur de Her-tog, Madame de Hertogin, de prinses de Conti, 'Mme de Bourbon'...). Vandaar de volgende beschrijving:[6]

'Werkelijk, iemand die niets van doen heeft met dit hof zou zich tranen lachen om de gang van zaken. De koning denkt dat hij vroom is omdat hij met geen enkele jonge vrouw meer naar bed gaat; hij praat de gunstelingen van zijn broer naar de mond en valt iedereen lastig. De oude Maintenon schept er genoegen in alle leden van de koninklijke familie gehaat te maken bij de koning en de baas over hen te spelen, afgezien van Monsieur [de broer van Lodewijk xiv] over wie ze vleiende dingen zegt tegen de koning.

Uit deze woorden kunt u min of meer opmaken hoe het hof er momenteel uit-ziet: over de Grande Mademoiselle en Mme de Guise wordt goed noch kwaad ge-sproken, men beschouwt hen beiden als een nul, wat me een groot geluk lijkt en als zodanig zou ik graag met hen ruilen. Monsieur de Hertog [zoon van de Grand Condé] *kruipt* voor elke gunst, en op de koop toe drijft men de spot met zijn kruipe-righeid. Mme de Maintenon houdt prinses de Conti en Mme de Bourbon [echtge-note van Monsieur de Hertog] voor de gek alsof ze ze op de plateaus van een weeg-schaal voor zich had; nu eens laat ze de een stijgen en de ander dalen, is de een in de gunst en stuurt ze de ander weg. Op dit moment is Mme [de hertogin] de Bour-bon in de gunst en is prinses de Conti in ongenade gevallen; maar we zullen bin-nenkort een wisseling zien. Prinses de Conti is momenteel in ongenade omdat de spionnen tegen de koning hebben gezegd dat zij samen met haar nicht de Choiseul de draak had gestoken met Mme de Maintenon. Mme de Hertogin [de Bourbon] heeft het niet veel beter dan wij, want haar man gedraagt zich ten opzichte van haar als een ware tiran.'

Het belang van deze beschrijving is veel minder groot dan in het geval van het schema van de drie generaties (koning/Monseigneur/Bourgogne) dat we hiervoor noemden. Volgens deze laatste hypothese berusten de conflicten tussen de drie generaties van de koninklijke familie, of beter gezegd tussen de daaraan 'grenzende' personages, op de inzet met betrekking tot de al of niet snelle troonopvolging en de wijze waarop deze zal plaatsvinden. Deze bedekte conflicten raken daardoor grote delen van de gezagsstructuur: ministers, hoge bureaucraten, militaire aanvoerders, prelaten, jezuïeten en aristocraten. Maar in 1686 was de echte macht, behalve bij Lodewijk xiv, in handen van de tot mandarinisme geneigde families als Le Tellier-Louvois, de familie van wijlen Colbert en de Phélypeaux' (zie het einde van dit hoofdstuk). De onenigheden waarbij de Condés of de Conti's een rol spelen zijn dan ook veel minder belangrijk dan die waarin de Le Telliers tegenover de Colberts staan. Het is niettemin interessant om te constateren dat Madame, trouw aan haar hiërarchische kijk op de wereld, al in 1686 het netwerk van de top van deze hiërarchie (de hoogste niveaus van de koninklijke familie) gebruikt om het systeem van het hof te ontcijferen. Het resultaat van deze analyse is gebrekkig, maar het doet geen afbreuk aan de basisprincipes van een volmaakte hofmentaliteit.

Veel later, tussen 1711 en 1715, zijn achtereenvolgens de Grand Dauphin, de hertog de Bourgogne en Lodewijk xiv van het toneel verdwenen. Het schema van de drie generaties van 1709 heeft dan dus geen reden van bestaan meer. Vanaf 1715 geeft Madame dan ook een ander overzicht van het hof (dat overigens uiteengevallen of geïmplodeerd is, omdat het naar Parijs is verplaatst) ten tijde van het regentschap. Zij gebruikt voortaan de tegenstelling zuiver/onzuiver, ofwel legitiem/bastaard, om de machtsconflicten te decoderen. Enerzijds zijn daar de jonge koning Lodewijk xv, de broze spruit van de hertog de Bourgogne, en de regent Filips van Orleans, wettig geboren uit het 'bloed' van Lodewijk xiii. Wanneer Filips regent is steunt hij de jonge koning en verlaat hij zich op de financier Law (of *Las* zoals men in die tijd zei). Anderzijds, onder aan de glijdende schaal van de onzuiverheid, duikt de bastaard de hertog du Maine op, die indertijd was opgevoed door de oude heks Maintenon, ooit gouvernante van koninklijke bastaarden, en die de steun had van het parlement. De tegenstelling is des te dramatischer omdat Maine de zwager is van Filips van Orleans via diens vrouw, de hertogin d'Orleans, zelf ook een koninklijke bastaard en de zuster van Maine. We laten Madame weer aan het woord.[7]

'Het is helaas waar dat het parlement *mijn zoon* [de regent, Filips van Orleans] moeilijkheden bezorgt. Hij heeft me verteld dat die heren zich met zaken bemoeiden die hen niet aangaan en dat, zolang het koninklijke gezag bij hem berustte, hij dit gezag intact zou houden, dat hij het aan de koning zou overdragen bij diens meerderjarigheid en niet zou toestaan dat het wordt ondermijnd. Tot nog toe valt er niets te vrezen; het volk heeft zich niet geroerd, evenmin als de overige parlementen in de provincies. De *broer van de vrouw van mijn zoon* [de hertog du *Maine*] en zijn vrouw zijn zijn ergste vijanden, zij zijn degenen die iedereen tegen hem opzetten. Als mijn zoon naar me had geluisterd, was hij nooit de zwager van die lieden geworden en kon hij handelen zonder beducht te zijn voor onrust. *Mijn zoon* moet nieuwe middelen zien te vinden om de schulden van wijlen de koning af te betalen. Die *Las*, die zo gehaat wordt, is een heel intelligente Engelsman...'

De tegenstelling legitiem/bastaard of Orleans/Maine is in feite te summier om de complexe situatie van het jaar 1718 weer te geven. Saint-Simon, die dan rechtstreeks deelneemt aan de machtsuitoefening, schetst een verfijnder beeld van deze periode. Daar staat tegenover dat Saint-Simon in de jaren tussen 1712 en 1715, toen het hof nog te Versailles verbleef, maar zonder de vroeg gestorven Grand Dauphin en de hertog de Bourgogne, ook de tegenstelling legitiem/bastaard en Orleans/-Maine gebruikte als explicatiemodel. Hij heeft dit uitgebreid gebruikt als de basis voor zijn gedachten over het hof en de macht in die drie jaren. En datzelfde geldt iets later voor Madame.

Een variant van de tegenstelling legitiem/bastaard is legitiem/overspelig, een andere manier om zuiver/onzuiver aan te duiden. Mme de La Fayette heeft in de eerste bladzijden van *La Princesse de Clèves* (1678) virtuoos gebruikgemaakt van deze sleutel tot de hiërarchie om de structuren en de cabalen van het hof te verhelderen. Deze roman gaat eigenlijk over de eeuw daarvoor en speelt in de tijd van Hendrik 11 (hij was koning van 1547 tot 1559):

'Mary Stuart, koningin van Schotland, die kort daarvoor gehuwd was met Monsieur le Dauphin en die men de koningin-dauphine noemde, was een volmaakt iemand. Haar schoonmoeder de koningin en Madame, de zuster van de koning, hielden eveneens van poëzie, komedies en muziek [...]; en aangezien de koning [Hendrik 11] van lichaamsbeweging hield, waren aan het hof alle vormen van vermaak aanwezig...'

Na deze nogal bespottelijk bewonderende strofe volgt een beschrijving van de Guises: de hertog de Guise, de kardinaal de Lorraine en chevalier de Guise. Vervolgens komen we terug bij de Dauphine (Mary Stuart) via de hertog de Nemours.

'Deze hertog kwam vaak bij de koningin-dauphine; de schoonheid van deze prinses, en de bijzondere achting die zij voor deze hertog had, waren al vaak aanleiding geweest om te geloven dat hij zijn oog op haar had laten vallen. De heren de Guise, van wie zij een nicht was, waren door haar huwelijk flink in aanzien en achting gestegen; door hun eerzucht streefden zij ernaar de prinsen van den bloede te evenaren en te delen in de macht van *connétable* de Montmorency. De koning vertrouwde op hem voor het merendeel van het beheer van de staatszaken en behandelde de hertog de Guise en maarschalk de Saint-André als zijn gunstelingen; maar degenen die door gunst of zaken dicht in zijn buurt kwamen konden zich daar slechts handhaven door zich te onderwerpen aan de hertogin de Valentinois [ofwel Diane de Poitiers, de maîtresse van Hendrik 11]; en hoewel zij niet jong en mooi meer was, heerste zij over hem met een zo absoluut gezag dat zij zonder meer de gebiedster van zijn persoon en van de staat genoemd kon worden.

De koning had de connétable [de Montmorency] altijd bemind, en zodra hij aan het bewind kwam had hij hem teruggeroepen uit de ballingschap waartoe koning

Frans I hem had veroordeeld. Het hof was verdeeld tussen de heren de Guise en de connétable, die werd gesteund door de prinsen van den bloede. Beide partijen waren er altijd op bedacht geweest de hertogin de Valentinois voor zich te winnen. De hertog d'Aumale, de broer van de hertog de Guise, was met een van haar dochters getrouwd; de connétable haakte naar een zelfde verbintenis. Hij stelde zich er niet tevreden mee dat hij zijn oudste zoon had laten huwen met Mme Diane [niet te verwarren met Diane de Poitiers, de hertogin de Valentinois], een dochter van de koning en een dame uit Piemonte. Dit huwelijk had veel hindernissen gekend, vanwege de beloften die Monsieur de Montmorency Mlle de Piennes, een van de hofdames van de koningin, had gedaan; en hoewel de koning ze met zeer veel geduld had overwonnen, voelde de connétable zich nog niet voldoende gesteund zolang hij niet zeker was van Mme de Valentinois, en hij haar niet had gescheiden van de heren de Guise, wier aanzien deze hertogin zorgen begon te baren. Zij [Diane de Poitiers] had het huwelijk van de dauphin met de koningin van Schotland [Mary Stuart] zo lang mogelijk uitgesteld: de schoonheid en het hoogontwikkelde verstand van deze jonge koningin, en de verheffing in rang door dit huwelijk van de heren de Guise [ooms van Mary Stuart], waren haar een doorn in het oog. Ze had vooral een hekel aan de kardinaal de Lorraine [een Guise]; hij had haar bits en zelfs minachtend toegesproken. Ze zag dat hij relaties aanknoopte met de koningin, zodat de connétable haar bereid vond zich bij hem aan te sluiten en een verwant van hem te worden door het huwelijk van Mlle de La Marck, haar kleindochter [van Diane de Poitiers] met Monsieur d'Anville, zijn tweede zoon [van Montmorency], die hem later onder de regering van Karel IX in zijn waardigheid opvolgde. De connétable dacht bij Monsieur d'Anville geen obstakels te zien voor een huwelijk, maar ook bleven de redenen voor hem verborgen, de moeilijkheden waren er niet minder om. Monsieur d'Anville was hartstochtelijk verliefd op de koningin-dauphine [Mary Stuart] en hoe weinig hoop er ook was voor zijn liefde, hij kon niet besluiten tot een verbintenis die zijn attenties verdeeld zou houden. Maarschalk de Saint-André was de enige aan het hof die geen partij had gekozen. Hij was een van de gunstelingen en die gunst dankte hij alleen aan zichzelf.'

Ondanks bijkomende verbintenissen – een huwelijk van een Guise (Aumale) met een dochter van Diane de Poitiers en een ongelukkige liefde van de zoon van Montmorency voor de dauphine – verdeelt de tegenstelling legitiem/overspelig het hof, weliswaar niet in de historische realiteit van 1550 (dat is ons probleem niet), maar wel in het verhaal van Mme de La Fayette: enerzijds is er een echtelijke en koninklijke *legitimiteit* met de koningin, Catharina de Médici, de dauphine, Mary Stuart, en haar aanverwanten, en met hen de Guises, die Lotharingse prinsen zijn en dus buitenlanders, en daarnaast de hertog de Nemours; anderzijds zien we de *echtbreuk* en haar diverse steunpilaren en gebruikers: Diane de Poitiers (de Valentinois), maîtresse van de koning, die wordt geflankeerd door de Montmorency's en de prinsen van den bloede. En ten slotte is er in deze tweedelige molecuul die het hof vormt één vrije elektron: maarschalk de Saint-André.

Slim als ze is doet de schrijfster alsof ze geen partij kiest in dit conflict waarbij

Diane de Poitiers bij voorbaat de rol van Mme de Montespan speelt; haar populariteit, met alle hoogte- en dieptepunten, viel in de tijd dat *La Princesse de Clèves* rond 1670 werd geschreven. Maar uit het vervolg blijkt duidelijk welke kant Mme de La Fayette verkiest. In het begin van het vierde deel van haar boek wordt Hendrik II per ongeluk gedood; Diane en de Montmorency's verliezen aan invloed; de koningin, de dauphine en de Guises, kortom de legitiemen, nemen het gezag over onder auspiciën van de jonge, nieuwe koning Frans II. In hun kring zullen Nemours en de prinses de Clèves elkaar platonisch, *zuiver*, liefhebben.

Het hiërarchische principe vormt dus in verschillende verschijningsvormen (de verschillende generaties van de koninklijke familie, al dan niet nauwe verwantschap met het koninklijke bloed, de rangorde van de zuiverheid en de onzuiverheid, van het legitieme en het onwettige en van het echtelijke en buitenechtelijke) het systeem van rangen en standen aan het hof, maar ook de diverse analyses die scherpzinnige tijdgenoten ervan maken.

Laten we hiervoor uitgaan van de tekst van Saint-Simon uit 1709: 'De woorden ontbreken me om te beschrijven wat ik bedoel. Door de grote veranderingen in status en fortuin van Vendôme en Chamillart [die beiden kort daarvoor in ongenade waren gevallen] was het hof verdeelder dan ooit. Om hier te spreken van cabalen is wellicht wat sterk uitgedrukt, en het juiste woord meldt zich niet aan. Ik zal hier dus spreken van *cabaal*, met de waarschuwing dat het een te sterk woord is voor wat het wil zeggen [...]. Het hof was verdeeld in drie partijen, waartoe de voornaamste personen behoorden...'

(Dan volgt een commentaar op het egoïsme en de onbaatzuchtigheid van de leden van de verschillende partijen.)

Om voor de lezer het beeld van deze drie partijen te vereenvoudigen, hebben we ze in het hierbij gevoegde schema gezet, dat ook rekening houdt met de andere elementen van de koninklijke familie.

Bovenaan, in het midden van het overzicht staan dus Lodewijk XIV en zijn vrouw, Mme de Maintenon, die clandestien getrouwd zijn (maar niemand twijfelt aan hun huwelijkse staat). Middenin, één trede lager, staat Monseigneur, de wettige zoon van Lodewijk XIV en diens veronderstelde opvolger (in werkelijkheid sterft hij enige jaren voor zijn vader). Monseigneur, verscholen in het centrum van het schema, kan in zekere zin worden beschouwd als het 'nulpunt' van het systeem. Daaronder komt de hertog de Bourgogne, echtgenoot van Marie-Adélaïde de Savoie, die zo hertogin de Bourgogne is geworden; als zoon van Monseigneur is deze hertog de Bourgogne na zijn vader de tweede in lijn als troonopvolger. Helemaal onderaan zou de verticale centrale as als stippellijn moeten worden doorgetrokken naar de toekomstige Lodewijk XV, die pas iets later geboren wordt (in 1710).

Het vervolg van de tekst van Saint-Simon beschrijft de drie essentiële elementen van deze verticale as (ten eerste de 'tweeterm' Lodewijk XIV-Maintenon, vervolgens Monseigneur en ten slotte de hertog en hertogin de Bourgogne):

'Onder de hoede van Mme de Maintenon verzamelde zich het eerste [cabaal],

1e generatie .... (twee broers, een echtgenote, een maîtresse)	[Monsieur, ... broer van Lodewijk XIV]	→	Lodewijk XIV, ... hertrouwd met Mme de Maintenon	[Mme de Montespan, voormalig maîtresse van de koning]
			→	
2e generatie .... de Dauphin, genaamd Monseigneur, met zijn zwager en halfbroers	de hertog d'Orleans, ... toekomstig regent, zoon van Monseigneur; en zijn vrouw de hertogin d'Orleans (bastaard), schoonzuster en halfzuster van Monseigneur en zuster van de hertog du Maine	→	Monseigneur, ... zoon van Lodewijk XIV; en de maîtresse van Monseigneur, Mlle Choin: cabaal van Meudon	de hertog du Maine, bastaard van Lodewijk XIV en Mme de Montespan, halfbroer van Monseigneur en zwager (via zijn zuster) van de hertog d'Orleans
			→	
3e generatie .... de verre vermoedelijke erfgenaam: de hertog de Bourgogne	....	→	de hertog en hertogin de Bourgogne en hun groep (Fénelon, enzovoort)	....
			→	
4e generatie degene die de werkelijke erfgenaam wordt:			de toekomstige Lodewijk XV	

waarvan de voornaamsten, die de genadeslag kregen door de val van Chamillart [in ongenade geraakte minister] en zich weer herstelden door die van Vendôme [maarschalk, eveneens min of meer in ongenade] die zij eveneens zoveel mogelijk hadden begunstigd, met respect werden behandeld en die op hun beurt Mme de hertogin de Bourgogne met eerbied bejegenden, en die op goede voet stonden met Monseigneur...'

Dan volgt de beschrijving van dit eerste cabaal, dat van Mme de Maintenon, en van de van enig commentaar voorziene lijst van personen of persoonlijkheden die hiervan deel uitmaken. Een eerste 'verzameling stippen' vormt zich rondom de oudste nog levende generatie van de koninklijke familie, uitstekend gesymboliseerd door de vorst (die door zijn oppergezag boven de cabalen staat), en vooral door zijn echtgenote Maintenon, de 'oude dame' zoals Madame Palatine haar noemt in haar beschrijving van de partijen, de 'almachtige Maintenon' zoals Daniel Dessert, de befaamde historicus van het Franse geldwezen, haar onlangs omschreef. Zonder deze dame een groter belang te willen toekennen dan zij verdient (de onderzoekers hebben uitgebreid gediscussieerd over haar reële macht), kunnen we stellen dat zij in elk geval een symbolisch middelpunt is waaromheen zich invloedrijke groepen kunnen verzamelen, pressiegroepen en klieken met een geheime agenda, lobby's en kongsies zoals wij nu zouden zeggen.

'Zij [de leden van dit 'Maintenon-cabaal'] hadden de publieke opinie mee en deelden in de roem van Boufflers. De anderen verzamelden zich om hem heen, om ermee te pronken en er gebruik van te maken. Harcourt was hierbij, zelfs vanaf de oevers van de Rijn, de leidsman; Voysin en zijn vrouw waren hun werktuigen, die zich wederzijds op elkaar verlieten. In de tweede linie kwam de kanselier [Pontchartrain senior], die diep teleurgesteld was door de afkeer die Mme de Maintenon voor hem had gekregen, en dus door de antipathie van de koning; Pontchartrain [junior, zoon van de kanselier], van verre, ter ondersteuning van zijn vader; de eerste stalmeester [Beringhen], vergrijsd in de intriges, die de band tussen Harcourt en de kanselier had gesmeed, en die hen allemaal bijeenhield; zijn neef Huxelles, naar het schijnt filosoof, cynicus, levensgenieter, in alles onwaarachtig, verteerd door de boosaardigste eerzucht, van wie Monseigneur een zeer hoge dunk had gekregen door Mlle Choin [de maîtresse van Monseigneur], op wie Beringhen, zijn vrouw en Bignon verzot waren; maarschalk de Villeroy, die zelfs in zijn diepste ongenade nog een streepje voor had bij Mme de Maintenon, die door de anderen daarom met respect werd behandeld, en ook vanwege de vroegere voorliefde van de koning [voor Villeroy] die door haar [Maintenon] weer kon herleven; de hertog de Villeroy [zoon van de maarschalk], door hem voortgebracht, maar met een andere manier van doen, en La Rocheguyon [François VIII de La Rochefoucauld] die, grinnikend zonder iets te zeggen, valstrikken zette; en die via Blouin [eerste kamerdienaar van de koning] en andere ondergrondse kanalen alles wisten en al het krediet van de jeugd hadden bij Monseigneur, en die, hoewel van verre, wel degelijk van invloed waren op de ondergang van Vendôme en Chamillart; met op het derde plan de hertogin de Villeroy, wier gebrek aan intelligentie werd gecompenseerd door gezond verstand, een grote omzichtigheid, een absolute geheimhouding en het vertrouwen van Mme de hertogin de Bourgogne in vele zaken, die zij volledig naar haar hand wist te zetten.'

Dit is in kort bestek de Maintenonkliek, die we nu nader kunnen bekijken. Alleen al vanwege het feit dat de dame die de groep leidt een huwelijksband heeft met de koning, mogen we ervan uitgaan dat deze groep zeer dicht bij Lodewijk XIV staat. Voor het gemak hebben we de Maintenongroep linksboven in het schema hiernaast geplaatst.

Linksboven staat dus Mme de Maintenon; Blouin, eerste kamerdienaar van de koning; maarschalk de Boufflers; hertog de Villeroy, schoonzoon van Louvois; hertog de La Rocheguyon (La Rochefoucauld), andere schoonzoon van Louvois. Hier gaat het overigens om de resten van de Louvoiskliek. Mme de Maintenon stond op slechte voet met deze staatsman, maar als gewiekst politica had ze de schoonzoons van de overleden ministers in haar eigen cabaal opgenomen.

Verder zien we, nog steeds linksboven in het schema, nog een aantal andere namen: kanselier Pontchartrain en zijn zoon, eveneens Pontchartrain – de betrekkingen van deze beide mannen, vooral van de vader, met de vrouw van de koning waren bijzonder gecompliceerd. Daarna volgen Beringhen, Bignon, 'maarschalk' d'Huxelles en Voysin... Een hechte groep mensen die bijeengehouden wordt door min of meer krachtige vriendschapsbanden (en paradoxaal genoeg soms ook door relaties gebaseerd op vijandigheid), en door verwantschappen en de status van beschermeling (zie de legenda van het schema).

De precieuze en godvruchtige Mme de Maintenon, de abdis van de wereld, moeder van de kerk en de vrouw van een koning die zich opwerpt als verdediger van die kerk, onderhoudt zeer nauwe, talrijke en gevarieerde relaties met de verschillende leden van 'haar' groep. Om haar heen zien we in de eerste plaats haar 'grote staf', die – niet rechtens maar wel feitelijk – ook *de* grote staf uitmaakt, of in elk geval een deel daarvan. Ten eerste is daar Harcourt, de aanvoerder van het Rijnleger, die een grote aanhang heeft in Normandië, apoplectisch, berekenend en vol listig gekonkel; hij maakt deel uit van de Louvoiskliek of wat ervan over is door een oude vriendschap met Louvois senior en met diens zoon Barbezieux (later trouwt de oudste zoon van Harcourt met een Villeroy en, weduwnaar geworden, met de dochter van Barbezieux). Harcourt heeft een ingewikkelde, zowel vriendschappelijke als lastige, relatie met de Grote Raad, waar Maintenon, wier beschermeling en gids hij is, hem vergeefs probeert lid van te laten worden. Hij werkt stelselmatig de hertogen de Chevreuse en de Beauvillier tegen, mannen van de Colbertkliek en van de hertog de Bourgogne, ofwel mannen die Mme de Maintenon vijandig gezind zijn. Henri d'Harcourt, een scherpzinnige Normandiër, komt uit een oude familie en is reeds lang de vriend en beschermeling van de tweede vrouw van de koning; hij is zeer nauw gelieerd aan ministeriële families, de zoon van een Le Tellier, echtgenoot van een Brûlart en schoonvader van een 'Louvois', en alleen door een beroerte kwam er een einde aan zijn carrière. Hij verwierf de meest prestigieuze onderscheidingen: hij was militair opperbevelhebber, maarschalk, hertog en pair, kapitein van

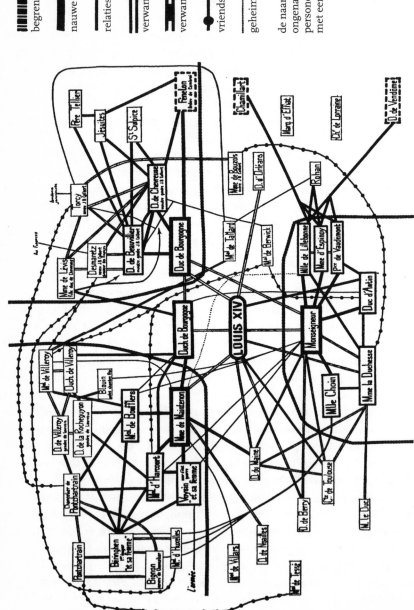

de garde, hij verwierf de Saint-Esprit, het Gulden Vlies, een gezantschap naar Spanje, de gunst van Filips v en de prinses des Ursins, bijna het lidmaatschap van de Kleine Raad (op het laatste moment mislukt) en zeer hoge financiële toelagen van Zijne Majesteit. Doordat hij aan het hoofd, of aan een van de hoofden staat van de polycentrische groep genaamd 'Maintenon' – ook wel veelbetekenend het *cabaal der heren* genoemd – is hij in dit geheel ook betrokken bij andere aristocratische en militaire gezinshoofden die allen uiterst belangrijk zijn.

Onder hen is Boufflers, en naar aanleiding van hem en zijn militaire vrienden kunnen we 'objectief' spreken van een soort 'grote staf'. Maarschalk en hertog Boufflers, nationale held, vereerder van de koning, vereerd in Parijs, leider van de publieke opinie of dat wat ervoor doorgaat, niet erg intelligent (hij heeft het buskruit niet uitgevonden), deze Boufflers is bijzonder moedig en van een Spartaanse eenvoud. Hij voegt een zeker Parijs' patriottisme toe aan de Maintenongroep dat altijd van pas komt. Andere, min of meer schertsachtige maarschalken sieren deze zeer gemilitariseerde hofkliek op; zij verstevigen de Maintenongroep met immense fortuinen, een grote aanhang en regionale gouvernementen die opwegen tegen de machtige 'magistrale' intendantschappen van de provinciale districten. Huxelles en Villeroy maken deel uit van deze maarschalken. Huxelles, onwaarachtig 'onder een schors van rechtschapenheid', is gelieerd aan de Phélypeaux', aan de Beringhens en aan de Louvoiskliek.[8] Villeroy, een nepmilitair, is onbekwaam en in ongenade gevallen vanwege zijn nederlagen, maar hij heeft nog steeds een gewillig oor bij Mme de Maintenon. Zijn zoon, de hertog de Villeroy en schoonzoon van Louvois, heeft geen problemen met ongenade; zijn schoondochter, de hertogin de Villeroy ('niet schrander, maar wel gezond verstand'), vormt, niet als enige, een verbinding tussen het Maintenoncabaal en de hertogin de Bourgogne, die zelf weer – in elk geval via haar echtgenoot – gelieerd is aan de tegenpartij, die van de *ministers*, ofwel die van de hertog de Bourgogne.

Harcourt staat voor Normandië. De Villeroys vertegenwoordigen Lyon. Huxelles is min of meer de Elzas. De regionale banden en aanhang gebaseerd op provinciale gouvernementen zijn hierbij zeker van belang.

We zien dat de andere maarschalken ofwel gelieerd zijn aan het cabaal van Monseigneur (zoals in het geval van Vendôme), of buiten elk cabaal vallen (we hadden het al over vrije elektronen, zoals Vauban). Het *andere* cabaal, dat van de hertog de Bourgogne, telt vrijwel geen hoge militairen: laten we niet vergeten dat Chevreuse en vooral Beauvillier halve pacifisten zijn. Om vrede te krijgen zouden ze de Bourbon van Spanje met liefde aan zijn treurige lot overlaten.

We waren nog bij de eerste groep waarin 'Voysin en zijn vrouw hun werktuigen [van Maintenon en Harcourt] waren, die zich wederzijds op elkaar verlieten'. Voysin kwam uit een van die families van rekwestmeesters van de Raad (kweekvijvers van staatsraden en intendanten, kortom van 'mandarijnen') die zo'n belangrijke rol speelden bij de machtsuitoefening en aan het hof. Zijn geraffineerde vrouw had haar fortuin gemaakt, als we Saint-Simon mogen geloven, toen zij Mme de Maintenon heel vernuftig onderdak had geboden in Hainaut, de provincie waarvan haar man intendant was, tijdens de veldtocht van 1692. Zodra Voysin Chamillart was opgevolgd als secretaris van Staat voor Oorlog en vervolgens minister van Staat werd, vervulde hij in het spel van Mme de Maintenon een belangrijke rol. De 'Fee' was er voortdurend op uit – gegeven het feit dat de koning zich niet automatisch, eerder integendeel, voegde naar de adviezen die ze hem in het oor fluisterde – een eigen minister in de Raad te hebben, die de boodschappen doorgaf die zij zo de koning ter ore kon brengen. De rol die zij – vergeefs – aan haar favoriet Harcourt wilde geven, vertrouwde ze uiteindelijk toe aan Voysin. Een vertrouwelijke opdracht die uiterst belangrijk zou blijken tijdens de laatste dagen van de regering van Lodewijk xiv, om te zorgen dat de 'bittere pillen' die het testament van de koning en de voor de bastaarden zo gunstige codicillen waren, werden geslikt. Nadat hij tot kanselier was benoemd, behield Voysin zijn positie van secretaris van Staat. Zijn vrouw had hem eens en voor altijd een opzetje gegeven bij de vrouw van de vorst.

'In de tweede linie [van het Maintenoncabaal] bevond zich de kanselier [Pontchartrain senior], die diep teleurgesteld was door de afkeer die Mme de Maintenon voor hem had gekregen, en dus door de antipathie van de koning'; en daarnaast 'Pontchartrain [junior], van verre, ter ondersteuning van zijn vader'.

Hier onthult Saint-Simon een van de regels van zijn beschrijving van de cabalen: zelfs wanneer iemand niet meer in de gratie was bij de leider in naam van de groep – in dit geval Mme de Maintenon, de 'bazin' – kon hij toch, door zijn positie en zijn relaties, ook met andere belangrijke personen aan het hof, 'vastgeplakt' blijven in het netwerk waarvan hij deel uitmaakte, in het cabaal waarvan hij lid was, en waarbinnen hij simpelweg 'naar het tweede plan' verhuisde. In algemene zin is het geval van de Phélypeaux-Pontchartrains in meerdere opzichten interessant: het is een van de bekende 'bureaucratische' families van de zeventiende eeuw die in de achttiende eeuw definitief doordringt tot de hoge aristocratie. Anderzijds heeft Pontchartrain junior Parijs in zijn departement: hij is dus op de hoogte van alle politiegeheimen van de stad, die hij rapporteert aan de koning. Voor deze figuur, die overigens een gecompliceerde relatie onderhoudt met de Parijse politie, belichaamd en geleid door d'Argenson, is dit ontegenzeggelijk een bron van macht.

'Via Blouin [eerste kamerdienaar van de koning] en andere ondergrondse kanalen wisten [ze] alles...' Via de Pontchartrains zijn we terechtgekomen bij de problemen van de politie, een van de sleutels tot de macht van de Maintenongroep. Met Louis Blouin, eerste kamerdienaar van de koning en zeer goed bevriend met de hertogen Villeroy en La Rocheguyon (twee 'pijlers' van de groep), komen we opnieuw terecht bij de kwestie van de spionage, maar nu in het hart van het hof en niet van de stad.

Blouin, de gouverneur van Versailles, heeft de Zwitserse garde onder zich en andere heimelijke waarnemers en bedienden in het kasteel van Versailles. Via hem gaan de verslagen over het gedrag van de talrijke hovelingen naar de koning.

Beringhen, eerste stalmeester, genaamd *Monsieur le Premier*, en belast met de leiding over de kleine stal, verleent diensten die, in principe of in schijn, ondergeschikt zijn aan die van de politie. Maar in Versailles wedijvert de kleine stal permanent met de grote stal, geleid door Louis de Lorraine, de opperstalmeester, die *Monsieur le Grand* wordt genoemd, en die bevriend is met de koning. Ondanks de ietwat onbeduidende concurrentie tussen deze twee ruiterinrichtingen, bevindt Beringhen zich op een van de belangrijke scharnierpunten met betrekking tot vriendschap in het Maintenonnetwerk: hij staat op vertrouwelijke voet met Huxelles en hij fungeert ook als bemiddelaar tussen maarschalk d'Harcourt en kanselier Pontchartrain: 'De eerste stalmeester, vergrijsd in de intriges, had de band tussen Harcourt en de kanselier gesmeed, en hield hen allemaal bijeen...'

La Rocheguyon (François VIII de La Rochefoucauld), 'die, grinnikend zonder iets te zeggen, valstrikken zette', vertegenwoordigt eveneens een interessant geval van 'markering' of 'positie': hij is de zoon van François de La Rochefoucauld, die intiem bevriend is met de koning (net als Monsieur le Grand), maar op slechte voet staat met Mme de Maintenon.[9] En toch is La Rocheguyon de schoonzoon van Louvois en de zwager van de hertog de Villeroy; hij is bevriend met Blouin en in onmin met Beauvillier en Torcy, dat wil zeggen met de Colbertkliek, ofwel met het cabaal van de hertog de Bourgogne. Hij vindt dus natuurlijkerwijze, door het proces van aantrekking en afstoting, door de 'bindingskrachten', onderdak bij de Maintenonkliek.[10]

De belangrijke bastaard, de hertog du Maine, onwettige zoon van het 'dubbele overspel' van Lodewijk en Mme de Montespan, geliefd door de koning en door Mme de Maintenon die hem opvoedde, behoort eveneens tot de 'groep der heren': 'Monsieur du Maine, die het hart van de koning en van Mme de Maintenon regeerde, regelde alles, leefde alleen voor zichzelf, dreef met velen de spot, berokkende iedereen zoveel mogelijk schade, en iedereen vreesde en kende hem dan ook.' Maine staat niet alleen: hij staat, of hij wil of niet, aan het hoofd van een soort subgroep waarvan hij de leider is en die via hem onderdeel uitmaakt van de grotere groepering van het 'cabaal der heren'.

Behalve een aantal bondgenoten van zeer hoog aanzien (Albergotti, d'Effiat,[11] D'Antin, Voysin en natuurlijk Maintenon), kan deze subgroep Maine, die vooral gestalte krijgt in het luisterrijke hof van de hertogin du Maine in Sceaux,[12] ook rekenen op satellieten als de hertogen d'Aumont en d'Albemarle (bastaard van Jakobus II), de markies de Pompadour, de Montmorency-Laval, D'Ancezune, de graaf de Langeron, de barones de Staal en dame de Montaubon; ook geestelijken als kardinaal de Polignac, bisschop Chambonas en abbé Brigault; juristen als Bargeton en met name Mesmes, de eerste president van het parlement van Parijs; en een dichter, La Grange-Chancel. Maarschalk de Villars schijnt zich zelfs gecompromitteerd te hebben voor Maine tijdens de samenzwering van Cellamare.

Dit is dus, inclusief de subgroep Maine, het 'cabaal der heren', of de Maintenongroep, die wij linksboven in het schema hebben geplaatst.

Naarmate deze analyse vordert wordt de rangschikking naar families van de cabalen steeds duidelijker, die gestalte krijgen langs de genealogische 'afstammingslijn': na de kliek van de vrouw van de koning (Lodewijk XIV-*Maintenon*), bekijken we nu de eigen groep van de zoon (*Monseigneur*).

'D'Antin, Madame de Hertogin, Mlle de Lillebonne en haar zuster en hun onaf-scheidelijke oom, en het kleine hof van Meudon vormden deze [tweede] groep.'

Deze paar regels ontsluieren de twee polen van de groep rond Monseigneur in het kasteel van Meudon: de ene is broederlijk of halfbroederlijk, de andere Lotharings. Madame de Hertogin is inderdaad de ('natuurlijke') halfzuster van Monseigneur, zelf de wettige zoon van Lodewijk XIV, aangezien zij een bastaard is, geboren uit de tedere liefde (volgens Saint-Simon) van Lodewijk XIV en Mme de Montespan. Madame de Hertogin is anderzijds de halfzuster van d'Antin, een ander invloedrijk groepslid en de wettige zoon van Montespan en haar echtgenoot Louis-Henri de Pardaillan, markies de Montespan. Mlle de Lillebonne en haar zuster (de 'twee Lotharingsen'), vergezeld van hun oom Vaudémont en vroeger beschermelingen van Louvois, zijn twee Lotharingse prinsessen begeleid door een prins van hetzelf-de slag, alle drie met een bastaardachtergrond, maar in verschillende gradaties. Net als in de tijd van de Guises, maar met minder bloederige en flamboyante zwier bemoeit het huis Lotharingen (dit keer half en half bestaande uit bastaarden) zich met de hofcabalen. Op de stam van de koninklijke familie doen zij dit op het niveau van de belangrijke 'knoest' die Monseigneur heet.

Het *hof van Meudon*, dat van Monseigneur,[13] draait dus om de broederlijke en Lotharingse pool. Dit hof vormde een probleem voor de 'volmaakte hoveling' die bedacht was op zijn carrière. Een kwestie van overal tegelijk zijn en goede timing: men volgde de koning naar Marly, maar men moest zich ook, vooruitlopend op de volgende vorst, naar Meudon begeven om de gunsten van Monseigneur te winnen. (Men wist natuurlijk niet dat deze eerder zou sterven dan zijn oude vader.) Men trof maatregelen om 'Marly af te wisselen met Meudon'. Dit was een van de prach-tige ideeën van die tijd, of in elk geval van de adellijke bevolking van Versailles.

Maar laten we weer verdergaan met ons lange citaat:

'Geen van beide andere [groepen: die van Maintenon en van de hertog de Bour-gogne] wilde iets van hen weten [van het cabaal van Meudon], zowel de een als de ander ['maintenons' en 'bourguignons'] vreesden hen [de figuren van het cabaal van Monseigneur] en wantrouwden hen; maar allen behandelden hen met respect vanwege Monseigneur [de 'toekomstige koning'], en Mme de hertogin de Bourgog-ne zelf [behandelde hen met respect]. [In de groep Monseigneur] vormden D'Antin en Madame de Hertogin één geheel [zij waren halfbroer en halfzus], zij werden beiden even zwart gemaakt; zij stonden niettemin aan het hoofd van deze groep; d'Antin vanwege zijn voorrechten bij de koning die met de dag toenamen en waarmee hij, beter dan wie ook, wist te pronken en waarmee hij ook zichzelf en Madame de Hertogin een fikse voorsprong wist te geven voor die van hen [hun voorrechten] bij Monseigneur. Niet dat de beide Lotharingsen niet nog meer zijn vertrouwen genoten [van Monseigneur] en dat van Mlle Choin [de maîtresse van Monseigneur] in elk geval meer dan de beide anderen. Zij [de Lotharingsen] had-den bovendien nog een ander voordeel, maar dat indertijd en nog lang daarna niet bekend was, en waar ik het al over had [...] namelijk de band met Mme de Mainte-non, zo beschamend maar zo hecht, en vandaar ook zo geheimgehouden [een van beide Lotharingse prinsessen was spionne voor Mme de Maintenon en schreef haar regelmatig brieven over wat er zich aan het hof afspeelde]; maar zij waren nog helemaal verdoofd door de twee blikseminslagen die Vendôme en Chamillart hadden getroffen [beiden uit de gunst geraakt]. Boufflers, Harcourt en hun voornaamste aanhangers verfoeiden de hoogmoed van de eerste [Vendôme] en de hoge rang waartoe hij was opgeklommen; [...] deze tweede groep [die van Monseigneur] was eigenlijk het cabaal van Vendôme,' of nauwkeuriger gezegd, was dat voordat de maarschalk in ongenade viel.

We gaan nu verder met onze beschrijving en spitsen die nog iets toe. In het tweede cabaal, dat van Monseigneur, zien we buitenlandse prinsen (Lotharings), twee bastaarddochters en een halfbroer van een bastaarddochter (Conti, Madame de Hertogin en d'Antin), militairen (Luxembourg en tijdelijk Vendôme), en ten slotte, wat verder weg, de families van de prinsen van den bloede, Conti en Condé, zelf getrouwd met twee bastaarddochters van Lodewijk xiv, die geregelde bezoekers van Monseigneur zijn. De vorst, die endogaam en in het begin ook polygaam was en daarna monogaam met Mme de Maintenon, zorgde ervoor dat tijdens zijn leven vier van zijn natuurlijke kinderen, dochters en een zoon, allen trouwden met prins(ess)en van koninklijken bloede in die families waarvan de mannelijke nakomelingen in aanmerking kwamen om eventueel troonopvolger te zijn; of het nu Condés of Conti's zijn, ze stammen allemaal af van Karel van Bourbon, de grootvader van Hendrik iv. Een geraffineerde manier om de huiselijke vrede te bewaren dankzij huwelijken tussen neven en nichten... En pech gehad wat betreft de genetische gevaren die, naar men zegt, aan te nauwe verbintenissen kleven. Het voorkomt in elk geval opstanden en godsdienstoorlogen.

Onder deze omstandigheden is de band van Monseigneur en zijn groep met de bastaarddochters en de Condés en Conti's zeer hecht; hij reikt tot in het privé-leven van de kroonprins. Monseigneur vormt een paar met Mlle Choin, zijn maîtresse: 'een log propje, donker, lelijk, platneuzig, zeer bijdehand en op latere leeftijd buitensporig vet, oud en onwelriekend; maar bescheiden en oprecht,' en onbaatzuchtig (volgens de diverse beschrijvingen die Saint-Simon van haar gaf). Deze Mlle Choin, die zo de Maintenon van de Grand Dauphin en zijn cabaal werd, was begonnen als hofjuffer van de eerste prinses de Conti ('douairière'), zelf bastaarddochter van Lodewijk xiv en Louise de La Vallière; deze prinses de Conti was eveneens de halfzuster van Monseigneur en zij was lange tijd zijn persoonlijke raadsvrouwe, tot zij in die rol werd verdrongen door hun andere gezamenlijke halfzuster, Madame de Hertogin, eveneens een bastaardkind, maar van Mme de Montespan en niet van La Vallière. (Monseigneur kon op de een of andere manier beslist niet buiten zijn zusters, of beter gezegd zijn bastaard halfzusters...) De relatie van Monseigneur met Mlle Choin kwam dan ook tot stand door de bemiddeling van prinses de Conti senior.

Het 'systeem van Monseigneur' is volkomen sluitend. De prinses de Conti senior, echtgenote van een vroeg overleden Conti, is weduwe. Naast haar staat de andere halfzuster van de Grand Dauphin, Madame de Hertogin, zoals we al zeiden bastaarddochter van Lodewijk XIV en Mme de Montespan. Deze tweede bastaarddochter is niet getrouwd met een Conti maar met een Condé, die Monsieur de Hertog wordt genoemd. Conti of Condé, het doet er niet toe: het blijft allemaal binnen de 'familie', en vooral binnen het bij uitstek Bourbonse geslacht Condé.

De banden tussen de Conti's, de Condés en de Bourbons in de min of meer naaste omgeving van Monseigneur worden nog versevigd door andere huwelijken. En zelfs door een onwettige liefde. De prins de Conti junior, een jongere broer van de overleden Conti, is getrouwd met een Condé, de zuster van Monsieur de Hertog senior. En om het geheel te bekronen is deze Conti junior ook nog de minnaar van Madame de Hertogin. Monsieur de Hertog wordt dus bedrogen door de echtgenoot van zijn zuster, die anderzijds en tegelijkertijd zijn neef en de neef-minnaar van zijn vrouw is. Je zou er confuus van worden... maar laten we het er op houden dat men bij Monseigneur meestal onder elkaar is.

In de omgeving van de Grand Dauphin waren de intriges vijftien jaar daarvoor, in de periode 1692-1694, gelijksoortig. In die tijd had maarschalk de Luxembourg, die zijn invloed wilde doen gelden bij de zoon en vermoedelijke opvolger van Lodewijk XIV, eerst als een soort tentakel zijn adjudant en familielid Clermont-Chaste in zijn nabijheid gebracht. Hij had hem in eerste instantie naar voren geschoven om hem de minnaar van prinses douairière de Conti senior te maken om deze laatste, die hem van nut kon zijn vanwege haar grote invloed op Monseigneur, beter te kunnen beïnvloeden. Daarna, en dat was een nog gemenere streek, wilde Luxembourg Clermont-Chaste de minnaar van Mlle Choin zelf maken... De meest directe manier om vat te krijgen op Monseigneur. Lodewijk XIV onthulde de hele intrige door zijn bastaarddochter Conti, die in tranen uitbarstte, haar eigen liefdesbrieven voor te lezen die waren onderschept door het bureau voor de briefcensuur. Zo mengde het kluchtige zich met een berekenende politieke strategie.

Het zou te ver voeren om uit te leggen hoe het Vendôme, een van de grote legeraanvoerders van die tijd en kleinzoon van een bastaard van Hendrik IV, was gelukt om een tijd lang dit 'cabaal van Meudon' te belichamen, dat dankzij hem tijdelijk gelijkstond met een belangrijk onderdeel van de militaire lobby. Er ontstonden echter een aantal tegengestelde belangen in het cabaal van Monseigneur, alias van Meudon of Vendôme, door de ambities van de diverse subgroepen, gefocust op de toekomst van de Grand Dauphin (Monseigneur), die was voorbestemd monarch te worden (een vooruitzicht dat wordt weggemaaid door diens vroegtijdige dood). De twee subgroepen die (heimelijk) tegenover elkaar staan zijn enerzijds de kinderen van Mme de Montespan, halfbroer d'Antin en halfzuster Madame de Hertogin (die zelf een halfzuster is van Monseigneur uit een concubinaat); en anderzijds de groep van de twee Lotharingse prinsessen (Espinoy en Lillebonne) met hun oom Vaudémont: 'D'Antin en Madame de Hertogin, volledig eensgezind wat betreft inzichten, wederzijdse behoeften, ondeugden en gelegenheden, waren bijzonder op hun hoede voor de beide Lotharingsen, weliswaar met allerlei confidenties en uiterlijk de allervriendschappelijkste omgang, die zolang de koning nog leefde werd geschraagd door hun gemeenschappelijke doel; totdat ze elkaar daarna [sic] het mes op de keel zouden zetten om als enige greep te hebben op de dan koning geworden Monseigneur.'

Van buitenaf gezien lijkt het cabaal van Meudon, met zijn onderling op allerlei manieren verbonden personages, op een inktvis met verwarde, opgekrulde tentakels. Van binnenuit gezien was het veeleer een kwal: zoals gezegd is Monseigneur de weke onderbuik, het nulpunt van zijn groep en van het hele systeem. Monseigneur, zo zou Saint-Simon in het kort zeggen, was zo dom als maar kon, dik maar niet gedrongen, gevoelig maar gespeend van geest, een en al bekrompenheid, zachtaardig uit stompzinnigheid, zuinig met zijn maîtresses, zijn geringe inzicht tenietgedaan door een teveel aan wellevendheid, met als enige lectuur het societynieuws en de necrologieën in de *Gazette de France*... De historicus François Bluche heeft gepoogd de intelligentie van Monseigneur te rehabiliteren. Een hele klus, die achteraf wellicht gerechtvaardigd is.

Hoe dan ook, kunnen we eigenlijk wel stellen dat het cabaal rond Monseigneur een *autonome* groep vormt met betrekking tot de dominante groep, die gesymboliseerd wordt door de naam, zo niet de persoon van Mme de Maintenon? Dat zou ongetwijfeld te veel eer zijn voor de omvangrijke maar niettemin gerechtvaardigde onbeduidendheid van de Grand Dauphin. In elk geval vinden we in de periferie van dit omvangrijke personage niets van de onstuimige talenten en ideeën die rondom de hertog de Bourgogne belichaamd worden door mannen van groot kaliber als Fénelon, Saint-Simon, Chevreuse, Beauvillier en wat er nog rest van de Colbertgroep, ja zelfs van het quiëtisme. Bovendien is het cabaal van Monseigneur op allerlei manieren gelieerd aan de Maintenongroep, al was het alleen maar door de prinses d'Espinoy die pro-Maintenon is (zie supra) en die fungeert als steunpilaar van de parvulos van Meudon...[14]

En als laatste argument is er het feit dat verscheidene invloedrijke hovelingen en ministers van de Maintenongroep hebben gezorgd dat ze ook op zeer goede voet staan met Monseigneur met het oog op diens 'komende' heerschappij (die in werkelijkheid nooit zal komen): onder hen zijn Huxelles, Beringhen, Harcourt, Boufflers, Villeroy, La Rocheguyon (alias François VIII de La Rochefoucauld) en, nog belangrijker omdat ze ministers zijn, de mannen van de subgroep Phélypeaux, met name Pontchartrain senior en La Vrillière. Het Monseigneurcabaal heeft anderzijds niet te verwaarlozen banden met de financiële wereld. En ten slotte hebben de Lotharingse prinsen op hun beurt niet al hun belangen op één kaart gezet: van de leden van deze grote familie afkomstig van de oostgrens wordt Monsieur le Grand zeer gewaardeerd door Lodewijk XIV, bij wie hij zelfs geliefd is; de prinses d'Harcourt, echtgenote van Alphonse de Lorraine, is intiem met Mme de Maintenon; de twee Lotharingsen Espinoy en Lillebonne zijn alle avonden bij Monseigneur; de chevalier de Lorraine is de minnaar van Monsieur. Alleen uit het Bourgognecabaal, waarvan het radicale karakter hierdoor des te beter uitkomt, worden de Lotharingse indringers geweerd die zich niettemin actief opstellen als Guise-aanhangers.

Aan het einde van dit overzicht van de twee 'oudste' cabalen (Monseigneur en Maintenon) en van de bastaard-subgroep (Maine verbonden met Maintenon), waarbij het geheel van deze tweeënhalve groep aan het hof een soort 'supergroep' vormt, kunnen we langzamerhand een goede omschrijving geven van wat we een dominante partij in Versailles kunnen noemen; ook dominant te midden van de paar honderd of bijna duizend leiders (rekwestmeesters, staatsraden, provinciale intendanten, financiers, legeraanvoerders, bisschoppen, eerste presidenten) die samen de technocratie of de politieke klasse van de staat vormen. De gezamenlijke klieken (Maintenon, Monseigneur, Maine) die aan de top staan wat betreft macht en invloed, nemen binnen de 'beslissende' groep een belangrijke plaats in.

We zien hier een soepele, gedecentraliseerde maar niettemin top-organisatie die, onder het reële of mythische beschermvrouwschap van de Bazin, een soort veranderlijke *holding* vormt. Deze bestaat uit de volgende personen:

1. *een hofkliek van hoge heren* met een krachtige wereldse positie die zich op geringe of respectvolle afstand van de vrouw van de koning bevinden: de families Richelieu, Monaco, Noailles, Estrées, Brissac, La Rochefoucauld, Clermont-Tonnerre, Huxelles, Beringhen...

2. *legerleiders* – we kunnen, inclusief de later in ongenade gevallen Vendôme, zelfs spreken van dé legeraanvoerders die tegelijkertijd hoge heren zijn: Luxembourg, Boufflers, Villars, Guiche (via zijn vrouw), Harcourt, Albergotti, Vendôme tot aan zijn val, kortom dat wat Saint-Simon noemt 'de beau monde van het hof en het leger'; al deze echte of geposeerde sabeldragers houden een voordelige en soms respectvolle relatie in ere met Mme de Maintenon en natuurlijk met haar vorstelijke echtgenoot.

We herinneren er nogmaals aan dat de hoge aristocratie, zelfs al is deze haar civiele macht kwijtgeraakt aan de magistratuur van de raden en de parlementen, nog een aantal zeer aanzienlijke troeven in handen heeft dankzij de oorlog en in de oorlog, deze immense en altijd maar voortdurende onderneming van Lodewijk xiv: een ambitieuze vrouw met zeer veel allure als Mme de Maintenon weet handig gebruik te maken van een dergelijke combinatie van omstandigheden bij het aanknopen van haar belangrijke relaties.

3. *essentiële ministers* of, zoals we nu zouden zeggen, de belangrijkste departementen; deze beheersen een wezenlijk deel van de bureaucratie en het geldwezen, evenals de voor die tijd gigantische legers. Nauwkeurig gezegd gaat het om de Inspectie van Financiën, de Kanselarij en de secretariaten van Staat voor Oorlog en voor de Marine. De kanselier en vooral de inspecteur-generaal controleren (door middel van de diverse raden) de rekwestmeesters en de staatsraden, de provinciale intendanten en de belastingpachters, die op hun beurt de pacht van de indirecte belastingen, de leveringen aan het leger et cetera op zich nemen. Het paar Maintenon-Lodewijk xiv (die elkaar handig en discreet en bijna ongemerkt manipuleren) weet op verschillende manieren de zaken te controleren door zich achtereenvolgens op de ene na de andere ministersfamilie te verlaten: in de eerste plaats op de groep die gevormd wordt door de families Phélypeaux, Bignon en Caumartin. We denken hier met name aan Phélypeaux-La Vrillière, een van de vier secretarissen van Staat; en vooral aan vader en zoon Phélypeaux-

Pontchartrain, die achtereenvolgens of tegelijkertijd de Inspectie, de Kanselarij en de Marine in handen hebben; waarbij het laatste ministerie er sinds Colbert weer helemaal bovenop geholpen is. Vader en zoon waren in het begin zeer gezien aan het hof, tot de relatie tussen de oude Pontchartrain en de Bazin verzuurde (maar veel minder met haar koninklijke echtgenoot) waardoor Pontchartrain senior op enige afstand kwam te staan zonder ooit volledig in ongenade te vallen. In dezelfde orde van grootte verliet Mme de Maintenon zich, behalve op de Pontchartrains, ook op families die werden gedomineerd door een opvallende persoonlijkheid, zoals Chamillart en daarna Voysin voor Financiën, Oorlog en Kanselarij (ook in dit geval zorgde een subtiel spel van in en uit de gunst zijn ervoor dat de invloed langzaam maar zeker overging van Chamillart op Voysin).

Aangezien de mechanismen van de machtsuitoefening van personen en families van eeuw tot eeuw niet echt veel verschillen, zelfs niet in drie eeuwen, is het interessant om op te merken dat de carrière of het in de gunst zijn van Chamillart (net als later die van de jonge Pompidou bij de stichting Anne-de-Gaulle, waarvan hij onder leiding van de echtgenote van de generaal de beheerder was) begon met de functie van intendant van Saint-Cyr, een door Mme de Maintenon geliefde instelling. En ook Voysin gaat op zijn doorreis van de onbekendheid naar de macht via het intendantschap van Saint-Cyr. De getuigen van die tijd, in de eerste plaats de zeer betrouwbare Aguesseau, bevestigen het belang van de wensen van Mme de Maintenon bij de keuze van Chamillart ten koste van Pontchartrain senior, en daarna van Voysin.[15]

Als een spin in haar web of als een soort ectoplasma drukte de Bazin ook de restanten van de groep Le Tellier-Louvois aan haar oecumenische borst, ook al had die laatste naam indertijd enige aversie bij haar gewekt. Mme de Maintenon. met haar grote talent voor het terugwinnen van mensen, wist een fatsoenlijke relatie op te bouwen met Barbezieux, de zoon van Louvois, die zij liever had dan zijn vader, zoals ze ook Pontchartrain junior verkoos boven diens vader, en die daardoor later secretaris van Staat voor Marine werd. Bovendien staan de meeste grote aristocratische families als de Villeroys en de Harcourts die, uit opportunisme, aan het begin van de achttiende eeuw door huwelijken waren gelieerd met de familie Le Tellier-Louvois, op zeer goede voet met de vrouw van de koning. En ten slotte hebben oude en zeer oude ministeriële families als Le Peletier, Villeroy en Brûlart nog invloed in de hoge bestuurslichamen (Le Peletier) of ze leveren nog slechts functieloze maar machtige hovelingen (Villeroy). En deze bevinden zich allen in de invloedssfeer van de *groep*, de duurzame maar later vastgeroeste grote multigroep die men tijdens het regentschap *het oude hof* noemde. Wat dit betreft willen we nog de vaardige souplesse van de Bazin benadrukken: tijdens de eerste jaren van haar huwelijk had ze zich volkomen verlaten op de Colberts, de wezen van de beroemde minister, waarmee ze zich afzette tegen de familie Le Tellier-Louvois. Vervolgens laat de subtiele dame de Colberts vallen om Barbezieux, de zoon van Louvois, terug te winnen. Deze ommekeer valt samen met het half uit de gunst raken van de schoonzoons en schoondochters van Colbert, die in het vervolg verdacht worden van quiëtisme.

4. De 'supergroep' is afhankelijk van of in elk geval verbonden met de affectieve of biologische restanten van de vroegere maîtresses en pseudo-maîtresses van Lodewijk xiv: echte minnaressen (La Vallière, Montespan) en gewoon boezem-vriendinnen (Mme de Soubise). Lodewijk xiv had zijn gevoelsleven overigens op een bewonderenswaardige manier beheerd:[16] zijn liefdesodyssee bracht hem eerst een Nausicaa (La Vallière), gevolgd door een Circe (Montespan) en werd voltooid door een Penelope (Maintenon). Al deze dames kwamen uit voortreffe-lijke of in elk geval aanvaardbare families; zij waren dus toonbaar, evenals hun nakomelingen, ook al waren die de vrucht van een concubinaat. De Zonneko-ning veroorloofde zich hooguit een paar 'miskleunen' zoals met de hovenierster wier door hem verwekte bastaarddochter hij liet trouwen met La Queue, een onbeduidende edelman uit de Brie, die van Bontemps zo nu en dan een paar ecu kreeg.[17] Wat dat betreft is Lodewijk xv later veel minder wijs, of beter gezegd slordiger waar het zijn koninklijke imago aangaat. Een aantal van zijn verhou-dingen is van laag allooi en hij loopt zelfs een geslachtsziekte op die de klad-schrijvers hem bitter verwijten, iets waar de Zonnekoning zich altijd zorgvuldig voor had gehoed: zijn ster was vlekkeloos gebleven.

De groep onder de ouder wordende Lodewijk xiv heeft dus nog steeds uitste-kende relaties met een aantal van deze dames en hun families (Soubise); of wanneer zij in ongenade zijn gevallen, in een klooster zijn opgesloten en ten slotte zijn overleden (La Vallière, Montespan) worden hun natuurlijke kinderen, van wie Maintenon de opvoedster was, erin opgenomen. Bijvoorbeeld de herto-gin d'Orleans, langdurig door de Bazin vertroeteld, en dankzij wie Maintenon later toegang had tot de regent in het Palais-Royal;[18] verder Madame de Herto-gin, gehuwd met de oudste zoon van de Condés, zeer gezien in het cabaal van Monseigneur; en ten slotte de hertog du Maine, wiens subgroep we al even be-sproken hebben. De kardinaal van Rohan, een volkomen wettig kind van de Soubises, beschikt in dit netwerk over de bijzondere status van 'erebastaard' omdat het koninklijke paar naar hem een deel van de affectie overhevelde die Lodewijk xiv in alle welvoeglijkheid had voor de volkomen wettige vader en moeder van deze prelaat.

5. Meer op 'staatsniveau' is de kwestie van de bastaarden grotendeels afhankelijk van de besluiten ad hoc van het parlement van Parijs ten gunste van de 'gewet-tigden'. Door deze afhankelijkheid werd het vorstelijk paar verder gestijfd in hun neiging om een blijvende en overheersende, zo niet corrupte relatie te onder-houden met de eerste voorzitters van het parlement, eerst Achille iii de Harlay en daarna Jean-Antoine iii de Mesmes, die op hun beurt de parlementaire ma-gistraten naar hun pijpen proberen te laten dansen – die overigens wellicht veel minder onderworpen waren aan het koninklijk gezag dan degenen die in de hiërarchie boven hen stonden, Harlay en Mesmes, gezagsdragers[19] die tussen twee vuren zaten. De benoeming van Mesmes in 1712 tot eerste voorzitter beves-tigt de complexe opbouw van de heersende groep en van de subgroep van de

bastaarden: Mesmes werd tot deze essentiële functie opgestuwd dankzij de steun van de hertog du Maine, die voor dit doel een aanbevelingsbrief schreef aan Maintenon.[20] De 'supergroep' houdt dus de 'magistratuur van de raad' (staatsraden, rekwestmeesters) in de gaten, maar controleert ook monarchaal (en heel wat beter dan in andere perioden, zoals die van de Fronde en het regentschap van Filips van Orleans) de 'magistratuur van het parlement' of de hoge ambtenaren van de soevereine gerechtshoven. Behalve justitie wordt ook de politie in de moderne zin van het woord goed in de hand gehouden, zowel in Parijs als aan het hof, dankzij La Reynie, en daarna d'Argenson en Pontchartrain junior en de opperkamerdienaren van de koning (Bontemps, Blouin).

De groep heeft ook een zekere internationale invloed, met name in Spanje, via Mme des Ursins en de eerste vrouw van Filips v, de zuster van de hertogin de Bourgogne en net als zij een telg van de hertogen uit de Savoie. Deze twee prinsessen staan op goede voet met Mme de Maintenon en met elkaar. We moeten ook de hechte band niet vergeten die deze zelfde Maintenon met de familie van de keurvorst van Beieren heeft, evenals haar hartelijke relatie met de jakobieten en vooral met de koninklijke Stuarts die naar Frankrijk zijn uitgeweken, maar hier hebben we te maken met personen die in eigen land de macht hebben verloren.

In religieuze aangelegenheden heeft de overheersende groep, gesymboliseerd door de Bazin alles bij elkaar een 'middenpositie' of meer nog een 'centrumrechtse' positie weten in te nemen die zeer nuttig bleek daar waar het midden en de hoogste regionen in de machtsstructuren vaak samenvallen.[21] De groep is over het algemeen anti-jansenistisch – hoe kan het ook anders onder de heerschappij van Lodewijk en Françoise? (Een aantal leden neigt echter, in navolging van kanselier Pontchartrain, openlijk tot het gallicanisme, wat wellicht óók een reden is voor de verkoeling van Mme de Maintenon ten opzichte van de oude Pontchartrain.) De groep weigert zich in elk geval volledig te conformeren aan de jezuïeten. Zij neigt ertoe zich, in de persoon van de Bazin, te plaatsen onder het gematigder beschermheerschap van het seminarie van de missionarissen (deze hadden een aantal kleine meningsverschillen met de jezuïeten, wier toegeeflijkheid ten opzichte van bepaalde Chinese ceremoniën zij niet konden waarderen);[22] ook en meer nog onder het beschermheerschap van de sulpicianen (Saint-Simon heeft, al was het maar om hen zwart te maken, altijd veel aandacht besteed aan de 'vuile baarden' van Saint-Sulpice,[23] met hun grote invloed in de seminaries; de sulpicianen zijn in zekere zin de kwekers van de lage geestelijkheid).

Iemand als Godet des Marais, de bisschop van Chartres, symboliseert heel goed het 'centrisme' of veeleer het sulpicianisme van Mme de Maintenon. Als haar biechtvader en ere-sulpiciaan heeft Godet via zijn biechtelinge waarschijnlijk de koning beïnvloed met betrekking tot de verdeling van de prebendes en de benoeming van de bisschoppen (we weten overigens dat de bescheiden macht van Mme de Maintenon over de koning niet zozeer op het terrein van de belangrijke beslissingen lag – met name de herroeping van het Edict van Nantes – waar zij weinig vat op had, als wel in de keuze en de benoeming van geestelijke en wereldlijke functionarissen, voor wie de flemende tactiek van Françoise wonderen deed.) De benoeming is immers het *nec plus ultra* van de werkelijke macht? Na de dood van Godet in 1709 wordt de fakkel van de hoogste geestelijke macht overgenomen door kardinaal de Bissy en de priester La Chétardie. Deze twee handlangers vervullen bij Mme de Maintenon de rol van Godet in twee personen. Maar Bissy kan niet zo behendig bemiddelen als wijlen Godet en hij maakt zich belachelijk wanneer hij het cabaal van de regent probeert te verzoenen met het oude hof, respectievelijk vertegenwoordigd door abbé Dubois en maarschalk de Villeroy.

'Laten we de prelaten de grond in boren.' Net als de militairen hebben zij macht, vooral op regionaal gebied, ook al beschikken ze niet over de hoogste ministeriële macht. Via de bisschoppen weten de hofaristocratie en de krijgsadel – maar ook die van de magistratuur en zelfs die uit de financiële wereld – talloze jongste kinderen ter meerdere eer en glorie van zichzelf en van God in hoge posities te plaatsen. Dit is een geducht machtsblok en net als bij haar dierbare maarschalken is de Bazin zich hier terdege van bewust.

De Maintenongroep wist ten slotte ook in de toekomst haar invloed te doen gelden, over het vernieuwende intermezzo van het regentschap en de goede initiatieven van de drie helpers hiervan heen (Orleans, Dubois en Law). Kardinaal de Fleury wordt na de dood van Dubois en van de regent en na het in ongenade vallen van Monsieur de Hertog inderdaad voor het leven benoemd tot minister van Staat van de jonge Lodewijk xv. Deze prelaat was al ver voor de dood van Lodewijk xiv ingewijd in de geheimen van het oude hof, in de duistere schuilhoeken van de Maintenonkliek. Hij was de vriend – en de vriend van de vrienden – van de Bazin geworden, door bemiddeling van de Dangeaus, de Lévi's, Maine en Villeroy, dat wil zeggen de kwintessens van de belangrijkste supergroep. Hij deelde hun discrete terughoudendheid, natuurlijk zonder de goede verstandhouding geweld aan te doen, ten opzichte van de jezuïeten, met wie hij het niettemin op een akkoordje gooit zodra hij aan het roer staat. Onder deze omstandigheden zette Lodewijk xiv Fleury in zijn testament als gouverneur van de kleine Lodewijk xv, waarmee hij deze zoon van financiers een geweldige toekomst bezorgde, deels ten gunste van het oude hof of wat er nog van over was na de periode van 1723 tot 1726. Het is geen toeval dat een van Fleury's eerste maatregelen bestond uit het wegjagen van Saint-Simon, de vijand van dat oude hof, uit Versailles.[24]

Na Maintenon en Monseigneur, die zowel vrienden als vijanden zijn, maar toch overwegend vrienden, gaan we nu naar het cabaal van de derde generatie, dat van de hertog van Bourgogne, een groep die ook wel het 'cabaal van de ministers' wordt genoemd:

'Aan de andere kant, met de verwachtingen die werden gewekt door de opkomst, de deugden en de talenten van Monseigneur de hertog de Bourgogne, en vanuit een oprechte genegenheid, stond de hertog de Beauvillier als de meest in het oog vallende; de hertog de Chevreuse [in overeenstemming met zijn rationele verstand] was er de ziel en de verbindende schakel van [deze twee hertogen zijn schoonzoons van Colbert]; de aartsbisschop van Kamerijk [Fénelon][was er], ondanks zijn ongenade en verbanning, de leidsman van; daaronder kwamen Torcy en Desmarets [beiden thuis in de Colbertkliek], pater Tellier [biechtvader van de koning]; de jezuïeten; Desmarets, de vriend van maarschalk de Villeroy en maarschalk d'Huxelles. En Torcy, op goede voet met de kanselier [Pontchartrain], eensgezind met hem in de zaken aangaande Rome [gallicaan], dientengevolge tegen de jezuïeten en Saint-Sulpice, en hierover in conflict met zijn verwanten Chevreuse en Beauvilliers [beiden pro-jezuïet], wat onderling leidde tot onbeholpenheid en vaak tot problemen; deze laatsten [Chevreuse en Beauvillier] waren zo nodig eendrachtig, maar altijd met elkaar in overleg omdat ze elkaar voortdurend konden spreken zonder de indruk te wekken elkaar op te zoeken [omdat ze zowel zwagers, Colbertaanhangers als in partibus of officieel minister zijn], vanwege hun positie hadden ze geen last van proppenschieters en hadden ze alles onmiddellijk door; ze waren in staat anderen af te leiden met hersenschimmen en in een handomdraai van de werkelijkheid een hersenschim te maken [...] wat bewijst dat, van dit hele bewind, het ministerschap het meeste opbracht, ongeacht het vertrouwen dat Mme de Maintenon zich had toegeëigend [...]. Ze hoefden het slechts het hoofd te bieden [volgt een beschrijving van het optreden van de zwagers] [...]. Hun devotie [...] werd moeiteloos belachelijk gemaakt [het was een cabaal met religieuze neigingen]; de beau monde, het in zwang zijnde en de begeerten bevonden zich aan de andere kant, bij Mlle Choin en Mme de Maintenon. Deze twee cabalen [dat van de hertog de Bourgogne, de kleinzoon, en dat van Mme de Maintenon, de 'grootmoeder', als ik het zo mag noemen] respecteerden elkaar. De ene [die van Bourgogne] werkte in stilte, de andere daarentegen met veel gedruis en deze greep alle middelen aan om de andere schade te berokkenen. De hele beau monde van het hof en het leger stonden aan zijn kant [van het Maintenoncabaal], wat nog gevoed werd door de afkeer en het ongeduld ten opzichte van de regering, en door vele wijze lieden meegesleept door de rechtschapenheid van Boufflers en de talenten van Harcourt.'

Hoewel het door de snobs versmaad werd, telde het cabaal van Bourgogne of van de ministers toch een aantal vooraanstaande persoonlijkheden: ten eerste de hertog de Bourgogne, de zoon van Monseigneur en dus de kleinzoon van Lodewijk xiv. Als kind hield deze hertog ervan wespen dood te slaan en druiven uit te knijpen. Maar hij schijnt aan het einde van zijn jeugd (en van zijn leven) gerijpt te zijn. Er wachtte hem een koninklijke toekomst, die onderuit werd gehaald door een vroege dood op zijn dertigste (1712). Overigens was hij een vrome, zelfs kwezelachtige knaap.

De hertog de Beauvillier, schoonzoon van Colbert, is ordelijk in alles, vroeg uit de veren, godvruchtig, bescheiden, punctueel, verre van dromerig (deze karakterisering is van Saint-Simon en door ons overgenomen of geparafraseerd). Als minister van Staat is Beauvillier een van de weinige grote aristocraten die, hoewel hij uit de zeer hoge, 'niet-mandarinale' (niet magistrale) adel komt, lid is van de Raad. Door zijn aanwezigheid als minister, en die van Desmarets, Torcy en zelfs Chevreuse (minister in partibus), heeft de groep van de hertog de Bourgogne de bijnaam van het cabaal der *ministers*[25] als globaal overblijfsel van de Colbertgroep. De Maintenongroep (die veel minder toegang heeft tot het ministerie, ondanks de grote invloed van de Bazin, en vervolgens van de kanselier, van Chamillart en van Voysin) krijgt daarentegen het predikaat 'cabaal der *heren*', waarschijnlijk vanwege de talrijke hoge aristocraten die het telt.

De hertog de Chevreuse, de zwager van Beauvillier, en net als hij schoonzoon van Colbert, speelt de rol van officieus raadsman van de koning, bij wie hij op elk uur 'achterom' binnengaat, en die hij adviezen in het oor fluistert, een vertrouwelijkheid met de vorst die hem het aanzien van een minister van Staat bezorgt zonder dat hij evenwel lid is van de Raad.[26] Volgens D. van Elden[27] is Chevreuse (die overigens een onjuist oordeel heeft!) het prototype van Pascals 'wiskundige geest', in tegenstelling tot degenen met een 'verfijnde geest', die in groten getale te vinden waren onder de nakomelingen van de Mortemarts (met name bij Mme de Montespan en haar kinderen, vrijwel allen begiftigd met de beroemde *esprit Mortemart* die Marcel Proust zo zou intrigeren).

Vervolgens Fénelon: ondanks zijn verbanning naar Kamerijk, waarvan hij aartsbisschop is, blijft de schrijver van de *Télémaque* een van de belangrijkste personen van het 'Bourgognecabaal'. Hij is bij uitstek de man van de liberale, min of meer adellijke oppositie. Saint-Simon was niet echt gesteld op Fénelon, die hij zijn projezuïtische neigingen kwalijk nam en die hij (niet geheel terecht) hield voor een bloemrijke geest, onderhoudend, een spraakwaterval die in staat was eenieder al naar gelang de behoefte te overgieten met de juiste dosis stroop of intellectueel, moreel of mondain slootwater. In feite was Fénelon een zeer grote geest, voorloper van het pacifisme en van de moderne pedagogie, zo niet van het socialisme. Het cabaal van Bourgogne is het enige waar werkelijk ideeën leven. Dat dankt het aan Fénelon, de ideoloog bij uitstek van deze beschouwende en speculatieve groep.

We bespreken snel nog twee andere personen van deze sodaliteit[28] die belangrijke, ministeriële leden zijn van de familieclan bestaande uit de nakomelingen van de Colberts: we zien daar Torcy, secretaris van Staat voor Buitenlandse Zaken, een goed schrijver met een goed geheugen. En Desmarets, controleur-generaal van Financiën: deze is in zekere zin ook de man van de geldaristocratie (in elk geval door zijn, voor de staat vruchtbare, contacten met een belangrijk zakenman als Samuel Bernard).[29] Maar Desmarets, die vanwege familierelaties een hechte band heeft met Voysin, staat in feite buiten de Colbertkliek en is tijdens het laatste deel van zijn carrière als minister in de gunst bij Mme de Maintenon,[30] en bevriend met Villeroy en D'Huxelles, beiden lid van de dominante groep, ofwel het cabaal van de heren. Bij de doorslaggevende kwestie van het terugroepen van de Franse troepen uit Spanje is de kliek Colbert-Bourgogne, of Beauvillier-Bourgogne, uiteraard pacifistisch (zij zijn de 'duiven'), en is dus voor terugtrekking van het Franse leger; de 'dominante' groep daarentegen, met Voysin, Monseigneur, Boufflers, Villeroy, La Rocheguyon en, kenmerkend, Desmarets (die zich in dit geval heeft losgemaakt van zijn verwanten de Colberts), blijft oorlogszuchtig ('haviken') en wil de soldaten van Lodewijk xiv op het Iberisch schiereiland houden.[31] Het stuivertje wisselen is helemaal compleet omdat Pontchartrain senior, afkomstig uit de dominante groep, pacifist is geworden; hij heeft zich voor de gelegenheid verzoend met zijn oude tegenstander Beauvillier. Mme de Maintenon wil alleen maar vrede, wat ons wederom tot de constatering brengt dat zij meer rekent op sleutelfiguren als Villeroy, die zij heeft geholpen aan de macht te komen, dan op haar eigen oordeel bij beslissingen over oorlog of vrede, die ze voorgeeft toch al nauwelijks te kunnen beïnvloeden.

Deze groep van de hertog de Bourgogne bekleedt zeer hoge functies in het staatsapparaat (zo blijkt de controle de facto en vervolgens de jure[32] van het postverkeer en de geheime briefcensuur door Torcy van wezenlijk belang); en deze zelfde groep heeft al evenveel macht binnen de financiële netwerken, die worden belichaamd in het oude stelsel van de belastingpachters, die trouw zijn aan de aanhangers van Colbert. De financiers in kwestie hebben wel banden met Beauvillier, maar hoofdzakelijk met Desmarets. De Bourgognegroep heeft echter haar zwakke kanten. In tegenstelling tot haar beter geplaatste concurrenten van het cabaal van de heren (rond Maintenon), die op zichzelf al een hele *Gotha* vormen, bevat zij niet voldoende grote aristocratische families, ook al zijn er wel een paar, onder wie, dankzij het quiëtisme, de familie Béthune-Sully, die paradoxaal genoeg de resten in zich bergt van de Fouquetkliek, die vroeger werd geknecht door Colbert (Béthune-Sully is verwant aan Fénelon en aan de familie Beauvillier-Chevreuse; Béthune-Orval is de schoonzoon van Desmarets). We noemen hier ook een Mortemart, die overigens grof in de mond is en die trouwde met een dochter van Beauvillier, en verder Saint-Simon zelf, die niet van zo lage komaf is als zijn critici en de onwetenden voorgaven. De groep heeft nauwelijks invloed in het leger, waarin een aantal van haar leden heroïsch het leven laat, maar wel op ondergeschikte posities, bijvoorbeeld Morstein en Montfort: de een is de schoonzoon en de ander de zoon van Chevreuse (de dood van Montfort is des te betreurenswaardiger omdat hij, als nazaat van Chevreuse en schoonzoon van Dangeau, de aangewezen persoon leek om een brug, al was het maar een strohalm, te slaan tussen twee kampen: die van Bourgogne en Maintenon). Dit onvermogen op militair gebied is niet verbazingwekkend bij een groep met pacifistische neigingen, afgezien van de vechtersbaas Desmarets die inderdaad een Colbert is, maar dankzij bemiddelende huwelijken gelieerd is aan de oorlogshitsers Voysin en Lamoignon-Basville.[33]

Op religieus, of beter kerkelijk gebied zijn de investeringen van de groep Bourgogne-Colbert te wijd verspreid, enerzijds 'rechts' (via de jezuïeten en hun quiëtistische vrienden) en anderzijds 'links' maar in mindere mate (jansenisten en gallicanen). Met andere woorden, en dat is een groot nadeel, in de groep is op religieus terrein geen overeenstemming in handelen en denken. Een groot verschil met Mme de Maintenon, die zich in een arbitrale en dominante middenpositie heeft weten te plaatsen (sulpicianen en missionarissen) waarbij ze rake klappen uitdeelt naar 'links' (aan de jansenisten) maar ervoor zorgt zich niet volledig te laten mee-slepen door 'rechts' (dat wil zeggen door de jezuïeten en a fortiori door de quiëtis-ten). Bij de 'Bourguignons' daarentegen zijn Beauvillier, Fénelon, Béthune-Sully en de kardinaal van Bouillon (ook een aanhanger van Fénelon) voor de jezuïeten; dit verklaart de discrete (op het eerste gezicht verbazingwekkende) aanwezigheid aan de rand van het Bourgognecabaal van pater Tellier, of Le Tellier, biechtvader van de koning. Deze jezuïet, en volgens onze hertog zoon van 'arme Normandische boeren', was volgens de – in dit geval waarschijnlijk ongerechtvaardigde – criteria van Saint-Simon dus afkomstig uit 'de heffe des volks'.[34] Hij was in elk geval streng en ook koppig, wreed, bruut, in alle opzichten onoprecht, een verschrikkelijke man, zelfs ongenaakbaar voor de jezuïeten (behalve vier of vijf) en belichaamde vanaf zijn geboorte het kwaad, tenminste als we hierin meegaan met onze hertog die we niet in alle gevallen op zijn woord hoeven te geloven...[35]

Maar het Bourgognecabaal, of beter de Colberts in de boezem ervan, hebben hun eigen anti-jezuïeten: hoewel Chevreuse een aanhanger van het quiëtisme is, stelt hij zich enigszins weerbarstig op tegenover de jezuïeten. En met name Torcy is, in de lange traditie van zijn schoonouders Arnauld-Pomponne, op discrete wijze gallicaan, zo niet geneigd tot het jansenisme. Zoals Saint-Simon schrijft: 'Chevreu-se en Beauvillier, die geen geheimen voor elkaar hadden, waren terughoudend ten opzichte van hun familieleden, en hoewel zij volle neven waren van Torcy hield een vleug jansenisme hen van hem verwijderd, waarmee ze hun doel ver voorbij scho-ten.' Terwijl de Maintenonaanhangers het midden en de top bezetten, leveren de Bourguignons over en weer strijd op de flanken. Zoals gezegd vinden we onder hen pater Tellier, een gevreesd jezuïet en de biechtvader van de koning, maar ook Torcy, die in het geheim Port-Royal goedgezind is. Dit is onmiskenbaar een zwak punt: een verdeelde groep kan moeilijk zegevieren.

Het cabaal staat natuurlijk niet alleen op de wereld: we zien inderdaad elementen die een verbinding leggen tussen de verschillende cabalen of die zelf de bindende factor zijn. Onder hen zien wij 'atomen met verschillende bindingskracht'. Dit geldt bijvoorbeeld voor de geraffineerde, scherpzinnige en verleidelijke hertogin de Bour-gogne. Via haar man (de hertog de Bourgogne) behoort zij tot het derde cabaal, maar zij wordt teer bemind door Mme de Maintenon (eerste cabaal): 'Mme de hertogin de Bourgogne [...] hield beide cabalen te vriend.' De hertogin de Bourgog-ne is dus een verleidelijk wezen dat lid is van twee partijen. Diezelfde rol van tus-senpersoon, maar dit keer tussen het tweede en derde cabaal (Monseigneur en hertog de Bourgogne), wordt vervuld door Marie-Françoise Colbert de Croissy, markiezin de Bouzols, lelijk, boosaardig en charmant:

'Die van de ministers [dat wil zeggen het cabaal van de hertog de Bourgogne] stond daar lijnrecht tegenover [het cabaal van Monseigneur], hoewel Torcy [cabaal Bourgogne] en Madame de Hertogin [cabaal Monseigneur], en dientengevolge ook d'Antin [idem] wederzijds consideratie hadden voor Mme Bouzols, de zuster van

Torcy, van oudsher de boezemvriendin van Madame de Hertogin, en die, met haar foeilelijke gezicht, charmant was in de omgang en de esprit had van tien duivels.'

En Saint-Simon besluit deze meesterlijke beschrijving, ofwel 'Schets van het hof' als volgt: 'Zo was het inwendige aangezicht van het hof in die stormachtige tijd, die werd gekenmerkt door tweemaal een zeer diepe val [het in ongenade raken van Vendôme en Chamillart], die nog andere schenen aan te kondigen...'

Kunnen de geschriften van Saint-Simon bijdragen aan een 'politicologie', in dit geval toegepast op de hoogste leidinggevende regionen van het Ancien Régime? Deze tak van wetenschap is door zijn gebrek aan resultaten of om een heel andere reden nauwelijks in zwang bij de historici, uitgezonderd bij de hodiëcentristen. De afstand ten opzichte van de politicologie wordt nog duidelijker wanneer het over zeer oude systemen gaat. Iedereen aanvaardt dat er bijvoorbeeld in de zeventiende eeuw coterieën, facties, hofklieken of 'sodaliteiten' en zelfs echte partijen beston-den, die natuurlijk verschillen van de groepen die André Siegfried in de twintigste eeuw in de Ardèche en in Bretagne in kaart bracht. Maar de omgeving waarin deze vroegere organisaties zich vormden verschilt te veel van de onze. De lessen die getrokken kunnen worden uit de hedendaagse politicologie helpen in dit geval dus niet veel.

Men kan proberen nadere vragen te stellen, zonder uit te gaan van de heden-daagse situatie, met als uitgangspunt de monografische teksten van Saint-Simon die hiervoor becommentarieerd zijn. Deze teksten zijn gebaseerd op een kernbe-grip in het denken van de kroniekschrijver en natuurlijk ook op de realiteit van het hof: het bestaan van het cabaal. Een cabaal is een tijdelijke constructie, die welis-waar twintig jaar of langer kan bestaan: het doel ervan is om in hofkringen en de hoogste bestuursregionen verschillende voordelen te behalen zoals macht, aanzien, geld, benoemingen op posten in de hoge geestelijkheid of de leiding van het leger, het laten opnemen van iemand in de hertogelijke of prinselijke rangen, enzovoort. De studie van de cabalen, die onlosmakelijk verbonden is met het schetsen van de portretten van de individuen die ertoe behoren, is voor Saint-Simon overigens een van de belangrijkste geschiedkundige onderwerpen. Hij verwijt pater Daniel, de auteur van een rond 1714 geschreven geschiedenis van Frankrijk, dan ook dat hij zich uitsluitend richtte op de 'geschiedenis van de veldslagen' en de 'geschiedenis van het cabaal en van het portret', als we het zo mogen noemen, heeft veronacht-zaamd.[36]

Afgezien van het centrum waarmee dit cabaal samenhangt – hier een koninklijk verwantschapssysteem – is het anderzijds een 'netwerk' dat tussen de deelnemers is geweven door banden van verwantschap, beschermelingschap, vriendschap, enzovoort. 'Tegendraden' van vijandschap en onenigheid, eventueel binnen een familie, dragen door bemiddeling van een bepaald persoon bij aan de verwijdering ten opzichte van een ander cabaal. Het cabaal kan gebaseerd zijn op een groep of subgroep die overeenkomt met een bepaalde sociale, sociaal-politieke, institutionele of religieuze machtsstructuur: het leger, de kerk, het geldwezen, de bureaucratie, de adel, de prinsen van den bloede, de hertogen en pairs.

Niettemin geeft de wezenlijk individuele, atoomachtige (en op het tweede plan ook moleculaire) kijk van de kroniekschrijver op de cabalen en het systeem van de cabalen onze zo mogelijk sociologische analyse enigszins het karakter van een toegift, vergeleken met de bespiegelingen van Saint-Simon. Daarentegen is de bestudering van de cabalen, die functioneren in een systeem zonder officiële of georganiseerde oppositie, of zonder dat deze oppositie aan de macht weet te komen, interessant als vergelijkingsmateriaal. Op dezelfde manier kunnen we hedendaagse systemen bestuderen die onderling sterk verschillen en sterk verschillen van ons Ancien Régime. Systemen waarbij iemand aan de macht komt in het kader van een toelating door reeds hooggeplaatsten, en niet als gevolg van een wisseling van de wacht waarbij machthebbers en oppositieleden van rol wisselen. Voor deze hedendaagse systemen op basis van opeenvolging (wat zeker geen 'harmonie bij voorbaat' inhoudt), kunnen we bijvoorbeeld denken aan de verschillende (ex-)communistische regimes die onder meer bekend zijn uit de analyses van de betreffende bureaucratische top door de 'kremlinologie'. In Frankrijk kunnen we, natuurlijk in een heel ander kader, denken aan het gaullisme en het post-gaullisme of 'giscardisme': hier ontwikkelden de complexe opvolgingsmechanismen zich tot mei 1981 langs wegen die uitgingen van een zekere niet-oppositionele continuïteit, zonder onoverkomelijke problemen. Net als bij de genealogische hoofdlijnen die Saint-Simon zo dierbaar waren, leiden deze wegen tot de vorming van 'cabalen' binnen een grotere groep; de leden ervan zijn het grosso modo eens over de wezenlijke punten, maar kunnen verschillend op de toekomst gokken. Ze wijken onderling slechts af in samenhang met de voordelen die zij kunnen verwachten bij een eventuele verandering 'aan de top' en dientengevolge splitsen zij zich op door de verschillende persoonlijke strategieën die zij volgen.

Het is bekend dat de politieke sociologie vaak ideeën heeft ontleend aan de verschillende natuurwetenschappen. De op de sociale klassen en op de klassenstrijd gestoelde ideeën (Guizot, Thierry, Marx) houden zonder meer verband met een aantal grondgedachten uit de Oudheid en vervolgens uit de nieuwe tijd: we noemen hier de Romeinse volkstellingen naar 'klasse' van Servius Tullius en de 'klassen' bij de aanmonstering nog voor de Franse Revolutie. Ik denk hier ook aan de onderverdeling van het belastingwezen bij Vauban en een aantal anderen: 'belastingplichtigen van de eerste klasse,' en vervolgens van de tweede klasse, enzovoort. Ten slotte noemen wij de classificatiesystemen van Linnaeus, Buffon en Tournefort met betrekking tot de dieren en planten. Het begrip 'klassen', met de vaak strikte scheidingen die dit met zich meebrengt, zowel in de sociologie als de biologie (zoogdieren en vogels, burgers en proletariërs, enzovoort), leidt op onder meer antropologisch terrein tot grensproblemen en overlappingsproblemen; zij blijken moeilijk oplosbaar, zelfs voor de meest scherpzinnige marxist en de meest doorgewinterde insectenkenner.

Meer recentelijk is de Amerikaanse sociologie, die overigens van Europese en zelfs van Oost-Europese oorsprong is (Sorokin), van de geologie uitgegaan: het concept van sociale 'stratificatie' geeft de analyse een zekere souplesse omdat de aardlagen die hierbij tot denkmodel dienen zijn verstoord, verschoven, over zichzelf heen gevouwen, aan elkaar geklonterd, verplaatst en over elkaar heen geschoven... Maar de geologie gaat over levenloze materie: er is geen sprake van een echte samensmelting, van een synthese, van een uitwisseling tussen de dode aardlagen. Daarom is het sociologisch-stratigrafische denken van Sorokin en diens talloze Amerikaanse navolgers bijna net zo onbevredigend als het botanisch-zoölogische denken van mensen als Thierry, Guizot, Marx en Tournefort.

Lucien Febvre heeft het probleem overigens goed gezien en ergerde zich aan dit idee van stratificatie, dat in wezen is gebaseerd op de begrippen hoog en laag (zelfs al zijn hoog en laag daarbij door elkaar heen geraakt ten gevolge van 'overelkaarschuiving'). Hij stelde voor de te bestuderen sociale structuren te vergelijken met de ingewikkelde substructuren en structuren van een grote stad: overal lopen water-, gas- en elektriciteitsleidingen, die met de meest onverwachte aansluitingen hoog en laag, de verschillende wijken en de windstreken met elkaar verbinden, waardoor de hogere en lagere hiërarchieën van de stratigrafie en van de scheidslijnen van het botanisch-zoölogische denken worden opgeheven.

Saint-Simon zelf heeft een weg gekozen die heel dicht bij die van Lucien Febvre komt. Zoals een van zijn bewonderaars, Ernst Jünger, opmerkte lijkt zijn methode onbewust op een wetenschap als de organische scheikunde of de moleculaire biologie. 'Saint-Simon bestudeert het hof als een grote molecuul uit de organische scheikunde. Hij is een zeer modern denker,' schrijft Jünger. Zoals we kunnen zien aan de citaten beperkt Saint-Simon zich inderdaad niet tot het onderscheiden van cabalen en facties. Hij noteert ook allerlei bindende krachten die banden scheppen tussen een bepaald lid van een cabaal en een lid van een ander cabaal of die van hem- of haarzelf. Hij vestigt zelfs de aandacht op negatieve relaties binnen elk cabaal: Pontchartrain senior is gebrouilleerd met Mme de Maintenon, of in elk geval is hij niet meer zo in de gunst; niettemin blijft hij deel uitmaken van het Maintenoncabaal. Saint-Simon slaagt er dus in niet alleen de driedeling van de cabalen te beschrijven, maar ook een concrete situatie: de grote lijnen onttrekken het bijkomstige en soms tegenstrijdige detail niet aan het oog. Natuurlijk is het hof een relatief gesloten en afgebakend geheel, met slechts een paar honderd belangrijke deelnemers en een paar duizend personen in totaal; deze geslotenheid vereenvoudigt de monografie.

We verruilen nu het terrein van de natuurwetenschappen voor dat van de sociale wetenschappen; we moeten ons wenden tot de strikte werkwijze van de etnografie bij de bestudering van kleine gemeenschappen: bijvoorbeeld Evans-Pritchard over de Nuer; of, op een eenvoudiger vlak, Lawrence Wylie over een willekeurig Frans dorp. Maar het spreekt vanzelf dat Saint-Simon nauwelijks iets van etnografie wist, hoewel hij hierover wel een aantal inzichten had (hij schijnt bepaalde Afrikaanse en Amerikaanse reisverslagen gelezen te hebben). Zijn persoonlijke referenties lagen op een ander vlak. Die verwijzen naar de klokkenmakerij en de vervaardiging van machines; daar lagen onder meer de geavanceerde technologieën van zijn tijd.

De kleine hertog beroept zich anderzijds op het schouwspel waarvan hij aan het hof voortdurend getuige was.

Klokkenmakerij: hier volgt een veelzeggende tekst, wanneer Saint-Simon, die in feite bedrevener is in het analyseren dan in het intrigeren, zijn eigen cabaal wil oprichten. Hij gebruikt hiervoor de netwerken en relaties die hem worden geboden door de drie grote cabalen die we hiervoor aan de hand van zijn eigen tekst bespraken. Terwijl hij deze vergankelijke constructie opbouwt, streeft hij ernaar (omdat hij het als zijn toekomstige belang ziet) 'Mademoiselle', de dochter van de hertog d'Orleans (en de achternicht van Lodewijk xiv) te laten trouwen met haar achterneef: de hertog de Berry, zoon van Monseigneur en kleinzoon van Lodewijk xiv. Telkens weer die eindeloos doorgaande endogamie! Om dit huwelijk, waarmee hij zijn eigen positie hoopt te verbeteren, voor elkaar te krijgen, vraagt Saint-Simon een aantal vrouwen en een jezuïet hun invloed aan te wenden; en zo becommentarieert hij zijn eigen optreden:

'Dit waren de verschillende machinaties die mijn vriendschap voor degenen aan wie ik gehecht was, mijn afkeer van Madame de Hertogin, mijn bezorgdheid over mijn huidige en toekomstige positie, wisten te ontdekken, aan te passen en nauwkeurig afgemeten te laten lopen, perfect op tijd en met een slinger, die in de vastentijd begonnen en werden vervolmaakt en waarvan ik alle gangen, problemen en ontwikkelingen kende omdat ik van alle kanten informatie kreeg, en waarvan ik ook dagelijks in een tegengesteld ritme de gewichten ophaalde.'

Vanuit dit perspectief is het hof dus een soort pendule of een knol (groot bol horloge) dat Saint-Simon uit elkaar haalt en weer in elkaar zet, voor ons ter lering en in zijn eigen belang. Hij is zich er natuurlijk van bewust dat deze vergelijking mank gaat. De echte raderen van metaal zijn blijvend, of in elk geval bijna; de raderen van het hof reageren daarentegen op een onvoorziene manier. Het zijn 'ijsblokjes' die smelten als sneeuw voor de zon: de hertogin de Berry bedrinkt zich een paar dagen na haar huwelijk op een schandalige manier, ze leidt een losbandig leven en stelt Saint-Simons verwachtingen in haar teleur; het voor het huwelijk van de hertog de Berry opgerichte cabaal is een van de dingen die onze hertog later zal betreuren.[37]

De analyse van Saint-Simon vestigt onze aandacht ook op de *spelen*.

Het eerste spel is het *gokken*. Een cabaal oprichten of toetreden tot een bestaand cabaal is gokken op de toekomst, erop gokken dat de centrale figuur van het cabaal (Maintenon, Monseigneur of Bourgogne) enige tijd aan de macht zal blijven (Maintenon), of deze geheel of gedeeltelijk zal verwerven (in het geval van Monseigneur, en daarna van de hertog en de hertogin de Bourgogne). Saint-Simon is overigens vertrouwd met weddenschappen. De weddenschap van Lille, waarbij hij de inname van die stad voorspelde, zorgde er bijna voor dat hij voor een paar pistolen [munten] bij de koning in ongenade viel. En de kroniekschrijver, die soms een zekere affiniteit had met het jansenisme, kende ongetwijfeld de weddenschap van Pascal.

Het andere spel is het *biljart*, dat wil zeggen de indirecte werking van bal één op bal drie via bal twee. We weten dat dit spel aan het hof populair was; Chamillart blonk erin uit en kreeg hierdoor (nog voor hij zich door het intendantschap van Saint-Cyr bij Mme de Maintenon aansloot) de kans om een briljante loopbaan als minister te beginnen.[38] Een ander voorbeeld is het verhaal van de bisschop van Langres, die niets voorstelde bij het biljart aan het hof, zich ging bekwamen in zijn diocees en terugkeerde naar Versailles waar hij de hovelingen overrompelde door ze een verpletterende nederlaag toe te brengen.[39]

Het spel van de cabalen is een biljartspel. Daarvan getuigen de daden van Clermont-Chaste, met onzichtbare hand geleid door maarschalk de Luxembourg, om achtereenvolgens de minnaar te worden van de prinses de Conti en van Mlle Choin, met de bedoeling de apathische Monseigneur in beweging te krijgen. Via twee of drie tussenelementen bewerkt maarschalk de Luxembourg de man die hij beschouwt als de toekomstige koning, met 'tussenballen': de 'ballen' Clermont-Chaste en de prinses de Conti, of de 'ballen' Clermont-Chaste en Choin.

Een ander biljartspel is het spel dat Saint-Simon zelf speelt voor het huwelijk van de hertog de Berry: in dit geval bewerkt hij via pater Tellier, de jezuïeten en een hele reeks dames de belangrijkste spelers (de koning en Maintenon), aangezien zowel het toekomstige bruidspaar als hun ouders (Monseigneur, de hertog en hertogin d'Orleans) vrijwel buiten spel staan bij de beslissingsbevoegdheid, waarop de vorst het monopolie heeft.

Wat betreft de sociale en familiegeschiedenis kunnen we aan de hand van de tekst van Saint-Simon, gesterkt door onze algemene kennis van zijn werk, ten eerste een beschrijving geven van een bepaalde politieke klasse, of in elk geval van de mannen en vrouwen van de bovenste en 'omliggende' laag van de politieke klasse van die tijd. Niet dat het hof macht heeft, dat is niet zo, in elk geval niet in zijn geheel. Maar vanuit het hof kan men wel het beste de machthebbers beïnvloeden,[40] te meer daar de ministers, de leden van de bekende families van hoge bureaucratische staatsambtenaren, de Phélypeaux', de Chamillarts, de Colberts en de Louvois' aan het hof verblijven en er hun kinderen uithuwelijken. Er worden voortdurend huwelijken gesloten; men ontmoet elkaar bij mondaine en andere gelegenheden. De bureaucratische en aristocratische milieus dringen bij elkaar binnen en kennen elkaar. In de achttiende eeuw bestaat een deel van de hoge aristocratie (Maurepas, enzovoort) overigens gewoon uit nazaten van 'burgerlijke' of zogenaamd burgerlijke ministers uit de zeventiende eeuw. De 'samensmelting van de elites' is dus in volle gang, zeer ten gunste van deze families van mandarijnen.

Een ander belang van de tekst van Saint-Simon is dat zijn genealogische analyse optimaal gebruikt kan worden. We zien hierin de drie generaties van de koninklijke familie: vader, zoon en kleinzoon, en hun vrouwen. We zien ook de verwantschappen binnen de koninklijke familie en de aanzienlijke families: bastaarden, prinsen van den bloede, enzovoort. Ten slotte noemen we nogmaals kort de rangen aan het hof: de bastaarden zijn vooral gesteld op Maintenon; de prinsen van den bloede en bepaalde bastaarddochters hangen direct of indirect samen met het cabaal van Monseigneur; de hertogen met dat van de hertog de Bourgogne en van Maintenon (onder andere).

Vervolgens is er sprake van een nauw daarmee verbonden specifieke sociologische analyse, omdat zich rondom de verschillende cabalen een aantal machtsfactoren (de kerk, de hoogste adel, de geldwereld, het leger) scharen. Met het hiërarchische principe, dat de kern vormt van Saint-Simons denken, kunnen we dit alles ordenen door de cabalen in verband te brengen met de drie hoogste niveaus van het systeem: de koning van Frankrijk geflankeerd door zijn echtgenote; de zonen van Frankrijk of beter gezegd de Grand Dauphin (Monseigneur); de kleinzonen van Frankrijk en de nieuwe kroonprins (de hertog d'Orleans en met name de hertog de Bourgogne).

Met andere woorden, het zou interessant zijn om na te gaan hoe de voornaamste groepen zich hebben samengevoegd en waarop ze zich richtten. We denken dan vooral aan:

- de veldmaarschalken, die een soort militaire lobby vormen (vooral verbonden met het Maintenoncabaal, en door Vendôme en Luxembourg met dat van Monseigneur);
- de prinsen van den bloede en de bastaarden (via de dames vooral verbonden met Monseigneur);
- de 'binnendienaren' van het hof, bekleed met politietaken;
- de hertogen en pairs, en de adel in het algemeen;
- de ministers;
- de hoogwaardigheidsbekleders van de clerus: zij hebben 'invloed', sommigen bij Mme de Maintenon, anderen in het cabaal van de hertog de Bourgogne.

Al met al spreekt het vanzelf (en dat hoeft ons niet te verbazen) dat we hier ver verwijderd zijn van de grondbegrippen van een marxistische analyse, in elk geval wat de meest gesimplificeerde vormen van deze doctrine betreft. De bourgeoisie komt nauwelijks ter sprake en we komen veeleer terecht bij de inzichten van een historicus als Daniel Dessert, voor wie de machtsuitoefening zich afspeelt binnen een zeer beperkte en vrijwel geheel adellijke groep (van recente ambtsadel of oude hofadel). Deze groep sluit het merendeel van de handelslieden en industriëlen uit, maar omvat wel de financiers (bijna allemaal recentelijk in de adelstand verheven, en die bij voorkeur samenwerken met de staatssector). We zien financiers rond Mme de Maintenon (via de prinses d'Harcourt), en ook in de dominante groep in de breedste zin, en met name in het kielzog van de Pontchartrains;[41] bij Monseigneur (in het geval van de belastingontvanger, bevriend met Mlle Choin); en ten slotte in de omgeving van de hertog de Bourgogne, van Beauvillier en van Desmarets (via de machtige groep van de belastingpachters die vroeger de aanhang van Colbert vormden), bij de Orleans' (Béchameil is superintendent van Monsieur) en in de kring van de bastaarden (de graaf d'Evreux, verbonden met de graaf de Toulouse en bastaard van de koning, is de schoonzoon van de steenrijke Crozat). Maar eerlijk gezegd bekijken we op deze manier de zaken slechts van een kant. In werkelijkheid zijn de financiers alomtegenwoordig. Zij vormen, samen met de hoge edelen, de mannen van aanzien en de hoge bureaucraten (de magistratuur van de

Raad en de hoge magistratuur van het parlement), een van de vier pijlers van de nomenclatuur van het regime. Zij beheren de bezittingen van de prinsen en die van de hertogen en pairs, zij geven aan hen hun van een rijke bruidsschat voorziene dochters ten huwelijk, en zij nestelen zich in de hoge magistratuursambten. Daarmee versterken zij, vrijwel met volledige uitzondering van de zakenlieden uit de niet aan de staat gelieerde sectoren (handel en industrie), de grote eenheid van de heersende groep als geheel. Deze verdeelt zich alleen maar in drie of vier cabalen en in twee hoofdgroepen – die van de *weerstand* (Maintenon) en die van de *beweging* (Bourgogne/Orleans) – om in de realiteit van alledag een praktische, een mondaine en zelfs een algemeen politieke saamhorigheid te bevestigen.

In deze beschrijving van de cabalen willen we nog een paar woorden wijden aan de hertog d'Orleans, die van 1700 tot 1715 tijdelijk van het politieke toneel verdwijnt. 'Monsieur de hertog d'Orleans was in 1709 niet van zins en niet in staat om bij wat dan ook een rol te spelen.' Orleans, die door Lodewijk xiv strikt in ongenade wordt gehouden, heeft banden met de 'Bourguignons', van wie hij echter ver af staat door zijn radicale goddeloosheid. Hij wordt dus zogezegd 'in reserve' gehouden voor de toekomstige politiek. Orleans onderhoudt een vrij hartelijke relatie met de hertog de Bourgogne en vooral met Fénelon, maar genealogisch gezien staat hij een tree hoger omdat hij van dezelfde generatie is als de hertog du Maine en Monseigneur: beiden zijn zijn onwettige halfzwagers en zijn wettige achterneven. Orleans laat de zaken dus op hun beloop; hij wacht zijn kans af. Hij komt nog wel aan zijn trekken.

Maar laten we weer terugkeren tot onze algemene configuratie, gebaseerd op de drie generaties van de vorstelijke familie en op de hoogste regionen van de hiërarchie.

We zien een vergelijkbare configuratie, maar dan 'gewelddadiger', als 'een broeinest van verderf', bij Lodewijk xiii: met Maria de Medici, Gaston d'Orleans en Anna van Oostenrijk. En we kunnen dit vervolgens combineren met een analyse van de sociaal-politieke en sociaal-religieuze krachten die zich bij deze krachtige persoonlijkheden voegen. Ten tijde van de Fronde was de analyse à la Saint-Simon van huwelijk en genealogie minder belangrijk omdat de revolutionaire krachten vanaf 1648 zo groot zijn dat ze de echte familiestructuur omverwerpen. Niettemin leiden Condé, prins van den bloede en nauw verwant aan de koninklijke familie, anderzijds de hertog de Beaufort, de zoon van een bastaard van Hendrik iv, en in het centrum van het systeem, Anna van Oostenrijk en haar vriend de minister Mazarin, om nog maar te zwijgen van de Grande Mademoiselle, de verschillende spelen van de Familie, samen met een aantal zeer gevarieerde 'machten' (adel, parlement, 'plebs'), die zich, niet zonder een aantal kenteringen, om elke figuur groeperen.

Overigens kozen de door verschillende groepsbelangen gevormde cabalen als middelpunt een van de officiële of officieuze leden van de koninklijke familie. 'Er vormde zich [zo zegt La Rochefoucauld in zijn *Memoires*, over de jaren 1643-1644] een cabaal bestaande uit het merendeel van degenen die verbonden waren met de *koningin* [Anna van Oostenrijk], tijdens het leven van de overleden koning [Lodewijk XIII], dat het Cabaal der Aanzienlijken werd genoemd. Hoewel het uit personen met uiteenlopende belangen, hoedanigheden en beroepen bestond, waren zij allen *Mazarin* vijandig gezind, verkondigden zij eensgezind de denkbeeldige verdiensten van de hertog de *Beaufort*, en veinsden zij een loze eerbaarheid waarvan Saint-Ibal, Montrésor, de hertog de Béthune en een aantal anderen zich hadden opgeworpen als de verbreiders.'[42] De vrouw van de overleden koning Lodewijk XIII (*Anna*), al spoedig zeer goed bevriend met *Mazarin*, en die daarmee dus velen van de *Aanzienlijken* teleurstelt, en anderzijds de zoon van de bastaard van de vader van wijlen Lodewijk XIII, alias *Beaufort*, dus de bastaardkleinzoon van Hendrik IV, bekleden tijdelijk – zoals rond 1700 andere prinsen en prinsessen – de strategische posities waarmee een bepaalde groep of een voorlopige coalitie zijn belangen verbindt.

Het belang van een werk als dat van Saint-Simon ligt, afgezien van de chronologische beschrijving, in het feit dat dit alles over het algemeen met grote nauwkeurigheid wordt beschreven. Dankzij de hertog-kroniekschrijver kunnen we een moderne 'sociaal-economische' analyse samenvoegen met een 'genealogische' analyse die tegelijkertijd zowel oud en 'hiërarchiserend' is als etnografisch.

En toch... Tussen de Fronde (met zijn ruzies tussen een aantal grote families) en de jaren rond 1690 regeerde er een enigszins andersoortig samenstel van cabalen dat tegelijkertijd genealogisch en hiërarchisch van karakter is en dat niet aan de voorgaande analyse kan worden onderworpen. In die jaren rond 1690 vormt zich (via de door het quiëtisme veroorzaakte breuken) het systeem van de drie cabalen, gekoppeld aan de hoogste regionen van de koninklijke familie, dat Saint-Simon zou beschrijven en dat wij in dit hoofdstuk uitgebreid hebben geanalyseerd. Daar tegenover staat de almacht van Mazarin, de boezemvriend van de koningin-moeder, die zich rond 1650 doet gelden. De kleine Lodewijk XIV is nog te jong en te afhankelijk van de kardinaal om bij wat dan ook mee te tellen.

Er is dus geen systeem beschikbaar voor twee generaties, *a forteriori* voor drie generaties, om het spel der cabalen gestalte te geven. Het zou veertig jaar duren, wanneer de kinderen en de kleinkinderen van Lodewijk XIV zijn opgegroeid, voordat zich een dergelijk netwerk vormt. De prinsen en prinsessen van den bloede hadden de cabalen van de periode 1650-1680 een collaterale structuur kunnen geven, bij gebrek aan meerdere generaties.[43] Maar Mazarin, ontgoocheld door de Fronde, zorgde dat er geen enkele plaats was voor deze oplossing: 'De lessen van de kardinaal voor de jonge koning hingen van kernspreuken aan elkaar en kwamen er altijd op neer de prinsen van den bloede zo laag mogelijk te houden.'[44]

In die omstandigheden vormden zich rondom kardinaal Mazarin, alleenheerser met de liefdevolle instemming van koningin Anna, de subcabalen of subgroepen die tot de jaren rond 1680, ver na de dood van Mazarin, op de voorgrond zouden staan. De zeer intelligente abbé de Choisy, die zijn lichaam verhulde maar niet de waarheid verheelde, heeft de stand van zaken vlak voor en na de dood van Mazarin uitstekend geanalyseerd:

'*Fouquet, Le Tellier* en *Lionne* waren de drie ministers waarvan de kardinaal *ge-*

bruikmaakte. Fouquet was minister van Financiën. Le Tellier bezat, als secretaris van Staat voor Oorlog, een alomvattende kennis van het bestuur; en Lionne was minister van Staat sinds hij de conferentie van Frankfurt had bijgewoond; en hoewel hij geen officieel ambt had, fungeerde hij reeds een aantal jaren als secretaris van Staat voor Buitenlandse Zaken. De kardinaal beklaagde zich voortdurend over hem, zei onaangename dingen over hem en kon niet buiten hem. Alle besluiten over buitenlandse aangelegenheden werden door hen samen genomen en vervolgens naar de oude Brienne of diens zoon gebracht, die ze zonder in te zien moesten tekenen. *Colbert* was een verborgen figuur. De kardinaal had hem bij de koning aanbevolen als vertrouwensman, een goede *dienaar* die hem slechts zou dienen en er niet aan zou denken hem te overheersen. Dus hield de koning voor het eerst [sinds de dood van Mazarin] raad met zijn drie ministers; Colbert [die de vierde zou worden] werd er pas veel later *openlijk* bij toegelaten. De koningin-moeder was diep verongelijkt dat men hem er niet bij had geroepen. Ze sprak er vrij luid over...'[45]

Een heldere, elegant geformuleerde tekst. Eén enkele man (kardinaal en celibatair) heeft zich, dankzij zijn begaafdheid en de bijna huwelijkse liefde annex vriendschap van de koningin-moeder, aan de top van het koningshuis weten te nestelen; hij speelt er de rol van vader of voogd voor de jonge vorst die bij hem aan de leiband loopt, hij regeert door middel van zijn *dienaren* (Fouquet, Lionne, Le Tellier) en zijn fameuze *knecht* (Colbert). Bij zijn dood laat hij dit viertal mannen of beter families na[46] aan de jonge Lodewijk xiv die, bij gebrek aan nakomelingen die oud genoeg of verwanten in de zijlijn die machtig genoeg zijn, op zijn beurt een kwart eeuw lang de rol van alleenheerser zal spelen. Zijne Majesteit behoudt dus de dienaren van de kardinaal; hij elimineert een van hen (Fouquet) met de hulp van twee anderen (Le Tellier en Colbert). Vanaf dat moment is er nog slechts sprake van een driemanschap (Le Tellier, Colbert, Lionne), maar Lionne verdwijnt al spoedig uit het echte machtsspel: 'Pater Lionne,' schreef Choisy,[47] 'streefde er niet naar de koning te overheersen; hij stelde zich er tevreden mee zijn opdracht met ere te vervullen, flinke traktementen van het hof los te krijgen, die hij meestentijds aan nutteloze dingen spendeerde, en zich mateloos over te geven aan allerlei soorten van genoegens.' Er blijven dus twee hoofdrolspelers over, of beter gezegd twee klieken elk met haar eigen aanhang, of zelfs sub-cabaal: de Colberts en de Le Tellier-Louvois' doen hun best hun respectieve getrouwen de verschillende staatsterreinen toe te bedelen. Aan het door Mazarin aan Lodewijk xiv nagelaten 'bediendensysteem' komt dus pas tussen 1683 en 1691 een einde door de dood van respectievelijk Colbert, Le Tellier, Louvois en Seignelay-Colbert.

Aan het einde van een overgangsperiode die duurt van 1691 tot 1697 stapt men af van dit systeem van één generatie (dat geschraagd wordt door de aanzienlijke beschermelingen van het hoofd van de koninklijke familie) om uit te komen bij het systeem van drie generaties dat het einde van de regering zal kenmerken, van 1697 tot de dood van Monseigneur en de hertog de Bourgogne. Mme de Maintenon had zich eerst verlaten op de resten van de Colbertkliek om zich te verzetten tegen Louvois. Zodra Louvois verdwenen is neemt zij afstand van de Colberts en zoekt zij tijdelijk toenadering tot de resten van de kliek van Le Tellier-Louvois. De Colberts hergroeperen zich van hun kant rondom de derde generatie van de koninklijke familie (de hertog de Bourgogne). Vanaf dat moment verlaat Mme de Maintenon zich op de hoge bureaucratische families die in de voorafgaande periode niet op de voorgrond stonden (het gaat hier om de Phélypeaux', die zeer bij de Bazin in de gunst zijn vanaf 1690,[48] en om de Chamillarts en de Voysins). Anderzijds ontstaat er rondom Monseigneur een overgangsgroep tussen de dominante kliek (Maintenon) en de semi-oppositionele kliek (Bourgogne-Colbert). Dit derde cabaal staat in feite veel dichter bij de dominanten dan bij de semi-oppositie.

Men is dus op een logische manier overgegaan van het systeem van één generatie naar het systeem van drie generaties. Maar het netwerk van de cabalen, en zelfs van de klieken en de partijen, vormt zich hoe dan ook niet aan de hand van een volkse 'basis' van aanhangers, die zowel niet bestaand als monddood is, maar aan de hand van de erfelijke top, gevormd door het koninklijk huis, de sluitsteen van het geheel. Dat neemt niet weg dat deze cabalen zich vervolgens breed verspreiden onder de paar duizend personen – ministers, machtige bureaucraten, hoge edelen, mannen van aanzien, hoge magistraten, financiers, militairen en prelaten – die het machtige netwerk van het regime vormen.

5

DE DEMOGRAFIE VAN SAINT-SIMON[1] EN DE
VROUWELIJKE HYPERGAMIE

De *Memoires* van Saint-Simon voeren, uitgaande van de tekst zelf en de voetnoten van Boislisle, zo'n tienduizend personen ten tonele, die allen, een enkele plebeische uitzondering daargelaten, deel uitmaken van de Franse of Europese elite (Spaans, Engels en Duits). Een aantal van hen is geboren in de zestiende eeuw en het merendeel in de zeventiende eeuw of in de eerste drie decennia van de achttiende eeuw (dit laatste contingent wordt natuurlijk steeds kleiner naarmate we verder komen in deze periode van 'Verlichting').

We beperken ons overzicht tot de Fransen, de enigen met wie de kleine hertog echt vertrouwd is. Hij is natuurlijk ook welbekend met een aantal Castiliaanse edelen die hij tijdens zijn missie naar Spanje van nabij heeft leren kennen. Tot het Frankrijk van die tijd rekenen we ook de bewoners van de Savoie, Lotharingen en Wallonië. Van 2616 van deze 'Fransen' (1834 mannen en 782 vrouwen) kennen we de geboorte- en sterfdatum. De tekst van Saint-Simon zelf, de noten en de alfabetische index van Boislisle, de index van de eerste Pléiade-uitgave (die voortdurend moet worden geverifieerd door zorgvuldige vergelijking met de tekst van Saint-Simon en de voetnoten van Boislisle) en ten slotte de fraaie nieuwe Pléiade-uitgave van Coirault geven hiervoor de nodige aanwijzingen.

We rangschikken deze nauwkeurig 'gedateerde' bevolking van 'Frankrijk' in twee hoofdgroepen (vrouwen en mannen) en in veertien kolommen van telkens tien jaar die corresponderen met de geboortejaren van onze personen, van de zestiende eeuw tot 1730.

Om de gegevens niet nodeloos te versnipperen, hebben we alle in de zestiende eeuw geboren personen in één kolom bijeengebracht; aan de andere kant hebben we de decennia 1720 en 1730 samengevoegd in één kolom (ervan uitgaande dat een onderverdeling in decennia van deze begin- en eindkolommen onvoldoende gegevens zou opleveren voor onze analyse). In tabel 1 op de volgende pagina zien we het volgende: 43 vrouwen die geboren zijn in de 'zestiende eeuw', ofwel voor 1600; vervolgens 32 vrouwen geboren in het decennium vanaf 1600; 30 in het decennium vanaf 1610... en zo door tot de twee decennia vanaf 1720 en 1730; dit is het laatste decennium dat de kroniekschrijver en ook de noten en de index van Boislisle en de Pléiade in hun beschouwingen betrekken.

Tabel I

	XVIe	1600	1610	1620	1630	1640	1650	1660	1670	1680	1690	1700	1710	1720-30	
Aantal vrouwen	43	32	30	45	61	80	79	99	81	86	88	35	16	7	A
Totaal aantal door vrouwen geleefde jaren	3 179	2 238	2 092	3 093	4 133	5 403	5 310	6 160	4 850	4 883	4 929	1 957	596	370	B
Gemiddelde levensverwachting van deze vrouwen (in jaren)	73,9	69,9	69,7	68,7	67,8	67,5	67,2	62,2	59,9	56,8	56,0	55,9	37,2	52,9	C
															D
Aantal mannen	194	68	86	135	151	215	221	207	190	164	105	49	32	17	E
Totaal aantal door mannen geleefde jaren	13 180	4 527	5 788	9 476	10 630	15 068	15 100	13 331	12 046	9 971	5 755	2 704	1 806	1 012	F
Gemiddelde levensverwachting van deze mannen (in jaren)	67,9	66,6	67,3	70,2	70,4	70,1	68,3	64,4	63,4	60,8	54,8	55,2	56,4	59,5	G
Jongens en meisjes gestorven voor hun twintigste	1	0	1	0	1	2	1	4	6	2	9	10	4	1	H

Hetzelfde hebben we gedaan voor de mannen, in de tweede groep van tabel 1. Al met al geeft deze tabel dus de geboortedata in een eeuw (de zestiende), en vanaf 1600 ook het betreffende aantal individuen (mannen en vrouwen) per decennium; het totale aantal jaren dat deze personen hebben geleefd vanaf hun geboortedatum; en ten slotte op grond van de voorgaande gegevens, de gemiddelde levensduur per individu, van decennium tot decennium. Zo hebben bijvoorbeeld de 105 mannen, geboren in het decennium vanaf 1690, geïnventariseerd door de tekst van de hertog en van biografische feiten voorzien door de erudiete aantekeningen van Boislisle, in totaal 5755 jaar geleefd: de gemiddelde levensduur is dus voor ieder van hen 54,8 jaar.

De onderste groep van onze tabel moet los gezien worden van de beide voorgaande: hierin staan de paar jongens en meisjes die voor hun 20ste zijn overleden en die genoemd worden in de *Memoires* en in de voornoemde indexen. We hebben deze zeer jeugdigen niet opgenomen in onze totalen van de tabel op de lijnen B en E. Het aantal jonggestorvenen is zo gering en door de onachtzaamheid van de kroniekschrijver zo vertekend dat het onbruikbaar, of beter gezegd nutteloos wordt.

Saint-Simon interesseert zich bovendien pas voor de overleden kinderen (en dan nog maar heel weinig) vanaf het decennium 1660. Daarvoor bekommert hij zich er nauwelijks om. Deze chronologische vooringenomenheid van de hertog is dusdanig dat we besloten hebben de 42 'zeer jonge personen' van de onderste groep buiten onze totaaltelling te houden. Het gevolg daarvan is dat de 2616 personen die opgenomen zijn in de beide andere groepen allen minstens tot hun 20ste geleefd hebben – en een groot aantal van hen nog ver daarna.

Door de telling per decennium kunnen we vanuit een nieuwe invalshoek bekijken hoe Saint-Simons herinnering werkt (tabel 1). Eerst de mannen: degenen voor wie de hertog zich het meest interesseert, gezien hun aantal, behoren tot de 'cohorten' van de geboortedecennia 1630 tot 1680. Toen de kroniekschrijver zelf 25 werd (hij werd geboren in 1675 en begon vanaf 1690 te schrijven), waren deze personen dus in de leeftijd van 20 tot 70 jaar oud. De best vertegenwoordigde generatie in de *Memoires* (en volgens de auteur de meest fascinerende) komt overeen met die welke geboren is in de decennia tussen 1640 en 1660, waarin de Fronde en het begin van de persoonlijke regering van Lodewijk XIV vallen. Saint-Simon wijdt zijn afkeer of vriendschap, zijn schimpscheuten of loftuitingen bij voorkeur aan deze groepen mannen die tussen de 40 en de 60 jaar oud zijn wanneer hij zelf 25 is. Als man van het verleden geeft hij de voorkeur aan degenen die ouder zijn dan hij boven zijn leeftijdgenoten.

Wat de vrouwen betreft kijkt Saint-Simon, hoe kuis en monogaam hij ook mag zijn, in zijn herinnering naar personen van dezelfde leeftijd... of jonger dan de mannen die hij vermeldt. De aandacht van de kleine hertog gaat bij voorkeur uit naar de hele leeftijdsgroep van vrouwen die geboren zijn tussen 1630 en 1690. Als we mogen afgaan op tabel 1 blijft hij zeer geïnteresseerd in de jonge vrouwen die werden geboren in het decennium vanaf 1690; zij zijn gemiddeld 20 bij de dood van Lodewijk XIV, wanneer de hertog zelf 45 is. 'Ouwe sokken' zijn jeugdiger dan men beweert.

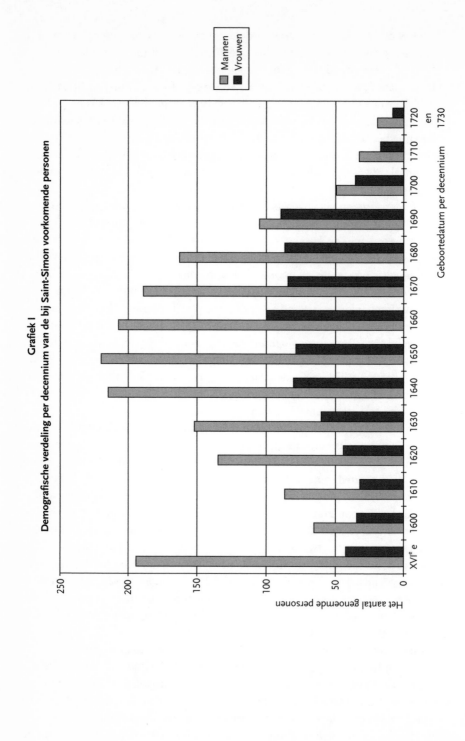

Grafiek I

Demografische verdeling per decennium van de bij Saint-Simon voorkomende personen

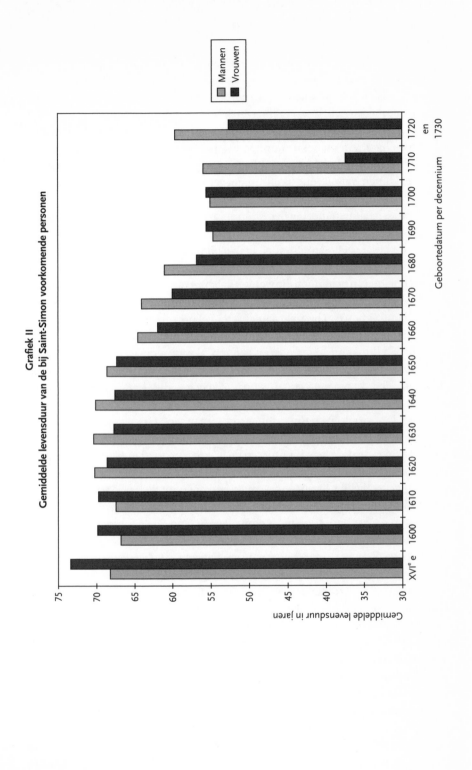

Grafiek II
Gemiddelde levensduur van de bij Saint-Simon voorkomende personen

Mannen
Vrouwen

Geboortedatum per decennium

Gemiddelde levensduur in jaren

Over het algemeen is de generatie vrouwen waaraan de *Memoires* de meeste aandacht schenken geboren in het decennium vanaf 1660. In zijn totaliteit bevestigt tabel 1 de discrepantie in het denken van de kroniekschrijver ten gunste van het 'schone geslacht'. In zijn mannelijke voorbeelden geeft hij de anciënniteit de voorrang. Daarentegen richt hij zijn aandacht op vrouwen die nauwelijks ouder zijn dan hijzelf, op zijn leeftijdgenoten, en zelfs op een opmerkelijk aantal jonge blommen.

Aan de hand van grafiek 11 kunnen wij een tweede belangrijk feit vaststellen. Hoe dichter we bij de jeugd en het begin van de volwassenheid van de kroniekschrijver komen (vanuit een steeds minder ver verleden), hoe korter de gemiddelde levensduur van de personen blijkt te worden.

Laten we beginnen met het decennium vanaf 1620. In die tijd werden mensen geboren die, wanneer ze in leven bleven, in de tachtig waren toen de schrijver jong was. In dit geval heeft Saint-Simon het dus bij voorkeur over de langstlevenden of desnoods over de kort daarvoor overledenen. Vandaar de relatief lange levensduur van deze helden en heldinnen die werden geboren tussen 1620 en 1629: zij worden afgerond respectievelijk 69 en 70 jaar. Naarmate de zeventiende eeuw vordert neemt Saint-Simon een bepaald aantal, later geboren, personen op die gerust jonger kunnen sterven dan de voorgangers; maar deze personen heeft hij persoonlijk gekend, of via tussenpersonen leren kennen, al was het maar van horen zeggen. Vandaar de voortgaande 'verjonging' van onze grafieken van de eerste tot de laatste decennia. Het toenemende aantal op hoge of zeer jeugdige leeftijd gestorven personen laat de gemiddelde levensduur flink afnemen: zij daalt tot 56,7 jaar voor de 599 personen (232 vrouwen en 367 mannen, die samen 33983 jaren geleefd hebben) die geboren werden tussen 1680 en 1730. Er is natuurlijk geen sprake van een werkelijke verkorting van de levensduur tussen de herroeping van het Edict en het regentschap. Maar waarschijnlijk komen we (in deze laatste halve eeuw van onze grafiek) dicht bij de werkelijke levensduur van de personen uit de hoogste kringen in die tijd. Zodra zij de 'Kaap de Goede Hoop', die overeenkomt met het twintigste levensjaar, waren gepasseerd, konden zij erop rekenen gemiddeld achter in de 50 of begin 60 te worden.

Wij laten dit punt verder over aan de specialisten van de persoonsbeschrijving. Ons uiteindelijke doel is een sociale vergelijking tussen groepen: mannen en vrouwen, magistraten, aristocraten en militairen, die samen de upper-class vormen. Laten we eerst het verschil tussen mannen en vrouwen nader beschouwen.

Wanneer we de mannen en vrouwen vergelijken laat het huidige voorbeeld een opvallende bijzonderheid zien. Wanneer we in tabel 1 teruggaan van het laatste decennium (1720-1730) naar het decennium vanaf 1620, zien we dat de levensduur van de vrouwen bij Saint-Simon gelijk is aan, nauwelijks iets meer is (1690-1710) en vaak lager is dan (met name in de periode vanaf 1710) die van de mannen.

Over het geheel genomen blijken de vrouwen die in deze twaalf decennia geboren zijn (van 1620 tot 1739) gemiddeld duidelijk minder lang te leven dan de mannen. Zo werden er tussen 1620 en 1739 677 vrouwen geboren, die een gemiddelde levensduur hadden van 61,6 jaar. In vergelijking daarmee kunnen de 1486 mannen uit diezelfde periode rekenen op een gemiddelde levensduur van 65,2 jaar (de levensduur is natuurlijk kunstmatig verhoogd door de al eerder genoemde invloed van de invalshoek en het bij het ouder worden optredende zinsbedrog).

Maar het verschil tussen de cijfers voor mannen en vrouwen, aantoonbaar aanwezig in tien van de twaalf decennia, van 1620 tot 1739 (een verschil in het voordeel van de mannen), en dat nauwelijks wordt weersproken of afgezwakt door de twee afwijkende decennia van 1690 en 1700, blijft een wellicht subjectief, maar op zich betrouwbaar en veelzeggend gegeven dat een nadere bestudering verdient.

Gaat het hier om een hoger sterftecijfer voor vrouwen, dat vooral het gevolg was van een te groot aantal bevallingen onder hachelijke omstandigheden, die de kleine verbeteringen in de verloskunde van die tijd niet ongedaan konden maken? Een dergelijke verklaring is moeilijk te bewijzen. Klopt dit feit wel, terwijl het toch gecompenseerd wordt door het hogere sterftecijfer van de militairen uit de aristocratie? Om dit verschil tussen mannen en vrouwen vanaf 1620 te verklaren, kunnen we dus beter voorlopig alleen maar vaststellen dat de cijfers voor de vrouwen tussen de tijd van Richelieu en van Fleury duidelijk minder vertekend zijn dan die voor de mannen. Velen van de door Saint-Simon opgevoerde en door Boislisle geannoteerde 1486 mannen zijn belangrijke figuren; zij hebben in elk geval een bepaalde status in de wereld en een zekere sociale zichtbaarheid, hoe gering ook. Hun bekendheid is ook afhankelijk van hun leeftijd. Niet iedereen is de Grand Condé, die al op zijn 22ste vermaard was. De massale aanwezigheid van deze aanzienlijke of algemeen bekende mannen maakt de groep mannen dus veel ouder dan de groep vrouwen; zelfs al is bij de vrouwen het begrip 'bekendheid' – en dus ouder zijn – van invloed, maar in mindere mate dan bij de groep mannen. Vandaar de schijnbaar langere levensduur van de mannen. Per slot van rekening wordt een bepaalde man – die we x zullen noemen – in veel gevallen door Saint-Simon en dus door Boislisle, genoemd vanwege zijn aanzien en dus, heel vaak, in samenhang met zijn leeftijd. Het doet er nauwelijks toe dat deze vertekening bij de kroniekschrijver onopzettelijk en overigens onvermijdelijk is. Daarentegen komt de echtgenote van x alleen in diezelfde passage voor als datgene wat ze nu juist is, namelijk de vrouw van een aanzienlijk man. De rol van mevrouw x wordt op geen enkele manier positief beïnvloed door 'bekendheid' en (van de weeromstuit) door leeftijd. Op de lange duur zorgen dergelijke factoren ervoor dat de gemiddelde levensduur van de vrouwen lager wordt, ook al bevat de groep van het 'zwakke geslacht' dames die alleen in de tekst voorkomen vanwege hun persoonlijke bekendheid.

Vóór 1620 speelt deze vrouwelijke bekendheid, hoe gering ook, een veel grotere rol dan voor de vrouwen die vanaf dat jaar werden geboren. Een bepaald aantal vrouwen dat geboren is in de zestiende eeuw of gedurende de twee decennia tussen 1600 en 1620 wordt in de tekst van de kroniekschrijver genoemd: zij danken hun optreden aan het feit dat zij werden opgemerkt door hun tijdgenoten, en door het nageslacht waarvan Saint-Simon de spreekbuis is. Zij werden opgemerkt omdat zij opmerkelijk waren, vanwege hun min of meer roemrijke activiteiten; ook vanwege hun lange levensduur die ertoe had bijgedragen dat ze tot hun recht kwamen. In deze gevallen blijken de dames in kwestie statistisch even oud, zo niet ouder dan hun 'collega's' uit de mannengroep in diezelfde periode tot en met het decennium van 1620. Vóór 1620 is het verschil in levensduur, dit keer in het voordeel van de vrouwen, dus achtereenvolgens vijf, drie en twee jaar. We zien dus dat de twee groepen personen geboren voor 1620 en die van daarna respectievelijk homogeen zijn voor wat betreft het verschil tussen mannen en vrouwen; en volkomen heterogeen met betrekking tot de groep vlak voor en na 1620, een jaar of een aantal jaren dat overeenkomt met een wezenlijke breuk in de herinneringen van Saint-Simon. Vóór deze datum is de situatie volkomen specifiek: het effect van bekendheid en/of lange levensduur – dus van leeftijd – speelt aan beide zijden van de kloof tussen de geslachten zowel voor mannen als voor vrouwen een rol; de levensduur van de vrouwen is zelfs langer dan die van de mannen, in tegenstelling tot wat er na 1620 gebeurt. Derhalve is het gewettigd om het verschil in deze eerste periode ten gunste van de vrouwen toe te schrijven aan de kwaliteit en de aard van de informatie waarover de kroniekschrijver beschikte. Vóór 1620 werd hij door degenen die ouder waren en door wat hij las herinnerd aan het bestaan van een aanzienlijk aantal mannen dat vroeger erkenning kreeg, hoewel zij niet altijd op de voorgrond traden. Daar staat tegenover dat alleen of vrijwel alleen de vrouwen die voor dat beslissende jaar duidelijk op de voorgrond traden waardig geacht werden om in de herinnering van het nageslacht bewaard te blijven; wat het effect van het ouder zijn nog vergroot voor de groep waartoe zij behoorden. Na 1620 zien we vrijwel voortdurend het tegenovergestelde fenomeen: het effect van bekendheid en hoge leeftijd is veel groter voor de mannen; hierdoor wordt hun groep ten opzichte van de groep vrouwen vertekend en profiteren de mannen vrijwel voortdurend van een langere levensduur dan de vrouwen.

Wanneer we de 'ware' herinnering van Saint-Simon willen ontdekken moeten we dus met name de groep mannen en vrouwen *van na 1620* bestuderen. Dit doet zonder meer ter zake omdat het hier gaat om een groep mannen en vrouwen die leeftijdgenoten van Saint-Simon zijn of iets ouder. Vanaf 1620 komt de historicus die Saint-Simon bestudeert dus tot de kern van de zaak. Daarvoor wordt hij veeleer geconfronteerd met het soort triviale kennis dat men in een biografisch woordenboek kan vinden, dat in dit opzicht dus vergelijkbaar is met de meest archaïsche gedeelten van de hele groep die onze auteur opvoert.

Om een 'sociale' vergelijking te kunnen maken van de levensduur van een aantal groepen (magistraten, aristocraten en militairen), rangschikken we de personages van Saint-Simon niet meer volgens een tijdsvector, zoals voorheen, maar in samenhang met hun sociale en/of hiërarchische positie (volgens een as die als het ware loodrecht op de voorgaande staat). We hebben de gemiddelde levensduur van de in de *Memoires* voorkomende personen[2] berekend aan de hand van diverse categorieën van rang en beroep, met behoud van de tweedeling in mannen en vrouwen.

In de groep mannen onderscheiden we in de eerste plaats de 'magistraten', zowel de wereldlijke als de geestelijke: hetzij de feitelijke magistraten van de Raad (rekwestmeesters, staatsraden) en van het parlement, of meer in het algemeen van de opperste gerechtshoven. Bij deze groep hebben wij de schrijvers, kunstenaars en wetenschappers gevoegd die door hun afkomst of levensstijl dicht bij de magistratuur staan, en die overigens vaak een rustig baantje in de sfeer van de magistratuur vervullen of een functie aan het hof die 'brood op de plank brengt' in afwachting van het ogenblik dat zij kunnen leven van de opbrengst van hun boeken of hun kunst (een prettige bijkomstigheid die zich slechts zelden voordeed!). Deze groep magistraten omvat 583 personen, van wie er 246 tot de geestelijkheid behoren.

Daarnaast zorgen de militairen (die voor het overgrote deel edelen zijn) voor een tweede groep van 656 personen, die we overigens hebben moeten onderverdelen in drie subgroepen om de verschillen binnen deze 'krijgsgroep' nauwkeuriger te kunnen analyseren.

Een laatste groep, dit keer gebaseerd op rang en niet op bezigheid, omvat de 'prinsen en hertogen'. Nauwkeuriger gezegd gaat het om het sociologische geheel dat gevormd wordt door de prinsen van den bloede, de buitenlandse prinsen en de hertogen (hertogen en pairs, en hertogen met adelbrief). Het totaal van de personen van deze derde groep levert 258 'profielen' op.

We geven hier de meest significante resultaten:

	Gemiddelde levens-duur	Aantal betrokken personen
Magistraten	69,4 jaar	583
van wie geestelijken	70,4 jaar	246
Hertogen en prinsen	59,6 jaar	258
Militairen	63 jaar	656

Er tekent zich een duidelijk verschil af tussen de hele groep magistraten (tot de geestelijkheid behoren levert slechts één jaar langer leven op) en de overigen: 69 of 70 jaar gemiddeld voor de eersten en 60 tot 63 jaar voor de laatsten.

Ondanks het comfort en de rust die het leven van de magistraten kenmerken, hangt hun langere levensduur in de eerste plaats samen met de manier waarop de groep is opgebouwd. Men wordt vaak hertog op jonge, zo niet zeer jonge leeftijd. Daarentegen bereiken de prelaten, de ministers van Staat, de provinciale intendanten en zelfs tot op zekere hoogte de staatsraden en de rekwestmeesters die de groep van de magistratuur bevolken, deze benijdenswaardige posities pas na een vrij lange *cursus honorum*; en dus pas op latere leeftijd dan de hertogen en zeker dan de gewone edelen die het merendeel van de groep militairen uitmaken (in feite de officieren).

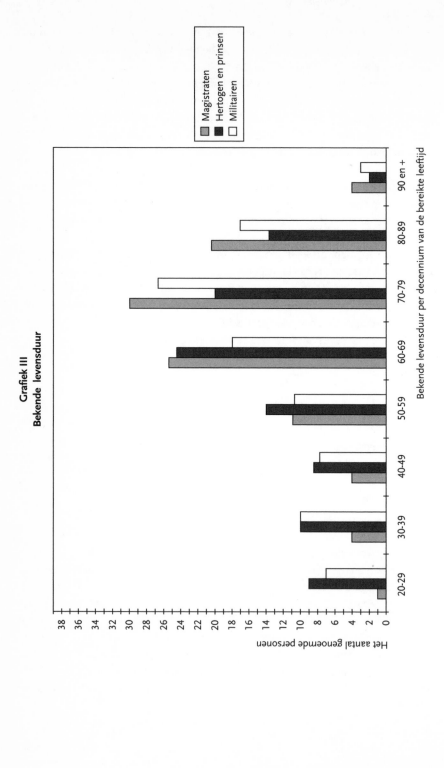

Grafiek III
Bekende levensduur

Het aantal genoemde personen

Bekende levensduur per decennium van de bereikte leeftijd

Magistraten
Hertogen en prinsen
Militairen

Daar moeten we natuurlijk aan toevoegen dat de sterfte op het slagveld sinds mensenheugenis de hof- of krijgsadel heeft gedecimeerd, wier roeping het is om ten strijde te trekken (zelfs iemand als Saint-Simon, toch bepaald geen krijgsman, ging op veldtocht).[3] Daarentegen is het aantal magistraten dat het leven liet op het slagveld niet zonder reden uiterst klein.

Met behulp van grafiek 111 kunnen we dit nog verduidelijken. Voor elk van onze drie 'sociaal-beroepsmatige' groepen hebben we de levensduur verdeeld over leeftijdscategorieën van telkens tien jaar. Zo krijgen we een overzicht van de verhoudingen binnen elke groep van 20 tot 29 jaar, van 30 tot 39 jaar, van 40 tot 49 jaar, enzovoort.

In de drie staafdiagrammen van de 'jonggestorvenen' die niet ouder zijn geworden dan vijftig, zijn de magistraten consequent ondervertegenwoordigd vergeleken met de beide andere groepen, waarbij de hertogen een macabere eerste plaats innemen, op de hielen gezeten, als we het zo mogen noemen, door de militairen. De *Memoires* sluiten heel wat magistraten uit die te jong gestorven zijn om tot een hoog ambt te geraken, en die, als zij waren blijven leven, de vaak vijandige aandacht van Saint-Simon hadden kunnen krijgen. De geringere sterfte bij de magistraten in deze leeftijdscategorieën wordt nog benadrukt door een duidelijk hoger sterftecijfer voor de hertogen en prinsen. In werkelijkheid sterven de hertogen en prinsen tijdens de regering van Lodewijk xiv niet jonger dan de magistraten, maar de blik van de kroniekschrijver richt zich op hen wanneer ze nog heel jong zijn als de nakomelingen van de beroemdste namen van Frankrijk; dit geeft hun al recht op een vermelding in de *Memoires*, zelfs wanneer een vroege dood hen verhindert zich te onderscheiden. De vroeg overleden magistraten verdringt Saint-Simon daarentegen uit zijn bewustzijn, naar de onbeduidendheid waar hij al dit gespuis plaatst, en hij merkt slechts diegenen op – meestal om hen te verwensen – die tot een hoge functie zijn opgeklommen.

Het grote aantal militairen dat is gestorven tussen 20 en 49 jaar wordt vanzelfsprekend verklaard door de slachtingen die de oorlogen van de Zonnekoning aanrichtten.

In de periode van 50 tot 59 jaar zien we de drie categorieën dichter bij elkaar komen: voor het eerst verlaten de magistraten hun relatief veilige positie om deze af te staan aan de militairen; ofte wel, op die reeds 'rijpe' leeftijd zijn het niet (of niet meer) de magistraten die het minst sterven.

In een oogopslag zien we dat de vier laatste leeftijdsgroepen het omgekeerde beeld te zien geven van de drie eerste; de magistraten staan hier telkens bovenaan, wat bewijst dat de hoogstgeplaatsten in het paleis en in de Raad, vergrijsd in hun functie, veel meer aandacht krijgen van Saint-Simon dan de beginnende magistraten.

Terwijl de magistraten in de *Memoires* laat sterven, voornamelijk tussen de 60 en de 90 jaar, met een hoogtepunt tussen de 70 en de 80, daalt de groep van de nog in leven zijnde hertogen en prinsen relatief snel na de 80 om aan het einde van de grafiek te stagneren. Vanaf dat moment worden de hertogen en prinsen ruim voorbijgestreefd door de nog in leven zijnde magistraten en zelfs door de groep militairen. De aristocraten sterven (bij Saint-Simon) dus vaker jong en leven zelden even lang als de magistraten. De ontwikkeling van hun tienjaarlijkse staafdiagram van de levensduur is het spiegelbeeld van die van de magistraten.

Door een dergelijk verschil tussen de beide groepen moeten we onze voorgaande opmerkingen nuanceren over het specifieke effect van het bekend zijn die de levensduur van de groep mannen kunstmatig vergroot. Dit effect van ouder worden werkt daadwerkelijk ten gunste van de magistraten: zij moeten wachten tot ze de eerste stadia hebben doorlopen van een carrière die hen tot de hoge ambten brengt voor zij een vermelding in de *Memoires* waard zijn. Maar ditzelfde effect speelt totaal geen rol bij de groep van de aristocraten, die zich in de geest van Saint-Simon alleen al door hun geboorte onderscheiden van de rest. We kunnen het effect van de bekendheid dus in twee tegengestelde elementen onderverdelen: de magistraten profiteren bij het ouder worden van een 'carrière-effect' en de prinsen en hertogen hebben in ons overzicht te lijden van een 'geboorte-effect', wat hen elke kunstmatige veroudering (of verjonging) bespaart. Het is in elk geval voldoende om hun groep vergelijkenderwijs minder oud te maken dan die van de magistraten.[4]

Maar meer nog dan in de oorzaken zijn wij geïnteresseerd in de resultaten. Het is bekend dat het hele werk van Saint-Simon één groot pleidooi is voor het aanzien van de hertogen (of nauwkeuriger gezegd van de hertogen en pairs); en bijkomend (soms zeer bijkomend) een verdediging van het aanzien van de adel in het algemeen. Deze verdediging richt zich in wezen tégen het aanzien van de magistraten, dat hij gelijkstelt met een gebrek aan aanzien, met een 'lage bourgeoisie' (overigens ten onrechte, maar hiermee geeft hij wel een bepaalde mentaliteit weer die wijdverbreid is onder de elite van die tijd).

Onze cijfers hebben in dit opzicht een zeker belang, omdat zij ons er op het juiste moment aan herinneren dat er in dit geheel ook nog sprake is van een generatieconflict. Een jonge hertog tegenover een oude magistraat: Saint-Simon tegenover kanselier Pontchartrain, tegenover Desmarets, Chamillart en Dubois! Het gaat hier niet alleen om intermenselijke relaties, maar om een vaak jeugdig (en op zijn zachtst gezegd agressief) hertogdom tegenover de 'burggraven' van de magistratuur. Dit is begrijpelijk. De kroniekschrijver is bij zijn diverse ondernemingen in aanvaring gekomen met machtige magistraten (meestal in zijn nadeel). Woedend wijst hij de ministers en meer in het algemeen de technocratie aan als de grootste bedreiging van de instandhouding van wat hij beschouwt als de traditionele (en aristocratische) structuur van Frankrijk. En deze ministers, deze technocraten zijn de magistraten die op het hoogtepunt van hun carrière zijn gekomen na een onberispelijke loopbaan; zij zijn dus al enigszins bezadigd wanneer Saint-Simon zich met hen inlaat, die gehate burggraven en soms ook personen met wie hij een haat-liefdeverhouding heeft (Pontchartrain, Chamillart). Bovendien zorgen deze oude rotten in het vak van het parlement en de Raad dat ze hun dochters, voorzien van een flinke bruidsschat, laten introuwen in de oude adellijke families; daarmee bedreigen ze de zuiverheid van de hertogelijke families en verdienen ze dubbel en dwars de woedende oprispingen van de 'mokker'.

Bij de 656 militairen moeten we voor de gemiddelde levensduur van 63 jaar natuurlijk onderscheid maken tussen officieren van zeer hoge rang zoals admiraals, veldmaarschalken en luitenant-generaals (rang A), officieren uit het middenkader (rang B) en uit het lagere kader (rang C).

Voor de militaire burggraven van niveau A is de levensduur 69,8 jaar. Hoewel deze hogere officieren niet allemaal in hun bed sterven (zie Turenne en Berwick), doen ze het bijna net zo goed als de geestelijken (dit bewijst trouwens dat het celibaat bij lange na niet de voornaamste reden is voor de opmerkelijk lange levensduur van de geestelijken). De militaire officieren van groep B bereiken een gemiddelde levensduur van 61,2 jaar, niet veel meer dan de hertogen en prinsen; groep C biedt degenen die ertoe behoren slechts een verontrustend lage gemiddelde levensduur van 50,9 jaar.

Wanneer we de verschillende groepen officieren analyseren, zien we dat het sterftecijfer bij de militairen een dubbele tegenstelling uitdrukt.

Men sterft natuurlijk jonger wanneer men een lage rang in de hiërarchie inneemt; bij de ondergeschikte officieren zien we per definitie de grootste verliezen op het slagveld. En wanneer ze het overleefden, schoof een groot aantal van onze groep C door naar een hogere rang en kwam terecht in de militaire groep B, zo niet A.

Het gaat hier om een 'manifeste' ongelijkheid, gebaseerd op het militaire organisatieschema. Maar deze wordt gekruist door een 'latente' ongelijkheid, die we met wat meer moeite in ons voorbeeld kunnen ontwaren: in het leger van het Ancien Régime heeft iemand meer kans om snel tot de hogere rangen op te klimmen (zelfs om zijn carrière te beginnen met een belangrijke leidinggevende positie)[5] wanneer men een hoge positie bekleedt in de adellijke aristocratie. De militaire hiërarchie wordt voor een groot deel beïnvloed door de civiele hiërarchie, een fenomeen dat ook Tocqueville opmerkt.[6] Aangezien het merendeel van de (militaire) officieren van adel is, kunnen we hieruit opmaken dat de lagere edelen zijn ingekwartierd in de lagere rangen en het merendeel leveren van de in de strijd gedode onderofficieren. De aristocratische telgen zijn daarentegen relatief beschermd, ongeacht hun persoonlijke onverschrokkenheid, door de hoge functies die zij in de top van het leger innemen.

Zo komt er bij een ongelijkheid die duidelijk voortvloeit uit de drie militaire rangen zelf, een 'onrechtvaardigheid' ten opzichte van de rang en dus ten opzichte van de dood, een onrechtvaardigheid die de burgermaatschappij als het ware in de militaire gemeenschap injecteert, aangezien de rangen en standen van de sociale structuur vrijwel identiek terugkomen in de militaire rangorde: de militaire groep A omvat, op enkele uitzonderingen na (Vauban, Catinat), leden van de groep hertogen en prinsen en edelen van zeer oude families; groep C bestaat merendeels uit vertegenwoordigers van de niet-hertogelijke adel (en meer nog van de niet-prinselijke adel); en groep B ten slotte is een mengeling van aristocraten die al een veelbelo-

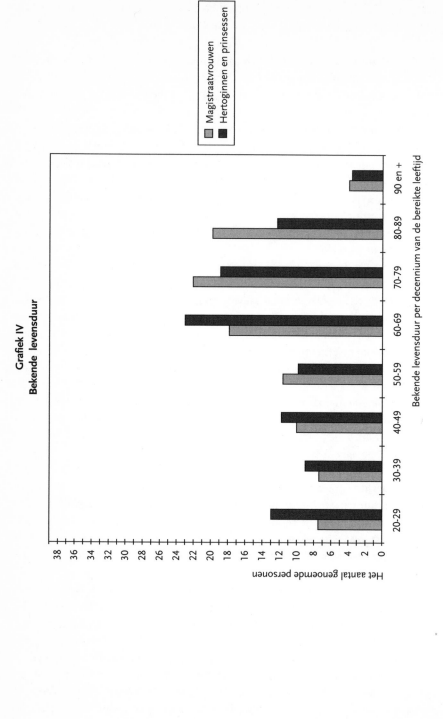

Grafiek IV
Bekende levensduur

Magistraatvrouwen
Hertoginnen en prinsessen

Het aantal genoemde personen

Bekende levensduur per decennium van de bereikte leeftijd

20-29 30-39 40-49 50-59 60-69 70-79 80-89 90 en +

vende rang bekleden en lagere edellieden die zich aan het einde van hun carrière hebben onderscheiden door hun militaire verdiensten.

Binnen de groep vrouwen (grafiek IV) zijn de verschillen tussen de diverse groepen minder geprononceerd.

De 173 magistraatsvrouwen leven gemiddeld 63,4 jaar. Er is een verwaarloosbaar verschil tussen de magistraatsvrouwen die dit door een huwelijk zijn geworden (zij zijn getrouwd met een magistraat) en degenen die dit van geboorte zijn (als dochter van een magistraat zijn zij ingetrouwd in de adel of de niet aan de magistratuur verwante lagere adel): 63,7 jaar voor de 85 'echtgenotes van magistraten' en 63,1 jaar voor de 88 'in de magistratuur geboren' vrouwen.

De groep hertoginnen en prinsessen (in totaal 253 personen) is iets 'jonger': 57,8 jaar gemiddelde levensduur, net als hun echtgenoten de hertogen en prinsen.

Bij deze twee hoofdgroepen van vrouwen (magistraatsvrouwen enerzijds en hertoginnen en prinsessen anderzijds), zien we hetzelfde verschil in levensverwachting als bij de overeenkomstige mannengroepen, telkens ten gunste van de magistratuur. Bij de vrouwen is dit verschil echter iets minder groot dan bij de mannen (zes jaar verschil bij de vrouwen tegen tien jaar bij de mannen). Gezien vanuit deze groepen schijnt de echte generatiestrijd plaats te vinden tussen de mannen en veel minder tussen de vrouwen.

We kunnen veilig stellen dat de groep hertoginnen en prinsessen, net als hun mannelijke soortgenoten, vrijwel compleet is en representatief voor een 'normale' levensduur van de hofedelen onder Lodewijk XIV. De magistraatsvrouwen hebben geen profijt van het carrière-effect dat de groep magistraten van het 'sterke geslacht' kunstmatig ouder maakt.

Het blijft echter een feit dat de levensduur van de magistraatsvrouwen langer is dan die van de hertoginnen en prinsessen, ook al is dit verschil minder uitgesproken dan bij de mannen. Door de bestendigheid van dit verschijnsel mogen we veronderstellen dat onze groep magistraatsvrouwen, die (in de *Memoires*) dichter bij een normale levensduur komen dan de magistraten zelf, ten opzichte van de groep 'hertoginnen en prinsessen' niettemin weinig representatief is voor een natuurlijke levensduur. We stellen een hypothese op: de magistraatsvrouwen profiteren zeker niet van het carrière-effect dat de mannelijke groep magistraten kunstmatig ouder laat worden; maar omgekeerd profiteren zij ook niet van het effect van beroemdheid, zichtbaarheid of vroeg verworven aanzien, door geboorte of huwelijk, waardoor een prins, een hertog en hun echtgenoten en dochters al vanaf jonge leeftijd in de *Memoires* beschreven worden, zonder vooruit te lopen op hun toekomstige daden of de duur van hun aardse bestaan.

Deze tussenpositie is een gevolg van het feit dat Saint-Simon de magistraatsvrouwen niet vermeldt als bekende personen, maar alleen als de vrouwen van bekende magistraten, of als dochters van genoemde magistraten. Hij hecht dan ook maar weinig belang aan de jonggestorven vrouwen wanneer hun nog onbekende echtgenoot of vader geen rol speelde die hen de kribbigheid van Saint-Simon ople-

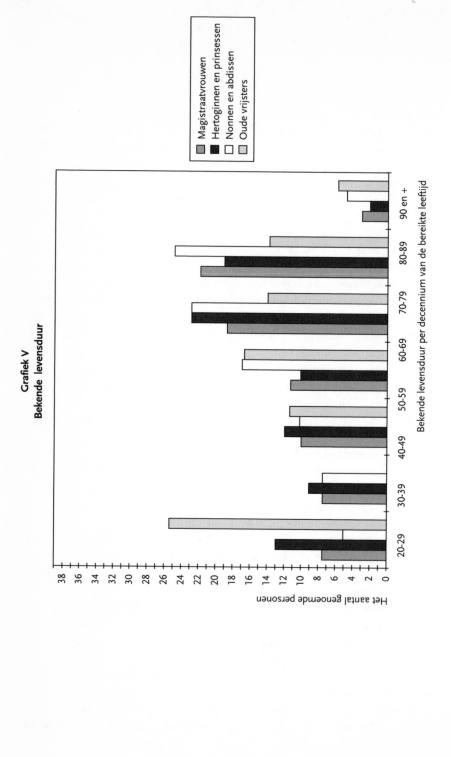

Grafiek V
Bekende levensduur

Het aantal genoemde personen

Bekende levensduur per decennium van de bereikte leeftijd

- Magistraatvrouwen
- Hertoginnen en prinsessen
- Nonnen en abdissen
- Oude vrijsters

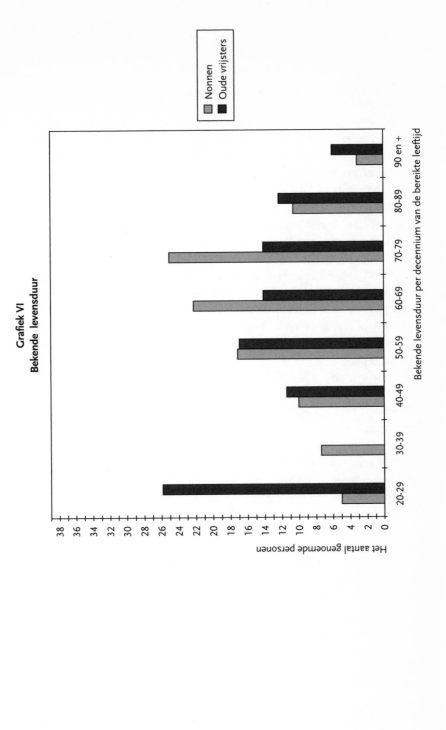

Grafiek VI
Bekende levensduur

verde. In zijn herinnering blijven alleen de vrouwen en dochters van magistraten en andere 'technocraten' over die belast zijn met de hoogste staatsfuncties. Deze echtgenoten en erfgenamen hebben dus zelf de jaren van relatieve anonimiteit van hun echtgenoten of vaders overleefd.

Aangezien de magistraatsvrouwen niet, zoals hun echtgenoten, de diverse stadia van een lange carrière hoefden af te wachten om in het werk te worden opgenomen, verdwijnen zij er weer uit op jeugdiger leeftijd. Maar zij blijven er iets langer dan de vertegenwoordigers van de aristocratie vanwege het simpele feit dat zij hun echtgenoten en vaders, als een soort sherpa's, hebben vergezeld gedurende de tijd die het deze laatsten kostte om in de ambtshiërarchie op te klimmen. Terwijl de aristocratie, zoals gezegd, in de *Memoires* te lijden heeft van een geboorte-effect en de mannelijke magistraten profiteren van een carrière-effect, krijgen de magistraatsvrouwen van Saint-Simon een soort overgangsbehandeling: zij zijn in zekere zin ouder geworden door toedoen van hun echtgenoten die hen naar een respectabele leeftijd trekken, zoals een locomotief de wagons, tijdens hun eigen gang door het leven en hun carrière; maar, nogmaals net zoals genoemde wagons, kunnen de magistraatsvrouwen nooit op de plaats van hun motorwagen komen of deze voorbijstreven, omdat de kroniekschrijver hoofdzakelijk geïnteresseerd is in de levens van mannen, wat (in elk geval statistisch gezien) zijn aandacht voor het schone geslacht beperkt.

Wanneer we de in het klooster getreden vrouwen bekijken, zien we nog een aantal verrassende dingen: de gemiddelde levensduur van de nonnen (62,3 jaar, weliswaar van slechts 40 personen), die duidelijk geringer is dan de opvallend lange levensduur van de mannelijke geestelijken, laat zich beter verklaren wanneer we de samenstelling van deze groep nonnen bekijken. Hij bestaat alleen uit abdissen, prioressen en oversten van de chicste kloosters van het koninkrijk. Deze instellingen laten, zeker in de leidinggevende posities, alleen de dochters en vrouwen van de hoogste adel toe. Zo zien we onder de abdissen en nonnen een Torcy, een Lorraine, een Guise, een Lillebonne, een Gramont, een Fiesque, een Caumont, drie La Rochefoucaulds,[7] een Condé, een Rohan-Guéméné, twee Rohan-Soubises, twee Villeroys, een Villars, een Rochechouart, een Mesmes, de zuster en de vijf dochters van de godvruchtige Beauvillier, de dochter van de regent, abdis van Chelles... plus twee min of meer boetvaardige maîtresses van de Zonnekoning (de Ludres en La Vallière).

Door deze simpele opsomming kunnen we de 'religieuze' groep vergelijken met die van de hertoginnen en prinsessen. De levensduur van de nonnen, die hoger is dan die van de hertoginnen en prinsessen, kan overigens worden gecompenseerd door de kortere levensduur van onze steekproef van 'oude vrijsters'.

Deze 'oude vrijsters' vormen een kleine groep (35 personen) die echter opvalt door de deplorabele levensduur, de kortste van allemaal, mannen en vrouwen samen! De gemiddelde levensduur van deze ongehuwde vrouwen is inderdaad niet meer dan 55,1 jaar. Deze gemiddelde levensduur gaat gepaard met een duidelijk afwijkende mortaliteitscurve in de loop der decennia. De ongehuwde vrouwen sterven veel minder vaak dan de overige vrouwen tussen de 30 en de 89, maar breken daarentegen het record in de twee buitenste kolommen. Zo zorgen zij voor een ongeëvenaard aandeel van jonggestorvenen (25 procent van de ongehuwde vrouwen sterft voor hun dertigste). Deze oude vrijsters blijken dus voor het merendeel *jonge meisjes* te zijn die door het noodlot en de toenmalige geneeskunde niet hebben kunnen trouwen. Wellicht speelt bij hen een 'omgekeerde opmerkelijkheid' een rol, omdat Saint-Simon bij voorkeur de dood beschreef van een aantal jonge mensen, een door hun familie als tragisch ervaren dood en dus de moeite waard om in zijn geschriften te worden opgenomen. Een dergelijk effect, dat de gebruikelijke invalshoek van de kroniekschrijver grondig wijzigt, wordt volgens ons bevestigd door het feit dat de jonggestorven vrouwen allen tot de hofadel behoren. In deze treurige stoet zien we een Condé, een Bouillon en een Lorraine die op hun vijfentwintigste stierven; Mlle de Beaujolais, de dochter van de regent, weggenomen op haar twintigste, net als Mlle Fontanges, (niet zonder reden) de overgangsmaîtresse van Lodewijk xiv. Drie dochters van La Rochefoucauld stierven respectievelijk toen ze 21, 24 en 28 waren. Alle voor hun dertigste overleden vrouwen behoren tot de groep van hertogen en prinsen of hebben op de een of andere manier met de koninklijke familie te maken. We zien hier, maar dan tot in het extreme doorgevoerd, het fenomeen van de 'kunstmatige verkorting' in de *Memoires*, van de levensduur van de groep van hertogen en prinsen, in tegenstelling tot de magistraten.

Net als de nonnen moeten de jonggestorven vrouwen, om het probleem in zijn geheel te kunnen zien, in verband gebracht worden met de totale groep aristocratische vrouwen. Wanneer we de iets langere levensduur van de nonnen temperen met die van de voor hun dertigste gestorven ongehuwde vrouwen, krijgen we een gemiddelde levensduur die in de buurt komt van die van de hertoginnen en prinsessen. Het samenvoegen van deze drie categorieën (nonnen, hertoginnen en prinsessen, en voor hun dertigste gestorven vrouwen) leidt tot een al met al homogene 'tussengroep' (328 vrouwen die gemiddeld op hun 58ste zijn gestorven).

Een aantal andere opvallende ongehuwden in deze zelfde groep van 35 oude vrijsters zijn de vrouwen die 'stand houden' tot hun negentigste en ouder. We kunnen overigens veronderstellen dat de kroniekschrijver hen meestal vermeldt vanwege deze krachttoer op zich (het verschijnsel van de 'normale' opmerkelijkheid). Het is nutteloos om zich wat hen betreft af te vragen wat de weldadige werking van een volkomen kuis bestaan is, verschoond van dodelijke zwangerschappen en gewijd aan een heilzame semi-afzondering. Alleen al de aanwezigheid van Ninon de Lenclos onder de dappere tachtigjarigen (85 jaar) ontslaat ons hopelijk van moeizame uitweidingen over de ambivalentie van de term 'oude vrijster' die wij kozen om dit groepje vrouwen te karakteriseren.

In elk geval hebben we duidelijk aangetoond dat er in de gemiddelde levensduur een plafond is van 63 jaar voor de vrouwen (voor de nonnen 63 jaar en met name voor de magistraatsvrouwen 63,4 jaar); geen enkele categorie van de 'tweede sekse' benadert de gemiddelde levensduur van bijna zeventig van de mannelijke magistraten.[8]

De groep personen bij Saint-Simon, samengesteld (en vertekend) door het zowel scrupuleuze als 'gesegregeerde' geheugen van de wraakzuchtige hertog, kan ook bekeken worden in samenhang met de huwelijkse obsessies, als we het zo mogen noemen, van de kroniekschrijver. Ons onderzoek kan een nuttig overzicht geven van de sociale structuur waarvan de verschillende soorten huwelijken getuigen die worden genoemd in de 42 delen van de Boislisle-uitgave van de *Memoires*.

We merken hierbij op dat het onmisbare kritische apparaat van Boislisle ons meermalen in staat heeft gesteld de bondige, of gewoonweg onrechtvaardige oordelen van de kroniekschrijver te verifiëren (en soms te corrigeren). We moeten echter benadrukken dat de hoeveelheid en soms ook de nauwkeurigheid van de kritische en biografische noten van de alfabetische index van Boislisle na de letter P enigszins afnemen: de grote geleerde, of beter zijn opvolger, wilde vanaf dit punt de index ongetwijfeld sneller voltooien, natuurlijk met handhaving van een goed informatieniveau (hoewel lager). Deze tekortkomingen, die nauwelijks van betekenis zijn vergeleken met dit monument van eruditie van Boislisle, hebben ons er vanzelfsprekend toe gebracht ons daarnaast te baseren op de zeer recente en uitstekende Pléiade-uitgave, onder redactie van Yves Coirault.

Volgens ons eerder genoemde uitgangspunt,[9] hebben we 1366 huwelijken geselecteerd. Om een in dit opzicht representatief en homogeen beeld te krijgen van de wereld van Saint-Simon, hebben we alleen de na 1600 gesloten huwelijken opgenomen, met weglating van de in de zestiende eeuw (of nog vroeger) gesloten huwelijken waarvan de kroniekschrijver slechts indirect kennis genomen kan hebben, meestal uit boeken.[10]

Om een typologie van de aristocratische huwelijken te kunnen samenstellen, moesten we uitgaan van Saint-Simons kijk op de samenleving. Kort gezegd kunnen we, in de terminologie van Louis Drumont, stellen dat zijn zienswijze is gebaseerd op een 'holistische' ideologie.[11]

De hertog maakt geen lijst van honderden huwelijken op, alleen maar omdat hij het leuk vindt zich deze te herinneren. Als *homo hierarchicus*[12] is Saint-Simon er voortdurend op uit de sociale betrekkingen te hiërarchiseren en te ordenen in samenhang met de rang, met de door geboorte verworven status. Hij maakt onderscheid tussen de huwelijken al naar gelang deze de (volgens hem) noodzakelijke standsverschillen voor de stabiliteit van de aristocratische samenleving en de samenleving zonder meer bestendigen of schaden. Voor Saint-Simon is denken hetzelfde als rangschikken.

We gaan niet zo ver dat we de onverschilligheid (op zijn best) of de minachting waarmee de hertog vaak (maar niet altijd) elke lagere in rang bejegent, 'racistisch'[13] willen noemen, maar we erkennen wel dat een dergelijke houding een flinke dosis aanmatiging, hooghartigheid en klassegeest veronderstelt.[14]

GEDETAILLEERDE SAMENSTELLING
VAN DE GROEP MILITAIREN BIJ SAINT-SIMON:
656 PERSONEN

Oppermaarschalk: 1
Veldmaarschalken: 68
Luitenant-generaals: 282
Brigadiers: 71
Kwartiermeesters: 66
Inspecteur-generaal: 1
Generaal: 6
Generaals der galeien: 3
Generaal van de artillerie: 1
Opperbevelhebbers: 2
Gouverneur van de Invalides: 1
Kapitein-generaal (in Estremadura): 1

Diversen (Grand Condé, prins
    Eugène): 2

Grootadmiraal: 1
Eskadercommandanten: 6
Vice-admiraal: 1

Kolonels: 25
Generaal-majoors: 2
Sergeant-majoors: 18
Majoors: 4
Adjudanten: 4
Chirurgijns-majoor: 2
Commandant van de Zwitserse
    garde: 1
Kapiteins: 6

Kapitein van de koninklijke lijfwacht:
    1
Kapitein-luitenants: 3
Vaandrigs: 4
Vaandrig van de lichte cavalerie: 1
Luitenants: 6
Garde-officier: 1
Cavalerie-officier: 1
Tweede luitenants: 3
Kornetten: 4
Guidon (kornet): 1
Zwarte musketier: 1

Musketier: 1
Marineofficier: 1
Luitenant ter zee: 1
Kapiteins ter zee: 9
'Koopt een cavalerieregiment': 2
'Heeft een regiment': 8
'Heeft een compagnie': 3
Maltezer Orde: 1
Militair ingenieur: 1
Gouverneur van Jersey met in
    hoofdzaak militaire en
    marinetaak: 1
'Heeft gevochten': 1
Gedood in de strijd: 8
Gewonden: 4
Krijgslieden: 14

MAGISTRATUUR: 583 PERSONEN

1 – Geestelijken: 246 personen

Kardinalen: 19
Aartsbisschoppen: 30
Bisschoppen: 78
Aalmoezeniers van de koning: 3

Deken van de theologische faculteit: 1
Abten: 65
Deken van een kapittel: 1
Kanunnik: 1

Aartsdiaken: 1
Jezuïeten: 26
Oratorianen: 8
Kapucijn: 1
Karmeliet: 1
Genoveviaan: 1
Sulpiciaan: 1

Benedictijn: 1
Dominicaan: 1
Trappist: 1
Monnik: 1
Pastoors: 2
Predikanten: 3

11 – *Intellectuelen, kunstenaars en hooggeplaatste dienaren van de koning: 80 personen*

Secretaris voor het leven van de
    Académie française: 1
Leden van de Académie française: 10
Dichters: 5
Schrijvers: 10
Hoofd van Saint-Cyr: 1
Leden van het Collège de France
    (professoren aan het Collège
    royal): 2
Professoren: 2
Doctoren aan de Sorbonne: 2
Historicus: 1
Historiograaf: 1

Hoofdinspecteurs der gebouwen: 2
Schilders: 3
Architect: 1
Musici: 3
Toneelspeler: 1
Muziekleraar: 1

Econoom: 1
Directeur van het Observatoire: 1
Genealoog: 1

Directeur-generaal van het Koninklijk
    Huis: 1
Superintendanten van Monsieur: 2
Ceremoniemeester: 1
Gouverneurs van de hertog de
    Chartres: 2
Hofmaarschalk: 1
Eerste kamerdienaar van de koning: 1
Kamerdienaren van de koning: 5
Eerste kamerdienaren: 3
Kamerdienaar: 1

Eerste chirurgijn: 1
Chirurgijnen: 2
Artsen: 10
Apotheker van de koning: 1

111 – *Staatsambtenaren, functionarissen, gerechtsdienaren: 257 personen*

Kanseliers: 5
Ministers van Staat: 22
Inspecteur-generaal: 1
Secretarissen van Staat: 8

Eerste presidenten van de Grote
    Raad: 2
President van de Grote Raad: 1
Staatsraden: 52

Rekwestmeesters: 14
Lid van de Raad voor de Handel: 1

Luitenant-generaal van politie: 1
Luitenant van politie: 1
Civiel luitenant: 1

Oppermuntmeester: 1
Thesaurier van Frankrijk: 1

Thesaurier-generaal: 1
Buitengewone thesauriers van oorlog:
 2
Voor drie jaar benoemde bewakers
 van de schatkist: 2
Thesaurier-generaal van de
 scheepvaart: 1
Belastingontvangers: 2
Belastingpachters: 1
Financiers: 3

Directeur van Bruggen en Wegen: 1
Ambassadeurs: 2
Binnenleiders van ambassadeurs: 2
Tweede binnenleider van
 ambassadeurs: 1

Intendanten: 21
Intendant-generaal van de
 geestelijkheid: 1
Intendanten van Financiën: 4
Intendant van de Posterijen: 1
Intendant van de Marine: 1
Intendant van de legers: 1

Eerste presidenten van het
 parlement: 16
Tweede presidenten van het
 parlement: 21

Presidenten van de provinciale
 parlementen: 4
Raadslieden van het parlement: 16
Raadsman van de Grande Chambre: 1
Procureurs-generaal van het
 Parlement: 5
Advocaten-generaal: 4

Voorzitters van de Rekenkamer: 5
Rekenmeester: 1
Auditor bij de Rekenkamer: 1
Deken van de orde van advocaten: 1
Parlementsadvocaat: 1
Advocaten: 4

Secretarissen van de koning: 4
Notaris: 1
Griffier: 1
Magistraat: 1

Opzichter van Waterwegen en
 Bossen: 1
Hoofdopzichter van Waterwegen en
 Bossen: 1
Raadsman van de kanselarij: 1
Gezant in Marokko: 1
Eerste commies van Oorlog: 1
Commies van het secretariaat van
 Staat voor Oorlog: 1
Provoosten van de handelskamers: 3

Hierbij zij evenwel opgemerkt dat Saint-Simons ideologische opvattingen niet over-eenstemden met zijn oordeel over anderen: hij was niet echt een fundamentalist. Zijn geringschattende bespiegelingen over de geringe afkomst van iemand gaan soms samen met een echte persoonlijke sympathie voor de persoon in kwestie. We geven hiervan een voorbeeld aan de hand van een kort verslag van de hertog naar aanleiding van de dood van maarschalkse de Chamilly (we hebben de markante passages gecursiveerd):

'Maarschalkse de Chamilly stierf op 18 november in Parijs, op haar 67ste. *Zij was een vrouw met esprit en met een groot onderscheidingsvermogen, een zeer godvruchtig iemand van niet aflatende deugdzaamheid, uiterst aimabel, en geschapen voor de hoogste kringen en het groot vertoon*, die in zeer belangrijke mate had bijgedragen aan het fortuin van haar man, van wie zij geen kinderen had gekregen. *Zij behoorde tot onze beste vrienden en wij betreurden haar dood diep.* Zij genoot de achting van velen en stond in hoog aanzien. *Zij was een du Bouchet, een rijke erfgename en van zeer eenvou-dige afkomst.*'[15]

We zien dat deze rijke erfgename van zeer eenvoudige afkomst volgens de crite-ria van de kroniekschrijver, behoort tot een van de weinige echte vrienden van het echtpaar Saint-Simon, en dat de kleine hertog haar zonder aarzelen de hoogste morele en sociale deugden toedicht. Het wemelt in de *Memoires* van dit soort voor-beelden die in onze democratische ogen enigszins vreemd zijn; de auteur scheidt zijn (impliciete) ideologie volkomen van zijn affectie en achting.

Niettemin is Saint-Simon ervan overtuigd dat mensen een bepaald aanzien erven dat hen van elkaar onderscheidt en in een hiërarchische verhouding tot el-kaar plaatst die onveranderlijk is, of dat zou moeten blijven.

Om de relevantie van dergelijke ideeën, of beter gezegd hun aanpassing aan de sociale realiteit tijdens de lange regering van Lodewijk xiv, na te gaan, hebben we, net als de kleine hertog, de huwelijken gerangschikt in samenhang met de status door geboorte of door verwerving daarvan in de jeugd (in het geval van de magistra-ten) van elk der echtgenoten. Om de literaire verleidelijkheid van Saint-Simons oordelen te omzeilen hebben we er bewust voor gekozen de verschillende soorten huwelijken te meten en te wegen met inachtneming van een classificering die zo dicht mogelijk bij de traditionele visie van de kroniekschrijver blijft.

Daartoe beschouwen wij de huwelijken van een man en een vrouw van dezelfde rang als endogaam of, nauwkeuriger gezegd, tendentieel egalitair: hierbij kan het gaan om een prins van den bloede getrouwd met een dochter van een prins die eveneens van koninklijken bloede is; een 'buitenlandse' prins (Bouillon, Rohan, Lorraine) met een dochter van een buitenlandse prins; een hertog met een dochter van een hertog; een edelman uit de krijgsadel (of uit de natieve adel, zoals Loyseau deze lagere adel noemt) met een dochter van iemand uit de krijgsadel; een magi-straat (behorend tot de gedateerde ofwel verleende adel) met de dochter van een magistraat; een eenvoudig niet-adellijk iemand (dus zelfs geen magistraat) met een vrouw van dezelfde afkomst. Deze voorbeelden, die de 'sociale orde' in stand hou-den, kunnen natuurlijk rekenen op de grootste welwillendheid van de hertog.

Endogamie	Vrouwelijke hypergamie	Vrouwelijke hypogamie

Mannen   Vrouwen

A ————— A
B ————— B
C ————— C
D ————— D
E ————— E
F ————— F

Mannen   Vrouwen

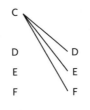

Mannen   Vrouwen

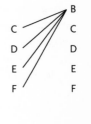

Voor de vrouwelijke exogamie (onderverdeeld in hypergamie, boven de eigen stand trouwen, en hypogamie, onder de eigen stand trouwen) hebben we de huwelijken bekeken tussen een man en een vrouw die uit verschillende groepen afkomstig zijn, evenwel zonder nader in te gaan op de grootte van de afstand tussen de echtgenoten. Zo is het huwelijk van een hertog met de dochter van een niet-hertogelijke edelman in ons onderzoek een geval van vrouwelijke hypergamie, net als het huwelijk van een hertog met de dochter van een magistraat; zonder overigens uit het oog te verliezen dat het huwelijk van een gewone edelman met een 'magistraatsdochter' ook een geval van vrouwelijke hypergamie is.

We hanteren de volgende rangorde:

A prinsen van koninklijken bloede
B buitenlandse prinsen[16]
C hertogen en pairs, hertogen met adelbrief
D gewone edelen
E magistraten
F niet-adellijken die niet of niet strikt tot de magistratuur behoren (financiers, intellectuelen, enzovoort)

Elk huwelijk dat een man en een vrouw uit dezelfde groep samenbrengt (huwelijk A-A of B-B of C-C, enzovoort) wordt als endogaam beschouwd. De verbintenissen waarbij de afkomst van een man hoger is dan die van zijn vrouw worden beschouwd als voorbeeld van vrouwelijke hypergamie, ongeacht de afstand tussen de groepen van afkomst (dus evengoed A-B als A-C, B-C of elke andere vergelijkbare verhouding). Ten slotte beschouwen we de huwelijken waarbij de rang van de echtgenote hoger is dan die van haar echtgenoot als vrouwelijke hypogamie volgens hetzelfde principe als bij de hypergamie, maar dan natuurlijk omgekeerd (B-A of C-B, bijvoorbeeld).

Het overzicht op de bladzijde hiernaast toont alle theoretische mogelijkheden voor elk type huwelijk.

Rekening houdend met deze indeling, kunnen we onze 1366 huwelijken als volgt rangschikken:

– 740 huwelijken verenigen echtelieden van dezelfde rang, dit zijn dus endogame huwelijken;

– bij 378 huwelijken blijkt sprake te zijn van min of meer uitgesproken vrouwelijke hypergamie, waarbij de vrouw van lagere afkomst is dan haar man;

– bij 133 huwelijken is echter sprake van vrouwelijke hypogamie, waarbij de vrouw huwt met een man van lagere afkomst;

– ten slotte zijn er nog 115 zeer bijzondere huwelijken, waarvan de typering een specifiek commentaar vergt.

Hier volgt een schematisch overzicht van de huwelijken bij Saint-Simon:

Soort huwelijk	Aantal	Percentage van het totaal
Endogamie	740	54,2 %
Vrouwelijke hypergamie	378	27,7 %
Vrouwelijke hypogamie	133	9,7 %
Bijzondere gevallen (ministerieel)	115	8,4 %
Totaal	1 366	100,0 %

Wat onmiddellijk opvalt is het grote aantal endogame huwelijken (54,2 procent van het totaal). Op alle niveaus van de sociale rangorde trouwt men met mensen van dezelfde stand; men trouwt onderling. Elke rang, om met Louis Dumont te spreken,[17] werft in zichzelf: men verzekert zich van vernieuwing zonder de noodzaak te voelen elders nieuwe leden vandaan te halen, zelfs als het gaat om aangetrouwde vrouwen of vrouwen die simpelweg voor de voortplanting dienen. De zonen, die de rang (en vaak ook de titel en de functie) van de vader erven, trouwen met dochters van mannen die tot dezelfde categorie horen als hun verwekker.

Het feit dat het merendeel van de huwelijken endogaam is, illustreert het overwicht van de hiërarchische opvattingen tot en met de regeringsperiode van Lodewijk xiv. Elke groep lijkt er op uit de, hoog- of laaggeplaatste, stabiliteit in stand te houden van een hofmaatschappij;[18] mobiliteit is een minder uitgesproken verschijnsel dan bestendigheid.

Met een voorbeeld uit het proefschrift van J.-P. Labatut[19] kunnen we deze neiging tot endogamie verder uitwerken voor de groep van de hertogen, die bij voorrang de belangstelling van Saint-Simon heeft. Hoewel deze groep slechts uit een gering aantal personen bestaat en daardoor ontvankelijk zou moeten zijn voor een 'werving' buiten de eigen kring, heeft hij toch een uitgesproken voorkeur voor de werving binnen eigen kring. Volgens de percentages van J.-P. Labatut wordt 35,7 procent van de huwelijken van hertogen en pairs gesloten met dochters van hertogen en pairs; de jongere zonen van hertogen en pairs (die, behalve bij uitzondering, de titel niet erven) trouwen voor 20,4 procent binnen hertogelijke kring. Van de dochters van de hertogen en pairs trouwt 47 procent met hertogen en pairs.

Terwijl de hertogtitel alleen overgaat op de oudste zoon en de dochters van hertogen op huwelijksgebied worden beconcurreerd door gevaarlijke *outsiders* (waar we het nog over zullen hebben), laten deze cijfers van J.-P. Labatut, net als onze eigen wat globalere cijfers, de voorkeur van deze hofkringen zien voor de eigen groep, in elk geval voor zover dat mogelijk is.

Deze sterke neiging om binnen dezelfde groep te trouwen is onze kroniekschrijver overigens, als we hem mogen geloven, maar net bespaard gebleven. In een korte passage over zijn oom, de markies de Saint-Simon, noteert hij: 'Hij wilde niets liever dan mij laten trouwen met Mlle d'Uzès;'[20] nadat genoemde Catherine Louis-Marie de Crussol, de zuster van twee hertogen d'Uzès, was ontkomen aan een huwelijk met Saint-Simon, werd zij bijna nog door de koning uitgekozen om te huwen met de hertog du Maine; zij trouwt ten slotte met Barbezieux, de zoon van Louvois. Dit kleine voorbeeld maakt vooral in het begin duidelijk hoe groot de obsessie met het endogame huwelijk is die de schrijver van de *Memoires* kwelt.

Dit patroon is grotendeels een gevolg van de conventies, maar het is ook een kwestie van onvermijdelijkheid. In de rigide maatschappij van rangen en standen heeft men – niet zonder een 'duwtje in de rug' van de familie – eenvoudigweg veel meer kans de zielsverwant te ontdekken binnen de groep waartoe men behoort, zoals ook de gewone omgang zich beperkt tot een soms zeer kleine kring van bekenden, die elkaar in alles na staan, in de eerste plaats door hun afkomst.

Zo is er zelfs bij een 'huwelijk uit liefde' (ze komen voor in de *Memoires*) vaak sprake van twee personen van dezelfde rang.[21] Saint-Simon zet mensen niet vast in een starre sociale laag die hen elk initiatief ontneemt. Terwijl hij meer dan wie ook de nadruk legt op de vorm van de huwelijken (en dus geneigd is om aan de endogame vorm de voorkeur te geven), loochent hij de vrije keuze van de echtgenoten zeker niet en juicht hij een fraai huwelijk uit liefde zelfs toe; natuurlijk op voorwaarde dat het niet om een mesalliance gaat en het niet, zoals wel gebeurt, rampzalig eindigt: ten bewijze deze tekst over de twee dochters van de markies de Villequier, wier charme de kroniekschrijver duidelijk niet onverschillig laat (Boislisle preciseert dat de moeder van de meisjes grote indruk had gemaakt op Colbert): 'Châtillon was uit liefde getrouwd met Mlle de Piennes; het was ontegenzeggelijk het mooiste paar van het hof, het fraaist geschapen en bijzonder gedistingeerd. Zij kregen ruzie, gingen uit elkaar en zagen elkaar nooit meer. Zij [de bruid] was kamenier van Madame en de zuster van markiezin de Villequier, eveneens uit liefde getrouwd.'[22]

Zo nu en dan drijft de wens om een einde te maken aan een celibatair leven een man (of een vrouw) in de armen van een 'toevallige' partner, maar deze wordt niettemin gekozen uit degenen met een vergelijkbare rang (bijvoorbeeld een hogere officier uit de adel, die zelfs laag kan zijn, met een meisje uit de hoge adel). We geven dit voorbeeld hier uitgebreid:

'Des Alleurs was een Normandiër van gering aanzien, maar met een vorstelijke houding en een fraai gelaat, dat hem in zijn jeugd goed van pas was gekomen. Hij was lange tijd kapitein van de garde geweest en had die hele oorlog als chef van de generale staf in het Rijnleger gediend, en hij was daarin uitmuntend. Op den duur werd hij luitenant-generaal en drager van het grootkruis van Saint-Louis. Hij was een sluwe vos, respectvol en beminnelijk tegen een ieder en begiftigd met een grote mensenkennis; hij had zijn verdiensten, was bijzonder geestig, spitsvondig en scherpzinnig, en dat altijd op een eenvoudige, ongedwongen manier. Hij werd verliefd in Straatsburg, waar hij 's winters dienst deed, op Mlle de Lutzelbourg, mooi, goed geproportioneerd en van zeer goeden huize, die meer dan één minnaar had gehad, en die, aangezien ze over niet meer beschikte dan een groot vernuft en behendigheid, haar kostje wilde kopen en uiteindelijk met hem wist te trouwen.'[23]

Hoewel uit het onderzoek een duidelijke voorkeur blijkt voor het huwelijk tussen sociaal gelijken, is er ook ruimte voor andersoortige verbintenissen. De meest opvallende daarvan is ongetwijfeld de vrouwelijke hypergamie: 'Een familie uit een lagere sociale groep, die veel geld heeft maar weinig prestige, biedt graag een dochter en een bruidsschat aan aan een man uit een hogere sociale groep in ruil voor een zeker prestige voor de familie van de dochter; deze had tot dan toe een relatief lage sociale status.'[24]

Tot deze categorie behoren 378 onderzochte gevallen (27,7 procent van het totaal).

Van hypergamie zoals Saint-Simon deze ziet is hoofdzakelijk sprake wanneer de dochter van een magistraat trouwt met een edelman (klassieke hypergamie), maar ook wanneer een hertog de dochter van een niet-hertogelijke edele uit de krijgsadel ('kleine hypergamie') of uit de ambtsadel ('grote hypergamie') trouwt. In de *Memoires* wemelt het van de teksten die dit soort gevallen illustreren.

Hier wordt het huwelijk beschreven van Lanjamet, een Bretons edelman (overigens van twijfelachtige komaf in de ogen van Saint-Simon) en een hoflarf 'die slechts bestaat uit onbeduidendheid': 'Men hoorde vrijwel tegelijkertijd van het huwelijk van Lanjamet met de dochter van een procureur van Parijs die hij lange tijd had onderhouden en vervolgens drie of vier jaar geleden in het geheim had gehuwd. Zij was niet zonder schoonheid, maar zij had een demonische konkelende geest en de boosaardigheid en schurkachtigheid van een legertje duivels.'[25] Een paar zinnen verder gaat Saint-Simon, die elk huwelijk van ook maar enigszins 'democratische' signatuur doet huiveren, hierop door: 'Zijn vrouw, licht van zeden, en ook weduwe van een procureur, betekende voor hem, hoe onbeduidend zelf ook, een beschamend huwelijk.'[26] De zedeloze dochter en weduwe van een procureur: zo'n echtgenote kon in de ogen van de kroniekschrijver het blazoen van een edelman, zelfs al was die recentelijk uit het 'niets' gekomen, natuurlijk alleen maar bezoedelen.

Andere dochters van hogergeplaatste magistraten lukt het blijkbaar zonder veel problemen edelen van oude families te huwen ondanks Saint-Simons verwensingen; zoals Marie-Antoinette de Mesmes, afkomstig uit een machtig juristengeslacht:

'De eerste president, die weduwnaar was, had slechts twee dochters. Zij waren rijk, en als om de grilligheid van het lot te illustreren was de ene donker, vettig en beangstigend lelijk, dom en dienovereenkomstig preuts en een vreselijke kwezel; de andere was rossig als een koe, met blanke huid, geestig en geraffineerd, en met een verlangen naar vrijheid en overheersing. Hoewel zij de jongste was trouwde zij als eerste, met Lautrec, de zoon van Ambres, die zo aardig was verliefd op haar te worden. Hij kreeg weinig waar voor zijn passie; het lukte hem niet zijn mooie vrouw te temperen, die wist wat voor vlees zij in de kuip had en daar haar voordeel mee deed. De arme man verliet daarentegen de dienst en Parijs, wat weliswaar geen verlies betekende, en trok zich terug in de provincie. Ze hadden geen kinderen. De oudste broer van deze Lautrec, die nu luitenant-generaal is en ridder in de

Orde, is getrouwd met een zuster van de hertog de Rohan.'[27]

De Lautrecs vormen het puikje van de krijgsadel, aangezien het een broer van de 'arme man' zelfs lukt een echtgenote te vinden in de (weliswaar zeer rijke en volle) visvijver van de vrouwelijke Rohans. De simpele beschrijving van de bruid (en haar zuster) en de gedienstige opsomming van de rampen die het echtpaar treffen, maken duidelijk welke les we uit deze zaak kunnen trekken: een zo ongelijk huwelijk kon (volgens Saint-Simon) alleen maar slecht aflopen!

Nog een voorbeeld van een vrouwelijke bliksemcarrière, die dit keer echter voordelig uitpakt voor beide partijen, wordt gedetailleerd beschreven in deel xi van de *Memoires*:

'Pontchartrain regelde in diezelfde tijd, terwijl deze op zee was, het huwelijk van een van zijn zwagers, een kapitein ter zee, met de enige dochter van Ducasse, die men een vermogen van 1.200.000 pond toedichtte. Ducasse kwam uit Bayonne, waar zijn broer en zijn vader hammen verkochten. Hij vergaarde als vrijbuiter bezit en vele kennissen en werd officier op de koninklijke schepen, waarna hij al spoedig tot kapitein werd bevorderd. Hij was een man van grote verdienste, veel hersens, zeer koelbloedig en ondernemend, en bijzonder geliefd in de marine door de verdraagzaamheid die hij in alles tentoonspreidde en de bescheidenheid waarmee hij zich van zijn taak kweet. Hij botste hevig met Pontis toen deze Cartagena innam en plunderde. Ducasse zou het nog veel verder brengen. Behalve de verlokkingen van het bezit, die deels voor dit huwelijk zorgden, en anderzijds de bescherming van de minister van Marine, vond deze het passend om voor zijn zwager, met het geld van Ducasse, het ambt van luitenant-generaal der galeien te kopen, dat enig in zijn soort was, de rang van luitenant verschafte en een kapitein ter zee onverwacht een grote stap voorwaarts deed maken: het ambt was vacant door de dood van baljuw de Noailles en omdat er sindsdien nog geen koper voor was gevonden.'[28]

Bij deze transactie verwerft de 'zoon van een hammenverkoper' via zijn dochter zonder meer de bescherming van een machtige ministersfamilie die veel invloed heeft op zijn werkterrein op zee, maar de Pontchartrains hebben zeker niet geaarzeld om een deel van de 1.200.000 pond van de rijk geworden ex-kaper in hun eigen kas te laten vloeien.

Anderen hebben net zo weinig scrupules als de Pontchartrains. Zoals de La Rochefoucaulds van wie een zoon, de hertog de La Rocheguyon, trouwt met de dochter van een eenvoudige markies, die echter een rijke erfgename is: 'De hertog de La Rochefoucauld liet in diezelfde tijd zijn zoon de hertog de La Rocheguyon, de huidige hertog de La Rochefoucauld, trouwen met Mlle de Toiras, een rijke erfgename, geboren en getogen in de Languedoc, waar zij altijd bij haar moeder had gewoond.'[29]

Bij de vrouwelijke hypergamie gaat het in de *Memoires* vaak om een dochter uit de hogere krijgsadel, die er door een huwelijk in slaagt door te dringen tot hertogelijke kringen. Natuurlijk zijn de charmes van de kandidate hierbij een niet te veronachtzamen extra troef. Het feit dat de hertogen zich zo nu en dan verwaardigen om een vrouw van, niet zo heel veel, lagere rang te huwen wordt niet alleen ingegeven door het vooruitzicht van een goede bruidsschat, iets waar we nog op terugkomen. Menige ouwe sok heeft last van een midlifecrisis, waardoor hij op zoek gaat naar een jonge echtgenote. In het sociale schouwspel van de families aan het hof is fysieke schoonheid voldoende om de verschillen in afkomst uit te wissen, wanneer deze verschillen, zo schijnt het, niet al te duidelijk zichtbaar zijn – heel wat families van de oude adel kunnen bogen op een anciënniteit en een aanzien dat hen, in elk geval titulair, niet ver af doet staan van de aanzienlijkste hertogelijke families. De vrouwelijke charmes verkleinen zo de maatschappelijke ongelijkheid; zo ziet zelfs Saint-Simon het, hoe streng hij verder ook aan zijn principes vasthoudt.[30] Van deze verleidingsstrategie getuigt het ongeval van de hertog de Gesvres dat wij hier citeren:

'De oude hertog de Gesvres hertrouwde op zijn tachtigste [...] met Mlle de La Chesnelaye, met de familienaam Rommilley, mooi en welgeschapen, en rijk, die hierin toestemde omdat zij een [hertogelijke] taboeret ambieerde. De koning trachtte hem hiervan te weerhouden, toen hij erover kwam spreken; maar de oude man, die zijn zoon geen slechtere dienst kon bewijzen dan dit huwelijk te sluiten, wilde er niet van afzien; hij wilde de krasse kerel uithangen bij het bruiloftsmaal. Daar werd hij voor gestraft, en de bruid nog meer: hij deed zijn behoefte door het hele bed zodat alles verschoond moest worden. Men kan zich de gevolgen van een dergelijk huwelijk voorstellen.'[31]

Een ander voorbeeld uit de zeer hoge aristocratie is nog verhelderender:

'De hertog de Saint-Aignan, weduwnaar van een Servien, moeder van de hertog de Beauvillier, was zo dwaas om achttien maanden later te trouwen met een schepsel uit de heffe des volks dat, nadat zij lange tijd de honden van zijn vrouw had verzorgd, was opgeklommen tot haar kamermeisje. Hij stierf zes jaar later, volkomen geruïneerd, en liet uit dit fraaie huwelijk twee jongens en een meisje achter. De moeder was geestig en deugdzaam; de koning, die gesteld was op Monsieur de Saint-Aignan, had er zelfs meermalen bij hem op aangedrongen dat zij gebruik zou maken van haar taboeret: zij gaf hieraan nimmer gehoor en beperkte zich ertoe Monsieur de Saint-Aignan te behagen en te verzorgen in zijn huis, zonder zich veel in het openbaar te vertonen, maar wel met de hertogelijke sjabrak en mantel. Door haar gedrag verwierf zij de achting van M. en Mme de Beauvillier die na de dood van M. de Saint-Aignan voor haar zorgden, en ook voor hun kinderen die samen met hun eigen kinderen, en met dezelfde genegenheid, werden opgevoed.'[32]

Deze tekst maakt een aantal dingen duidelijk: ten eerste delen de Beauvilliers (net als ongetwijfeld een aantal andere families) het adellijke vooroordeel van Saint-Simon niet; in elk geval drijven ze het niet zo ver door dat ze weigeren de zorg op zich te nemen voor een 'schepsel uit de heffe des volks' dat getrouwd was met de vader van de hertog. Ze schijnen weinig last te hebben van wrok. (Overigens is de genoemde vrouw volgens Boislisle in werkelijkheid afkomstig uit de kleine landadel.) Anderzijds kunnen we constateren dat deze tweede vrouw, ondanks het vriendelijke aandringen van de koning, zich ertoe beperkte om slechts ten dele en binnenshuis de hertogin te spelen en weigerde 'de taboeret in bezit te nemen', wat haar bliksemcarrière al te duidelijk onderstreept zou hebben.

Lodewijk xiv beschouwde dit huwelijk niet als een schandelijke mesalliance; Boislisle preciseert in een voetnoot: 'Hoewel M. de Saint-Aignan de hertogstitel al aan zijn zoon had overgedragen, nodigde de koning de bruid op het Louvre uit, wat zij overigens bescheiden afsloeg. Volgens de memoires van Luyens weigerde hij daarentegen de hertogin de Gramont deze onderscheiding, omdat die van lage komaf was en echt als kamermeisje had gediend.'[33]

Hieruit blijkt dat Saint-Simons rigide opvattingen over het adellijke (en met name hertogelijke) aanzien hem er wellicht toe brengen bepaalde gevallen van vrouwelijke hypergamie te overschatten en deze hoog op te nemen, terwijl zijn tijdgenoten er bij voorkeur niet al te moeilijk over doen. Het geval van de hertogin de Gramont dat Boislisle noemt toont in elk geval aan dat het vooroordeel van de kroniekschrijver in wezen wordt gedeeld (hoewel met minder angstvallige en nijdige waakzaamheid) door het merendeel van zijn soortgenoten en zijn 'hiërarchische meerderen', inclusief de koning.

Hoe dan ook, de 378 'vrouwelijk-hypergame' huwelijken kunnen niet gezien worden als evenzoveel afwijkingen in het corpus van Saint-Simon. Zowel door hun aantal als hun verscheidenheid, het belang dat de kroniekschrijver eraan hecht en de reacties die zij oproepen bij de betreffende groepen, moeten we ze in een historisch perspectief plaatsen, of, zo men wil, een (bescheiden) theorie van de vrouwelijke hypergamie ontwikkelen.

De 378 hypergame huwelijken vertegenwoordigen 27,7 procent van het totale aantal van de door ons onderzochte huwelijken in de *Memoires*; dit cijfer komt vrijwel overeen met de helft van de 740 endogame huwelijken (die zelf weer 54,2 procent uitmaken van het totale aantal huwelijken bij Saint-Simon). Het blijkt dus dat de hiërarchische opvatting van de maatschappij, waarvan Saint-Simon slechts de luidruchtigste spreekbuis is, er niet zozeer voor zorgt dat het maatschappelijke beeld strikt wordt voortgezet, maar dat in een minderheid van de huwelijken vrouwen op de maatschappelijke ladder kunnen stijgen. Dit kan alleen onder de volgende voorwaarden.

A. 'Een gering standsverschil van de familie van de vrouw ten opzichte van die van de man wordt als normaal beschouwd en heeft geen enkele invloed op de status van de nakomelingen,'[34] in het Frankrijk van Lodewijk xiv.

De huwelijksstrategie is erop gericht de dochters op een zo hoog mogelijk niveau te laten trouwen ten opzichte van hun eigen afkomst, ongeacht de positie van de vader. Niemand, zelfs Saint-Simon niet, is geschokt wanneer een hertog trouwt met de dochter van een edelman van goede komaf; het 'vooroordeel' speelt daarentegen wel een rol bij huwelijken tussen krijgsadel en alle mogelijke niet-adellijken, die meestal worden gezien als 'ongunstig'. Wanneer een vrouw uit de lagere adel trouwt met een hertog, wordt dit gezien als een promotie (zie het hierboven aangehaalde huwelijk van Mlle de La Chesnelaye); in feite gaat het hier om een normale, gewone opklimming. De overgang van de ene rang naar de andere, direct of verder daarboven, wordt pas problematisch wanneer een vrouw door dit huwelijk de wereld van de magistratuur verruilt voor die van de krijgsadel; daarmee overschrijdt zij de denkbeeldige lijn die, in de ogen van Saint-Simon en een aantal van zijn gelijken, de mensheid in tweeën deelt.

We geven hier de visie van Saint-Simon, en die van de aristocratie in het algemeen, op de vrouwelijke opklimming weer:

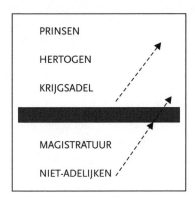

De horizontale balk stelt de belangrijkste sociale scheidslijn voor, de enige zeer betrekkelijke weerstand tegen de opwaartse mobiliteit van vrouwen. Afgezien van deze barrière – die, zoals we zagen, anderen dan Saint-Simon heel wat opgewekter overschrijden – is er geen aanleiding aanstoot te nemen aan het feit dat een vrouw door een huwelijk opklimt, zelfs wanneer de vrouw in kwestie een aantal rangen tussen die van haarzelf en die van haar man overslaat.

B. De hypergamie (de 'gave van dochters') wordt gecompenseerd, of beter gezegd gestimuleerd door de bruidsschat. Het voordeel voor de familie van de bruid is dat men aanzien krijgt, aangedragen door de bruidegom. Deze familie verricht zonder meer een roemrijke, en in zekere zin ook verdienstelijke daad door een 'jong ding' te geven aan een man uit een hogere rang; maar dat is niet voldoende, tenminste meestal niet. De aangeboden aanstaande moet vergezeld gaan van een bruidsschat en/of van zeer goede 'vooruitzichten'.

Zo beschrijft Saint-Simon openhartig het huwelijk van de graaf de Tessé met de dochter van een 'eenvoudige' magistraat: 'Aan het eind van dat jaar liet Tessé zijn oudste zoon trouwen met de dochter van staatsraad Bouchu over wie ik kort hiervoor al sprak. Het was het tegenovergestelde van het huwelijk van Mme de Roquelaure: geen esprit, geen vaardigheden, geen afkomst en geen schoonheid, maar een overvloed aan ecu's; en dat was wat Tessé nodig had.'[35] Ter verduidelijking: Saint-Simon vindt dit huwelijk, waarbij een 'magistraatsdochter' (niettemin afkomstig uit de magistratuur van de Grote Raad) kan doordringen tot de krijgsadel, 'ongepast' omdat het met zijn belangrijkste vooroordeel botst.

Er zijn nog duidelijker situaties waarbij de dochter door het fortuin van haar vader in volle snelheid, als een forel of een zalm, vrijwel tegen de 'stroom van de minachting' kan opzwemmen. Het sprekendste voorbeeld in de *Memoires* is volgens ons de beschrijving van het huwelijk van een prinselijke Bouillon, de graaf d'Evreux, met de dochter van Antoine Crozat, bijgenaamd 'de Rijke':

'De trots van dit huis [Bouillon] zwichtte onmiddellijk daarna voor het verlangen naar rijkdom. De graaf d'Evreux, derde zoon van M. de Bouillon, had door de goedgunstigheid van de koning, hem bezorgd door de graaf de Toulouse, en door de beurs van zijn vrienden, het ambt van kolonel-generaal van de cavalerie over kunnen nemen van zijn oom, de graaf d'Auvergne; maar hij had geen geld om hen terug te betalen, noch om van te leven; en noch M. de Bouillon, noch de kardinaal [de Bouillon] konden of wilden hem geld geven. Dus besloot hij de sprong te wagen en een mesalliance aan te gaan en bij de gratie van de koning de dochter van Crozat tot prinses te maken; deze Crozat, die van eenvoudige klerk was opgeklommen tot kleine financier en uiteindelijk tot betaalmeester van de geestelijkheid, had zich in marine- en bankzaken gewaagd en ging met reden door voor een van de rijkste mannen van Parijs. Mme de Bouillon, die ons het nieuws kwam mededelen, verzocht ons onmiddellijk *al die talrijke en bespottelijke familieleden* op te gaan zoeken *om deze in te lijven bij de vermeende nazaten van de oude hertogen de Guyenne.* Zij gaf ons de lijst met namen en wij bezochten allen, die dol van vreugde waren. Alleen de moeder van Mme Crozat verloor haar verstand niet: zij ontving het bezoek bijzonder respectvol maar kalm, antwoordde dat het *een veel te grote eer voor hen was,* dat zij niet wist hoe te bedanken voor de moeite die men voor hen deed, en voegde daaraan toe dat zij haar respect beter kon betonen door niet op tegenbezoek te gaan, om mensen die zo van haar verschilden niet te ontrieven, aangezien zij al te zeer ontriefd waren door de eer die zij haar hadden bewezen; en zij ging bij niemand op bezoek. Zij heeft dit huwelijk nooit goedgekeurd, waarvan zij de spoedige gevolgen voorzag en voorspelde. Crozat organiseerde een schitterende bruiloft bij hem thuis en gaf de jonggehuwden kost en inwoning. Mme de Bouillon noemde deze schoondochter haar *baartje goud.*'[36]

Met deze passage, waarvan wij de markantste uitspraken hebben gecursiveerd, is alles gezegd: de mesalliance (van Crozat wordt ten onrechte beweerd dat hij koetsier was geweest),[37] die echter beduidend verzacht wordt door het fortuin van de financier; de belachelijke poging van de familie Crozat zich te verbinden met een illustere familie de Guyenne om de kloof te dichten (zeer geforceerd en met weinig vooruitzichten) tussen hen en de Bouillons; het afgrijzen dat een dergelijke sprong voorwaarts oproept bij de grootmoeder van de bruid (Saint-Simon, die het met haar eens is, hoewel zij 'aan de andere kant van de kloof' staat, heeft duidelijk waardering voor het traditionele gezonde verstand van deze redelijke en bedachtzame vrouw); en ten slotte het kalme cynisme van de Bouillons dat de betreurenswaardige gevolgen van dit huwelijk uit gewin voorziet (Evreux veracht zijn vrouw, die weer bij haar vader gaat wonen; er wordt zelfs een poging gedaan het huwelijk, dat de hertog de Bouillon, de vader van de bruidegom, had proberen tegen te houden, ongeldig te laten verklaren).

c. Het belangrijkste gevolg van A en B is dat het in de Franse hofkringen in de zeventiende eeuw hoofdzakelijk de vrouwen zijn die zorgen voor sociale mobiliteit, terwijl de mannen de van hun vader geërfde rang in stand houden.

De holistische opvatting van iemand als Saint-Simon en talloze van zijn gelijken berust op een vooroordeel en een kunstgreep: het vooroordeel dat adellijk bloed een blijvende superieure kwaliteit heeft, en de kunstgreep in de stijl van de Salische wet dat er alleen aandacht is voor de mannelijke lijn om vast te stellen of er al dan niet sprake is van deze kostbare kwaliteit. Hoewel de kroniekschrijver feller tekeergaat tegen opvallende mesalliances, vergeet hij paradoxaal genoeg de gevolgen van dergelijke huwelijken, door de kinderen hieruit als volwaardige leden van de groep van de vader te beschouwen, zonder hen te diskwalificeren vanwege hun moederskant.[38]

Madame Palatine is genuanceerder dan Saint-Simon en uit haar brieven blijkt een meer Duits getint adellijk vooroordeel.[39] Madame, die zo mogelijk nog pietluttiger is dan de hertog met betrekking tot ieders afkomst, schenkt aandacht aan beide takken van de stamboom, zowel de mannelijke als de vrouwelijke. Waar Saint-Simon tekeergaat tegen een ongepast huwelijk en daarna weer snel vergeet (in elk geval voor de tweede generatie), veroordeelt de onvermoeibare briefschrijfster het onherroepelijk.

D. Nog een gevolg is dat de opwaartse mobiliteit van jonge vrouwen aan het hof zorgt voor een groot gedrang van vrouwen in de hoogste kringen.[40]

Een groot aantal jonge vrouwen dat in de hoogste kringen is geboren kan geen passende echtgenoot vinden door de vaak succesvolle concurrentie van outsiders uit lagere rangen. Anderzijds willen de adellijke families niet dat hun dochters een paar treden op de maatschappelijke ladder dalen om te trouwen met een lager geplaatste man.

Dit feit, zo nu en dan gecombineerd met een grotere sterfte bij de mannen door de oorlogen van de Zonnekoning, veroordeelt de niet huwbare vrouwen uit de hogere kringen (prinsdom, hertogdom en zelfs de krijgsadel) tot een celibaat dat vaak wordt gesublimeerd in een al dan niet oprechte religieuze roeping. Als voorbeeld noemen wij dat van de 369 dochters van hertogen en pairs in de zeventiende eeuw er 105 non zijn,[41] wat ons eerdere overzicht bevestigt: de 40 abdissen en nonnen die wij in ons demografische overzicht noemden, komen uit de hoogste aristocratie; soms hebben zij zelfs nauwe hoewel niet echt voorbeeldige banden (bastaarden of voormalige verhoudingen zoals La Vallière) met de koninklijke familie. Zo herinneren wij er ook aan dat de groep van 35 'oude vrijsters' die wij apart onderscheidden in hoofdzaak bestaat uit jonge vrouwen uit de hoge aristocratie (supra).

Al met al is de vrouwelijke hypergamie niet in strijd met de endogamie als geheel; zij is er niet de tegenstelling noch een getolereerd bijproduct van. De hypergamie waarborgt de vernieuwing van de verschillende rangen van de hofaristocratie en regenereert de voornaamste families.[42] Hoewel Saint-Simon de eenvoudiger of relatief minder voorname afkomst van de echtgenotes sterk benadrukt, vormen de hypergamie en de endogamie samen een volledig overzicht van de onderzochte aristocratische huwelijken, dat als volgt geschematiseerd kan worden:

Geval	Man	Vrouw	Soort
Geval A	Rang x	Rang x	Endogamie
Geval B	Rang x	Lagere rang dan x + bruidsschat of fortuin	Vrouwelijke hypergamie

De bewakers van de adellijke gewoonten geven de voorkeur aan geval A, maar beschouwen geval B niettemin als een normaal verschijnsel, hoewel de pietluttigsten er enige moeite mee hebben wanneer de echtgenote de 'rode lijn' overschrijdt die de magistratuur (of de niet-adellijken) scheidt van de krijgsadel. Zo komen we tot een samengestelde groep van huwelijken die endogamie en hypergamie omvat, een totaal van 740 + 378 = 1118 huwelijken (dat wil zeggen 81,8 procent van het totaal aantal huwelijken bij Saint-Simon).

De kroniekschrijver maakt wel degelijk onderscheid tussen de beide huwelijkstypen, maar net als zijn soortgenoten bevestigt zijn houding dat beide typen nauw met elkaar verbonden zijn, wat op een toelaatbare manier zowel het voortbestaan als de vernieuwing van de hogere groepen waarborgt.

Bij de 133 gevallen van vrouwelijke hypogamie gaat het merendeels om huwelijken binnen de krijgsadel. Het blijkt dat bepaalde hertogelijke of prinselijke families erin toestemmen hun 'overtollige' dochters te laten trouwen met edelen van goeden huize, terwijl ze dit niet beschouwen als een echte mesalliance. De echtgenoot moet evenwel beschikken over buitengewone kwaliteiten, hij moet kortom deel uitmaken van een illustere familie die is toegelaten tot het hof en die zich daardoor (in de rangorde) nauwelijks onderscheidt van de hertogelijke of prinselijke familie waarvan hij een vrouw trouwt.

58 procent van de hypogame huwelijken (77 op een totaal van 133) betreft dochters van hertogen die trouwen met lagere edelen; minder vaak gaat het om dochters van prinsen die trouwen met hertogen. Voor het geoefende oog van Saint-Simon betekent dit een sociale 'afdaling', maar blijkbaar weerhoudt deze strikte opvatting de Rohans, de Luynes en de Noailles er niet van tijdens de regering van Lodewijk XIV een aantal van hun dochters te laten trouwen met mannen die de titels dragen van deze bij uitstek roemrijke families.

We zien daarentegen dat deze families nóóit de hand van hun dochter geven aan een magistraat, laat staan aan iemand die niet van adel is. Terwijl de vrouwen niet altijd zijn voorbestemd om op te klimmen of op gelijk niveau te blijven, schijnt een 'onzichtbare hand' de dochters van de hoogste aristocratie ervan te weerhouden de rode lijn te passeren die de krijgsadel scheidt van de ambtsadel.

Deze waarnemingen bevestigen de opmerkingen die wij maakten voor de endogamie en de hypergamie. De vrouwen zijn 'machtsregulatoren', ruilobjecten die alleen maar kunnen (of zouden moeten) stijgen: zij zorgen dat de aristocratische families zich vernieuwen door (via een huwelijk) tegen de 'stroom van de minachting' op te zwemmen.

In het ergste geval is het huwelijk van een jonge vrouw in haar eigen ogen enigszins middelmatig wanneer zij niet trouwt met een man die dezelfde titel heeft en even geacht en aanzienlijk is als haar oudste broer of haar vader. Maar deze minieme achteruitgang betekent, een uitzondering daargelaten, geen achteruitgang voor de hele familie.

Het komt voor dat vrouwelijke hypogamie door het weduwschap wordt bevorderd. Voor een weduwe kan een 'tweede huwelijk' betekenen dat zij een hoge rang opgeeft (meestal die van haar vader én die van haar eerste man) voor een (iets) bescheidener rang. Alsof de ruilwaarde van vrouwen afneemt met het verminderen van hun aantrekkingskracht door het ouder worden of in samenhang met hun voorgaande verbintenissen.

Een dergelijk geval zien we een aantal keren in de *Memoires*. Zo sluit de befaamde en ietwat 'afgesleten' hertogin de Chevreuse, echtgenote van de hertog de Luynes en dochter van een hertog de Rohan-Montbazon, een tweede (hypogaam) huwelijk met de 'eenvoudige' markies de Laigue. Zo kenmerkt de hypogamie van een weduwe ook het tweede huwelijk van de dochter van de prins de Beauvau (eerder gehuwd met de prins de Lixin) met de hertog de Mirepoix, wat slechts een minuscule verlaging inhoudt, maar niettemin een verlaging ten aanzien van de onwrikbare categorieën in de orthodoxe denkbeelden die Saint-Simon over het huwelijk heeft.

Daarbij kunnen we nog opmerken dat de behoefte om tot elke prijs te trouwen, een jonge vrouw er ook toe doet besluiten een hypogaam huwelijk aan te gaan, liever dan helemaal niet te trouwen. Dit schijnt de motivatie geweest te zijn van 'Mlle d'Estrées, een oude vrijster, de zuster van de laatste hertog d'Estrées, die haar huwelijk bekendmaakte met d'Ampus, een vrij onbekende edelman uit de provincie, genaamd Lurens'.[43] Hierdoor aangemoedigd trouwde een zuster van Mlle d'Estrées op haar beurt met een broer van de graaf d'Ampus, waardoor beide echtparen gebrouilleerd raakten met de hele familie d'Estrées.

Soms is hypogamie, net als in de beste (of slechtste) melodrama's, slechts de losprijs voor de een of andere handicap die de toekomstige echtgenote aankleeft. Bij gebrek aan beter besluit een hooggeplaatste familie een in ongenade gevallen dochter te laten trouwen met een man van minder aanzien, die voordeel heeft bij dit huwelijk omdat hij zo een verbintenis aangaat met een machtige familie. Saint-Simon geeft hier een duidelijk voorbeeld van:

'Pezé was afkomstig uit de streek Maine, van heel gewone adel, verre verwant van maarschalk de Tessé door familiebanden en meer nog door liefdesavonturen; hij had een moeder die de maarschalk indertijd beminnelijk vond. Pezé was een jongere zoon; Tessé ontfermde zich over hem en maakte hem al vroeg tot page van de hertogin de Bourgogne, bij wie hij eerste stalknecht was. Courtarvel, de oudste broer van Pezé had bezit, maar alleen voor zichzelf, en leefde op het platteland. Hun grootvader was getrouwd met de oudste dochter van Artus de Saint-Gelais, heer van Lansac, en een dochter van maarschalk de Souvré wier familie zich gelukkig prees dat ze zich zo op een fatsoenlijke manier van een lelijke dochter konden ontdoen, en de man die haar [de oudste dochter van Artus] nam, was er trots op dit huwelijk tegen welke prijs dan ook aan te gaan.'[44]

Vrouwelijke hypogamie komt ook voor bij de magistratuur. Het komt voor dat dochters van de aanzienlijkste families van parlementsleden trouwen met mannen van wie de carrière, in elk geval ten tijde van het huwelijk, nog niet de hoogte heeft bereikt van die van hun toekomstige schoonvader. Voor onze analyse is het belangrijk om nogmaals duidelijk te maken dat wanneer er sprake is van vrouwelijke hypogamie, deze plaatsvindt binnen de respectievelijke groepen van krijgsadel en ambtsadel, en eventueel van niet-adellijken.

Hieruit kunnen we concluderen dat hypogamie vaak een gevolg is van de zeer strikte en op de *Weltanschauung* van Saint-Simon gebaseerde manier van tellen. Zoals gezegd hanteren de betrokken families niet allemaal het 'algehele vooroordeel' van de kroniekschrijver, integendeel. Niettemin kunnen wij door het onderzoek van de hypogame huwelijken nog stelliger dan eerst het bestaan van de permanente kloof tussen krijgsadel en ambtsadel aantonen.[45] Door de hypergame huwelijken konden we een model presenteren van vrouwelijke sociale opklimming, die des te sterker als zodanig werd gevoeld wanneer een jonge vrouw hierdoor terechtkwam aan de andere kant van de kloof die de twee belangrijkste bevolkingsgroepen bij Saint-Simon gescheiden houdt.

De vrouwelijke hypogamie toont aan dat beide hoofdgroepen in verbintenissen binnen hun groep geen grote verschillen zien (in tegenstelling tot iemand als Saint-Simon die overgevoelig is voor het geringste sociale verschil), maar geen huwelijk accepteren dat hun dochter uitlevert aan een lagere groep. In de ideologie van de groepen aan het hof bestaat er dus een duidelijke grenslijn die de krijgsadel gescheiden houdt van de ambtsadel, en die zorgt voor een asymmetrie tussen mannen en vrouwen. Mannen mogen trouwen met vertegenwoordigsters van lagere rangen, zelfs onder de 'grens van de mesalliance', dat wil zeggen de scheidslijn tussen krijgsadel en ambtsadel. Vrouwen mogen soms trouwen met mannen die een lagere titel hebben dan hun broers, maar alleen op voorwaarde dat de echtgenoot afkomstig is uit dezelfde hoofdgroep.

Saint-Simon is slechts de vertegenwoordiger van deze ideologie die hij mede nuanceert, perfectioneert en soms vertroebelt wanneer hij deze toepast op kleinere gehelen, op de rangen en standen en zelfs op personen, terwijl de meesten van zijn tijdgenoten deze alleen toepassen op de grote tegenstelling tussen magistratuur en krijgsadel. Net als in andere opzichten is Saint-Simon ook hierin iemand met een conservatieve kijk op de hiërarchie, een fundamentalist van de 'waterval van de minachting'.

Ten slotte kunnen we de 115 'speciale' gevallen die wij onder aan het overzicht van de endogamie, de vrouwelijke hypergamie en hypogamie opnamen onderverdelen in twee subgroepen van verschillend belang. De eerste groep betreft slechts 25 huwelijken, die simpelweg niet binnen onze systematische criteria vallen. Het gaat meestal over al dan niet geheime huwelijken binnen de koninklijke familie in de ruimste zin. Zo rangschikken wij onder die 25 gevallen het waarschijnlijke huwelijk van Monseigneur (de Grand Dauphin) met Mlle Choin, zijn maîtresse, 'een log propje, donker, lelijk, platneuzig, zeer bijdehand, vooral op het gebied van intriges en listig gekonkel'.[46]

In deze kleine groep hebben we ook het huwelijk van enkele bastaarden ondergebracht van mannen van koninklijken bloede en een niet-adellijke vrouw: bijvoorbeeld een bastaarddochter van de toekomstige regent, en ook de dochter van Lodewijk xiv en een hovenierster. Deze tegelijkertijd 'ondergeschikte' en verheven bastaarden wisten over het algemeen een plaats te verwerven te midden van de krijgsadel.

Afgezien van nog een aantal speciale gevallen (met name de huwelijken van Franse edelen met buitenlandse soortgenoten uit Engeland, Duitsland, Polen enzovoort) hebben we in deze 'speciale' categorie de huwelijken ondergebracht van de bastaardkinderen van Lodewijk xiv met de hertogin de La Vallière en de markiezin de Montespan. Het heeft geen zin om de nadruk te leggen op het, al spoedig weer verbleekte, schandaal dat het huwelijk van de koninklijke bastaarden met prinsen of prinsessen van het huis Bourbon (Condé en Conti) opriep, of zelfs met een kleinzoon van Frankrijk zoals de hertog de Chartres (de toekomstige regent). Een korte passage uit de *Memoires* handelt over de manoeuvres voor het huwelijk van Filips van Orleans en is een resumé van Saint-Simons eindeloze gefulmineer hiertegen:

'De koning, die zijn bastaarden een verzekerde positie wilde bezorgen en die hij met de dag belangrijker maakte, had twee van zijn dochters laten trouwen met prinsen van den bloede. Mme de prinses de Conti, de enige dochter van de koning en Mme de La Vallière, was een kinderloze weduwe; de andere, de oudste dochter van de koning en Mme de Montespan, was getrouwd met Monsieur de Hertog. Mme de Maintenon was er nog heviger dan de koning op gebrand hen steeds verder in rang te verhogen en beiden wilden dat Mlle de Blois, de tweede dochter van de koning en Mme de Montespan, zou trouwen met M. de hertog de Chartres. Hij was de enige volle neef van de koning en ver verheven boven de prinsen van den bloede door zijn rang van kleinzoon van Frankrijk en door het hof dat Monsieur hield. Het huwelijk van de twee prinsen van den bloede waarover ik daareven sprak had iedereen gechoqueerd. De koning wist dit terdege en besefte welk effect een zo veel opzienbarender huwelijk zou hebben. Al vier jaar speelde hij met de gedachte en had hij er de eerste maatregelen voor getroffen. Dit was des te lastiger omdat Monsieur bijzonder gehecht was aan zijn aanzien, en Madame uit een land kwam dat bastaardij en mesalliances verafschuwt, en het soort karakter had dat hem nimmer het genoegen van dit huwelijk zou gunnen.

Om al deze obstakels te overwinnen wendde de koning zich tot Monsieur le Grand, die al jaar en dag zijn vertrouweling was, om diens broer, de ridder de Lorraine, voor zich te winnen, die al jaar en dag Monsieur leidde.'[47]

Het probleem om de koninklijke bastaarden een goede positie te bezorgen zou op zich al een volledige studie vereisen. We kunnen hier in alle bescheidenheid concluderen dat, voor wat betreft de 25 huwelijken van deze eerste subgroep, zij door hun uitzonderlijkheid buiten onze typologie vallen.

De tweede subgroep uit onze bijzondere categorie heeft een heel ander belang, in elk geval in onze optiek. Deze omvat 90 huwelijken tussen een minister (of een zoon of dochter van een minister), dus iemand die gelieerd is aan de hoogste magistratuur van de Raad, en iemand behorend tot de krijgsadel.

Bij deze huwelijken is er in 66 gevallen sprake van een dochter van een minister die opklimt tot de adel van 'geboorte' ofwel de krijgsadel en soms tot het hertogdom: in strikte zin gaat het hier om gevallen van vrouwelijke hypergamie. De resterende 24 huwelijken zijn omgekeerd die tussen ministers (of zonen van ministers) met dochters of vrouwen uit genoemde krijgsadel: deze kunnen we dus tot die van de vrouwelijke hypogamie rekenen.

Hier doet zich echter een probleem voor: de betreffende ministersfamilies maken in principe deel uit van de ambtsadel; Saint-Simon beklaagt zich in de *Memoires* regelmatig over de geringe afkomst van deze families die volgens hem uit de 'lage bourgeoisie' komen.

Maar zoals gezegd hebben de aanzienlijke en met name hertogelijke families geen moeite met vrouwelijke hypergamie, ook vanuit de magistratuur, ten gunste van hun mannelijke leden, maar staan zij niet toe dat hun dochters 'afdalend' de sociale barrière overschrijden die krijgsadel van ambtsadel scheidt. Deze families stemmen slechts in hypogamie toe wanneer de dochters daarmee niet de eigen adellijke groep verlaten. Waarom zijn er dan 24 ministers of zonen van ministers die profiteren van een uitzonderlijke tolerantie op dit punt?

Dat komt omdat de ministers en hun nakomelingen eenvoudigweg objectief niet meer worden gezien als magistraten. De functies in de Raad brengen de ministersfamilies dicht bij de hertogelijke families. Met uitzondering van enkele fossielen die het onderscheid tussen ambtsadel en krijgsadel trouw blijven (onder wie Saint-Simon en Mme Palatine), staan de hertogen niet afwijzend tegenover een huwelijk van henzelf of van hun zoons met de dochter van een minister, of van hun dochters met een minister of de zoon van een minister.

De ministersfamilies vormen dus een eigen aristocratische groep: zij vormen ongetwijfeld de elite van de magistratuur, maar zij zijn ook een schakel tussen de hoge magistratuur en de krijgsadel en soms zelfs de hertogen. De ministers en hun mannelijke nakomelingen, zelf ook voorbestemd minister te worden, kunnen blijkbaar probleemloos huwen met vrouwen van hogere afkomst, een soms zo hoge afkomst dat deze a priori onbereikbaar is voor gewone magistraten. Het meest extreme voorbeeld hiervan is het huwelijk van Barbezieux, de zoon van Louvois, met de dochter van de hertog d'Uzès, die ooit 'beloofd' was aan Saint-Simon zelf. De dochters van ministers hebben moeiteloos toegang tot de aanzienlijkste hertogelijke kringen. Door de regelmaat waarmee de dochters van de hoge staatsdienaren een hypergame of (in dit geval) pseudo-hypergame verbintenis aangaan (aangezien bepaalde ministersfamilies hun dochters *uitsluitend* met hertogen laten trouwen: de drie dochters van de beroemde Colbert trouwen respectievelijk met de hertogen de Chevreuse, de Beauvillier en de Mortemart), kunnen we aanvoeren dat deze dochters niet profiteren van hypergamie in de klassieke betekenis van het woord, maar van wat wij, bij gebrek aan een betere term, 'vrouwelijke schijnhypergamie' zullen noemen. Op vergelijkbare wijze is er voor de dochters van krijgsedelen die trouwen met ministers of hun zonen ook niet echt sprake van een 'sociale daling'. De hier besproken gevallen van vrouwelijke hypogamie zijn, om in onze terminologie te blijven, gevallen van 'vrouwelijke schijnhypogamie'.

Om de bijzondere situatie van de ministersfamilies te verduidelijken voeren we hier een aantal nieuwe begrippen in: de huwelijken van dochters van ministers met edelen (vaak hertogen) kunnen we definiëren als *vrouwelijke ministershuwelijken* (ofwel vrouwelijke schijnhypergamie); de huwelijken van de ministers zelf of van hun zonen met vrouwen uit de krijgsadel zijn dan *mannelijke ministershuwelijken* (ofwel vrouwelijke schijnhypogamie).

Wanneer we op sociaal vlak een minister gelijkstellen aan een hertog, vereenvoudigt dit een aantal overzichten. Met deze bijzondere huwelijken wordt ons systeem van de aristocratische huwelijken vervolledigd en iets ingewikkelder gemaakt; zij verstoren de traditionele hiërarchie omdat de uit de magistratuur afkomstige ministersfamilies hiermee opgewekt de kloof van de mesalliance overbruggen, niet alleen door het wegschenken van hun dochters, maar ook van hun mannelijke leden. Deze families, die in werkelijkheid slechts een pseudo-magistratuur vormen en in feite aristocratisch zijn, zorgen tot grote ergernis van de kroniekschrijver voor de 'vermenging van de elites' door het klassieke model van de 'instandhouding van de hofkringen' te doorbreken, een model dat we in de loop van dit hoofdstuk gestalte hebben zien krijgen door middel van de 'toegevoegde' koppeling tussen de overheersende endogamie en de vrouwelijke hypergamie, die weliswaar minder maar toch ruimschoots voorkwam en door velen werd getolereerd. Deze families zijn, in hun eigen voordeel, de wegbereiders van een wereld die verschilt van de oude en soms utopische maatschappij van rangen en standen, een wereld die in zekere zin – met name na 1750 – de post-barokke, of post-rococo, of neo-klassieke samenleving ten tijde van de oudere Lodewijk xv en van Lodewijk xiv kenmerkt.

6

DE WERELDVERZAKER, DE KLUIZENAAR
EN DE JEZUÏET

'De wereldlijke geest prijst de groten der wereld om hun schatten; de goddelijke geest meet de
verdienste van de kinderen Gods af aan de verachting die zij voor rijkdom hebben.'

Pater Pasquier Quesnel, *Réflexions morales sur le Nouveau Testament*, Amsterdam, 1736, deel 5, p.59.

Hoe kan men ontsnappen aan het dwingende systeem van rangen en standen?
Louis Dumont draagt hiervoor de persoon van de wereldverzaker en de groep van
de *sekte* aan. Het individualisme wordt ongetwijfeld door de eerste en wellicht ook
door de tweede hersteld of bevestigd, in contrast met en als aanvulling op de druk-
kende holistische samenleving: deze verheerlijkt in het tijdelijke, in de meest 'wereldse' zin van het woord, de waarden van de alomvattende hiërarchie, die bovendien sterk 'gelaagd' is door de scheiding tussen de rangen en standen.

Wat dit betreft is Madame weinig verhelderend, ondanks haar terugverlangen
naar een bepaalde Natuur, en haar Duitse of nostalgische herinnering aan 'kersen
die we om vijf uur 's ochtends in de bergen aten', en ten slotte haar voortdurende
verwijzingen naar de abdij van Maubuisson. Madame vraagt zich onophoudelijk af
of ze zich moet terugtrekken in dit klooster (waar een van haar verwanten abdis is),
waardoor ze aan de ongemakken van het hof zou kunnen ontsnappen. Andere
keren vraagt Mme Palatine zich het omgekeerde af: moet ze zich niet neerleggen
bij de problemen, de verwikkelingen en de voetangels van Versailles en Marly? Het
probleem wordt opgelost bij de dood van Monsieur; Madame, die eindelijk weduwe
is en niet lang daarna de correspondentie tussen haar echtgenoot en diens vriendinnen zal verbranden, laat overal met stentorstem horen: 'Geen sprake van een klooster, ik wil geen woord over een klooster horen!'

De analyse van Saint-Simon is in dat opzicht serieuzer. Al in het eerste deel van
de *Memoires* (1692) ruimt hij een aparte plaats in voor de kluizenaars van Marlagne,
ten zuiden van Namen. Zij leiden een teruggetrokken leven in een vrijwel volkomen individuele eenzaamheid; hun wereld is omgeven door muren en zij drinken
zuiver water. Ze voeden zich met wat hun tuintjes opleveren en wijden zich aan
lichamelijk werk, de stilte en het gebed:

'Marlagne is een klooster gelegen op een fraaie kleine heuvel in een bos, geheel
omgeven door hoog opgaande bomen en met een park, gesticht door de aartsherto-
gen Albert en Isabella, als onderkomen voor ongeschoeide karmelieten, zoals deze
monniken er in elk van hun provincies een hebben en waar leden van hun orde
zich van tijd tot tijd voor een paar jaar terugtrekken. Zij leven er in voortdurende

stilte, in armoedige cellen, bijna net als die van de kartuizers, maar zij gebruiken gezamenlijk de maaltijden die zeer sober zijn en vasten vrijwel doorlopend, wonen nauwgezet de diensten bij en verdelen hun tijd verder tussen handwerk en contemplatie. Zij hebben elk vier kamertjes, een tuintje en een kleine kapel en een grote hoeveelheid van het mooiste en beste bronwater dat ik ooit gedronken heb, in huis, eromheen en in hun park, en de meeste bronnen zijn permanent. Dit park is zeer hoog- en laaggelegen, met veel hoge bomen en omgeven door muren. Het is enorm uitgestrekt. Daarbinnen liggen ver van elkaar acht of tien huisjes, op dezelfde manier ingedeeld als die van het klooster, met een iets grotere tuin en een keukentje. In elk daarvan woont een maand lang, en zelden langer, een monnik van het klooster, die zich hier terugtrekt met toestemming van de overste, die hem als enige nu en dan bezoekt; het leven is hier nog soberder dan in het klooster en wordt geleid in volstrekte afzondering. Zij gaan 's zondags allen naar de mis, nemen hun levensmiddelen van het klooster mee, bereiden door de week zelf hun eten, komen niet buiten hun kleine woning, lezen er hun mis, waarvoor zij de klok luiden en waaraan hun buurman, die de klok hoort, gehoor geeft en weer vertrekt zonder een woord met elkaar te wisselen. Zij verdelen hun tijd tussen gebed, contemplatie, het werk voor hun kleine huishouding en het maken van manden, net als vroeger de orthodoxe monniken.'

In deze zelfde passage uit het begin van de *Memoires*, die betrekking heeft op de veldtocht van 1692, beschrijft Saint-Simon in contrast met de kluizenaars de 'bedrieglijkheid' van de jezuïeten, die politiek prefereren boven onthechting:

'Na de inname van Namen gebeurde daar iets wat opzien baarde en dat onaangename gevolgen had kunnen hebben bij een andere vorst dan de koning [Saint-Simon beschouwde Lodewijk xiv als een voorstander van de jezuïeten]. Voor hij de stad binnenging, waar zijn aanwezigheid tijdens het beleg niet passend geweest zou zijn, werd alles nauwkeurig onderzocht [...], de mijnen, de kruitmagazijnen, kortom alles werd getoond. Toen men bij een laatste inspectie na de inname van het kasteel ook bij de jezuïeten op onderzoek wilde, deden zij open maar lieten zij merken dat zij verbaasd waren dat men hen niet op hun woord geloofde. Toen men overal zocht waar zij dat niet verwachtten, ontdekte men dat hun kelders vol kruit lagen, waarover zij niets hadden gezegd: wat zij ermee van plan waren is ongewis gebleven. Men nam het kruit mee en omdat het om jezuïeten ging, had het verder geen gevolgen.'

Het contrast is opvallend, en het komt telkens weer terug in de *Memoires*. Enerzijds zijn er degenen die zich afwenden van de wereld en van de maatschappij van rangen en standen. Jansenistische of in elk geval met het jansenisme sympathiserende personen en groepen bij wie Saint-Simon af en toe in retraite gaat of gaat mediteren; hij zoekt bij hen welgemeende adviezen; hij bezoekt bepaalde kluizenaars die hij zeer bewondert. Het gaat dan om het klooster La Trappe en Rancé, de abt van dit klooster, ofwel om de sterk met het jansenisme sympathiserende graaf du Charmel, die zich van het hof heeft teruggetrokken en regelmatig langere tijd in La Trappe verblijft;[1] en verder om een aantal daar verblijvende bisschoppen en andere geestelijken: ze verruilen de hofkringen voor een religieuze omgeving, behouden hun onschuld, zorgen voor de armen, ze vasten, leven als vegetariërs en roepen om de haverklap: 'Ah! Mijn groenten, mijn dierbare groenten!' Daarentegen koestert Saint-Simon een diepe argwaan tegen pseudo-mystici en vrome mensen die zich niet echt hebben losgemaakt van het wereldlijke en wier doel eerder politiek dan religieus is: daarbij gaat het soms om jansenisten, voor wie zijn sympathie lang niet altijd honderd procent is; om quiëtisten en andere vromen à la Fénelon die, als we de *Memoires* mogen geloven, machtsbelust was; en ten slotte de jezuïeten die tot aan hun nek in de wereldlijke en de wereldpolitiek zitten.

Van de zuiverste wereldverzakers in de lijst van Saint-Simon noemen we in de eerste plaats Jean-François Le Haguais, afkomstig uit Caen, advocaat bij het parlement, vriend van kanselier Pontchartrain en vroeger een berucht jager en ook rokkenjager. Maar in zijn laatste jaren (1708-1723) leeft Le Haguais teruggetrokken in Parijs, berouwvol en zwijgend omdat hij in zijn jonge jaren de bijtendste kwinkslagen debiteerde. Het zwijgen is voortaan het voorrecht van de heiligen, ook al zijn ze van recente datum, onder wie ook Le Haguais.

Hetzelfde kan gezegd worden van de hertog de Rouannez, nakomeling van een roemrijke familie, wiskundige en vriend van Pascal, die onder leiding van deze leermeester van het jansenisme een rijk huwelijk afwees en vervolgens het habijt aantrok zonder formeel in te treden; hij hield dit vol tot zijn dood in 1696. De dood overviel hem in een huis van vrome mannen en minderbroeders waarin hij zich had teruggetrokken en in devotie leefde.

Hierin verschilde Rouannez nauwelijks van François de Chandenier, afkomstig uit de bekende familie van de Rochechouarts, ex-kapitein van de garde, betrokken bij een moordzaak in de tijd van de Fronde, zelf opstandeling en zodanig bij de koning in ongenade gevallen dat hij op water en brood werd opgesloten in het fort van Loches; toen hij eindelijk vrijkwam trok hij zich al spoedig terug in de abdij Sainte-Geneviève (het huidige Panthéon) en van tijd tot tijd nam hij tot aan zijn dood vrijwillig de wijk naar een afgelegen gehucht bij de jansenist Nicole.

We noemen hier ook nog, ook al valt hij ietwat buiten ons bestek, Rakoczi, vorst van Transsylvanië, de vroegere aanvoerder van de Hongaarse opstandelingen: hij sloot een bondgenootschap met Lodewijk xiv tegen het hof in Wenen. Nadat hij militair verslagen was door Oostenrijk, wist hij na veel avonturen Frankrijk te bereiken waar hij sindsdien teruggetrokken leefde bij de camaldulenzer monniken[2] van Grosbois in een onderkomen dat geënt was op het model van de oudste Europese retraiteplaatsen. Rakoczi had in dit toevluchtsoord slechts enkele bedienden, zag vrijwel niemand, leefde op water en brood, streefde ijverig de goede werken na en woonde alle religieuze diensten bij, inclusief 's nachts. Zelfs toen hij later zo dwaas was zich terug te trekken in het Turkse rijk, was hij tevreden met zijn lot en leefde hij volledig overgeleverd aan de Voorzienigheid.

Charmel, een edelman uit de Champagne van geringe intelligentie maar grote spiritualiteit, laat een diep spoor na in de *Memoires* van Saint-Simon: Charmel was een verwoed gokker en in het begin zeer gezien aan het hof, en daarna wijdde hij zich volledig aan zijn oorspronkelijke geloof, het katholicisme, en wel na het lezen van een protestants boek, het werk van predikant Jacques Abbadie, *De la vérité de la religion chrétienne*, een geschrift dat zeer bewonderd werd door bepaalde katholieke elites in de tijd van Lodewijk xiv; zij getuigden hiermee van een vrij ongewone onbekrompenheid die neigde naar het jansenisme! Charmel, die opging in zelfkastijding, onderwierp zich hiertoe aan de kwelling van het dragen van het haren boetekleed, van gordels met ijzeren punten en allerlei instrumenten van voortdurende penitentie, om niet te zeggen marteling of, zoals het nu zou heten, van 'lichamelijke dwang'. Op Goede Vrijdag bleef hij in het trappistenklooster 'zonder steun en zonder van houding te veranderen', van vier tot tien uur 's ochtends op zijn knieën zitten.[3] Daarbij was hij altijd goedgehumeurd en had hij banden met het jansenisme. Hierdoor viel hij in 1706 in ongenade, nadat hij het hof al lang verlaten had. Hij stierf in 1714 aan een galsteenoperatie, boetvaardiger dan ooit – men vraagt zich af waarom, na een zo gelouterd leven van meer dan een kwart eeuw! Maar wie kon er prat op gaan dat zijn ziel gered was?

Tijdens zijn leven had Charmel een 'medeverzaker' in de naaste omgeving van La Trappe: het was de chevalier de Saint-Louis, een oude en nogal dwaze dienstklopper, maar die de genade Gods had ontvangen in 1684 tijdens een wapenstilstand, wat hij aangreep als voorwendsel om het leger te verlaten en zich naar de vijvers en de bosjes van het trappistenklooster te begeven; daar leefde hij als lekenbroeder eenendertig jaar lang als een asceet en 'uitverkorene'. Hij werd er later beroemd door het antwoord dat hij kreeg van kardinaal de Bouillon, een werelds prelaat, tegen wie hij een stichtelijke rede over de dood hield: 'Niet de dood, Monsieur de Saint-Louis, niet de dood, spreekt u mij daar niet van, ik wil helemaal niet sterven.'[4]

Een andere 'eretrappist' was Joseph de Forbin, neef van een kardinaal, broer van een aartsbisschop, een kanunnik en een soldaat-monnik; hij was zelf lange tijd musketier en frontsoldaat en aanvoerder van het leger te velde; hij raakte ernstig gewond bij Ramillies (de zo traumatische veldslag onder Lodewijk xiv); daarna leefde hij als weduwnaar teruggetrokken in een hoek van het park van zijn Provençaalse kasteel in een klooster van minderbroeders terwijl hij zelf leek bleef, in grote en bittere eenzaamheid;[5] hij wijdde zich geheel aan het gebed en de goede werken en stierf eveneens als een heilige; hij had overigens nog een andere broer die een verwoed duelleerder was, zich bekeerde en daarna trappist werd.

De spil van dit geheel is natuurlijk abbé de Rancé, overste van de monniken van la Trappe. Armand-Jean Bouthillier de Rancé was, net als zijn speciale vriend, de tot het jansenisme geneigde bisschop Barrillon, afkomstig uit een bekende familie van raadsmagistraten, en hij was voor Saint-Simon het voorbeeld bij uitstek van iemand die de stilte, de opgewekte soberheid en de liefde voor het eigen lijden cultiveert; net als zijn vader voordien houdt de kleine hertog innig veel van deze abt, zozeer dat hij veel later zelfs verliefd wordt op diens jongere broer, dan tijdelijk in Parijs, de chevalier Henri de Rancé, eskadercommandant van de galeien en havencommandant van Marseille, en het evenbeeld van Armand-Jean. Deze eskadercommandant was al 85 toen de kroniekschrijver hem voor het eerst ontmoette en het liefde op het eerste gezicht was. Abt Armand-Jean was, achttien jaar voordat zijn jongere broer Henri naar Parijs ging, boetvaardig en in smartelijke angst gestorven, ondanks een onberispelijk kloosterleven: hij was tot een diep mystiek inzicht en een zuivere onthechting gekomen; hij verwierp zelfs het beroemde erudiete werk van de eveneens benedictijnse congregatie van Saint-Maur als wereldse geschriften.[6] Maar tegelijkertijd – en dat trekt de kleine hertog ook zo in hem aan – blijft Rancé, hoewel hij vroeger met de Fronde sympathiseerde en goed bevriend was met kardinaal de Retz, een man van de gulden middenweg: hij heeft niets van een extremist; als trouwe vriend van Bossuet houdt hij zich zorgvuldig zeer verre van de drie fatale hoeken van de Bermuda-driehoek die wordt gevormd door het ultramontanisme van de jezuïeten, de oplichterij van de vromen van het quiëtisme à la Fénelon en – politiek gezien het ergste van alles, hoewel het kan rekenen op de heimelijke sympathie van onze kroniekschrijver – het jansenisme. Volgens Saint-Simon leeft Rancé in de eerste plaats als iemand in de stille week en het is dan ook tijdens de voorbereidingen voor de paastijd dat de kleine hertog hem in de abdij van La Trappe een bezoek brengt.

Hij is niet de enige die een dergelijk godvruchtig uitstapje onderneemt: Mme de Guise, de dochter van Gaston d'Orleans (uit een tweede huwelijk), alias Elisabeth d'Orleans, hertogin d'Alençon, gebocheld en misvormd, was getrouwd met de voorlaatste hertog de Guise, genaamd Louis-Joseph (de laatste hertog de Guise was het vroeg gestorven kind van dit echtpaar). Louis-Joseph was een van die Lotharingse prinsen die Saint-Simon verfoeide, vanwege de onaangename herinneringen aan de volgens hem veel te jezuïtische Liga. Maar de echtgenote van genoemde Louis-Joseph trof (omdat zij slechts aangetrouwd was) geen blaam voor de vroegere uitspattingen van de Guises. Integendeel: de hertogin de Guise werd als beschermvrouwe van het trappistenklooster, jonge weduwe en uiterst liefdadige vrouw volledig in beslag genomen door bidden, vasten en het verrichten van goede werken; zij ging regelmatig in retraite in La Trappe, waar Rancé haar onderbracht in een huis vlak naast de buitenmuur van de abdij.

Elisabeth hield overigens streng vast aan haar zeer hoge rang van kleindochter van Frankrijk, als afstammelinge in de tweede generatie van koning Hendrik v. Er was geen sprake van dat haar echtgenoot, hoewel die als Guise hooggeboren was, tijdens haar leven een fauteuil had in het bijzijn van Madame zijn vrouw; wanneer hij bij Elisabeth was beschikte hij slechts over een vouwstoel 'en elke dag gaf hij haar voor het eten haar servet aan, en zodra zij in haar fauteuil zat en haar servet had uitgevouwen, waarbij M. de Guise bleef staan, beval zij dat men een couvert voor hem bracht, dat altijd op het buffet klaarstond; dit couvert werd aan het uiteinde van de tafel gedekt; vervolgens zei zij tegen M. de Guise daar plaats te nemen, wat hij deed. Zo ging alles met dezelfde nauwkeurigheid, en dit herhaalde zich dagelijks, zonder dat de waardigheid van de vrouw ook maar iets afnam, en zonder dat die van M. de Guise, door dit goede huwelijk, ook maar enigszins werd vergroot...' En dat is dan pech gehad voor deze nazaat van aanhangers van de Liga, die werden veracht door de kroniekschrijver! In Alençon 'ringeloorde Mme de Guise de intendant als een kleine gezel en voor de bisschop van Séez, haar diocesaan, gold vrijwel hetzelfde, ze liet hem urenlang staan, terwijl zij in haar fauteuil zat, en liet hem nooit zitten, zelfs niet achter haar in een hoekje.'[7]

Als retraitante, gulle peettante van de trappisten en verzaakster van de wereldse pracht en praal, die zich deze wereldse geneugten vrijwillig ontzegde, wist Elisabeth uit betrouwbare bron dat zij stof was en tot stof zou wederkeren. Toch functioneerde ook zij als een *domina hierarchica*, die de privileges van een opperste hiërarchie tot het uiterste doorvoerde; maar zij vulde dit aspect van haar bestaan aan met een juiste hoeveelheid onthechting als stimulans voor de verzaking van het aardse, een tegenwicht dat de verticaal georganiseerde hofstructuur zijn dosis spirituele gelijkheid verschafte, zonder welke dit systeem een groot deel van zijn hemelse rechtvaardiging zou verliezen, en dat zonder dit niet lang en niet juist zou kunnen functioneren. Mme de Guise bracht haar dood dan ook in overeenstemming met de strenge en dientengevolge opzienbarende kant van haar leven; niet langer in het duister maar in het licht.[8] Elisabeth liet zich zonder ceremonieel begraven, niet in Saint-Denis overeenkomstig haar doorluchtige afkomst, maar bij de karmelietessen van de wijk Saint-Jacques als een eenvoudige non. Ze had tijdens haar dubbelleven het hof weten te combineren met de geest van de karmelieten en de hiërarchie met een gedeeltelijk kluizenaarschap.

Een zelfde neiging tot synthese zien we bij maarschalk Catinat die in dit opzicht niet veel verschilt van voornoemde hertogin. Catinat was de Vauban van de armen: hij was een even streng patriot, maar kreeg niet de roem die zijn collega uit de Morvan verwierf met de, eerst nog officieuze, publicatie van een langdurige *bestseller* als *Projet d'une dîme royale*.[9] Catinat hecht geen waarde aan de dood op het slagveld en aan het eind van zijn leven veracht hij ook de wereld zelf. Hij verenigt de geest van de christelijke verzaking en het Romeinse stoïcisme in zich. Zijn katholieke vroomheid is notoir, maar wanneer hij zich ten slotte terugtrekt op het kleine kasteel Saint-Gatien bij Saint-Denis, is dit niet alleen het vertrek van een eenzame vrome man naar de woestijn. Want de oude Catinat in de vlakte van Saint-Denis is ook Cincinnatus in Rome, die de verlokkingen van de macht achterliet om zijn akkers te bewerken. Rousseau zag in de deugdzame maarschalk het prototype van de burger tijdens de Verlichting, à la Plutarchus. Hij was een teruggetrokken iemand die in retraite ging, een kluizenaar die hiërarchisch dacht en die, volgens Saint-Simon, een uitgesproken voorkeur voor de christelijke eenzaamheid, waarin hij heimelijk genoegen schiep, combineerde met een fundamenteel wantrouwen ten opzichte van het door de war raken van de sociale orde – van de afschuwelijke vermenging van de standen die volgens hem met zorg gescheiden dienden te blijven. Opnieuw de hiërarchie, hoe ascetisch ook!

De verzakers die wij hier genoemd hebben zijn, met uitzondering van Rancé, leken; onder de geestelijkheid zien we nog meer voorbeelden. Zoals abbé de Charost, zoon van een hertog, broer van een hertog en priester die zich terugtrok in het huis van zijn vader waar hij zou sterven; volgens Saint-Simon was hij zeer godvruchtig en het episcopaat waardig, ondanks de mening van andere auteurs die graag de spot dreven met de weinig priesterlijke leefwijze van Charost. Minder aanvechtbaar is het geval van abbé de Coetelez, die zich terugtrok bij de kartuizers en daarna in eenzaamheid en devotie in Bretagne leefde. Hetzelfde geldt voor pater Chevigny, ex-militair, afkomstig uit een Parijse burgerfamilie en geadeld met behulp van het 'burgermanszeepje'; Chevigny, rechtlijnig en oprecht, van een bescheiden deugdzaamheid, bevriend met de La Rochefoucaulds, die banden hadden met het jansenisme en voor wie hij heel belangrijk was; Chevigny, die in de ogen van het koningshuis al 'besmeurd' was door zijn eigen jansenistische neigingen, kwam bijna nooit uit zijn retraite en stierf in 1698 na een leven gewijd aan studie en armenzorg.

In deze reeks sobere personages noemen we nog twee andere abbés: abbé d'Estrades, die van ambivalente afkomst is omdat zijn familie van vaderskant tegen de Liga was, wat in de ogen van Saint-Simon een (groot) pluspunt is, maar van moederskant van 'bedroevende' joods-Spaanse origine. Niettemin staat abbé d'Estrades in een goed blaadje bij de kroniekschrijver omdat hij al zijn geld spendeerde aan een aantal missies voor Frankrijk, waarna hij bereid was om op voorbeeldige wijze en in eenzaamheid in Chaillot of Passy te gaan wonen als huurder van een goedkoop huis.

Van abbé Jean Vittement schetst hij een nauwkeuriger portret. Deze is afkomstig uit een eenvoudige Picardische familie en heeft op eigen kracht een klassieke sociale carrière gemaakt als professor aan verschillende universiteiten. Hij wordt vervolgens rector van de universiteit van Parijs; daarna wordt hij tweede gouverneur van de kleinzonen van Lodewijk XIV en na de dood van de vorst tweede gouverneur van kind-koning Lodewijk XV. Hij maakt zich als zodanig verdienstelijk, maar instinctmatig beseft hij al snel dat de absolute macht op een dag naar prelaat Fleury zal gaan, de gouverneur van het koningskind. Wanneer hij door de wantrouwige Fleury wordt geprest om het hof te verlaten, geeft hij hieraan graag gehoor en weigert hij een erebaantje als troost, ook al was het een nietige zetel bij de Académie française. Hij trekt zich, na een plechtige belofte, zonder tegenstribbelen terug in eenzaamheid en armoede bij de ignorantijnen, gespecialiseerd in het godsdienstonderwijs. Vittement, die de bewondering van het hof afdwingt, waarvan hij de macht door zijn retraite tegelijkertijd betwist en bevestigt, volgt zijn collega Nicolas Le Fèvre na, die ook tweede gouverneur van prinsen was en opnieuw kluizenaar werd nadat zijn pedagogische taak was volbracht. Het lot van Vittement is veelbetekenend voor Saint-Simon omdat de kleine hertog, net als deze abbé, op zijn beurt in 1723 door toedoen van Fleury van het hof verdreven wordt, gedwongen om zich in 'eenzaamheid' terug te trekken, maar wel comfortabel in een Parijs' herenhuis en in het seizoen op zijn kasteel op het platteland.

Van deze geestelijken als Vittement en Le Fèvre en leken als Forbin gaan we nu (nog steeds met betrekking tot een uiteindelijke onthechting) naar de hoogste regeringskringen. Hier zien we dezelfde handelwijze bij twee ministers met de hoogste ambten, de een controleur-generaal van Financiën (Le Peletier) en de ander kanselier (Pontchartrain); twee ministers die in retraite gaan en zich zelfs van de wereld afwenden. Claude Le Peletier, die zich in 1697 terugtrok na zijn laatste regeringsambt, is devoot, heeft een angstig gemoed en wil tussen het leven en de dood een vrome fase inlassen: precies wat een retraite die culmineert in onthechting inhoudt. Le Peletier wijdt zich in zijn laatste jaren aan tuinieren en devotie en schrijft hierover twee boeken, de *Codex rusticus* en de *Codex theologicus*. Zijn zonen en kleinzonen, die parlementsvoorzitters zijn, zullen later dit uitzonderlijke voorbeeld van hun vader volgen, door hun hoge functie als magistraat vrijwillig neer te leggen. Maar dat geldt niet voor een andere zoon van de oude Claude, Charles-Maurice Le Peletier, 'een platvloerse, verwaande lomperd', die directeur is van een seminarie; hij zal er zijn leven lang prat op gaan dat hij de zoon is van een vroegere minister van Staat.

Wellicht kunnen we Pontchartrain senior, bevriend met deze minister van Staat en diens opvolger op Financiën, beschouwen als een volledig geslaagde Le Peletier, die het nog verder gebracht heeft dan zijn voorbeeld, zowel in zijn carrière als in zijn retraite. Le Peletier had uit bescheidenheid afgezien van het belangrijke ambt van kanselier en stelde zich tevreden met bescheidener functies die hem evenwel veel macht gaven (Financiën en daarna de Posterijen), voor hij uiteindelijk in retraite ging. Pontchartrain klom op tot het kanselierschap, zodat zijn bewust gekozen 'val' daarna des te spectaculairder was. Hij had meerdere redenen om enkele jaren later het kanselierschap op te geven en zich vanaf het begin van de regering van Lodewijk xv in een bescheiden kluizenaarsonderkomen terug te trekken, en deze hadden niet alle betrekking op het christendom: zijn leeftijd (hij was over de zeventig), hij was weduwnaar (Mme de Pontchartrain was kort daarvoor overleden) en zijn vrees dat hij, vanuit een vanzelfsprekend respect voor het gezag van de koning, de maatregelen zou moeten bekrachtigen ten gunste van de koninklijke bastaarden, maatregelen die Pontchartrain hartgrondig afkeurde.

Maar de religie nam bij dit besluit wel een centrale plaats in: ook hij moest een vrome fase inlassen tussen leven en dood, zich beschutten tegen een ontaarde wereld en zich in alle rust wijden aan oefeningen in devotie, maar zonder de bizarre schijnheiligheid die onverdraaglijk was voor iemand als Pontchartrain die, zij het van een afstand, een volgeling was van Jansenius; hij hield zich verre van het fascinerende terrein waar de jezuïeten à la Tellier heersten; verre ook van de bij Mme de Maintenon geliefde sulpicianen, en hij wendde zich tot de met het jansenisme sympathiserende orde van het Oratoire, waar de kanselier nog terwijl hij aan de macht was nu en dan in een voor hem gereserveerde kamer sliep; voortaan woonde hij in het vroegere vrijgezellenappartement van Monsieur du Charmel, die zoals we zagen zelf met allure de wereld had verzaakt en die lange tijd bij de Pontchartrains woonde; door zijn unieke ontslag hoefde de ex-kanselier ook niet mee te werken aan de uitvoering van de bul *Unigenitus*, die zich fel tegen het jansenisme keerde; en ten slotte gaf hij op een goede dag het hof een fraai voorbeeld van deugdzaamheid en nederigheid door de jonge Lodewijk xv in het jaar 1716 slechts op de stoep voor zijn huis te ontvangen, in plaats van zich de onmetelijke eer te laten welgevallen hem te ontvangen in zijn kluizenaarsstulp, zoals maarschalk de Villeroy, die toen gouverneur van de kind-koning was, had gewild. Het aftreden van Pontchartrain was ongehoord omdat men een kanselier sinds mensenheugenis alleen zijn ambt had zien verlaten door diens eigen dood. Men moest teruggaan tot de zestiende, zo niet de vijftiende eeuw om een Grootzegelbewaarder te zien aftreden. De van spiritualiteit doortrokken retraite van Pontchartrain was in de ogen van zijn tijdgenoten dus bijna een wonder.

Pontchartrain, die zijn aftreden langdurig had overwogen, was op zijn manier echter typerend voor bepaalde hofkringen, wat in de eerste maanden van 1697 duidelijk bleek uit de samenstelling van de Kleine Raad,[10] het minuscule maar zeer machtige gezagscollege van Lodewijk XIV: het bestond in die tijd al met al uit Claude Le Peletier,[11] die in de loop van dat jaar zijn ambt zou neerleggen; uit Pontchartrain die hetzelfde zou doen in 1714, en ten slotte uit Beauvillier, voor wie een paar jaar later hetzelfde gold. Alleen Pomponne, de vierde en laatste, treft een ander lot omdat zijn wens om zich terug te trekken tot aan zijn dood slechts een goed voornemen blijft. Maar het is een feit dat zijn vader Robert Arnauld d'Andilly, die zich vroom had teruggetrokken in Port-Royal-des-Champs in het oog van de door het jansenisme veroorzaakte wervelstorm, voor zichzelf en zijn nageslacht meer dan zijn steentje had bijgedragen aan de verzaking van het aardse.

In de Kleine Raad blijft als 'vierde man' nog over de reeds genoemde Beauvillier, die in dit opzicht volledig – afgezien van het feit dat hij met de jezuïeten symphatiseert – de lijn volgt van Le Peletier en Pontchartrain. Ook de hertog en minister Paul de Beauvillier neemt, weliswaar later, het besluit in retraite te gaan na de dood van zijn boezemvriend en zwager, hertog Charles de Chevreuse. Vanaf 1711 blijkt hertog Paul 'een duidelijke voorkeur voor de retraite te hebben'.[12] Deze is weliswaar niet langdurig. In 1714 'lag hij bijna twee maanden ziek in Vaucresson waar hij zich *kort daarvoor* [onze cursivering] had teruggetrokken en afgesloten van de wereld, zelfs voor zijn beste vrienden, om nog slechts aan zijn zielenheil te denken en er elk moment van zijn eenzaam bestaan aan te wijden...' Hij stierf er de laatste vrijdag van augustus (de wekelijkse gedenkdag van het lijden van Christus) 'de dood der rechtvaardigen, tot op het laatst bij zijn volle verstand'. Hij was 65. Na de dood van haar man verbrak zijn vrouw elke omgang met het aardse, zowel bij haar thuis als in het klooster van de benedictinessen van Montargis waar een aantal van haar dochters non was: een vrome en volledige retraite die de hertogin tot haar dood volhield. 'Geen tafelgeneugten, noch het geringste vertier van welke soort dan ook.'[13] En daarbij opnieuw geen spoor van jansenisme, vanwege... een sympathie voor de jezuïeten à la Beauvillier. Hetzelfde geldt voor de hertogin de Mortemart, nog een voorbeeld van een groep met quiëtistische neigingen; dat wil zeggen van de groep waartoe Fénelon, Mme Guyon en Beauvillier behoorden. Mme de Mortemart, die toen zij nog jong en uitdagend was, dol was op het hof en de wereldse kringen, verliet deze onverwachts en 'stortte zich in een devotie en een eenzaamheid die sterker waren dan zijzelf, maar waarin zij volhardde'.[14]

Bij Paul de Beauvillier zien we dat hij besluit de wereld vaarwel te zeggen voordat de ziekte waaraan hij zal bezwijken zich lichamelijk uit. En aangezien Beauvillier, die dicht bij de jezuïeten staat, anderzijds zeker niet verdacht kan worden van jansenisme, hangt een religieuze retraite over het algemeen blijkbaar niet samen met een bepaalde ideologie binnen de kerk, een (jansenistische) ideologie die hiervoor juist vaak een obstakel vormde. De retraite is iets van de christelijke elite, of die nu pro-jezuïet of pro-jansenist is, zodra zij, bij het vallen van de avond, haar geloof wil verdiepen en haar zielenheil wil veiligstellen. Het goede voorbeeld komt 'vanboven', uit de hoogste ministeriële kringen, onder leiding en in de persoon van het driemanschap Le Peletier-Pontchartrain-Beauvillier. In feite waren de hugenoten, of wat er nog van over was, in die tijd slecht af met dit 'trio' van vrome katholieken aan het hoofd van de Franse staat.[15]

Voor deze wereldverzakers van zwaar kaliber moest de stichtelijke retraite een definitief karakter hebben. We kennen echter een aantal mannelijke en vrouwelijke verzakers met 'tussenpozen': bijvoorbeeld markiezin de Caylus, gravin Françoise de Saint-Géran en markies Armand de Lassay; en ook Troisville (spreek uit Tréville), kleinzoon van een Baskische burger uit Oloron en zoon van een beroemde musketier die wordt bezongen door Dumas. De zeer ontwikkelde en (in tegenstelling tot zijn vader) weinig krijgslustige Troisville onderscheidde zich in de hoogste kringen, en ook bij de bloem van de elegante vrouwen van lichte zeden rondom Ninon de Lenclos. Vol gewetenswroeging verborg hij zich ergens in devote eenzaamheid... waar hij zich stierlijk verveelde en waaruit hij ten slotte weer terugkeerde naar het mondaine leven waar hij niet buiten kon. Enzovoort. Na een aantal keren heen en weer gaan trok Troisville zich dan toch volledig terug dankzij het jansenisme, een ideologie die – net als veel later de 'salonsocialisten' van de tweede helft van de twintigste eeuw – 'de ontwikkelde, met verstand en goede smaak begiftigde mensen'[16] kenmerkte. Lodewijk xiv koesterde wrok tegen Troisville omdat hij hem nooit meer zag: de ontevreden vorst liet hem boosaardig schipbreuk lijden bij de Académie française.

De Zonnekoning was voor anderen vergevingsgezinder dan voor deze allochtoon, deze afstammeling van het Baskenvolk; zo betoonde de vorst zich toegeeflijk tegenover volbloed Fransen als Gesvres junior en Fieubet; die twee zorgden er tussen hun vrome godsdienstoefeningen in elk geval voor dat zij een of twee keer per jaar hun afgelegen woonstede verlieten om Lodewijk op te zoeken. Overigens raakte Fieubet zo gedeprimeerd door zijn afzondering dat hij uiteindelijk doodging van verveling en aan geelzucht. Hetzelfde kan gezegd worden van Lassay, die later zou trouwen met een bastaarddochter van Monsieur le Prince.[17] Hij was verliefd geworden op de mooie, bescheiden, bezonnen en geestige dochter van een apotheker. Hij trouwde met haar. Zij stierf. 'Hij dacht dat hij gek zou worden, meende dat hij godvruchtig was, ging in aangename retraite bij de Parijse Incurables in de rue de Sèvres en leidde daar een aantal jaren een zeer stichtelijk leven. Uiteindelijk verveelde hij zich en wilde hij terug naar de wereld, waar hij al spoedig middenin stond, hij viel in de smaak bij Monsieur de Hertog omdat hij aan diens lusten tegemoetkwam...'

Van de vrouwen die de wereld verzaakten hebben we er nog maar enkele genoemd, met name in kloosters als La Trappe en elders, zoals de hertoginnen de Guise en de Beauvillier, die leken bleven – retraitanten maar geen nonnen. Over het algemeen kunnen we stellen dat er bij de vrouwen net als bij de mannen een dubbele code van verzaking bestaat, een lekencode en een abdijcode, die we terugzien bij een twaalftal vrouwen bij Saint-Simon. Zelfs dertien of veertien wanneer we Mme de Guise en Mme de Beauvillier meerekenen. Dat is weinig in verhouding tot de paar honderd vrouwen die in de *Memoires* voorkomen; maar het is veel, in elk geval genoeg, waar het gaat om een 'ideaalbeeld' dat een belangrijke rol speelde in de opvattingen van de auteur en van zijn mannelijke en vrouwelijke tijdgenoten, zowel aan het hof als in de stad.

Het eenvoudigste is te beginnen met de twee ex-maîtresses van Lodewijk XIV, die elk in een van beide voornoemde richtingen gingen. Louise de La Vallière werd non – karmelietes van de rue Saint-Jacques in Parijs – en deed boete voor haar 'zonde' door een 'penitentie waarin ze de rest van haar leven volhardde', veel strenger dan de regels die haar orde voorschreef, en waarbij ze zich zelfs zoveel mogelijk onthield van drinken, zelfs tot ze er doodziek van werd.[18] Daarentegen bleef Mme de Montespan zodra zij in ongenade viel, of beter gezegd ondanks dit feit, stevig met beide benen in de wereld staan, of in een soort achtergrondwereld. Maar zij was door God aangeraakt: ze wordt van nabij gevolgd en begeleid door een jansenistische oratoriaan, pater La Tour; ze geeft bijna al haar bezit aan de armen; aan tafel beknibbelt ze op het voedsel waar ze voorheen zo van genoot; ze bidt vrijwel alle uren van de dag;[19] als boetedoening verricht ze duizend-en-een vervelende karweitjes.

Laten we dus beginnen, zoals in het voornoemde geval van La Vallière, met de echte nonnen en van de lijst van de kleine hertog noemen we in de eerste plaats Louise Hollandine van Beieren; zij is de dochter van een keurvorst van de Palts die enige tijd koning van Bohemen was; zij is de tante van drie Engelse koningen en de nicht van een vierde, oudtante van een keizerin van Oostenrijk, kortom op en top een prinses, maar vanaf haar jeugd opgevoed in Port-Royal, wat haar latere levensloop verklaart. Ze wordt non in de abdij van Maubuisson en spoedig abdis van dit klooster, wat wel het minste is gezien de buitengewoon hoge rang van Louise Hollandine; maar voor het overige zal deze hooggeplaatste dame meer dan een halve eeuw een zeer sober kloosterleven leiden.

Haar leven als non uit de elite verschilt niet veel van dat van Marie-Madeleine Gabrielle de Rochechouart, abdis van Fontevrault en zuster van Mme de Montespan. Marie-Madeleine werd door haar vader in het klooster geplaatst, 'heel jong opgesloten' en min of meer onder dwang, terwijl ze niets wilde weten van de nonnensluier. In de praktijk bleek ze echter een zeer goede non, anderzijds gepousseerd door haar zuster, de maîtresse van de koning; en zo werd ze de (zeer bekwame) overste van de abdij van Fontevrault, een heel bijzondere kloosterorde waar de mannen ondergeschikt waren aan de vrouwen, kortom de monniken aan de nonnen, wat onze feministes plezier moet doen. Marie-Madeleine was theologe, een vruchtbaar briefschrijfster en zij sprak meerdere talen. Ze leidde volledig volgens de regels een ascetisch kloosterleven, 'zuiverde haar hart van al het vuil dat erin kon sluipen' en liet zich regelmatig geselen door een andere non en vice versa. Ze bezocht zo nu en dan het hof, zonder dat haar dit bijzonder interesseerde, maar omdat ze de koning ter wille moest zijn, die bijna evenveel van haar hield als van de 'snoeperige maîtresse' (sic) die Mme de Montespan voor hem was. De abdis van Fontevrault, ofwel voornoemde Marie-Madeleine, regeerde over haar wereld en haar orde met ijzeren hand, waaraan de klassieke fluwelen handschoen niet ontbrak.

Degene over wie ik het nu wil hebben was nog 'beter', en kwam dichter bij het nederige voorbeeld van La Vallière; ze wilde zelfs de functie van abdis niet op zich nemen, hoe overdreven gestreng ook, maar interesseerde zich wel voor machtsuitoefening: het gaat hier om Anne-Louise-Christine, hertogin d'Epernon, bastaardkleindochter van Hendrik IV, wier hand was beloofd aan de Poolse koning Casimir, maar die de voorkeur gaf aan de doornenkroon boven die van Polen. Anne-Louise wordt op haar vierentwintigste karmelietes in de rue Saint-Jacques, in een klooster waar zij volgens eensluidende bronnen[20] meer dan vijftig jaar zou doorbrengen in een geur van heiligheid, nederigheid en vergeestelijking, zonder ooit overste te willen worden. Ook markiezin de Fadouas werd een eenvoudige non, nadat ze in 1697 hevig geschokt was door de plotselinge dood van haar echtgenoot, naar het schijnt na een aantal duistere voorvallen met heksen. Hierdoor trad Mme de Fadouas in 1701 voor de rest van haar leven in in het klooster van de benedictinessen van Montargis.

Van de nonnen gaan we nu naar de 'halfnonnen', of in elk geval naar een van hen, Mme de Miramion, een zeer rijke vrouw uit de hoge Parijse burgerij, die met geweld was ontvoerd door Bussy-Rabutin en onmiddellijk de kuisheidsgelofte aflegde om deze ontvoering, zo niet verkrachting teniet te doen;[21] vervolgens richtte zij op haar kosten een leefgemeenschap van vrouwen op die 'miramionnes' werden genoemd, met wie zij haar leven deelde en zich samen met hen onder meer wijdde aan de alfabetisering van arme meisjes.

Bij de niet-nonnen was ook nog de zeer verdienstelijke en onbaatzuchtige Anne de Châteautiers, een preutse dame, lange tijd zo goed als kamenier van Madame 'en met recht haar favoriete'; zij weigerde een uitstekend huwelijk met een prins. Na de dood van haar bazin trok zij zich terug en leefde twintig jaar lang in een huis in Parijs dat zij huurde of leende, en waar ze vrijwel nooit iemand zag; ze verliet het huis alleen om heel vaak naar de kerk te gaan. En dan is er nog markiezin Anne de Grignan, klein-schoondochter van Mme de Sévigné en dochter van een belastingpachter: de grote bruidsschat van Anne kwam als geroepen om de landerijen te bemesten (die dit hard nodig hadden) van de kleinzoon van de vermaarde briefschrijfster. Anne kreeg geen kinderen. Ze werd vroeg weduwe en was een treurige en eenzame heilige: 'Zij sloot zich op in haar huis, waar zij de rest van haar leven doorbracht zonder ooit iemand te ontvangen en ze verliet het alleen om naar de kerk te gaan.'[22] Kortom een tweede Châteautiers, maar dan zonder bekoring. We noemen hier ook Mme de Dangeau,[23] geboren als Beierse prinses, vroeger een *star* in Versailles, maar door de ouderdom van haar man had zij zich afgewend van de wereld, leefde zij zeer vroom en teruggetrokken en kwam zij vrijwel nooit haar huis uit. En dan is er nog Louise de Cavoye, geboren Coëtlogon: zij aanbad haar echtgenoot, die haar niet waard was, en die zij in het bijzijn van het hof overstelpte met liefkozingen, die hij ernstig en geïrriteerd in ontvangst nam. Nadat zij weduwe was geworden van deze geliefde man 'verliet zij nooit het huis' waar zij hem had verloren, alleen om tweemaal daags naar de Saint-Sulpice te gaan, zij hield zich slechts bezig met goede werken en brandde met een aanhoudende heftigheid in enkele jaren op, 'zich immer staande houdend door de religie'.[24]

Vanuit een andere denktrant noemen we hier ook markiezin Anne-Charlotte de Créquy, nicht en vriendinnetje van de aartsbisschop van Reims Le Tellier 'die haar tot zijn dood meer dan alleen als oom liefhad', die vervolgens de maîtresse was van abbé d'Estrées en ten slotte, na het overlijden in 1718 van deze tweede minnaar uit de geestelijkheid en nadat Anne-Charlotte voor de derde maal weduwe was geworden – haar wettige echtgenoot was gestorven in 1702 – 'bekeerde zij zich plotseling voorgoed' en leefde zij zeer eenvoudig, nederig en vredig als 'een bijzondere vreugde te midden van de meest weerzinwekkende strengheid, als de gulste voor de armen, voortdurend in gebed, constant in de gevangenissen en de ziekenhuizen tussen de afschuwelijkste natuurlijke functies', hierin volhardend tot haar dood, wat vele jaren van boetedoening voor haar betekende.[25]

De dochter van maarschalk de Boufflers, prinses de Pettorano, die syfilis had gekregen van haar man, die zijn vrouw evenmin waard was, had zich vroom teruggetrokken bij de Spaanse ongeschoeide karmelietessen, genaamd *Descalzas Reales*. Maarschalkse de Villeroy, op haar beurt, geschokt door de militaire nederlaag van haar man bij Ramillies, 'trok zich dientengevolge volledig van alles terug', verschanste zich in een fauteuil waarin zij haar dagen doorbracht 'met gebed en vrome lectuur' en sprak nog slechts over moraal en boetedoening. Onder leiding van haar biechtvader Polinier, die een lompe en hardvochtige heilige was, leidde maarschalkse de Villeroy voortaan een leven dat zo tegen haar natuur indruiste dat ze er na enkele jaren 'de dood der rechtvaardigen aan stierf'.[26]

Een andere maarschalkse, Mme d'Humières: kort na de dood van haar man de hertog-maarschalk trok zij zich terug vlak buiten het karmelietenklooster in de rue Saint-Jacques, waarbij ze de wapenschilden op haar karos behield samen met de merktekenen van haar waardigheid als hertogin en maarschalkse, maar haar devotie ging wel zo ver dat ze afzag van de fluwelen of scharlaken hoes waarmee de hertoginnen normaal de imperiaal van hun karos en hun draagstoel bedekten.[27] Een prestatie van deze nederige aanzienlijke dame die onze bewondering verdient.

Waar het de Britse, en dus 'paapse' en jakobijnse, naar Frankrijk uitgeweken personen betreft, gaat de hoogste onderscheiding voor verzaking van het wereldse naar Marie-Beatrice d'Este, (ex-)koningin van Engeland, weduwe van Jakobus II sinds 1701 en gestorven in Saint-Germain-en-Laye in 1718 na een lange reeks tegenslagen (waaronder een 'Glorious Revolution' waarvan zij in 1688 het slachtoffer werd), tegenslagen die zij als een goed christen tot het einde toe droeg; en dit alles met een natuurlijke superioriteit waarvoor zij zich echter voortdurend verootmoedigde, opgesierd met offerandes aan God, 'boetedoening, gebeden, goede werken, alle deugden van de heiligen', en haar enorme geldgaven 'aan de arme, naar Saint-Germain uitgeweken Engelsen...' Ten slotte krijgt de hertogin van Portsmouth, van oorsprong Française, een eervolle vermelding als – weliswaar enigszins afgedwongen – verzaakster. Zij was de vroegere maîtresse van Karel 11 van Engeland, stokoud (in 1718) 'en grondig bekeerd en boetvaardig, zeer slecht bij kas en gedwongen om op haar landgoed te wonen'.

Al met al dus een keuze van een tiental niet-nonnen en een zestal nonnen. Overigens zijn de echte nonnen die alleen met een paar woorden in de *Memoires* worden genoemd veel talrijker; onze auteur weidde slechts over een klein aantal van deze nonnen uit: degenen wier beweegredenen oprecht en algemeen bekend waren en die hij het waard achtte van enige kanttekeningen te voorzien. In de hele groep van vijftien gesluierde en ongesluierde vrouwen zien we slechts een minderheid afkomstig uit de ambtsadel of de magistratuur zonder meer (twee of drie); daarbij hebben we geen rekening gehouden met de voordelige verbintenissen (met de magistratuur) van de krijgsadellijke families van de overgrote meerderheid van deze verzakende dames. Bij de mannen die de wereld verzaken lijkt daarentegen de magistratuur van meer gewicht, vergeleken met de oude 'aangeboren' militaire krijgsadel. Anders gezegd, de vrouwelijke devotie heeft vaak geen duidelijke sociale grenzen, terwijl die van de mannen vaker samengaat met bepaalde vormen van opleiding en (jansenistische en gallicaanse) cultuur die typerend zijn voor de magistratuur.

Nogmaals, we laten hier de vele gevallen buiten beschouwing van nonnen die door hun familie onder dwang of aanhoudende druk in een klooster zijn 'opgeborgen', bij gebrek aan een bruidsschat groot genoeg om hen uit te huwelijken, enzovoort. Afgezien van de vele gevallen van vrouwen die min of meer gedwongen non werden, zien we bij de oprechte en vrijwillige verzaaksters, al dan niet als non, dat zij vaak tot hun besluit komen na een 'schok': de breuk met een hooggeplaatste minnaar; de dood van een geliefde; syfilis, ouderdom, intriges of de dood van een echtgenoot; het overlijden van een zeer hooggeplaatste werkgeefster; het vooruitzicht van een al te goed en daardoor angstaanjagend huwelijk; kidnapping al dan niet met verkrachting; militaire nederlaag, ofwel een ernstig falen van een hooggeplaatste echtgenoot in tijden van oorlog; een politieke revolutie waarvan men het slachtoffer werd, of simpelweg een trauma (wat overigens ook geldt voor de voorgaande gevallen) zoals een strenge, om niet te zeggen harde jansenistische opvoeding. De vrouwen die wij hier noemden, en die sommigen wellicht afdoen als kwezels of 'kerkuilen', zijn in feite onderdeel van de grote massa mensen die de wereld en het mondaine leven verzaken; een stroom van mensen die van begin tot eind door alle veertig delen van de Boislisle-uitgave van de *Memoires* te volgen is.

'Laten we de prelaten grondig uitdiepen,' zegt de kroniekschrijver, met de bedoeling bepaalde problemen die hen betreffen te bespreken. In de *Memoires* komt een tiental bisschoppen voor die de wereld in meerdere of mindere mate verzaken – een getal dat voldoet voor ons onderzoek, maar de realiteit zeker niet weergeeft; het zijn allen Fransen, uitgezonderd twee van hen, maar ook die behoren tot de romaanse volken en staan dus net als de Fransen dicht bij de roomse kerk.

De eerste van deze twee 'Latijnen' is kardinaal Marescotti. Na een carrière in de nuntiatuur en vervolgens in de prefectuur van het Vaticaan, doet hij afstand van al zijn functies, inclusief zijn kardinaalschap, en trekt hij zich terug in zijn huis in Rome; hij is dan weliswaar al hoogbejaard, maar nog bij zijn volle verstand, wat volgens de Augustinusaanhanger Saint-Simon het kenmerk van de uitverkorene is. Marescotti verdeelt zijn tijd voortaan tussen gebeden, aalmoezen geven, het opdragen van de mis en geestelijke lectuur door bepaalde priesters. Hij sterft op zijn 99ste.

Hetzelfde geldt, maar dan op het Iberisch schiereiland, voor kardinaal Portocarrero, die bij het begin van de Bourbondynastie in Spanje nog een omnipotent staatsman is, en die, wanneer hij min of meer in ongenade raakt, zich terugtrekt in zijn bisschopsstad 'om zijn gedachten alleen nog te wijden aan het heil van zijn bisdom' met een scrupuleuze vroomheid, waarna hij zeer verheffend en waardig sterft.[28] Op zijn eenvoudige grafsteen liet hij graveren: 'Hier rust as, stof, vergankelijkheid.' Weliswaar meldde een grafzuil niet ver er vandaan de bezoekers en toeristen nauwkeurig de titels en de naam van de overleden eminentie... De bisschoppen in Spanje woonden verplicht in hun bisdom[29] en waren dus geen hofprelaten, vandaar dat veel bisschoppen zich actief terugtrokken in hun diocees en zich daar gewetensvol van hun taak kweten; maar in veel gevallen verzaakten zij tegelijkertijd de wereld in een geheel vergeestelijkte levenshouding, net als Portocarrero. Wellicht is dit een van de redenen waarom het geloof van de katholieken in Spanje zo solide is, die stevig in de hand gehouden werden door de ter plekke gevestigde bisschoppen. Wellicht beter dan in Frankrijk...

Wat de Franse prelaten betreft richten we onze blik in alle bescheidenheid eerst op een bisschop in partibus: Artus de Lionne, zoon van een minister van Lodewijk XIV. Het verzaken van de wereld had Artus van geen vreemde, aangezien zijn vader zeer gallicaans was en zelfs met het jansenisme sympathiseerde; zijn moeder, weduwe geworden en verarmd, eindigde haar leven teruggetrokken en vroom alles verzakend; een aangetrouwde nicht van Artus, dochter van een Elzasser herbergier in goeden doen, boven haar stand getrouwd en daarna verlaten door een Lionne, had zich teruggetrokken bij een klooster zonder non te worden, en veranderde in een bewonderenswaardige weldoenster van de armen; de broer van Artus, die blijkbaar de wijn had afgezworen, klokte elke ochtend 22 pinten Seinewater naar binnen, nog afgezien van wat hij bij zijn avondeten dronk.[30] Ondertussen had eerder genoemde 'bisschop' Artus de Lionne, die missionaris in Azië en China was geweest en gebrouilleerd was met de jezuïeten, zich tot zijn dood devoot teruggetrokken in een kamertje van het seminarie voor de buitenlandse missie, en behield hij tot het eind zijn lange missionarisbaard. Een hele familie van verzakers dus, die laatste generaties van de Lionnes, met bisschop Artus aan het hoofd.

Een andere verzaker was François Bouthillier de Chavigny, zoon van een minister (afkomstig uit de magistratuur) van Richelieu. François Bouthillier was een verwant van Rancé en oorspronkelijk een zeer werelds man, een hofprelaat die zijn bisdom Troyes zonder meer goed bestuurde maar er weinig verblijf hield; hij hield van gokken en was geliefd bij de dames die hem 'de Trojaan' of een 'hondje van een bisschop' noemden. Nog voor zijn zestigste, toen hij zich nog bijtijds bewust werd van de losbandigheid en onwaardigheid van zijn pseudo-bisschoppelijke leven, besluit Bouthillier op een goede dag dus om 'alles op te geven' ten gunste van zijn zielenheil; hiervoor had hij van tevoren overlegd met eerwaarde La Chaise, jezuïet en biechtvader van Lodewijk XIV. Overigens was deze Bouthillier, hoewel een volle neef van abbé de Rancé, bepaald geen rigorist en al helemaal geen jansenist, aangezien hij, naast zijn beroep op de zeer jezuïtische pater La Chaise, ook van harte de ultramontaanse zendbrief *Unigenitus* onderschreef.[31] In elk geval liet hij het bestuur van zijn bisdom en de bisschoptitel van Troyes aan zijn neef, bij wie hij vanaf het einde van de zeventiende eeuw jarenlang leefde 'in zeer gewetensvolle en onverflauwde retraite', waarbij hij deze verblijfplaats regelmatig afwisselde met een nog afgelegener onderkomen in een kartuizerklooster in de Champagne. Hoe devoot en teruggetrokken ook, Bouthillier werd nooit 'vastgeroest, onnozel, ongemanierd of verwend'.[32]

Aan deze groep bisschoppen moeten we nog toevoegen François-Theodore de Nesmond, bisschop van Bayeux tijdens de hele regeringsperiode van Lodewijk XIV, van 1661 tot 1715, en eveneens afkomstig uit een familie van magistraten als zoon van Guillaume de Nesmond, eerste voorzitter van het parlement. François-Theodore had zich niet echt volledig teruggetrokken, aangezien hij zijn Normandische bisdom bleef besturen. Niettemin was Nesmond een soort verzaker door zijn sobere leefwijze, door zijn enorme vrijgevigheid voor de armen, zozeer dat hij voor hen afstand deed van het grootste deel van zijn inkomsten, door zijn volledige en soms belachelijke naïviteit in seksuele kwesties, door zijn totale morele zuiverheid als maagdelijk geestelijke, door zijn teruggetrokken leven op een paar uitzonderingen na (een paar verplichte reizen naar Parijs en Versailles om de koning te behagen), en ten slotte door zijn eenvoudige manier van leven. Wat dat betreft verschilt hij hemelsbreed van zijn collega-bisschoppen die, hoe vroom en kuis ook, leven als rijke heren.

Kardinaal Le Camus, afkomstig uit een magistratenfamilie, leidde eveneens een losbandig leven en werd daarna een aanhanger van het jansenisme; hij lijkt dus wel en niet op Bouthillier de Chavigny. De nog jonge Le Camus heeft al spoedig berouw van zijn libertijnse 'dwalingen', waardoor hij zich eerst terugtrekt 'in een volledige retraite en een zeer strenge boetedoening'; vervolgens wordt hij tegen zijn zin benoemd tot hoofd van het bisdom Grenoble; uiteindelijk verheft de paus deze bisschop tot kardinaal, ondanks Lodewijk XIV, die opnieuw zijn neus ophaalt voor alles wat naar het jansenisme riekt. Le Camus blijft in de Dauphiné wonen en leeft er in penitentie, zichzelf voor de rest van zijn leven veroordelend tot het eten van niets anders dan groenten; 'hij at in de refter samen met al zijn huispersoneel en zelfs zijn knechten,' die flink vlees aten terwijl hij zich beperkte tot het vegetarisme van de kluizenaars in de woestijn. Daarnaast voerde hij op bewonderenswaardige manier hervormingen door in zijn bisdom Grenoble, dat hij in alle richtingen door-kruiste, zelfs tot diep in de bergvallei van de Bréda; hij voerde er de geest van het concilie van Trente in met een vleug jansenisme, wat zeer verdienstelijk was in een stad die een afspiegeling was van het gedachtegoed van Nicolas Chorier, een geta-lenteerd voorloper van onze hedendaagse pornografie. Toch schrijft Saint-Simon venijnig over Le Camus, wellicht omdat hij over het algemeen niet veel ophad met kardinalen, die volgens hem te pausgezind waren, ook al waren sommigen min of meer heimelijk volgelingen van Jansenius en Port-Royal,[33] wat zonder meer gold voor Le Camus.

Ook Louis-Antoine de Noailles, bisschop van Châlons-sur-Marne en vervolgens aartsbisschop van Parijs en kardinaal, zag af van menig genoegen in dit onder-maanse, hoewel hij als bisschop zeer daadkrachtig was. Als nog jonge 'diocesaan', met 'een neuzelende keelstem' en een dom uiterlijk, leefde hij in een zekere geluk-zaligheid in zijn bisschopsstad in de Champagne in het voortdurende gezelschap van zijn oude moeder, met wie hij een zeer intense, bijna incestueuze geestelijke band had. Zowel in Châlons als later in de hoofdstad nam Louis-Antoine, die tot zijn dood maagd bleef, bij elke maaltijd genoegen met 'zijn gekookte vlees met twee kleine, simpele voorgerechten';[34] waar mogelijk hield hij zich aan deze zeer beschei-den, bijna kloosterachtige, dagelijkse kost. Zijn moeder, geboren Boyer, 'dat wil zeggen onbeduidend' in de onvriendelijke woorden van Saint-Simon, maar in wer-kelijkheid de dochter van een zeer rijke belastingontvanger, woonde al jarenlang bij haar zoon Louis-Antoine;[35] 'zij liet zich volledig door hem leiden en biechtte elke avond bij hem,' waarbij ze hem haar weinige dagelijkse zonden in hun volkomen afzondering bekende. Achter zijn schijnbare eenvoud openbaarde zich bij monsei-gneur de Noailles vrij openlijk een afkeer van de jezuïeten en een discreet jansenisti-sche houding, zo was hij bijvoorbeeld zeer pijnlijk getroffen door het schandaal van de lijkopgravingen en de door de overheid aangerichte vernielingen in Port-Royal-des-Champs,[36] een houding waardoor hij zich de haat van zijn vroegere bescherm-vrouwe Maintenon op de hals haalt en waardoor het bisdom Parijs tijdens de eerste dertig jaar van de achttiende eeuw onstabiel zal zijn. Hierin is Louis-Antoine veel meer een Boyer-magistraat dan een Noailles van de krijgsadel; in oedipale termen staat hij veel dichter bij de strikte devotie van zijn 'burgerlijke' moeder dan bij het aristocratische en religieuze conformisme van de Noailles' in het algemeen en van zijn vader Anne de Noailles in het bijzonder. Ondanks Louis-Antoines neiging tot verzaking van de wereld heeft hij, net als vele anderen, een sterk ontwikkeld gevoel voor hiërarchie: zo eist hij bij de bijeenkomsten van de regentschapsraad de voor-rang op boven de hertogen,[37] en hij is dolgelukkig met het roemrijke huwelijk van zijn nicht, een hertogsdochter, met prins Charles de Lorraine. Het klassieke traject van hertogdom naar prinsdom via vrouwelijke hypergamie, met de zegen van de zeer strenge prelaat Noailles.[38]

Kardinaal de Coislin staat op zijn beurt model voor een bisschop die op zijn post blijft, die hervormingen doorvoert en teruggetrokken leeft en de wereld verzaakt: hij scheurt zijn opperhuid en zelfs zijn lederhuid met werktuigen voor boetedoening; hij staat elke nacht op om een uur te bidden; hij verblijft permanent in zijn bisdom Orleans, afgezien van een paar onvermijdelijke reizen naar Versailles, die Lodewijk xiv van hem en van anderen eist. Coislin sticht zeer nuttige scholen in zijn bisdom. Hij overlaadt een aantal armlastige edelen met financiële giften, die deze eerlijk gezegd niet verdienen. De hugenoten van de streek bespaart hij op eigen kosten, die fors zijn, de inkwartiering van dragonders in 1685 en de daaropvolgende jaren. Bovendien verbreidt hij het jansenistische gedachtegoed in zijn bisdom, een jansenisme dat ook zijn broer, chevalier Charles-Cesar de Coislin beïnvloedt, die *in fine* wordt begraven in Port-Royal, tot woede van Lodewijk xiv; hetzelfde geldt voor zijn neef, Henri-Charles de Coislin, bisschop van Metz, leerstellig een fanatiek volgeling van Augustinus, in weerwil van het feit dat hij ervan beschuldigd werd een koorknaap te hebben laten geselen, en wellicht nog erger had gezondigd in het bijzijn van deze ongelukkige jongen. Ondanks deze neef, die overigens als een deugdzaam man zou sterven, wordt het graf van kardinaal de Coislin, die als maagd stierf, een soort bedevaartplaats, vergelijkbaar met het graf van diaken Pâris onder de volgende regering, en wel zodanig dat de jezuïeten het rouwkapelletje van prelaat Coislin in het geheim laten verplaatsen. Overigens hield hij de hiërarchie krachtig in ere, zo zelfs dat hij – gewoonlijk zo nederig en vrijgevig – openlijk in woede ontstak tegen de hertog de La Rochefoucauld (de zoon van de schrijver van de *Maximes*), die Coislin ten onrechte zijn ereplaats in de kapel, vlak achter de koning[39] en naast de opperkamerheer ontfutselde tijdens de preek in Versailles...

Aan het slot van deze opsomming noemen we nog de bisschop van Avranches, Pierre-Daniel Huet,[40] die jarenlang in retraite ging in het kloosterhuis van de jezuïeten in Parijs, waar hij zich aan de studie wijdde, niet uitging en een sober leven leidde;[41] kardinaal de Retz, die dichter bij de jansenisten stond dan Huet en die zich had teruggetrokken in Commercy na menig avontuur in de liefde en de krijg, 'om er in alle eenzaamheid boete te doen voor zijn vroegere leven';[42] en tot slot, maar nu niet binnen de geestelijkheid, het tragische echtpaar Fouquet dat op koninklijk initiatief van elkaar gescheiden werd. Hij was een voormalig intendant en werd in gevangenschap uit de aard der zaak een wereldverzaker, maar voerde dit vrijwillig veel verder door; hij stierf in 1680 in het gevangenisfort Pignerol op zijn 65ste, na zich jarenlang bekommerd te hebben om zijn zielenheil. Zijn echtgenote zou veel later, in 1716, sterven, 'in grote vroomheid, strikte retraite en na een leven van goede werken'.[43]

De uiteindelijke verzaking van religieus karakter is in sociologische termen slechts een bijzonder geval van wat we – in een veel breder verband en dan meestal nietconfessioneel – *in ruste gaan* noemen, een begrip dat vaak geen enkele geestelijke connotatie heeft; dit vertrek uit de wereld hangt natuurlijk samen met het ouder worden van de 'vertrekkende', maar ook met persoonlijke omstandigheden die te maken hebben met een *schandaal*, een *ziekte* of *armoede*.

Ten eerste het *schandaal*: we noemen hier de abdis van La Joye, een soort 'Portugese non' vanwege haar lot,[44] maar in werkelijkheid de dochter van de hertog de Saint-Aignan; zij was verleid en zwanger gemaakt door de markies de Ségur, de 'mooie musketier', die officier was bij de lichte cavalerie, eertijds gewond geraakt in de slag bij de Marsaille en daardoor eenbenig, grootvader van een minister van Lodewijk xiv en luitspeler. Na een vroegtijdige, bijna publieke bevalling moet de gepassioneerde abdis zich voor de rest van haar leven terugtrekken in een klooster dat hemelsbreed verschilt van het klooster dat zij voor die tijd leidde; zij wordt een eenvoudige non, maar troost zich in haar cel met het portret van haar minnaar Ségur in de vorm van de luit spelende heilige Cecilia.[45] Ségur maakte daarna een schitterende carrière en werd rijkelijk beloond voor de lage daad die zijn arme maîtresse in het ongeluk stortte.

Een ander schandaal dat minder opzien baarde, maar ook zorgde voor een retraite en een strikte verzaking van het wereldse, betrof Marie-Thérèse Eustachie de Barbezieux, de dochter van maarschalk en markies d'Alègre en de vrouw van Louis-François de Barbezieux, die zelf een zoon was van Louvois en secretaris van Staat onder Lodewijk xiv. Het huwelijk van Marie-Thérèse en Louis-François was een prins van den bloede waardig; de jonge echtgenote werd vrijwel onmiddellijk toegelaten tot de kring rond de hertogin de Bourgogne. Maar zij scheidde al spoedig van haar man nadat zij hem bedrogen zou hebben met de hertog d'Elbeuf, werd vervolgens weduwe en ten slotte de inzet van een duel tussen de knappe chevalier de Bouillon en de konkelende markies d'Entragues om te beslissen wie van hen met de jonge vrouw mocht trouwen; na dit betreurenswaardige incident trok Marie-Thérèse zich terug in of werd verbannen naar een klooster, waar zij al op haar negenentwintigste stierf. Een deel van het enorme fortuin van de familie Louvois-Barbezieux zou post mortem via deze vrouw terechtkomen bij de hertogin d'Harcourt en vandaar bij de latere familie d'Harcourt.

Net als Mme de Barbezieux trekt gravin Jeanne-Baptiste de Verue zich in het klooster terug, tenminste voor enige tijd. Net als Mme de Montespan had zij voor die tijd eerst geweigerd haar vorst, Victor-Amédée de Savoie, ter wille te zijn: ze had haar echtgenoot gewaarschuwd (net zoals de toekomstige maîtresse van Lodewijk xiv deed) voor de gevaren van een dergelijke buitenechtelijke onderneming. Nadat haar echtgenoot had geweigerd tussenbeide te komen werd zij de minnares van Victor-Amédée; zij werd er miljoenen rijker van, maar had op een gegeven moment genoeg van de dwangmatige manier waarop de hertog haar liet bewaken; zij vluchtte naar Parijs en trok zich terug in een klooster, meer met als doel haar persoonlijke rust dan een echt religieus leven.

Wellicht kunnen we ten slotte tot deze categorie van huwelijksschandalen die zorgden voor een niet-religieuze retraite ook het geval rekenen van Françoise-Adélaïde de Noailles, door haar huwelijk gravin d'Armagnac geworden, een devote konkelaarster, op haar dertiende getrouwd met de prins en opperstalmeester Charles de Lorraine-Armagnac. Hoewel deze Françoise-Adélaïde volkomen onschuldig was aan de daaropvolgende affaire, werd zij vier jaar later door haar echtgenoot Charles de Lorraine om duistere redenen weggestuurd, waarna zij zich terugtrok in het nonnenklooster Sainte-Marie in Saint-Germain. Als er al sprake was van een schandaal, lag de verantwoordelijkheid daarvoor volledig bij de echtgenoot en niet bij de vrouw.

Wat betreft het 'in ruste gaan' van Romain Dalon, parlementslid in Pau en vervolgens in Bordeaux, onderscheidde deze zoon van een voorname magistraat zich vooral door schulden, schalkse streken en steekpenningen voor ministers; hierom werd hij uit zijn functie ontheven, een zeldzame straf in een tijd dat hoge ambtenaren voor het leven werden benoemd; een tijdlang probeerde hij her en der een functie of een toelage los te peuteren en ten slotte trok hij zich terug in zijn huis 'waar hij door iedereen verlaten en diep geminacht leefde tot zijn dood in 1738'.[46]

Wanneer er geen sprake is van criminaliteit, kan een aanval van *gekte* ook een voortijdige retraite tot gevolg hebben: dat was het geval bij Charles-Denis de Bullion, van wie we al meldden dat er in diens familie 'een steekje los' was. De grootvader, Claude de Bullion, minister van Financiën, had een vreemde voorkeur voor uitwerpselen, waarmee hij zelfs de neus van regentes Anna van Oostenrijk beledigde, weliswaar zonder verdere gevolgen.[47] De kleinzoon van Charles-Denis was provoost van Parijs en gouverneur van Maine en Perche. Maar uiteindelijk werd hij min of meer gedwongen afstand te doen van zijn functie en moest hij zich terugtrekken op zijn landgoed nabij Chartres ten gevolge van bizarre grillen en ernstige aanvallen van krankzinnigheid; dit alles zeer tot schade van zijn echtgenote, een Rouillé, die zwoer bij het hof en zich dood verveelde in haar kasteel op het platteland.

Het zal geen verbazing wekken dat *ziekte* vaker dan gepast leidde tot een retraite: chevalier de Grignan, graaf d'Adhémar en een vrijgezel met grote kwaliteiten, trekt zich in 1689 terug uit het leger en van het hof vanwege de jicht die hem onophoudelijk kwelt. Hij trekt zich terug in het weldadige Mazarques bij Marseille, waar hij pas in 1713 sterft zonder kinderen bij zijn vrouw, met wie men hem op latere leeftijd liet trouwen in de hoop op nakomelingen.[48]

Ook, weliswaar relatieve, *armoede* kan een toch zeer aanzienlijke prinses ertoe dwingen het hof te verlaten om zich ver van Parijs en Versailles terug te trekken: Françoise de Nargonne, een statige en zachtaardige dame, was in 1644 op haar drieëndertigste getrouwd met de hertog d'Angoulême (een bastaard van Karel IX), toen een weduwnaar van 72. Het bastaardschap van Françoise, die prinses van Angoulême was geworden, of beter gezegd dat van haar echtgenoot, was in de ogen van Lodewijk XIV niet van het juiste soort, omdat hij een bastaard was van de Valois' en niet van de Bourbons. De Zonnekoning laat deze verre verwante, die 'normaliter' prinses van den bloede had moeten worden, dus min of meer vallen. Na een aantal toevluchtsoorden in Parijs en in de provincie vond zij tot het einde van haar leven een matig onderdak bij haar nicht Françoise Apoil de Romicourt, op het kasteel Montmort in het huidige departement Marne. Zij stierf er toen zij 92 was in 1713, dat wil zeggen 63 jaar na de dood van haar echtgenoot en 139 jaar na het overlijden van haar koninklijke schoonvader Karel ix.[49]

Ten slotte het fenomeen van de *ongenade*, die soms slechts een stap verwijderd is van de retraite, die niet per se een devoot en bewust streng karakter hoeft te hebben, maar meestal wel in alle eenvoud wordt doorgebracht in bitterheid, onverschilligheid of lijdzaamheid: bijvoorbeeld in het geval van Marie-Casimire de La Grange d'Arquien, een Française van oorsprong, echtgenote van de (gekozen) koning van Polen, Jan Sobieski, en die door Europa zwierf na de dood van haar koninklijke echtgenoot en zich ten slotte tot aan haar dood terugtrok in Blois, door iedereen met de nek aangekeken omdat Lodewijk xiv haar niet in Versailles wilde hebben, omdat hij haar verweet als Française in haar tweede vaderland voortdurend tegen Frankrijk te hebben geageerd toen zij 'grote invloed had' op de beslissingen van Sobieski.

De ongenade die tot retraite leidt kan vrouwen treffen: de vroegere koningin van Polen, de prinses des Ursins en nog enkele anderen. Maar het is in hoofdzaak iets wat mannen treft: graaf Louis de Guiscard, gouverneur van Dinant, van Namen en vervolgens van Sedan, ridder in de Orde van de Saint-Esprit, ex-ambassadeur in Zweden, was zeer gezien aan het hof. Door pech was hij een van degenen die in 1706 verslagen werd bij Ramillies, een bittere en cruciale nederlaag voor Lodewijk xiv. Zelfs de welgezindheid van Villeroy, die de koning toch zeer dierbaar was, hielp hem niet, in elk geval niet onmiddellijk. De in ongenade gevallen Guiscard kan ondanks vele inspanningen nooit meer terugkeren naar het hof. Uiteindelijk trekt hij zich terug op zijn landgoed Magny in Picardië. Daar wordt hij getroffen door jicht, in milde mate, en vooral door melancholie. Hoewel hij geen koorts heeft kruipt hij in bed. Hij sterft bijna alleen, zonder duidelijke oorzaak. Ongenade was bij hem een familiekwestie en twee van zijn broers 'waren voor hem als smartelijke oorhangers':[50] de een, Jean-Georges de Guiscard, die eervol in het leger had gediend, liet daarna een van zijn bedienden, die hij van diefstal verdacht, martelen; Jean-Georges werd na nog een aantal wandaden dus uit Frankrijk verbannen. De andere broer, Antoine de Guiscard, abt van La Bourlie en toch voorzien van goede prebendes, was betrokken bij de ontvoering van een meisje en, wat achtenswaardiger was, bij de oppositie tegen Lodewijk xiv. Hij vertrok naar Engeland waar het hem niet beter verging; hij eindigde er zijn leven in de gevangenis, omdat hij zich schuldig had gemaakt aan geweldpleging waarbij hij ernstig gewond was geraakt, en waarna hij uiteindelijk min of meer zelfmoord pleegde. Dit keer dus een 'gewelddadige' retraite.

Het in ongenade vallen van ministers is een klassiek fenomeen. Die van Chamillart was geen verschrikkelijke gebeurtenis: in 1708-1709 legde hij op bevel van de koning – die hem niettemin graag mocht – zijn verschillende regeringsfuncties neer en trok hij zich terug in zijn huis in Parijs; daar had hij heel weinig maar wel zeer beschaafd gezelschap, tot aan zijn dood in 1711. John Law, die in feite de eerste minister van de regent was, moest Frankrijk in 1720 verlaten na de 'mislukking' van zijn financiële avontuur; hij vestigde zich in Venetië, waar hij een zuinig maar bezadigd en waardig leven in huiselijke kring leidde.

In de lange eeuw van 1615 tot 1730 zien we ten slotte drie eerste ministers of daarmee vergelijkbare mannen in ongenade vallen: Concini, Fouquet en Monsieur de Hertog, respectievelijk ontslagen door de jonge Lodewijk XIII, de jonge Lodewijk XIV en de jonge Lodewijk XV (deze laatste daartoe aangezet door Fleury). Bij alle drie komt het vermogen tot geheimhouding van de jonge Bourbon-vorsten duidelijk tot uiting: in alle gevallen komt het koninklijke besluit als een donderslag bij heldere hemel voor de betrokken staatsman; zoals gewoonlijk waren zij de laatsten die vernamen welk ongelukkig lot hen wachtte.[51] Dit ongelukkige lot wordt echter mettertijd minder ernstig, en is ten slotte nog slechts een retraite, de straffen worden steeds minder zwaar: Concini wordt eenvoudigweg gedood; Fouquet slijt zijn dagen in de gevangenis en Monsieur de Hertog wordt slechts 'verbannen' naar zijn schitterende kasteel Chantilly in de buurt van Parijs. Er is echter één constante: elke nieuwe regering betekent de vrijwel onmiddellijke ongenade en verwijdering, met of zonder moord in het vooruitzicht, van degene die de rol van eerste minister vervult; behalve voor Concini, Fouquet en Monsieur de Hertog geldt dit ook nog voor Maupeou zodra Lodewijk XVI de troon bestijgt. In het huidige Frankrijk met haar 'republikeinse monarchie'[52] is dit fenomeen een bijna constitutioneel vereiste geworden: Balladur verdwijnt met Mitterand, Chaban met Pompidou en Barre met Giscard.

Saint-Simon zelf is geen minister. Hooguit 'onderministertje' van Filips, hertog d'Orleans en regent van Frankrijk. Zodra Filips gestorven is, verneemt de kroniekschrijver van hooggeplaatste personen dat hij niet langer *persona grata* is aan het hof, waar hij evenwel al sinds het einde van de zeventiende eeuw verblijf hield. Fleury en La Vrillière belasten zich ermee hem 'de gifbeker te overhandigen'. Via zijn vrouw de hertogin laten zij hem weten dat ze hem liever in Parijs dan in Versailles zien. Het bericht van Fleury is poeslief, dat van La Vrillière is bitser. De kleine hertog laat het zich geen tweemaal zeggen en vertrekt spoorslags en voorgoed naar zijn huis in Parijs. Men trok zich op jeugdige leeftijd terug in die tijd, vooral onder dwang, of men nu hertog was zoals onze schrijver, of prins zoals Monsieur de Hertog. Saint-Simon dacht al sinds de dood van de hertog de Bourgogne in 1712 dat hij gedwongen zou worden tot een, zo mogelijk vrome, retraite. Hij was dus in zijn hart al voorbereid op het feit dat hij in ongenade zou vallen.

Iemand die in tegenstelling tot Saint-Simon wel een volwaardig minister was, Marc-René de Voyer, markies d'Argenson en Zegelbewaarder, onderging in 1720 de zeer relatieve kwelling van de ongenade en de daaropvolgende retraite: na een uitstekende carrière bij de politie werd d'Argenson Zegelbewaarder. Waaruit maar blijkt dat, in tegenstelling tot bepaalde vooroordelen, een politieambt kan leiden tot justitie (en omgekeerd?). De regent, die Marc-René graag mocht, ontnam hem dit ministerschap echter na een aantal jaren om het aan d'Aguesseau, de toenmalige kanselier, te geven, naar het schijnt op verzoek van Law. D'Argenson overleefde zichzelf door zich terug te trekken in het comfortabele appartement waarover hij beschikte in een nonnenklooster waarvan de overste, naar het schijnt (?), zijn maîtresse was.[53]

Wanneer we Saint-Simon lezen zouden we bijna vergeten dat er aan het hof en elders ook mensen waren die zich simpelweg terugtrokken omdat ze oud waren. Het totale aantal grijsaards was naar verhouding veel geringer dan vandaag de dag, omdat men rond 1700 op veel jeugdiger leeftijd stierf dan in onze tijd; de gemiddelde aristocraat en magistraat bleef hierdoor in functie tot het eind van zijn leven, behalve wanneer hij zich in de kracht van zijn leven terugtrok om een aantal hiervoor genoemde redenen (vroomheid, schandaal, ziekte, armoede, ongenade,[54] enzovoort). Gepensioneerden in de moderne zin bestonden wel, maar zij vormden een duidelijke minderheid: zij waren dus 'oud', maar net als hun veel talrijker gelijken uit 1990 waren zij vaak nog monter en levenslustig, 'fris en bekwaam' zoals Tallemand des Réaux het uitdrukt.[55] Zo bleef Guillaume de Lort de Sérignan, die in 1721 op zijn 94ste stierf, tot het eind toe zo helder van geest als iemand van in de vijftig. Hij had zich twintig jaar eerder in 1702 teruggetrokken uit zijn functie bij de koninklijke lijfwacht; hij trouwde onmiddellijk na dit vertrek, bleef tot het eind toe gezond en genoot twintig jaar lang van een welverdiende rust en een goed huwelijk.

Het in ruste gaan van Bergeyck leek ook op een hedendaagse pensionering. Deze in 1664 geboren Antwerpenaar, schoonzoon van de weduwe van Rubens, had eerst carrière gemaakt in de Spaanse Nederlanden als thesaurier-generaal. Nadat hij in 1699 was ontslagen, werd hij in 1702 inspecteur-generaal van Oorlog. In 1711 werkte hij in Madrid voor Filips v waardoor hij een van de drie gevolmachtigden van Spanje was bij de onderhandelingen voor de Vrede van Utrecht, samen met de hertog d'Osuna en Monteleone. In 1714, wanneer hij zeventig is, besluit Bergeyck alles op te geven: hij verlaat Castilië en trekt zich overal uit terug 'om zijn leven rustig te besluiten op een van zijn landgoederen in Vlaanderen'; daar leeft hij nog twaalf vredige jaren. Een moderne pensionering, zou men zeggen, die net zo goed zou passen bij een hoge functionaris van deze tijd. In werkelijkheid lagen de zaken niet zo eenvoudig en Bergeyck was ongetwijfeld, zelfs na zijn zeventigste, op zijn Madrileense post gebleven als de almachtige prinses des Ursins, met in haar kielzog Orry, niet voortdurend een spaak in het wiel stak. Bergeyck besloot zich dus uit eigen beweging terug te trekken; hij smaakte zelfs het genoegen zijn vijandin des Ursins het jaar daarop in ongenade te zien vallen.

De retraite van Bouchu, een andere 'hoge functionaris', is minder ingewikkeld en komt dichter bij onze hedendaagse maatstaven; er was in elk geval nauwelijks sprake van bijgedachten en machtsberoving. Bouchu was intendant in de Dauphiné, hij had zijn district goed beheerd en, wellicht op onwettige manier, veel geld verdiend. Uitgeput van het bestuurlijke werk in de provincie, wilde hij toen hij vijftig was een kalme functie, bijvoorbeeld in de Staatsraad in Parijs, of zich simpelweg terugtrekken ver van de hoofdstad, en liefst ver weg van zijn vrouw, die energiek was maar ook ambitieus en zelfingenomen, en zonder wie hij het uitstekend kon stellen. Onderweg van Grenoble naar Parijs kwam hij door Tournus waar zijn broer een huis had:[56] daar vestigde hij zich, tuinierde er wat en leefde er net als de lokale magistraten en de kleine landadel die hun tijd verdeelden tussen hun bouwvallige kasteeltjes en een roestig zwaard. Hij stierf er tien jaar later, volkomen gelukkig. Was hij een wijs man? Zijn weduwe volgde bepaald niet zijn voorbeeld; in haar hevige begeerte hertogin te worden trouwde zij met de beenloze hertog de Châtillon, en zij stierf later aan de complicaties van een longontsteking 'omdat ze het genoegen wilde smaken van haar hertogelijke taboeret in Versailles toen het ijskoud was', tijdens de strenge winter van 1740.

Over het algemeen is er in Frankrijk een grote variatie in de omstandigheden waaronder men in ruste gaat, en dat geldt ook voor 1997: wat is vandaag de dag de overeenkomst tussen de Corsicaanse adjudant die op zijn 35ste terugkeert naar zijn geboorteland, de spoorwegbeambte en de onderwijzer die op hun 55ste in ruste gaan, de universitair docent op zijn 65ste, de professor aan het Collège de France op zijn 70ste en een president van de Republiek die op zijn 77ste met pensioen gaat? Ook aan het hof van Lodewijk XIV was er sprake van een groot verschil in leeftijd waarop men zich terugtrok, maar de motieven hiervoor waren veel gevarieerder dan tegenwoordig; ze hingen niet alleen samen met leeftijd. Bij die diverse beweegredenen speelde de religieuze spiritualiteit een veel grotere rol dan in onze tijd. Vanzelfsprekend een christelijke spiritualiteit... wat ons terugbrengt bij het centrale thema van dit hoofdstuk: de ascetische onthechting, gekruid met een existentiële rechtvaardiging. We willen hier een aantal auteurs noemen van boeken over theologie en moraal die onze kleine hertog in de loop der tijd beïnvloed hebben op het terrein waarmee wij ons bezighouden: onder hen waren de protestant Abbadie (welzeker!) en de jansenisten Quesnel en Duguet.

Zodra Saint-Simon zijn gedachten laat gaan over de motieven voor een religieuze verzaking, plaatst de auteur zich bij voorkeur buiten zijn normale 'gezindte' en leent hij zijn oor aan een zekere protestantse spiritualiteit. Hij interesseert zich echter maar matig voor de hugenoten zelf als personen of als groep, behalve wanneer hij het heeft over de bekering (tot het katholicisme) van zijn schoonvader Lorge, en van Mme Dacier en een aantal anderen;[57] hij noemt ook het onbuigzame verzet van de Franse calvinisten en hun specifieke religiositeit; zij vinden een zekere weerklank in het gemoed van Saint-Simon, hoewel hij in vele andere opzichten een goed katholiek was.

Het lievelingsboek van du Charmel en andere wereldverzakers, die onze kroniekschrijver expliciet waardeert, is de *Vérité de la religion chrétienne*, een handboek voor geestelijke leiding dat in 1684 was gepubliceerd door predikant Jacques Abbadie, afkomstig uit de Béarnstreek; een beroemde hugenoot die, vanwege de door Lodewijk XIV veroorzaakte uittocht, achtereenvolgens hervormd predikant is in Sedan, in Berlijn en daarna op de Britse eilanden. Ondanks de op stapel staande herroeping van het Edict van Nantes was het boek van Abbadie onder de Zonnekoning een soort bestseller, zowel in protestantse als katholieke, met name jansenistische kringen.

Wat wil Abbadie, hierbij gesteund door zijn toegewijde lezers uit 'beide religies'? Voor alles wil hij de belangrijkste uitspattingen afstraffen of beter castreren: die van het zingenot, anders gezegd de geslachtsdelen; en verder wil hij de hoogmoed en de eigenliefde uitroeien die La Rochefoucauld al afkeurde; deze is van alle hartstochten de gevaarlijkste en onverbeterlijkste, waardoor wij niet blijven openstaan voor de goddelijke openbaring. Volgens de predikant uit de Béarn moeten we de hartstochten dus laten afsterven en de hoogmoed en de eigenliefde ontdoen van hun schone schijn; het vlees ontdoen van zijn ongeoorloofde genoegens. Welk ander doel kunnen degenen die van alles afzien hebben, die alles verdragen om het mensdom (tautologisch) ervan te overtuigen dat zij afstand hebben gedaan van het huidige tijdsgewricht? Daarom is afstand doen alles op het spel zetten en alles verliezen; alleen de hartstocht voor het kruis kan borg staan voor het eeuwige heil van de mensheid.[58] Zo moet men om tot de ware volgelingen van Christus te behoren, als we diezelfde Abbadie mogen geloven, 'zich de ogen uitrukken, de handen afhakken, de eigen persoon verfoeien en zowel afstand doen van zichzelf als van de aangenaamste verknochtheden en de dierbaarste gewoonten', dit alles 'om met pijn en moeite de eigen ziel beter te kunnen verafschuwen'. Een treurige plicht tot zelfkastijding! Het komt erop neer de grootse beloften van het evangelie te concretiseren.

Natuurlijk wacht ons in het hiernamaals een beloning: een eeuwig hemels leven of, in voorkomend geval, een eeuwigheid van helse ellende. Abbadie is ook hierin fundamentalistisch: hij verwerpt de stellingen van Spinoza – die hij beschouwt als crypto-atheïstisch of antichristelijk – een auteur die al bekend was in de kringen van hugenoten rondom Abbadie. De predikant uit de Pyreneeën is anti-Spinoza, een conservatief à la Jurieu, en zonder het te weten sleept hij Saint-Simon hierin mee, die wellicht de filosofische reikwijdte van een dergelijke 'meeloperij' onderschat, omdat Spinoza's naam niet éénmaal wordt genoemd in de *Memoires*.

Hoe dan ook, en om terug te komen op de kwestie van de beloning in het hiernamaals, de 'abbadiaanse' verzekering dat het toekomstige zielenheil de uiteindelijke beloning is voor degene die de wereld verzaakt, is het wonderbaarlijke en dus zonder meer bewijskrachtige werk van Jezus Christus; het is zijn wederopstanding, die a posteriori wordt bewezen door zijn hemelvaart. Want hoe kan een dood lichaam dat niet is opgestaan immers naar de hemel gaan? Het bewijs van de hemelvaart (waarvan de visu slechts in één tekst in het Nieuwe Testament getuigd wordt, in het boek Handelingen), het bewijs achteraf van de wederopstanding, wordt geacht gegeven te zijn door de getuigenis van de apostelen die als oprechte lieden hierover niet kunnen liegen. Een zwakke redenering want het opstijgen van een helikopter bewijst achteraf nog lang niet dat er daarvoor een schat is opgegraven. Ook een cirkelredenatie omdat de bewijzen voor de geldigheid van de zelfverloochening afkomstig zijn van mensen die zich volgens Abbadie lieten ophangen, geselen en op het schavot plaatsen, die kortom afstand deden van zichzelf en zich lieten verbranden; mensen dus die als persoon extremistische verzakers waren,[60] vastbesloten om met hun alles verzakende methode de waarheid aan te tonen van hun verheerlijking van de verzaking, die op haar beurt weer bedoeld was om andere wereldverzakers te motiveren. Waarmee de slang in zijn eigen staart bijt. Wat natuurlijk niets afdoet aan de grote symbolische waarde – die het werk van Abbadie overstijgt – van de wederopstanding en zelfs van de hemelvaart.

Blijft natuurlijk de aanstootgevende kwestie van de wezenlijke onrechtvaardigheid van dit hele systeem, waarover sinds de tijd van Augustinus eindeloos is gediscussieerd. De man (of vrouw) die de wereld verzaakt, komt hier niet toe op eigen initiatief. Hij gedraagt zich alleen maar zo omdat hij aanvankelijk uit de onzichtbare handen van een godheid de onontbeerlijke genade heeft ontvangen: deze maakt van hem een wereldverzaker, maar deze is ook het bewijs dat hij van tevoren al een uitverkorene was, dus een verzaker a priori, en niet een 'bij voorbaat verdoemde'. Waar het de persoon zelf aangaat is het verzaken van de wereld dus geen teken van een vrijwillig gekozen verdienste; het is eenvoudigweg het bewijs dat iemand bewust door God is uitverkoren. Hierin ligt een fundamenteel gebrek aan rechtvaardigheid, vooral voor de gelijkheidsgedachte van een bepaald christendom waarvoor alle zielen, zowel die van een boerenkinkel als van een prins, a priori evenveel waard zijn in de ogen van de Heer; een gebrek aan rechtvaardigheid omdat de toekomstige gedoemden a priori het recht ontzegd wordt de wereld te verzaken, waardoor ze – als ze het al deden (wat in hun geval absurd zou zijn) – gered zouden zijn! Max Weber, in onze tijd een van de laatste volgelingen van Augustinus, heeft pagina's volgeschreven over dit geduchte probleem waarover alle theologen van het Ancien Régime hun zegje deden. 'Weberiaanse' pagina's die nog steeds aandachtig en met veel begrip worden bestudeerd aan de diverse Europese universiteiten en met name in Noord-Amerika.

Abbadie beperkt zich er dit keer toe, en dat lijkt inderdaad het verstandigste, zijn schouders op te halen en tot slot zegt hij tot zijn lezers: 'Probeer niet te begrijpen [sic]. Probeer niet te begrijpen waarom God sommigen wel en anderen niet heeft willen redden. Laat dit over aan de filosofen, die overigens slechts spitsvondigheden debiteren. De predestinatie bestaat. Zij is simpelweg een geloofsmysterie. Het heeft geen zin erover te discussiëren. We moeten het met gesloten ogen aanvaarden. Ogen die overigens beter uitgerukt kunnen worden [vgl. supra]. In feite is God niet zo boosaardig. Men doet er verkeerd aan in naam van de predestinatie te zeggen dat God verstokte zondaars maakt. In werkelijkheid zegt de Hebreeuwse tekst van de bijbel slechts dat God de verstoktheid niet wegneemt.' Een dubbele ontkenning die 'minder erg' is dan een bevestiging. En uiteindelijk bestaat het geloof evenzeer uit onderwerping als uit kennis.[62] Wil de Allerhoogste mijn verstand vernederen? Uitstekend. Moge zijn wil geschieden. Ik stel toch ook geen vragen over het mysterie van de spijsvertering? Waarom dan eindeloos praten over het raadsel van de toereikende, de werkzame genade, en wat al niet? De mysteries van het christendom zijn als de wolkkolom die de Israëlieten in de woestijn leidde: deze heeft een lichte en een donkere kant. Een kolom van donkere materie maar tegelijk van sterren. Aan deze duisternis kunnen we niets doen, zij getuigt eenvoudigweg van de onvolkomenheid van het menselijk bestaan, en we moeten er genoegen mee nemen het sterrenlicht te aanbidden wanneer het zichtbaar is. Het heeft geen enkele zin spijkers op laag water te zoeken.

Saint-Simon heeft het op zijn beurt terecht over 'het onuitsprekelijke en onbegrijpelijke mysterie van de genade, dat net zomin binnen het bereik van ons verstand en onze interpretatie is als dat van de drie-eenheid'.[63] We zien dus zowel bij de kleine hertog als bij Abbadie, die in dit opzicht de leermeester was van de wereldverzakers met wie onze schrijver bevriend was, een conservatieve of fundamentalistische kant die ook een rol speelt bij andere problemen,[64] met name politieke[65] of nauwkeuriger gezegd politiek-religieuze problemen. Maar Saint-Simon is immers ook conservatief waar het de hiërarchie betreft?

De verzaking op zijn 'abbadiaans' is dan ook niet in tegenspraak met de bedoelde hiërarchische principes. Ze worden er veeleer door bevestigd; deze verzaking is zowel volgens de predikant als Saint-Simon de onontbeerlijke en complementaire stut van deze principes. De sociale en familiale deling tussen mannen en vrouwen, kinderen en bedienden, vorsten en onderdanen, schuldenaars en schuldeisers, slaven en meesters, boeren en koningen kan alleen maar profiteren van de strenge tucht die samengaat met de onthouding van genoegens en het uitvoeren van naargeestige en vernederende taken; met andere woorden, in de loop van die lange zeventiende eeuw kan de sociale deling alleen maar profiteren van een 'onderlinge' organisatie van de persoonlijke betrekkingen waarbinnen, door de wereldverzaking waarbij niettemin elke hiërarchie wordt gerespecteerd, 'de belangen van de een de belangen van de ander zijn,[66] waar geen haat, afgunst of wedijver bestaan', waar iedereen God zal danken voor het grotere bezit en de hogere rang die een ander van de Almachtige heeft ontvangen. Daardoor zal zelfs de samenleving met grote klassenverschillen slechts één enkele familie zijn, en is 'het geluk van één het geluk van allen'. De kwellingen van de hel of de gelukzalige onsterfelijkheid van het paradijs zullen per slot van rekening de respectievelijke schulden en vorderingen, de overmaat en het tekort (aan genot of smart) die een Monsieur x of een Madame y op aarde hebben vergaard, vereffenen. De gewetenloze politiek zal de individuen blijven behandelen als slaven, of in elk geval handelt zij alsof een mensenleven niet meer waard is dan dat van een dier; maar het geloof maakt hen, in elk geval vanuit dit in essentie hemelse perspectief, allen gelijk voor God, en dat is het enige wat telt.

Saint-Simon staat dicht bij de hugenoten door een aantal voorouders van vaderszijde en door de familie van zijn echtgenote, die lange tijd protestant was en gelieerd aan vermaarde 'ketterse' families (Oranje, Bouillon...); hij staat ook dicht bij 'Genève' door de calvinistische tradities die nog discreet een bloeiend bestaan leiden op de plekken waar hij woont en landsheer is (Blaye, La Ferté); en ten slotte voedt hij deze oude hugenootse 'zalfolie' door de boeken die hij leest, waarvan dat van Abbadie slechts één voorbeeld is.[67] En hoewel Saint-Simon een vurig katholiek is, staat hij in het magnetische veld van het jansenisme, een katholieke variant van het augustinisme, dat geliefd is bij de hugenoten maar ook bij vele katholieken.

Het magnetische veld van het jansenisme waaruit veel van Saint-Simons ideeën over verzaking en onthechting voortkomen, want de kroniekschrijver is een groot liefhebber van de 'methode van de heilige Augustinus', hij voelt zich verwant aan de 'vermaarde kluizenaars van Port-Royal'.[68] Hij kan zich zeker niet verenigen, behalve bij vlagen,[69] met de benepen doctrine waaraan bisschop Jansenius zijn naam had gegeven; maar Saint-Simon voelt zich prettig bij een augustiniaanse denkwijze, zolang deze maar heel open is, heel *lato sensu*, iets waarin Saint-Cyran hem was voorgegaan, al spoedig gevolgd door Antoine Arnauld. Net als Racine, Pomponne en Fieubet is Saint-Simon een verre en toch trouwe planeet die rond de ster van Port-Royal draait, overigens zonder ooit zeer dicht bij deze brandende zon te komen, in elk geval zeer zelden, omdat dat het risico van vernietiging inhoudt. Onder zijn mede-hertogen en pairs is hij vrijwel de enige die zo met het jansenisme sympathiseert, maar dan wel behoedzaam omdat zijn goede vrienden onder de aanzienlijkste hertogen,[70] met Beauvillier aan het hoofd, liever flirten met het quiëtisme en met de jezuïeten, die a priori tegen het jansenisme gekant zijn.[71] Terwijl andere pairs de France, net als Vendôme, eerder geneigd zijn, maar dan buiten het christendom, tot een atheïstisch of heidens getinte libertijnse losbandigheid.[72] In jansenistische termen onderhielden de Saint-Simons, in de generatie voorafgaand aan die van onze auteur, al banden met het herenhuis van de Liancourts, alias de La Rochefoucaulds, een herenhuis dat nog naar de mutsaard rook. Aan het begin van de achttiende eeuw is de jonge kroniekschrijver een huisvriend van de ultra-gallicaan Pontchartrain senior, die zelf sympathiseert met de oratorianen die niets van de jezuïeten moeten hebben...

Daarnaast is Saint-Simon, ondanks het leeftijdsverschil, zeer goed bevriend met de oratoriaan Malebranche. Deze filosoof is zeker geen jansenist, maar wel een overtuigd aanhanger van Augustinus. Hij is een voorstander van verzaking omdat hij een grondige hekel heeft[73] aan de vleselijke lust en de hebzucht, die hem afschuw inboezemen; deze kunnen slechts worden bestreden door de goddelijke genade, een ongemotiveerd principe dat in elk geval losstaat van de persoonlijke verdiensten van het individu – de genade als hemels geschenk! Volgens de oratoriaanse filosoof kan zij slechts overgebracht worden op de menselijke natuur door het besluit van de Almachtige.

Kortom, in de zienswijze van Saint-Simon, die gewoonlijk veel van Malebranche heeft, hebben de jezuïeten, de verstokte tegenstanders van het jansenisme, 'soms wel goede dingen, maar ook minder goede en zelfs [en vooral?] verfoeilijke dingen'. Wanneer we Saint-Simon mogen geloven is Port-Royal daarentegen 'het heiligste, zuiverste, geleerdste, leerzaamste, meest praktische en toch verhevenste [...] verlichtste en helderste dat de afgelopen eeuwen hebben voortgebracht'.[74] Dit zijn duidelijke woorden. Saint-Simon neemt hier precies dezelfde houding aan als zijn leermeester Rancé: hij laaft zich aan Port-Royal, maar gaat daarin niet te ver; uit voorzichtigheid of misschien uit overtuiging weigert hij zich persoonlijk aan te sluiten bij een partij binnen de kerk (de jansenisten), een partij die voor een onherstelbare verdeeldheid zou zorgen. De hertog sympathiseert met de augustiniaanse zaak; hij gaat desnoods een heel eind mee met een jansenistisch gekleurde factie, wanneer deze jammer genoeg gestalte krijgt. Maar er is bij hem geen sprake van dat hij een actief actievoerder binnen een netwerk of een kleine groep wordt, ook al zijn die op een sympathieke manier augustiniaans; hij houdt zich meestal aan de rand op, bij de grens van een ver doorgevoerde flirt, op een dicht naderende asymptoot die nooit de aaneensluiting van een hecht paar zal krijgen. Hélène Himelfarb geeft hiervoor duidelijke aanwijzingen, die bevestigd kunnen worden door de *Memoires* vluchtig in chronologische volgorde door te nemen.

Vanaf 1698 is het voor onze auteur al voldoende dat iemand banden heeft met alle beroemde jansenisten om voortaan bijna ipse facto beschouwd te worden als 'oprecht, vrijmoedig, waarachtig', aangeraakt door de genade Gods; met andere woorden, door 'zeer nauwe' banden met de jansenisten wordt men al tot de volmaaktste mensen gerekend.[76] Wanneer de jezuïeten een uitgave van het werk van Augustinus door de benedictijnen van Saint-Maur beschouwen als volslagen jansenistisch, verklaart Saint-Simon het *urbi et orbi* tot een 'prachtuitgave', wat het ook is.[77] Wanneer de autoriteiten de zeer achtenswaardige d'Aguesseau 'verdenken van jansenisme', wordt dit door de kroniekschrijver onmiddellijk in verband gebracht met 'een intense en waarachtige bekwaamheid', een zeer vurige liefde voor het goede bij deze heer.[78] Heeft men het over een kerkelijke boevenstreek, over 'het inpikken van de Sorbonne'? Dan kan dit natuurlijk alleen maar het werk zijn van een kruiperige regeringsdienaar, zoals bisschop Péréfixe, die zich leende voor de grillen van het hof tegen Monsieur Arnauld en diens jansenistische vrienden aan de Sorbonne.[79] Bezoekt een gravin regelmatig Port-Royal op het gevaar af zich de woede van de koning op de hals te halen? Onze hertog beschrijft deze dame terstond als 'begiftigd met meer verstand en charme' dan alle vrouwen aan het hof.[80] Stelt een Frans staatsman prijs op normen en waarden en gaat hij scrupuleus en tactvol om met alles wat Rome aangaat, met andere woorden, is hij een voorstander van het gallicanisme en een goede Fransman? Dan zien we op zijn gevoelige huid onmiddellijk en onbetwistbaar het vernislaagje van het jansenisme verschijnen. De oratorianen gaan door voor jansenisten...[81] 'dat wil zeggen [dat zij maar liefst] betrouwbaar, scrupuleus, strikt in hun handelwijze, ijverig en boetvaardig' zijn.[82] De neef van een bekende jansenistische bisschop sterft: dat is al voldoende om hem te kwalificeren als 'een zeer verstandig, bijzonder aangenaam en oprecht man', om wiens dood natuurlijk diep getreurd wordt.[83] Een prelaat legt vooral de nadruk op een gezonde moraal en discipline; de regering heeft onmiddellijk een zeer krachtige 'verdenking van jansenisme' tegen hem.[84] Een vastberaden wereldverzaker brengt zijn leven door met allerlei goede werken, 'in strenge penitentie', altijd godvrezend en nederig en slechts vertrouwend op Christus, 'hij is een bijzonder oprecht en overtuigd mens, in staat tot grote vriendschap, zachtaardig en vriendelijk';[85] het hoeft geen verbazing te wekken dat we tegelijkertijd vernemen dat deze man voor zichzelf van het jansenisme een waarachtige en onuitroeibare religie had gemaakt.[86]

Is het jansenisme in feite, in elk geval impliciet, niet de beste manier om de gevaarlijke jezuïtische leerstellingen over de gemakkelijke verwerving van het zielenheil en de trots op de menselijke geest te bestrijden, omdat alles, laten we dat niet vergeten, immers moet wijken voor de almachtige soevereiniteit van de goddelijke genade?[87] In 1709 beveelt de koning schandalig genoeg de afbraak van de abdij van Port-Royal-des-Champs, en tegelijkertijd de aanstootgevende opgraving[88] van de godvruchtigen die tot dan toe op het kerkhof vlak bij dit klooster zijn begraven. Onze auteur grijpt deze gelegenheid aan om de loftrompet te steken over de 'beroemde Pascal', jansenist bij uitstek, wiens vernuftige *Lettres provinciales* de doctrine, de moraal en de handelwijze van de jezuïtische casuïsten en van de jezuïet Molina tastbaar en belachelijk maakten.[90] Een vrome bisschop die een hekel krijgt aan het jansenisme? Dat is, ongeacht zijn verdere verdiensten, al genoeg om hem, die vertrouwde op zijn grote invloed bij Mme de Maintenon, te rangschikken onder 'de domme, ongeletterde, onbeduidende personen'[91] die het episcopaat bevolken. De aartsbisschop van Reims gaat al dan niet terecht door voor jansenist; hij is een vastberaden aanhanger van de op de goddelijke genade gebaseerde doctrines, in tegenstelling tot die welke nog enige invloed toekennen aan de individuele verdiensten van de gelovigen; dit is voor Saint-Simon voldoende om min of meer de spons over diens hoererij te halen en hem tot vijand van de jezuïeten te bestempelen, 'in alles wat tot zijn stand hoort het spirituele kennend'; hij voert een goed beheer over zijn bisdom 'dat het beste geordend is van het hele koninkrijk en voorzien van de voortreffelijkste mensen van allerlei slag'.[92] Maarschalk de Bezons wordt verdacht van jansenisme omdat hij al zijn kinderen in zijn eigen huis heeft grootgebracht en niet op een door de jezuïeten geleid college heeft geplaatst, wat de eerwaarde vaders hem kwalijk nemen. Het spreekt dus vanzelf dat Bezons 'rechtvaardig, frank, rechtschapen en deugdzaam'[93] is. Een hertogin de Lesdiguières wordt min of meer verdacht van jansenisme; zij wordt onmiddellijk voorzien van een grote vroomheid en een grote dosis 'zachtmoedigheid, verdienstelijkheid, deugdzaamheid en buitengewoon veel esprit'.[94] Tot de talloze kwaliteiten die de hertogin de Saint-Simon, van wie de schrijver zoveel houdt, sieren, behoort niet voor niets het feit dat zij regelmatig te biecht gaat bij Monsieur de La Bruë, pastoor van Saint-Germain-l'Auxerrois, beschermeling van kardinaal de Noailles, die niet simpelweg van jansenisme wordt verdacht (zoals Saint-Simon met een *understatement* suggereert), maar kort en goed een jansenistische actievoerder is.[95] Amelot, die ambassadeur en staatsraad was, kan niet worden aangevallen 'op zijn bekwaamheden, op zijn integriteit, op alle onderdelen van het uitvoeren van zijn functies'. Verfoeilijke lieden zien er dus geen been in de koning ervan te overtuigen dat hij jansenist is.

Onze auteur voegt hieraan toe dat de jansenistische ideologie, waarvan de grondbeginselen volgens hem heel onschuldig zijn, vooral een doofpot is die de autoriteiten gebruiken als beschuldiging om personen die zij kwijt willen zwart te maken of te gronde te richten.[96] In het uiterste geval wordt het jansenisme onder zijn strenge buitenkant bijna een doctrine van onderlinge liefde volgens de hertog: de rust en de afwezigheid van vervolging voor de jansenisten in het bisdom van Fénelon is een van de redenen waarom deze zo geliefd is bij zijn diocesanen.[97] Wat betreft de as van Jansenius, die bisschop van Ieper was, deze heeft een wonderbaarlijke antiseptische of preventieve werking, aangezien deze as de Ieperse bisschop van rond 1700 laat flauwvallen, een zekere Ratabon die van zijn stokje gaat telkens wanneer hij de kathedraal binnengaat waar Jansenius ooit werd begraven. Zo liet de in 1638 gestorven Jansenius weten dat hij afstand nam van Ratabons al te grote liefde voor de jezuïeten en deze bij voorbaat veroordeelde; het werd zo erg dat de weerzinwekkende Ratabon in 1713 in het veel zuidelijker gelegen Viviers tot bisschop moest worden benoemd zodat hij de al te schone jansenistische lucht van zijn verre voorganger kon ontvluchten, die op Ratabon de uitwerking had van een zeer werkzaam insecticide.[98] Het omgekeerde gaat op voor kardinaal de Noailles die in vele opzichten dicht bij het jansenisme, in elk geval een bepaald jansenisme, stond, en wiens initiatieven rond 1715, als we Saint-Simon mogen geloven, 'een meesterwerk van vroomheid en zeker van mildheid' (maar ook van wijsheid?)[99] waren. Noailles, 'de belangrijkste prelaat van Frankrijk, het best ingevoerd, alom geliefd en door iedereen vereerd', die bovendien zowel op dogmatisch gebied als op vele andere terreinen werd gesteund 'door de Sorbonne, de overige scholen, de pastoors van Parijs, de hele tweede stand, de reguliere monniken en de parlementen', vooral dat van Parijs, dat volledig achter een aartsbisschop stond die 'alle harten voor zich had gewonnen...'[100]

Noailles, prelaat van de harten! Kan het nog mooier...

Wanneer we Saint-Simon mogen geloven, en zo denkt diezelfde kardinaal de Noailles er in 1717 ook over, is zich verzetten tegen de anti-jansenistische bul *Unigenitus* noodzakelijkerwijs trouw blijven aan alle wetten van de kerk en aan de 'grondbeginselen en gebruiken van het koninkrijk gebaseerd op de vrijheid van de gallicaanse kerk'.[101] In dit opzicht is kardinaal de Noailles 'de rechtschapenheid, de vroomheid, de eenvoud en de waarheid zelve'.[102] De bisschoppen die voor de pauselijke bul zijn, zijn daarentegen tot in hun ingewanden aangetast door hun uiterst wereldlijke omstandigheden.[103] De anti-Unigenitus-partij, 'geplaatst tegenover de eerzuchtigen, de op winst belusten en de onwetenden', bestaat, zegt de kleine hertog, uit de geleerdste, deugdzaamste, onbaatzuchtigste, vroomste en hoogstaandste prelaten...'[104] Hoewel Saint-Simon een sympathisant is van een openlijke jansenistische doctrine, blijft hij tot het einde een aanhanger van de kerkvrede van 1668, die in 1705 met de bul *Vineam Domini* een forse klap wordt toegebracht, nog voor de 'verfoeilijke' *Unigenitus* van 1713.

Het spreekt vanzelf dat Saint-Simon de doctrines over verzaking en onthechting uit goede bron heeft en dat hij hiervoor 'zijn dorst heeft gelest' aan de voorgeschreven bronnen van een helder jansenisme, dat van de eerwaarde Pasquier Quesnel en diens *Réflexions morales* over het Nieuwe Testament, een lievelingsboek van Saint-Simon en een bestseller in de tijd van Lodewijk xiv en Lodewijk xv, een boek dat ten onrechte in de vergetelheid is geraakt en dat een ereplaats innam in de bibliotheek van onze hertog.

Als ijverig en in elk geval competent lezer van het werk van Quesnel, was onze schrijver goed op de hoogte van de gedachten en de levensloop van deze theoloog: hij werd geboren in 1634, en als oratoriaan, vriend van Arnauld en jansenist werd hij lange tijd min of meer krachtig gesteund door vele prelaten, onder wie kardinaal de Noailles en Bossuet; Quesnel was een vruchtbaar en strijdbaar schrijver, vooral bekend, zoals gezegd, door zijn *Réflexions morales* over het Nieuwe Testament; hij ging in ballingschap in Brussel en daarna in Amsterdam, waar hij de laatste dertig jaar van zijn leven doorbracht. Hij stierf in 1719, met de vermaardheid van een ketter, die slechts wordt geëvenaard door de vrijwel volledige en onterechte vergetelheid waarin hij vandaag de dag is gedompeld, behalve bij degenen die zich binnen en buiten de kerk interesseren voor de geschiedenis van het jansenisme.

Saint-Simon heeft in zijn hele immense werk niets dan lof voor Pasquier Quesnel: al in 1698 noteert hij de zeer positieve relatie tussen de vervolgde theoloog en prelaat Noailles die, we zeggen het de *Memoires* na, de rechtschapenheid zelve vertegenwoordigt.[105] De hertog pleit de auteur van de *Réflexions* ook vrij van de verdenking van republicanisme (waarvan hij, misschien wel terecht, soms beschuldigd werd!).[106] Hij beschouwt de verbazingwekkende ontsnapping van deze geestelijke naar Brussel en vervolgens naar Holland, aan het 'einde van de regering' van Lodewijk XIV,[107] als een waar wonder. Hij herinnert eraan dat de eerwaarde La Chaise, de biechtvader van Zijne Majesteit, 'een rechtvaardig, rechtschapen, verstandig, wijs, zachtmoedig en gematigd priester', als jezuïet op zijn tafel altijd de *Réflexions* van Quesnel had liggen, 'een voortreffelijk en bijzonder instructief boek',[108] 'een gewaardeerd en gerespecteerd werk, dat de hele kerk kan stichten'.[109] Quesnel is het doelwit bij uitstek van de belachelijke, verwoede en grillige vervolgingen die voortkomen uit de hoge geestelijkheid.[110] De door Saint-Simon geschreven necrologie van de gevluchte priester is niet meer of minder dan een lofrede, want Quesnel stierf als een gehoorzame, rechtzinnige, geleerde en verlichte geestelijke die altijd had gewerkt 'in eenzaamheid(?), gebed en boetedoening...'[111] Al met al is de immer welwillende mildheid van de hertog voor Quesnel opvallend, terwijl deze toch een soort agitator was die voortdurend op zijn hoede moest zijn, een zeer opgewonden iemand; een 'onrustige geesteszieke van de bokaal', zou Céline hem genoemd hebben; een zeer intelligent en voortvarend denker met ideeën die zeker van belang waren voor de theorieën van de *Memoires*, omdat hij onophoudelijk, met het evangelie in de hand, de praktijk van de wereldverzaking aanprees, van de 'onthechting', van het afstand doen, van het tot niets worden, kortom het gebruik van de woestijn en van de terugtrekking van de wereld, de gewenning aan de boetedoening die een hart van steen verandert in een kinderhart.

In de ogen van Quesnel zijn wij in principe (natuurlijk op voorwaarde dat we *uitverkoren* zijn en profiteren van de goddelijke genade, het jansenistische katholieke equivalent van het joodse *verbond* en het puriteinse *convenant*) voor alles hemelbewoners die op aarde vreemden, reizigers en zwervers zijn. Wij zijn hier beneden slechts voor de korte duur van ons leven, in een materiële wereld die niets anders is dan het kerkhof van de levend lijkende doden. Voor ons uit de twintigste en eenentwintigste eeuw liggen in de vele geschriften van Quesnel – zo duidelijk aanwezig in de bibliotheek van Saint-Simon – rechtstreekse verwijzingen naar de verzaking (op bijna elke bladzijde) en naar de hemelse en dus in wezen 'buitenaardse' bestemming van de uitverkoren mens, een bestemming die in het hier en nu een weldaad is voor het hart en die in de hemel de vreugde Gods bewerkstelligt. Volgens Quesnel moeten wij de liefde voor onszelf, ofwel de eigenliefde verwerpen; hetzelfde geldt voor de hoogmoed en het blinde streven naar wereldlijk aanzien, die het struikelblok zijn van de onwaardige bisschoppen; ten slotte moeten wij ook ontucht verwerpen, overspel, zedeloosheid, sodomie, liederlijkheid, misdadige genoegens, de onzedelijkheid van de tijd, 'het losbandige gebruik der schepselen', de hevige zinnelijke hartstochten, het lichamelijke genot, in elk geval die buiten het huwelijk, want het betreurenswaardige resultaat hiervan is dikwijls een bastaard,[112] en ook op dit punt sluit de banneling van Amsterdam zich aan bij de onverbiddelijke uitspraken van Saint-Simon, voor wie hij overigens een van de eerste bezielende theologen was.

Tuchtig uzelf, zegt Quesnel voortdurend, toon berouw, stel uw verlangen nog slechts op de genade van Christus; zo schrijven de wet en de profeten het voor, want het is volkomen dwaas om voor een kortstondig genoegen ons hemelse erfgoed te verspelen. De vernederingen en de kwellingen van het kruis zijn evenredig aan onze verwachtingen; zij moeten voor ons een weldadige en heerlijke drank worden, een verfrissend en heilzaam bad. We moeten dus oprecht de gekruisigde onschuld in praktijk brengen. Want het kruis 'is het altaar van het offer, de zetel van de ware kerkleraar',[113] het tribunaal van de opperste rechter, de huwelijkssponde van de hemelse bruidegom die ons herboren laat worden uit zijn wonden... 'Laten wij deze wonden dus uitzuigen die ons het leven hebben geschonken, die ons de melk hebben gegeven die ons moet voeden, dat wil zeggen de genade.' Penitentie! Laat ons simpelweg beter leren lijden om beter afstand te kunnen doen van de wereld! Want kastijding is het verminderen van de zonde. Wanneer alle rechtschapen mensen de wereld zouden verzaken, zou de hele aarde nog slechts een uitgestrekte woestijn zijn, zij zou – tot ons grote geluk – nog slechts een sinistere repoussoir zijn, vergeleken met de hemel die dan opnieuw bevolkt zou zijn door goede en rechtvaardige zielen, gevlucht van onze vervloekte planeet en genietend van de eeuwige vreugde van het paradijs. Laten we ons hier en nu al wijs betonen en onze gelukzaligheid in de nederigheid zoeken, in de vernedering van Christus, die door de wereldse zielen wordt geminacht. Afgezien van de verplichtingen die het beroep, van bisschop bijvoorbeeld, meebrengt, moeten we in elk geval het leven aan het hof, en a fortiori de gunsten van de koning en de aanzienlijken versmaden, kortom alle tijdelijke eerbewijzen. Voor de ware christen ligt het huidige en vooral toekomstige geluk niet in materieel welzijn, maar in het geestelijke welzijn van het hart; en deze geestelijke rijkdom kan zelfs leiden tot een toestand van duisternis en dood, waarin de apostelen in alle nederigheid een meester waren. Hebzucht, gierigheid en pracht en praal moeten ipso facto worden uitgebannen. De eenvoudigste manier is zich ontdoen van overbodige bezittingen en vergankelijke rijkdommen ten gunste van de armen, want gelden geven voor een bed in een ziekenhuis, waken bij een stervende of een ongelukkige van voedsel voorzien is Christus van voedsel voorzien. Te veel rijken hebben een hart van steen ten opzichte van de overal zichtbare ellende. Laten we hen voortaan een barmhartig hart toewensen. Laten we in het dagelijks leven uit boetedoening en verzaking afzien van vlees; laten we de verkeerde kennis overboord zetten ten gunste van de groenten. Ah! De groenten! De dierbare groenten... Laten we ten slotte zonder schroom en onomwonden zeggen wat we van bepaalde prelaten vinden: een overmaat aan rijkdom, samen met het achterlaten van het bisdom voor een verblijf aan het hof zijn de oorzaken van de eerloosheid bij menige bisschop die is veranderd in een onverzadigbare wolf. We zien dat Quesnel, die vaak werd vervolgd door een deel van het episcopaat, ferm terugslaat.

Zowel bij Quesnel als bij Saint-Simon en Abbadie staat wereldverzaking niet op gespannen voet met hiërarchisch denken. Bij Quesnel en Pseudo-Dyonisius staat de hemelse rangorde, die van de engelen en aartsengelen,[114] model voor de opbouw van de kerk en de wereld, op grond waarvan de vlak onder de paus aan het hoofd geplaatste bisschoppen de eenvoudige pastoors en de vicarissen moeten instrueren en leiden;[115] en aan de hand van een aantal analogieën geldt hetzelfde voor de bur- germaatschappij, waar 'de harmonie in het gezin, in de gemeenschap en in de publieke instellingen voortbestaat door de ordening en de *ondergeschiktheid*, wat evenzeer geldt voor de harmonie in de kerk'. De gelijkenis van de ledematen en het lichaam rechtvaardigt volgens Quesnel deze beweringen (1 Corinthiërs 12:21), want, zoals Paulus zegt, kan het oog niet tegen de hand zeggen: 'Ik heb u niet nodig,' net zomin als het hoofd tegen de voeten kan zeggen: 'Ik heb u niet nodig.' En vice versa. Het oog bestuurt de hand en het hoofd de voeten, dat weet iedereen; deze vergelijking geldt niet alleen voor het lichamelijke, maar ook voor het sociale en kerkelijke. De edele en de prelaat overtreffen respectievelijk de burgers en de een- voudige kudde.

Verzaak, verzaak dan toch, verdomme! In elk geval zien we zowel bij Quesnel als bij zijn trouwe leerling Saint-Simon telkens het thema van de wereldverzaking terugkeren met een overdaad aan zeer precieze details. De beroemde jansenist is overigens niet de enige die de kleine hertog heeft beïnvloed. Onder de verdedigers van de 'onthechting' die een grote indruk hebben gemaakt op Saint-Simon, noe- men we ook abbé Jacques-Joseph Duguet, geboren in 1649 en zoon van een advo- caat bij de baljuwrechtbank van Montbrison. Jacques Duguet was net als Quesnel een oratoriaan, maar een gematigd en soms ook naïef jansenist en hij verbleef regelmatig in La Trappe in het gezelschap van du Charmel en Monsieur de Saint- Louis; hij was er innig bevriend met Saint-Simon, die grote waardering had voor zijn oprechte nederigheid en vroomheid, die nog werden versterkt door weten- schappelijk inzicht en kennis van zaken op theoretisch en praktisch terrein. Een aantal werken van Duguet, waaronder het beroemde *Institution d'un prince*, 'dat getuigt van een grote eruditie, reikwijdte en rechtvaardigheid',[116] vindt uiteindelijk een plaats in de bibliotheek van de kroniekschrijver, niet voor de sier maar omdat hij ze ook echt heeft gelezen.

Abbé Jacques-Joseph Duguet behoorde tot de intellectuele en spirituele invloeds- sfeer van de port-royalist Pierre Nicole, die in 1678 het *Traité de l'éducation d'un prince* schreef. Duguet, die al sinds 1675-1680 actief was, schreef op zijn beurt rond 1700 zijn eigen *Institution d'un prince*, dat postuum zou verschijnen in 1739, nadat de halverwege de zeventiende eeuw geboren auteur in 1733 was overleden. Onze hedendaagse historici, zelfs degenen met spiritualiteit hoog in het vaandel, hebben vooral de concreet politieke en prefysiocratische aspecten van deze in het begin van de achttiende eeuw geschreven *Institution* benadrukt. De verhandeling van Duguet legt (zoals Raymond Darricau terecht opmerkt) de nadruk op de plichten van een koning ten dienste van het welbevinden van het volk, en volgens Darricau stelt Duguet hierin regeringsplannen op om de landbouw weer tot bloei te brengen, het handelsverkeer te stimuleren, 'de woekerrente uit te bannen, een zuinige staatshuishouding te voeren en een vlotte, eerlijke en weinig geld kostende rechtspraak in te voeren'. In diezelfde geest beveelt Duguet ook de vorming van een fonds aan dat de vorst in staat stelt om in te grijpen bij maatschappelijke calamiteiten, bijvoorbeeld om nieuwe ondernemingen op te richten, vooral in de vorm van werkplaatsen. 'Bovendien is de abbé een voorstander van de bestrijding van de werkloosheid.' Dit soort praktische ideeën moesten de goedkeuring van iemand als Saint-Simon wel wegdragen, aangezien deze aristocraat voortdurend zijn best deed de omstandigheden in zijn eigen heerlijkheden te verbeteren.[117]

Overigens gaat Duguet, niet a priori opzettelijk maar wel geheel in de lijn van Saint-Simon, op talloze bladzijden van zijn *Institution d'un prince* in op het thema van de wereldverzaking, ook en vooral voor de vorst, die zich bij elke gelegenheid moet verheffen tot een spirituele beschouwing, die uitstijgt boven zijn noodzakelijke betrokkenheid bij aardse zaken, die, zoals gezegd, van hem een fysiocraat *avant la lettre* maakten. Over het algemeen zijn de gedachten en richtlijnen van Duguet van belang voor niet-geestelijke, klassieke staatshoofden, in de eerste plaats voor Lodewijk xiv, die hier als slecht voorbeeld dient en tijdens wiens regering Duguet in het geheim zijn richtlijnen schreef die pas na zijn dood gepubliceerd zouden worden. Maar zij zijn daarnaast uitdrukkelijk bestemd voor andersoortige potentaten, kortom voor de kerkvorsten die de prelaten, de bisschoppen en vooral de kardinalen allemaal min of meer zijn – voor wie ook Saint-Simon nu eens bewondering toonde, dan weer de gesel van de satire hanteerde, al naar gelang zij meer of minder afzagen van de wereldse genoegens in het kader van hun pastorale activiteiten.

Volgens Duguet moet zowel de wereldse vorst als de kerkvorst zich inzetten voor de zaken van zijn koninkrijk of bisdom, maar hij moet hierbij de noodzakelijke innerlijke afstand bewaren, kortom verachting hebben voor de wereld die hij moet besturen; hij moet de hoop op een toekomstig welzijn, ofwel het hemelse geluk, baseren op de verachting van aardse bezittingen.[118] Marchanderen is hierbij uit den boze: volgens de abbé betekent de verachting van het aardse voor vorsten het afwijzen van hoogmoed, lofprijzingen, het verlangen zich te verheffen en te overheersen, een zeer gevaarlijk verlangen bij vorsten,[119] maar dat bij bisschoppen nog veel gevaarlijker is. In de beslotenheid van zijn schrijfkamer gaat Duguet rond 1700 telkens weer Lodewijk xiv te lijf – zonder hem evenwel met naam en toenaam te noemen. Een Lodewijk xiv bij wie de roes van de hoogmoed aan het begin van de eeuw der Verlichting trouwens behoorlijk was verminderd sinds 1680, omdat de koning was gerijpt door de beproevingen van het ouder worden en door de eerste tegenslagen van 'het einde van zijn regering'. Net als de hoogmoed en als die andere vorm van hoogmoed die valse bescheidenheid heet, moet volgens de teksten van

Duguet in elk geval de onvermoeibare en verfoeilijke eerzucht aan de kaak worden gesteld: deze komt vooral voor bij 'verpeste lieden,[120] die de kerk en de staat besmetten met hun verderfelijke voorbeeld ten nadele van de ware verdienste'. Ook hier wordt tegenover de hoogmoed en de eerzucht de zo wenselijke ware nederigheid gesteld. Deze nederigheid was de deugd bij uitstek van koning Lodewijk de Heilige; het is ook de plicht van de vorst 'om zich te verootmoedigen voor God', zich te verootmoedigen door de moeizame inwijding in de smarten en de werkingen van de boetedoening – waarbij een dergelijke verootmoediging natuurlijk geenszins het gezag en de macht van de vorst aantastte.[121] Nederig zijn is ook getuigen van eenvoud, zowel bij de vorst als de bisschop: eenvoud in kleding, meubelen, bedienden en behuizing, hoe groot het paleis ook is (zou Duguet het kasteel in Versailles, dat rond 1700 schitterender was dan ooit, op het oog hebben?). Ook roem is verwerpelijk: nog een steek onder water voor de Zonnekoning, die zo bezeten was van zelfverheerlijking of simpelweg van zijn *image*, zoals de politici, copywriters en andere raadgevers van staatslieden het in onze tijd noemen.

In dit opzicht wordt de *afkomst* zeer laag aangeslagen door Duguet: bij het grote publiek van rond 1700 was dit een reden om hooggeboren aristocraten te overladen met loftuitingen; maar volgens Duguet moet een goede afkomst juist leiden tot nederige overpeinzingen over het ongeluk van de zwak en naakt geboren mens, die bij zijn dood nauwelijks meer waard is dan dat. Een dergelijk negatief, of in elk geval ongunstig oordeel richt zich tegen de indrukwekkende maar niettemin verachtelijke *wereld*. De man van de wereld, de hoveling, de biechtvader van koningen loopt langs een afgrond in de tegenwind van zijn eigen hartstochten,[122] en zodra hij zijn ambt onwaardig is wordt hij – nog steeds in de termen van het mondaine leven – gedreven door jaloezie, een voorkeur voor pracht en praal, eigenbelang, vooroordelen, politiek, schijnheiligheid en de afkeurenswaardige behoefte om te behagen. Tegenover de luister en de werken van de wereld, die erger zijn dan de afgoderij van het heidendom, tegenover deze wereld die voor de mens slechts een tijdelijke verblijfplaats, een inleiding tot het eeuwige leven zou moeten zijn, maar die voor zovelen het begin en het eind is, krijgt het begrip armoede in termen van verzaking opnieuw zijn volle betekenis, of beter gezegd zijn ambivalente betekenis: want hoe groot de vorst ook is in de ogen van de mensen,[123] voor God is hij een arme die het aan alles ontbreekt en die nergens recht op heeft. Maar God houdt ook rekening met de belangrijke taken van de 'arme man' die de vorst is. Hij vertrouwt hem, in zijn oneindige goedheid, de zorg toe voor de armen (de 'echte' armen), en ook de zorg voor de wezen, de weduwen en de vreemdelingen, voor al diegenen die geen bescherming of toevluchtsoord hebben;[124] kortom niet alleen de zorg voor de wereldverzakers, maar ook voor de uitgeslotenen, de 'verloochenden' (al diegenen die de wereld heeft uitgestoten). Als de vorst niet over hen zou waken als een goed huisvader, zou de dreigende roep om revolutie, het protest van de armen tegen de overdaad, steeds luider klinken.[125]

De wereldlijke of geestelijke vorst die de wereld verzaakt moet ook een boeteling worden die zich niets gelegen laat liggen aan de zintuiglijke genoegens. Het moet dus afgelopen zijn met de overdadige braspartijen van de bisschoppen, want deze moeten zich, net als de door Saint-Simon geliefde prelaten, slechts toeleggen op het nuttigen van plantaardig voedsel. Angst, bonen en pasta, zoals een kerkvorst later de drie elementen zou omschrijven waardoor een jonge priester de afgrijselijke hel kan vermijden en de lusten van het vlees kan ontvluchten, door middel van een vegetarisch dieet dat de seksualiteit afschrikt. Want deze heeft een slechte naam, ook al wordt zij nooit met name genoemd, uit vrees de lezer in verleiding te brengen. Die vermaledijde schaamte! Kortom, de vorst moet een onbevlekte zuiverheid[126] bewaren, ver van het zedelijk bederf van die tijd; een goed middel hiervoor is zich toneelvoorstellingen ontzeggen. De 'heilige' Jean-Jacques Rousseau zou hetzelfde beweren. Behalve de theaters veroordeelt Duguet de grote gebouwen (opnieuw Versailles, en de bisschoppelijke paleizen), de bezittingen van de kerk, de luxe, de kostbare kazuifels, het Heilig vaatwerk, de kostbare gouden en zilveren miskelken waarvan hij de reddende waarde sterk betwijfelt.

De puriteinse filosofie van Duguet lijkt misschien erg streng, maar in feite staat zij niet vijandig tegenover persoonlijk geluk en de menselijke verlangens, maar dit geluk moet gezocht worden in het hiernamaals en niet hier op aarde. Bovendien moet de vorst niet alleen streven naar zijn eigen zielenheil, hij moet al zijn onderdanen die weg wijzen; wat natuurlijk niet betekent dat hij twintig miljoen onderdanen verandert in evenzoveel wereldverzakers, want velen zijn geroepen, maar weinigen uitverkoren... Al met al is het ideaal van de verzaking voor de wereldlijke of geestelijke vorst zowel een collectieve als een individuele zaak: op collectief gebied moet de vorst loyaal een aards rijk,[127] dat van hemzelf, in stand houden, waarvan de dagen niettemin zijn geteld omdat het ineenstort op de door de Voorzienigheid bepaalde tijd; maar het hart van de vorst moet in principe verlangen naar een ander rijk, dat van God – volledig in de trant van Augustinus – een hemels rijk waarvan de almachtige God de schepper is en waarvan de fundamenten onwrikbaar zijn. De bezigheden van de koning, de keizer of de hertog, van Lodewijk, Karel of Amédée, zijn in Wenen, Versailles, Madrid of Chambéry, maar de geestelijke rijkdom van deze mannen moet elders liggen. Op zuiver persoonlijk vlak zou de vorst het voorbeeld moeten volgen van de paar vrome bisschoppen in de provincie[128] waarvan Saint-Simon een aantal uitgelezen voorbeelden geeft. Hun afwijzing van luxe, hun soberheid, hun matigheid aan tafel, hun eenvoud, de armoedigheid van hun kleding en de van hun gezicht af te lezen nederigheid maken hen aangenaam in de ogen van de Allerhoogste.[129] Naast verzaking en nederigheid gaat het om een ideaal van gelovigheid, want de 'vermeende wijsheid van ongelovige vorsten' kent slechts aardse bezittingen,[130] terwijl de arme, 'wanneer deze nederig en gelovig is', uit de laagheid wordt opgeheven en op een troon geplaatst vanwaar hij de hoogmoedige koningen met goddelijke gerechtigheid kan slaan. *Deposuit potentes de sede et exaltavit humiles*. De woorden van de Maagd Maria, waarvoor Saint-Simon zich als sympathisant met het jansenisme maar matig interesseerde,[131] zijn dus toch zeer actueel. De christenen die volgens Saint-Simon die naam waard zijn, houden zich in elk geval aan een ethiek van volledige[132] of in elk geval gedeeltelijke onthechting.

We zeiden eerder al dat een filosofie of beter een theologie van verzaking heel goed kon samengaan met de hiërarchische structuur van de samenleving zoals die onder de Zonnekoning tot grote bloei kwam, en dat zij elkaar juist versterkten, simpelweg omdat verzaking zich aan de hiërarchie onttrok en deze dus alleen *uiterlijk* ontkende, wat ook een manier is om de hiërarchie te respecteren en wat deze de facto onschendbaar maakt. Abbé Duguet is hierop natuurlijk geen uitzondering; eerlijk gezegd was het ondenkbaar dat zijn *Institution d'un prince* een pleidooi zou zijn voor een tegen de hiërarchie gericht egalitarisme en een democratische geest. Nadat Duguet heeft aangegeven[133] dat de vorst 'volleerd moet zijn in welvoeglijkheid' om zijn regeringstaken te kunnen uitvoeren, voegt hij er onmiddellijk aan toe dat deze koning, prins of hertog 'het volk blijken van genegenheid en goedheid moet geven door zijn gelaat een vriendelijke uitdrukking te geven, die gelijk is voor allen en die, door een soort zwijgende welsprekendheid, iedereen voor hem inneemt'. Tot zover het egalitarisme (?). Maar de abbé corrigeert deze op het oog zo 'nivellerende' opmerking onmiddellijk: in termen die onze hertog had kunnen onderschrijven noteert hij dat 'de vorst naast het gewone taalgebruik een [bijzonder] taalgebruik heeft dat hij afstemt op de *afkomst*, op de *functies* en op de verdiensten. Hij laat niet zomaar op iedereen een vriendelijke blik vallen. Hij is niet kwistig met wat een beloning moet zijn, en zorgt dat wat bedoeld is als een teken van onderscheiding niet in waarde daalt.' Het is dus wel degelijk het voorrecht van de afkomst (in de geest van die tijd per definitie een aristocratische) en in de tweede plaats de zeer hoge functie (gouverneur van een provincie, veldmaarschalk), functies die de graag categoriserende Saint-Simon overigens zeer dierbaar zijn, die een ereplaats innemen in de opsomming van abbé Duguet die, zoals het in die tijd hoort, ruim baan geeft aan het hiërarchische denken. Anderzijds is de verwijzing naar de verdiensten typerend voor iemand uit het begin van de Verlichting, van een Duguet die niet vergeet wat hij is, hoe weinig dat ook moge zijn; die ook niet vergeet dat de vorsten en hun onderdanen, hoezeer zij de wereld ook verzaken, moeten gehoorzamen aan de hiërarchische eisen die de samenleving van die tijd stelt: die samenleving is erop gericht structureel aristocratisch en monarchistisch te blijven.

Na wat we hiervoor hebben gezegd over de wereldverzaking hebben we een goede indruk gekregen van Saint-Simons houding ten opzichte van deze kwestie;[134] en ook ten opzichte van het daarmee samenhangende jansenisme.

1. *Met betrekking tot het jansenisme*: net als zijn leermeester Rancé staat Saint-Simon volledig achter degenen die (ten onrechte, zoals hij zegt) zijn beschuldigd en zelfs gemarteld omdat zij zogenaamd deze doctrine aanhangen (waarbij het woord 'zogenaamd' waarschijnlijk te veel gezegd is); mensen wier ware overtuigingen zeer 'orthodox', dat wil zeggen geheel conform het katholieke geloof zijn (als we opnieuw onze schrijver mogen geloven). Dit geldt bijvoorbeeld, *Santus Simo dixit*, voor bisschop Pavillon d'Alet, van wie alle getuigen, behalve onze hertog, overigens zeker weten dat hij een jansenist in hart en nieren is. Misschien zijn de *Memoires* hier onoprecht, maar we kunnen nu eenmaal niet in het hart van de

schrijver kijken. Saint-Simon gaat nog verder en loopt, gelukkig postuum, enig risico van een inval van de politie en opsluiting wegens jansenisme in het kasteel van Ferté-Vidame, een inval die gelukkig nooit plaatsvindt, want hij verklaart ook[135] bij degenen te horen die zich, wellicht ten onrechte, hebben ingelaten met deze groep [de jansenisten], 'maar die behouden zullen blijven door hun oprechte geloof, dat samengaat met goede werken, [waarvoor het geloof, zoals Paulus zegt, natuur- lijk een voorwaarde is] en met hun daadwerkelijke boetedoening'.[136] De verwijzing naar de 'goede werken' is komisch, gezien de afschuw die de jansenisten altijd hebben getoond voor een op goede werken gebaseerde theologie. Maar we begrij- pen wat hij bedoelt. In principe gaat de hertog en pair tot hier en niet verder. Zodra men te maken heeft met jansenisten in de strikte zin, zodra men niet alleen gecon- fronteerd wordt met de sympathisanten maar met de fanatieke aanhangers van deze groep binnen de kerk, zodra men te maken heeft met wat men wel noemde vastberaden 'indoctrinologen', moet men in het oog houden dat deze lieden geen waarachtigheid en geen waar geloof bezitten; daarom hoeven zij van de kleine hertog dus geen enkele toegeeflijkheid te verwachten. Een nogal 'starre' uitspraak waaruit ongetwijfeld ook een tactische voorzichtigheid spreekt, maar een verdere analyse van Saint-Simons visie op het jansenisme is vrijwel uitgesloten. Daarvoor trekt de achterdochtige en niet altijd even oprechte auteur te veel rookgordijnen op.

Het lijkt daarom redelijk om Saint-Simon, ondanks zijn zelf aangebrachte cor- recties, zijn maskerade als groot liefhebber van het carnaval met zijn valse schijn, onder te brengen in het kamp van de politici, in het kamp van degenen die zich verbonden voelen met de derde katholieke groep, zoals Emile Appolis het zo fraai noemt. De (zeer informele) aanhangers van genoemde groep bevinden zich op de 'middenweg' (zoals Saint-Simon het zelf uitdrukt)[137] tussen de fanatieke aanhan- gers van de augustiniaanse genade en de jezuïtische verdedigers van de persoonlij- ke verdienste, die (in de ogen van de 'augustinianen', de Port-Royalisten en de jezuïetenhaters) ten onrechte uitgaan van de menselijke vrijheid ten opzichte van de goddelijke almacht. Volgens de voorzichtige Saint-Simon moet men dus tussen Jansenius en Jezus in staan; maar een door Molina herziene en gecorrigeerde Je- zus, dus volgens Saint-Simon a priori verdacht. Al met al staat de hertog dichter bij het op Augustinus gebaseerde jansenisme,[138] ook al was dit in het belang van de zaak omzichtig van vorm veranderd en voor velen, zo niet voor iedereen, verteer- baar gemaakt.

Saint-Simon is hierbij in goed gezelschap, want onder de gematigden van deze derde jansenistische groep uit de zeventiende en achttiende eeuw treffen we ook mensen aan als de eminente jurist en kanselier Henri-François d'Aguesseau; ook iemand als de sterk tegen het casuïsme gekante Bossuet die nooit heeft willen kie- zen tussen de genade en de door eenieder moeizaam bijeengebrachte verdiensten; hierin is Saint-Simon ook verwant met iemand als Mabillon, die grote achting heeft voor Quesnel, een Mabillon die de verering van bepaalde heiligen die te folkloris- tisch, te denkbeeldig of te populair zijn, afwijst; hij stemt ook in met abbé Claude Fleury, een gezworen vijand van de goedgelovigheid; natuurlijk ook met de informele beweringen van een abbé de Rancé, die in zijn verloren ogenblikken graag Quesnel leest en zich zeer vijandig opstelt tegenover de *zelanti* van de Sociëteit van Jezus; met die van eerwaarde La Tour, overste van de oratorianen, en jansenist; en ten slotte met die van Domenico Passionei, aartsbisschop van Efeze, die beschikte over verbluffende relaties omdat hij regelmatig omging met de grote geleerde Montfaucon, verknocht was aan Mabillon en Rancé en kardinaal le Camus vereerde (die zelf van jansenisme werd verdacht). Aan deze lijst van mannen van het juiste midden, die echter neigden naar centrum-links, moeten we aartsbisschop Le Tellier nog toevoegen, de beroemde en schrandere prelaat 'van het midden', afgezien van zijn betreurenswaardige buitenissige gedrag.[139]

2. Behalve de theologische spitsvondigheden die in de tekst van de kroniekschrijver betrekking hebben op het jansenisme, komt de problematiek van de daarmee verbonden *verzaking* op vrijwel elke pagina van de *Memoires* aan de oppervlakte. Het 'saint-simonisme' als filosofie van de hiërarchie komt hierin natuurlijk (ondanks de grote afstand in plaats en tijd) dicht bij de stellingen van de Indiakenner Louis Dumont in zijn *Homo hierarchicus*:[140] 'De innerlijke samenhang van het hiërarchische systeem wordt gevormd door het bestaan binnen deze hiërarchische samenleving zelf [bij Louis Dumont die van de kasten] van een instituut dat ermee in tegenspraak is'; het gaat hier natuurlijk over de verzaking. Door een dergelijke 'onthechting' kan een tot *sanyassi* geworden iemand 'sterven voor de samenleving', en door zichzelf als zodanig te accepteren als individu kan hij op zijn beurt een sociale groep *sui generis* voortbrengen, die bestaat uit mensen die identiek aan hem zijn: de sekte. Met betrekking tot onze jansenisten denken we natuurlijk aan de sektarische groep van de Port-Royalisten en later, in groteskere vorm, aan de falanx van de dweepzieke jansenisten van Saint-Médard.[141]

Louis Dumont voegt hieraan toe dat er twee manieren zijn om een sterk hiërarchische en rigide sociale structuur te loochenen. De eerste is de omkering van de normen en waarden,[142] een omkering die we vaak in India zien in de vorm van het tantrisme; een omkering die we ook in het christelijke Europa[143] zien in de dramatische of komische vorm van het carnaval, dat rond 1700 ook aantoonbaar in Versailles werd gevierd.[144] In een verdere bestudering van Saint-Simon verdient het carnaval aan het hof een aparte benadering, waar wij ons vroeg of laat wellicht nog aan wagen. De andere methode van loochening om aan de hiërarchie te ontsnappen, en die toch enigszins symbolisch en zelfs cosmetisch is, is natuurlijk het verzaken van de wereld ten dienste van het zielenheil: in feite een individuele of sektarische reddingstechniek ten behoeve van onze menselijke activiteit of passiviteit in dit ondermaanse, met de bedoeling dat het een aardse voorbereiding is op de onuitsprekelijke vreugden van het hiernamaals, nadat men de 'nauwe doorgang van de dood' is gepasseerd. Deze onuitsprekelijke, overweldigende hemelse vreugden hebben in het paradijs niets meer te maken met het afstand doen van wat dan ook, en des te minder naarmate men er voor de dood meer van had afgezien.

We kunnen ons er echter niet toe beperken het ideaal van verzaking dat onze hertog zich ten doel stelde zo niet in praktijk bracht, op een abstracte manier te projecteren; we kunnen er eenvoudigweg geen genoegen mee nemen het als een lichtbundel tussen de andere te projecteren tegen de heldere hemel van de vergelijkende geschiedenis van culturen of beschavingen, de fascinerende geschiedenis à la Louis Dumont. De uiteenzetting van Saint-Simon met betrekking tot de geestelijke onthechting is verbonden met de concrete feitelijkheid van het hof, met het gedrag van de machtige en aristocratische kringen in Parijs en in Versailles; en verder is de doctrine verbonden met de leringen van de theoretici van het augustinisme – of zij nu hugenoten of jansenistische katholieken zijn, of zij nu afkomstig zijn uit de calvinistische Ariège of geworteld zijn in Brussel, in Amsterdam en in de diaspora van verschillende soorten jansenisten en hugenoten die allen een min of meer verwante houding ten opzichte van wereldverzaking hebben...

Met behulp van een aantal bibliografische 'bakens' hebben we het onderwerp nader bekeken, maar het is nog niet uitputtend behandeld. Saint-Simon heeft ongetwijfeld vele boeken over versterving gelezen die in zijn tijd bijzonder in zwang waren, in de eerste plaats natuurlijk het Nieuwe Testament dat menige passage in die richting bevat. We zagen dat hij uit de eerste hand het werk van Quesnel (1672) en van Abbadie (1684) kende, en ook van wijlen Duguet (1739), respectievelijk getiteld *Réflexions sur le Nouveau Testament*, *Vérité de la religion chrétienne*, *Institution d'un prince*... Dit laatste boek, geschreven rond 1700 maar pas in 1739 verschenen, kwam dus te laat om het denken van de hertog in dit opzicht te 'vormen', maar het heeft ongetwijfeld zijn opvattingen ten gunste van het verzaken van de wereld bevestigd, een bevestiging die tot stand kwam door een helder proces van intellectuele overeenstemming.

De eerste van het genoemde trio was Quesnel: zowel voor Saint-Simon als voor elk hedendaags onbevooroordeeld persoon is hij de belangrijkste van de drie. Zijn *Réflexions sur le Nouveau Testament*, zoals gezegd verschenen in 1672, was ongetwijfeld een belangrijke inspiratiebron voor de *Vérité de la religion chrétienne* van Abbadie, dat vijftien jaar later verscheen, en voor de *Institution d'un prince* van Duguet, dat dertig jaar later in het geheim werd geschreven. Deze *Réflexions* waren ook een bron van inspiratie voor de matige *Méditations sur l'Evangile* (1695) van de beroemde Bossuet; dit boek kan niet wedijveren met de *Réflexions* van Quesnel, al was het misschien wel zo bedoeld. De *Réflexions* van Quesnel kunnen soms wedijveren met de *Pensées* van zijn leermeester Pascal, in elk geval in pedagogisch opzicht en als intieme prediking in een enigszins kameralistische stijl. Zoals gezegd bezielden de beschouwingen van Quesnel lange tijd die van de eerwaarde de La Chaise die tot zijn dood in 1709 de zeer gematigde (en niettemin jezuïtische) biechtvader van Lodewijk xiv was. De La Chaise had de *Réflexions* van Quesnel altijd onder handbereik; hij beschouwde het als een leerboek en het was tegelijkertijd zijn lievelingsboek. De eerwaarde Tellier, de opvolger van de La Chaise, was daarentegen een verklaard tegenstander van Quesnel; en zijn rampzalige invloed leidde ertoe dat Lodewijk xiv uiteindelijk de bul *Unigenitus* openbaar maakte, die in 1713 kant-en-klaar van een gedienstige paus kwam en bedoeld was voor het persoonlijk gebruik door de koning van Frankrijk. Saint-Simon voelde heel goed de onzalige pro-jezuïtische 'flexuur' van 1709-1713 aan.[145]

Het is duidelijk dat Quesnel – als gevolg van de bittere wrok voor zijn persoon en zijn werk – de rampzalige *Unigenitus* van 1713 heeft veroorzaakt, die een welbewuste aanval is op het jansenistische gedachtegoed van diezelfde Quesnel (die bestreden werd als individu) en op zijn volgelingen. In deze omstandigheden was de *Unigenitus* zonder meer de bron van strijd, die de vele reacties van de jansenisten van de Verlichting tegen de bul opriep, reacties die zelf overigens verre van reactionair waren: zij worden, samen met een aantal andere reacties, een van de – gallicaanse, klerikale, parlementaire, juridische – kweekvijvers van de immense Franse Revolutie van 1789. Overigens zien wij de onterecht in het vergeetboek geraakte Quesnel als een van de vaders, of beter grootvaders van een linkse beweging in Frankrijk, die in de eerste plaats een erfenis van 1789 is, maar daarvoor ook al een erfenis van de Verlichting... en van het militante jansenisme;[146] een linkse beweging waarvan iedereen tot in onze tijd de grootheid en ook de zwakke, soms sektarische kanten kent...

Staat tegenover 'links' dan ook 'rechts'? Begrijpelijkerwijs gaan wij niet dieper op dit politieke anachronisme in, ook al hebben we het zelf bewust opgeroepen. Toch kunnen we, zonder de tijden onderling te laten botsen, stellen dat tegenover de verzakers, of beter gezegd tegenover de jansenisten van wie velen in aanleg of feitelijke wereldverzakers zijn, simpelweg de mensen van de wereld staan (zonder dat dit woord per se een negatieve klank hoeft te hebben); het zijn de mensen die in de wereld staan, die overigens paradoxaal genoeg in bepaalde gevallen zelf ook vatbaar zijn voor verzaking. Deze tot over hun oren in het maatschappelijke gebeuren verkerende lieden, kunnen hun positie aanwenden voor de goede zaak; zij willen gebruikmaken van hun wereld en die zo nodig ook veranderen. De typische vertegenwoordiger hiervan, in elk geval binnen de kerk, is de jezuïet, de aartsvijand van de jansenisten, en van wie Saint-Simon ronduit een afkeer heeft.

Niet dat onze hertog a priori en in alle gevallen vijandig staat tegenover de paters. In navolging van een uitspraak die in onze tijd in een heel andere context befaamd is, had hij kunnen zeggen: 'Sommige van mijn beste vrienden zijn jezuïeten.' Of zoals Saint-Simon het zelf letterlijk zegt: 'Wat men ook over de jezuïeten schrijft, men moet niet denken dat er hier en daar [sic] niet ook heel godvruchtige en verlichte mensen onder zijn.' Van die 'goede' jezuïeten noemen we hier pater Sanadon, een voortreffelijk pedagoog: onze kroniekschrijver was vroeger de 'geestelijke zuigeling' van de jezuïeten,[147] net als Voltaire; beiden zouden daarna in de borst bijten die hen had gevoed. Maar Sanadon had het overleefd; hij zou onze schrijver, die bij wijze van uitzondering bevriend met hem bleef, nog lang geestelijke leiding en wenken voor vrome lectuur geven.[148] Nog aantrekkelijker dan Sanadon was pater Gaillard, een zeer bekwaam prediker, van wie bovendien – en dat is verbazend[149] – werd vermoed dat hij in zijn hart jansenist was, midden in de jezuïetenorde, waarvan Gaillard alleen het habijt droeg zonder verder de overtuigingen van zijn collega's te delen.

Het tegenovergestelde kan ook. Een jansenist onder de jezuïeten juicht Saint-

Simon toe, maar een jezuïet onder de jansenisten? Dat bevalt de schrijver van de *Memoires* veel minder. Dit gold voor pater Le Vassor, die de soutane van de oratorianen droeg, maar in werkelijkheid een 'spion'(?) was van de jezuïeten in de sterk tot het jansenisme neigende orde van het Oratorium. Nadat hij op heterdaad was betrapt zat er voor Le Vassor niets anders op dan naar Engeland te vluchten en daar... protestants te worden; hij verwierf er hoge functies en werd de auteur van bestsellers over de geschiedenis van Frankrijk. Dus openlijk jansenist, in het geheim jezuïet en later protestant: de overgang van Le Vassor is fascinerend! Het enige in de *Memoires* wat hiermee te vergelijken is, is het geval van een zekere Ripperda, de protestantse ambassadeur van Holland in Madrid, en vervolgens de eerste minister van Filips v van Spanje en dus katholiek geworden, daarna in ongenade gevallen en gevlucht naar Marokko waar hij zich tot de islam bekeerde! We kunnen ook nog denken aan de ommezwaai van een zekere Palissot, gezworen vijand van de vrijdenkers van de Verlichting die hij ervan beschuldigt net als Rousseau de erfenis te verbrassen, waarna hij van mening verandert en zich vanaf 1789 bekeert tot de idealen van de Franse Revolutie, die hem vervolgens beloont met een hoge functie als bibliothecaris...

Laten we ons nu houden bij de mogelijke 'goedheid' van een aantal jezuïeten of een bepaald jezuïtisme – 'goedheid' dus, zelfs volgens Saint-Simon die dit, gezien zijn vooroordelen ten opzichte van de paters, iets uitzonderlijks moet vinden... Die goedheid wordt echter geloofwaardiger wanneer we ons verdiepen in een verleden dat, door de inmiddels verstreken tijd, niemand meer kan schaden: aan de hand van een dubbele anekdote over de 'chocolade van de jezuïeten' kunnen we het effect van deze *flashback* nagaan. Tijdens zijn reis naar Spanje in 1721 houdt Saint-Simon halt in Loyola, de plaats waar de onderneming van de heilige Ignatius begon. Loyola was het beginpunt van een ongeëvenaard jezuïtisch avontuur dat al spoedig via India en Europa verbreid werd naar Amerika en China. In Loyola is dientengevolge alles of bijna alles bewonderenswaardig. De muilezels, die de hertog naar de bekoorlijke barokke kerk brengen, gebouwd op de plek waar Ignatius begon, hebben een trage, zachte gang. En de chocolademelk die men de reizigers serveert is verrukkelijk. Maar zodra het over de actuele jezuïeten gaat, de tijdgenoten van de oude Lodewijk xiv en van de jonge Lodewijk xv, is het wat anders. Toen de paters in 1701 uit Amerika dikke plakken chocolade naar Spanje lieten sturen, hoefden de douaniers alleen maar even aan de plakken te krabben om erachter te komen dat de chocolade slechts een laagje was dat enorme baren goud omhulde die de monniken uit de Nieuwe Wereld naar de Oude lieten smokkelen. Er is dus chocolade en chocolade: de goede oude chocolade uit de tijd van Loyola en de afschuwelijke chocolade van de huidige tijd.[150] Het doet denken aan de clandestiene kruitopslag van de jezuïeten van Namen in de kelders van hun klooster, kruit dat ze als springstof wilden gebruiken tegen het Franse leger. Deze overigens vruchteloze camouflage had zelfs geen chocoladelaag nodig...

Wat kan de jezuïeten nog meer verweten worden? Zijn ze wellicht ook moordenaars, al was het maar bij volmacht? Tweemaal stierf er in hun Parijse scholen een kind uit de hoogste kringen ten gevolge van mishandeling: in 1658 was dat de neef van Mazarin die in de lucht werd gegooid door kameraden die een hekel hadden aan zijn oom, die bijzonder impopulair was. Het kind overleed aan een schedelbasisfractuur. Een bijna vergelijkbaar iets overkwam de jonge Antoine, zoon van maarschalk de Boufflers en leerling bij de jezuïeten, die hem hadden gegeseld voor een kwajongensstreek. De vijftienjarige Antoine stierf van verdriet, of van woede (?). In beide gevallen interesseerde de koning zich min of meer (?) voor deze jezuïtische ongelukjes. Maar omdat het jezuïeten betrof, 'deed hij er verder niets aan'. Hetzelfde geldt voor het hiervoor genoemde 'kruitvat' in Namen: 'Hij deed er verder niets aan.' Als we de kroniekschrijver mogen geloven wordt de Sociëteit van Jezus al bij voorbaat gratie geschonken door de machtigen der aarde, wat er ook gebeurt.[151]

Deze al dan niet vermeende onschendbaarheid van de jezuïeten is Saint-Simon een doorn in het oog. Ook op het gebied van de belastingen: onze schrijver klaagt, en daar heeft hij niet helemaal ongelijk in, dat de jezuïeten vrijstelling krijgen, onder het mom van geldgebrek, van de belastingen die zowel de seculiere als de reguliere geestelijkheid gewoonlijk moet betalen.[152] Overigens kunnen de paters hiervoor wel een aantal rechtvaardigingen aanvoeren: als leden van een weliswaar machtige maar nog jonge orde beschikken zij niet over de uitgebreide grondschenkingen van de oudere instellingen, zoals de benedictijner abdijen, enzovoort. In zijn haat tegen de jezuïeten noemt de hertog dit gebrek aan grootgrondbezit niet, hoewel hij daar goed van op de hoogte is. Daarnaast verwijt Saint-Simon de paters dat zij een bepaald terugvorderingsrecht hebben verworven op de familienalatenschap, voor hun broeders die de orde na een twintigtal jaren verlaten en terstond hun ouders, zusters en broers ontrieven; deze dachten dat zij op financieel gebied af waren van dergelijke 'broederlijke' aanspraken, maar plotseling worden zij geconfronteerd met een vroegere jezuïet die alsnog een flinke portie van de 'taart' opeist.[153] Voor Saint-Simon is dit onverdraaglijk.

Overigens noteert onze auteur, met ingehouden woede, het geringste eigenmachtige optreden van de Sociëteit van Jezus; zo verwijt hij hen de in 1605 begonnen (en in 1689 voltooide) afbraak van de piramide van Jean Chastel, die bijna Hendrik IV had vermoord, een piramide waarvan de inscripties beledigend waren voor de jezuïeten (die naar men zei de aanstichters waren van de aanslag door Chastel). Vanzelfsprekend had Saint-Simon slechts sarcastische opmerkingen voor de jezuïetenvriend die verantwoordelijk was voor de laatste fase van de afbraak, namelijk Fourcy, de provoost van Parijs, geruggensteund door de kanselier van Frankrijk, zijn schoonvader Boucherat. De voltooide afbraak zorgde ervoor dat de zoon van Fourcy werd 'gepousseerd' voor een fraaie geestelijke loopbaan, doordat de jezuïeten beloofden de jongeman te beschermen tijdens zijn loopbaan.[154]

Een ander onbeduidend voorbeeld van het imperialisme van de jezuïeten roept als gewoonlijk de woede op van Saint Simon: de directe of indirecte inbezitneming door de paters van de parochie van Brest, dat indertijd nog een kleine stad was; wat de hertog vergeet te vertellen is dat deze zeggenschap werd gecompenseerd door een wiskundige opleiding van hoog niveau door jezuïtische hoogleraren, die de marine in Brest zeer ten goede kwam.[155] Volgens onze hertog hadden de jezuïeten er ook voor gezorgd dat de hertog de Nevers werd beroofd van zijn recht van benoeming in het piepkleine 'bisdom' Bethlehem in Clamecy, een mini-bisdom in de trant van de kleine koning van Yvetot en het groothertogdom Gerolstein, en waarvan de inkomsten nauwelijks duizend Tournooise ponden bedroegen... Het is allemaal nogal kleingeestig, waarbij het verhaal over Clamecy in het belang van de zaak ook nog min of meer vertekend werd opgenomen in de *Memoires*.[156]

Het gaat Saint-Simon beter af wanneer hij in het geweer komt tegen de, volgens hem discutabele, intellectuele ondernemingen van de Sociëteit van Jezus. In de eerste plaats leveren de paters in 1699 felle kritiek op een benedictijner uitgave van het werk van Augustinus, vanwege de jansenistische strekking ervan.[157] Het verwijt was waarschijnlijk niet geheel onterecht aangezien Fénelon zelf, bezorgd als hij was, de geestelijke auteurs al had gewaarschuwd voor een dergelijke publicatie. Deze laatsten droegen het habijt van de benedictijnen van de congregatie van Saint-Maur, waar dankzij pater Mabillon een zeer grote eruditie heerste. Niettemin was er bij de paus, Lodewijk XIV, de kanselier van Frankrijk en de secretarissen van Staat nauwelijks steun voor de diverse jezuïtische aanvallen tegen deze naar augustinisme riekende uitgave van de benedictijnen; we kunnen zelfs stellen dat de vorstelijke staat in 1699-1700 geen enkele steun heeft gegeven aan de aanval op de benedictijnen door de Sociëteit van Jezus. In dit geval was er dus sprake van een neutrale, enigszins pro-jansenistische houding van de koning, die de auteur van de *Memoires* in vervoering brengt, uit pure vreugde dat de zonen van de heilige Ignatius[158] eindelijk eens verslagen waren door de bundeling van de pauselijke en monarchale macht.

Saint-Simon is, terecht, heel wat minder verheugd over de affaire in 1713 van pater de Jouvency.[159] Deze van oorsprong Franse maar in Rome gevestigde jezuïet is een van de geschiedschrijvers van de orde van de heilige Ignatius, waarvan hij lid is. In het boek dat hij over de regeringsperiode van Hendrik IV schreef, betoonde Jouvency zich zeer toegeeflijk ten opzichte van zijn collega's uit die tijd, die niettemin aanhangers van de Heilige Liga, oproerkraaiers, tegenstanders van de gevestigde orde en zelfs koningsmoordenaars of in elk geval voorstander daarvan waren... Het parlement van Parijs, altijd al gallicaans zo niet sympathiserend met het jansenisme, was razend over Jouvency's vergoelijking van de pogingen tot koningsmoord, nadat de altijd waakzame hoge magistraten in 1713 diens boek *Histoire de la Société de Jésus* onder ogen hadden gekregen. Maar Lodewijk XIV, wellicht bewerkt door de inmiddels zeer invloedrijke pater Tellier, of misschien bezorgd om zijn zielenheil, of simpelweg pro-jezuïet geworden door een overdaad aan antijansenisme, deze Lodewijk XIV stemde slechts in met een gematigde straf (het was dan ook 1713, het jaar van de bul *Unigenitus*): het boek van Jouvency wordt 'weggehaald' uit Frankrijk, maar 'zonder verscheuring of verbranding'. Deze gematigde en pro-jezuïtische houding van de koning kwam voor onze verontwaardigde hertog neer op medeplichtigheid of simpelweg een provocatie.

Ten slotte was de *Histoire de France* van pater Daniel S.J., dat verscheen in 1723, opnieuw een druppel die de emmer deed overlopen, in elk geval in de ogen van Saint-Simon. Onze auteur verweet de auteur van deze nieuwe *Histoire de France* in de eerste plaats dat hij zich vrijwel uitsluitend bezighield met de krijgsgeschiedenis, een kritiek die Voltaire al eerder over deze zelfde jezuïtische historicus had geuit. Anderzijds verweet de hertog Daniel dat deze zich zo weinig kritisch opstelde tegenover de door het jezuïtisme veroorzaakte onrust en beroering ten tijde van de Heilige Liga, en het is dus een waar genoegen, voegt Saint-Simon daaraan toe, om pater Daniel over dit ultramontaanse ijs te zien glibberen 'op zijn jezuïetenschaatsen'! Hij verwijt Daniel vooral dat deze het overspel van de koningen en de daaruit voortgesproten bastaarden niet krachtiger afkeurt: een doodzonde, volgens Saint-Simon, in een periode dat de hertog du Maine, zelf een bastaard, op alle mogelijke manieren complotten smeedt om profijt te trekken van de opvolging van Lodewijk XIV, die spoedig moest plaatsvinden omdat de dood van de koning nabij was. Het is begrijpelijk dat Saint-Simon pater Daniel hierdoor niet in zijn hart droeg,[160] wiens typerend (?) jezuïtische 'geschaats' hem ten slotte tot wanhoop bracht.

Wordt de diepgewortelde haat van Saint-Simon voor de jezuïeten in wezen veroorzaakt doordat zij zich gedragen als mannen van de wereld, of in elk geval als mannen in de wereld? Zij bemoeien zich met alles wat leeft, alles wat beweegt; zij nemen deel aan het leven in zijn totaliteit, terwijl de jansenisten zich juist richten op de dood, of op een actieve voorbereiding op de dood, door middel van boetedoening, soberheid en wereldverzaking. Parlementspresident Harlay, met zijn onbeschaamde schimpscheuten, voelde het goed aan[161] toen hij zich tijdens een bijeenkomst tot de jezuïeten wendde en zei: 'Het is goed leven met u, mijn waarde paters!' en daarna zei Harlay tegen de daar eveneens aanwezige pro-jansenistische oratorianen: 'Het is goed sterven met u, mijn waarde paters!' Je op je sterfbed verlaten op een oratoriaan was inderdaad de beste manier om een goede dood te sterven na een aangenaam leven in overeenstemming met het plezierige laxisme van de jezuïeten. Een dubbele houding: pro-jezuïtisch tijdens het leven, pro-jansenistisch bij de dood. Deze werd bevestigd door 'Monsieur le Prince', Henri-Jules, zoon van de Grote Condé: vlak voor zijn dood verving hij zijn (jezuïtische) biechtvader door een jansenistische oratoriaan, in navolging van de prins de Conti en Mlle de Condé.[162] Een voorbeeld dat enkele jaren later ook werd gevolgd door de jonge hertogin de Bourgogne: toen ze wist dat haar dood aanstaande was, liet zij een observant komen om terstond de jezuïet te vervangen die – wat overigens verre van gemakkelijk was – moest zorgen voor het zielenheil van deze door minnaars omringde dame. Hetzelfde deed[163] de koningin van Spanje (de zuster van de hertogin de Bourgogne), toen zij in 1714 op sterven lag. Deze beide prinsessen volgden hiermee overigens de voorschriften van de hertogelijke familie de Savoie, waarvan zij nazaten waren. De hertogen de Savoie: als altijd de gezworen vijanden van de jezuïeten![164]

De reeds genoemde Monsieur le Prince Henri-Jules de Condé ging evenwel nog verder: zijn grootvader dacht indertijd al dat hij een everzwijn was, maar Henri-

Jules dacht aan het eind van de rit, toen de wisseling van biechtvader plaatsvond, simpelweg dat hij al dood was. En dus at hij in een onderaards gewelf, in de overtuiging dat hij daar bij de overleden Monsieur de Turenne was.[165] Bij andere gelegenheden at hij, nog steeds overtuigd dat hij was gestorven, met tafelgenoten die, om met deze macabere manie mee te gaan, doorgingen voor overledenen, maar met smaak aten van de dis die Henri-Jules hen liet voorzetten. Tijdens deze vreemde maaltijden sprak men over het hiernamaals. Dokter Finot, de arts van Henri-Jules en ook van de Saint-Simons, lachte zich een ongeluk toen hij over deze vreemde smulpartijen vertelde aan onze schrijver, die er geen woord van miste. Met andere woorden, het jansenisme van Monsieur le Prince Henri-Jules tijdens diens laatste maanden kwam bij hem – en bij een aantal anderen die heel wat redelijker waren – overeen met een verheerlijking van de dood; hiertegenover stelden de jezuïeten een verheerlijking van het leven, van de faustiaanse wereld van de levenden, en niet alleen die van de hoogste kringen. We kunnen hierbij een onverwachte lofrede van Goethe aanhalen voor de paters: 'Groen is de kostbare levensboom... *Und grün des Lebens goldner Baum.*'[166]

De sympathieke groenheid van het jezuïtisme liet Saint-Simon min of meer koud, en uit de verbale hatelijkheden in de *Memoires* ten opzichte van de paters zouden we kunnen opmaken dat hij de 'ignatianen' volkomen vijandig gezind is. Dat zou echter overdreven zijn: Saint-Simon neemt vreemd genoeg ongeveer dezelfde houding aan ten opzichte van de jezuïeten als tegenover de hugenoten. Wellicht een spiegeleffect? De kroniekschrijver walgt van de herroeping van het Edict van Nantes, maar wanneer zich tijdens het regentschap de unieke gelegenheid voordoet de herroeping te herroepen en de geëmigreerde protestanten te laten terugkeren, reageert de kleine hertog bijzonder behoedzaam. Filips van Orleans daarentegen staat meteen in vuur en vlam: hij wil onmiddellijk handelend optreden en de fout van Lodewijk xiv ongedaan maken, kortom de naar het buitenland uitgeweken calvinisten laten terugkeren. Saint-Simon is duidelijk veel beheerster en zegt tegen Filips: 'Door de protestanten terug te halen riskeert u nieuwe godsdienstoorlogen zoals in de zestiende eeuw, waarmee u ook het tegenvuur van de Liga opnieuw aanwakkert.' In deze woorden worden de hugenoten dus tweemaal afgestraft: als zodanig en als aanstichters van een opstandig jezuïtisch fanatiek katholicisme, dat er echter op uit was hen te bestrijden en uit te roeien. Saint-Simon moet niets hebben van wat hij beschouwt als een omgekeerd fanatisme: hij houdt niet van de 'ketterij' van de protestanten, maar ook niet van de woedende ketterhaat van de aanhangers van de Liga en van de jezuïeten; door de tekortkomingen van de laatsten verfoeit hij de verantwoordelijkheid van de eersten; de (linkse) vijanden van zijn (extreem rechtse) vijanden zijn nog niet zijn vrienden, alleen in de vorm van een zuiver ideematig mededogen achteraf waar het de herroeping betreft in de tijd van Lodewijk xiv en er nog geen sprake van was dat deze weer ingetrokken kon worden. En wanneer zich tijdens het regentschap de gelegenheid daartoe voordoet, is er niemand meer, tenminste wat de hertog betreft.

Ten opzichte van de jezuïeten als zodanig, en niet alleen in verband met de hugenoten, is de redenering van de hertog ongeveer hetzelfde, maar dan aan het andere uiterste van het politiek-religieuze spectrum: Saint-Simon moet niets van de jezuïeten hebben, soms haat hij ze zelfs oprecht. Maar wanneer de hertog de Noailles hem op een goede dag, hardop denkend, voorstelt om de Sociëteit van Jezus te ontbinden (wat inderdaad gebeurt, maar veel later in 1762), stemt Saint-Simon niet in met zijn collega Noailles, maar heft hij slechts zijn handen ten hemel. Hij benadrukt het grote belang van de activiteiten van de jezuïeten in het koninkrijk, die vooral bestaan uit het lesgeven in het voortgezet en hoger onderwijs. Onze auteur verwerpt dus bij voorbaat elk plan om de Sociëteit op te heffen. De kleine hertog blaft wel, maar op afstand. Wanneer zich een, vermeende, gelegenheid voordoet om iets vóór de hugenoten en tegen de jezuïeten te doen, spreekt hij vastberaden taal maar aarzelt hij om tot daden over te gaan.

Wie verzetten zich volgens Saint-Simon en enkele anderen tegen de jezuïeten? En wie steunt hen anderzijds? Dat is een kwestie van facties en zelfs van cabalen. Onder de tegenstanders van de Sociëteit, of in elk geval degenen die er gereserveerd tegenover staan, noemen we in de eerste plaats de bekende bisschoppen van de gallicaanse generatie die in 1682 de Assemblée van de geestelijken bijeenriepen en drie jaar later de herroeping van het Edict steunden. Van hen noemen we natuurlijk Bossuet, geboren in 1627; kardinaal de Coislin, geboren in 1630; kardinaal de Bonzi, aartsbisschop van Narbonne, geboren in 1631, lange tijd almachtig in de Languedoc en zelfs aan het hof; de aartsbisschop van Reims, Le Tellier, geboren in 1642, de broer van Louvois. De kardinalen d'Estrées (geboren in 1628) en Janson (geboren in 1630) hadden ook een rol kunnen spelen in de heimelijke strijd tegen de jezuïeten, maar zij waren oude hovelingen en Janson was ernstig ziek.[167] Bonzi en Le Tellier waren gehandicapt door hun ontuchtige levenswandel, de eerste met de gravin de Granges, echtgenote van een luitenant van de koning in de Languedoc en Tellier met diens nicht, de markiezin de Créqui. Onder de jongere tegenstanders van de Sociëteit noemen we natuurlijk de kuise kardinaal de Noailles, aartsbisschop van Parijs, geboren in 1651, die in de loop der tijd het favoriete doelwit van de paters was geworden; en verder waren er, zonder dat de leeftijd een rol speelde, de zeer jansenistisch gezinde paters van het Oratoire, de benedictijnen en in het algemeen de jansenistische theologen à la Quesnel, die zelf oratoriaan was. Onder de leken die sympathiseerden met Port-Royal en die dus afkerig waren van het 'jezuïtisme' zien we ook de beroemde jurist d'Aguesseau; en in het Maintenoncabaal kanselier Pontchartrain; in het cabaal van Monseigneur zien we Madame de Hertogin en haar halfzuster Conti, eveneens een koninklijke bastaarddochter, die beiden een hekel hadden aan de jezuïeten; bij de hertog d'Orleans was het maarschalk de Bezons; in het cabaal van de hertog de Bourgogne zien we ten slotte Torcy (een Colbert) met zijn 'geur' van jansenisme, en verder het echtpaar Saint-Simon; de hertogin de Bourgogne zelf, afkomstig uit de Savoie en dus weinig geporteerd van de paters.

Vervolgens kijken we naar de 'kliek' van degenen die de jezuïeten gunstig gezind waren. Dan zien we, als we nauwkeurig kijken, in parlementaire kringen – die in principe gallicaans en zelfs pro-jansenistisch zijn – toch enkele zeer vooraan-staande pro-jezuïtische leken zoals Harlay, de 'oude baas' die zijn bibliotheek nalaat aan de Sociëteit; de Lamoignons van wie een van de zonen, Basville, districtsinten-dant en ongekroonde koning van de Languedoc, vaak een felle vijand van de protes-tanten was en ook de hardnekkige tegenstander van kardinaal Bonzi die hij door intriges uiteindelijk in ongenade liet vallen; en verder de Chauvelins, die later een minister van Lodewijk xv zouden leveren.

Buiten het parlement, in de grote hofcabalen, ligt de vurigste haard van jezuïtis-me in de groep van de hertog de Bourgogne, een groep waarvan de jezuïetenhater Saint-Simon overigens een actief lid is... wat de reden is waarom hij zich er niet altijd thuisvoelt. Tot de dynamische kern van het militante pro-jezuïtisme in diezelf-de factie behoort pater Tellier, de geduchte biechtvader van de koning, evenals de beide hertogen de Chevreuse en met name Beauvillier, schoonzoons van Colbert; zij hebben in het geheim nauwe banden met Fénelon, als altijd fel tegenstander van Bossuet en het absolutisme in zijn ballingschap in het aartsbisdom Kamerijk. Deze aartsbisschop Fénelon mag zich overigens verheugen in de grote maar stilzwijgen-de genegenheid van de hertog de Bourgogne, en in Rome kan hij rekenen op de steun van kardinaal de Bouillon, die de jezuïeten ook gunstig gezind is... (Overi-gens zijn de jezuïeten, zoals bekend, bepaald geen kweekvijver van bisschoppen; wanneer een van hen bisschop wordt, zoals Mgr Lafitau, de broer van een beroemd etnoloog, blijft de Sociëteit gebruikmaken van zijn diensten, maar zij beschouwt hem niet langer als een van haar leden.) Verder noemen we uit de kring van de hertog de Bourgogne als pro-jezuïeten, behalve Fénelon, de zwager van Saint-Simon, ofwel de oude hertog Antoine de Lauzun wiens neef Belzunce, die de trots is van Antoine, bisschop is van Marseille; Belzunce die zich in die stad tijdens de pest van 1720 van zijn dapperste kant zal laten zien, maar die anderzijds openlijk een vurig voorstander is van de zeer jezuïtische bul *Unigenitus*. We kunnen hier nog een aantal diplomatieke connecties aan toevoegen, zoals aan het einde van de oorlo-gen tegen de Liga van Augsburg de banden van staatsraad Crécy met de jezuïeten en die van de schrijver Callières met de hertog de Chevreuse.

We komen nu, jezuïtisch gesproken, bij het belangrijkste cabaal, dat van Mainte-non, dat de grootste macht heeft omdat de vrouw van wie deze groep de naam draagt een koninklijk paar vormt met de Zonnekoning. De invloed van de jezuïeten is er wellicht minder groot, of minder direct, dan bij de groep Bourgogne-Fénelon-Chevreuse-Beauvillier, de pro-jezuïtische factie bij uitstek. Maar de troeven die de Sociëteit heeft aan de Maintenonkant van de macht, ja zelfs van de almacht, zijn niettemin sterk. In de eerste plaats door de persoon van Lodewijk xiv zelf: deze koning gaat soms zelfs zo ver dat hij de voorkeur geeft aan atheïsten boven janse-nisten, omdat deze laatsten volgens hem leden zijn van een 'republikeinse partij in de kerk en de staat'. Lodewijk was eerst zeer gallicaans. Maar hierin veranderde hij. Hij werd zeker geen ultramontaan, maar hij was wel degelijk enigszins 'gecham-breerd' onder invloed van zijn vrouw en, *last but not least*, van pater Tellier; Zijne Majesteit zal de paters voortaan heel wat toestaan. Hij is er zelfs van beschuldigd, wat natuurlijk lachwekkend is, dat hij lid zou zijn van een soort geheime derde Orde, verbonden aan de Sociëteit van Jezus! Kortom, Lodewijk XIV zou zelf een jezuïet geweest zijn. Domme laster die niettemin onthulde waar hij ideologisch stond: hoe weinig typerend de bul *Unigenitus* oorspronkelijk ook was voor Lodewijk XIV,[168] hij getuigt er wel van dat de vorst anti-jansenistisch en dus jezuïtisch gezind was.

De echtgenote en het 'hoofd van het cabaal', Mme de Maintenon, koestert tot op zekere hoogte argwaan tegen de jezuïeten, maar zij gaat toch een soort 'objectief' bondgenootschap met hen aan. Haar geliefde pupil, de hertog du Maine, was hen zelfs zeer toegewijd. Zij stond in elk geval aan hun kant in hun strijd tegen het jansenisme, en wel door middel van zeer invloedrijke wederzijdse vrienden: dit zijn enerzijds leden van instituten die hun goede diensten bewijzen in het middengebied tussen de jezuïeten en de Bazin (zoals de priesters van de buitenlandse missie en de sulpicianen), en anderzijds bisschoppen die verknocht zijn aan deze twee kerkelijke groeperingen en dus eveneens solidair zijn met de jezuïeten, want deze laatsten zijn uit eigenbelang, zo niet uit overtuiging, de bondgenoten van de sulpicianen en de missiepaters. De twee prelaten met een dergelijke dubbele toewijding zijn Godet des Marais en Bissy, welke laatste wordt geflankeerd door pastoor La Chétardye, hoofd van de parochie Saint-Sulpice. Zowel Godet als Bissy zijn duidelijk jonger, in elk geval minder oud, dan Bossuet en Le Tellier. Zij zijn beiden ook minder ontwikkeld, minder geleerd, minder vermaard en minder begaafd dan de twee grote prelaten die typerend waren voor de periode van de herroeping, die voorafging aan de tijd van Saint-Simon. De prelaten Godet en Bissy hebben echter, gesteund door de eenvoudige jezuïet en de biechtvader van de koning Le Tellier, fors bijgedragen aan een nieuwe generatie bisschoppen die gehoorzaam was aan Mme de Maintenon: deze jonge, ambitieuze mannen die repressief en pausgezind zijn, maken de dienst uit in de kerk in Frankrijk vanaf 1713, het jaar van de bul *Unigenitus*; en zelfs nog na 1730, het jaar van de dweepzieke jansenisten van Saint-Médard. Pausgezinden tegen dwepers: het was een ongelijke strijd omdat de laatsten, die lachwekkend en zelfs absurd waren, een straf over zich afriepen zoals een bliksemafleider de bliksem aantrekt. Generatieproblemen waren er ook onder de voorname leken die de Bazin omringden, de geheime echtgenote van de koning van Frankrijk. Kanselier Pontchartrain, een eminent lid van de groep rond Maintenon, was gallicaan en sympathiseerde met het jansenisme; overigens werden zijn betrekkingen met de 'koningin in partibus' hierdoor in de loop der tijd minder goed, tot ze uiteindelijk zeer verslechterd waren. Jérôme de Pontchartrain, secretaris van Staat voor Marine en de zoon van de strenge kanselier, waait met alle winden mee: hij is de jezuïeten welgezind en hij is pausgezind, wat hem, mede dankzij een nieuwe generatie, een goede relatie met de oude dame oplevert.

Is het volgens Saint-Simon eigenlijk wel mogelijk om tegelijkertijd op goede voet te staan met de jezuïeten en hun tegenstanders de jansenisten, welke laatste zo rijk zijn aan allerlei soorten verzaking, in de beste zin van het woord? Voor de goede orde geven we hier een merkwaardig maar geestig voorbeeld van zo iemand. Het gaat om abbé de Soubise, die niet de zoon is van een maîtresse van de koning – op dit punt is Saint-Simon een kwaadspreker – maar van een vrouw voor wie de koning een grote genegenheid en waardering heeft. De jonge abbé de Soubise, die de kroniekschrijver ironisch opvoert als een 'wonder van kennis en vroomheid', onderhoudt inderdaad uitstekende contacten 'met het Oratoire [jansenistisch], maar ook met de jezuïeten, met de Sorbonne en de eerwaarde La Tour [beiden jansenistisch], met eerwaarde La Chaise [jezuïet] en met de aartsbisschop van Parijs [jansenistisch]'. Oecumenischer kan het bijna niet.[169] Soubise is geen bastaard, maar ongetwijfeld een kind van wederzijdse liefde; hij is geliefd bij de verschillende cabalen – iets wat onze auteur geenszins bevalt, die geen waardering kan opbrengen voor mensen die bij iedereen geliefd zijn. In elk geval laveert Soubise behendig tussen de gallicaanse en ignatiaanse tegenpolen. Daarom maakte hij ook schitterend carrière, met name in Straatsburg, als bisschop en als neef, omdat het episcopaat overgaat van oom op neef, waarvan het paleis van de Rohans, in de hoofdstad van de Elzas, nog steeds getuigt.

Maar hoe zit het nu met de jezuïeten? Trekken zij aan de touwtjes? Manipuleren zij vanuit de coulissen de grote politici die op het toneel staan? Deze theatrale kijk op de wereld, die in het uiterste geval onzinnig en paranoïde is, wordt niet gedeeld door Saint-Simon. Of het nu gaat om Spanje waar pater Daubenton,[170] de biechtvader van Filips v, slechts het topje is van een stevig verankerde ignatiaanse ijsberg, zelfs in het geval van het Duitse Rijk waar de Sociëteit redelijk veel invloed heeft, en natuurlijk waar het om Frankrijk gaat, dus in alle katholieke landen met uitzondering van de Savoie, gedragen de navolgelingen van Loyola zich – zoals de moderne politicologie het noemt – als portiers, als sluiswachters, als grenswachters. Er is geen sprake van dat zij zelf de volledige of ook maar gedeeltelijke macht bezitten. Een dergelijk idee zou absurd zijn, vergelijkbaar met dat van bepaalde paranoïde politicologen die overal de hand in zien van de vrijmetselaars in Frankrijk, of die van Opus Dei in Spanje. De waarheid ligt elders, want de jezuïeten hebben een indirecte invloed door hun 'deurwachtersfunctie'. Zoals Saint-Simon constateerde waren zij rond 1700 de leermeesters van in elk geval een deel van de jeugd dat les kreeg in hun colleges; zij zijn ook de 'meesters' van de vorstenhoven als biechtvader van de koning en de daarmee samenhangende benoeming van bisschoppen, benoemingen die zij van de vorsten gedaan krijgen dankzij diezelfde biechtstoel en de rechterstoel van het geweten. Als de jansenisten de meesters van de (goddelijke) genade zijn, zijn jezuïeten de meesters van de (koninklijke, bisschoppelijke...) gunsten, of in elk geval van een aantal gunsten. En ten slotte zijn zij ook de meesters van de preekstoel waarbij ze weliswaar moeten concurreren met een aantal andere predikers van groot kaliber die geen jezuïet zijn (zoals bisschop Massilon van het Oratoire). Er zijn echter vele jezuïeten die zich op de preekstoel onderscheiden, in de eerste plaats pater Bourdaloue, die Saint-Simon voor de verandering wél kan waarderen. De macht van de jezuïeten is dus indirect: zij doen voorstellen, zij voeden op, zij beïnvloeden en zij bezorgen vrienden en sympathisanten een zo hoog mogelijke plaats (de affaire van de bisschopsbenoemingen als gevolg van de bul *Unigenitus* is wat dat betreft typerend). Ten slotte kan het gevaar van de koningsmoord, waarover zij een theorie opstelden en waarvan soms wordt gezegd dat zij ermee schermden, weliswaar zonder ermee te koop te lopen, een koning angst aanjagen, zelfs wanneer deze latente vrees nooit wordt bewaarheid.[171] Over het algemeen nemen de jezuïeten niet de grote beslissingen op alle gebieden, uitzonderingen daargelaten. Men beschuldigde hen er dus zeer ten onrechte van dat zij zorgvuldig en op een professionele manier manipuleerden. In dit opzicht doet het rabiate en volkomen ongerechtvaardigde anti-jezuïtisme dat zich later binnen de vrijdenkerij zou ontwikkelen vanuit een vergelijkbare houding als die van Saint-Simon, sterk denken aan het paranoïde antisemitisme van latere tijden: Malesherbes aan het einde van de achttiende eeuw en veel later Leon Poljakov hebben gewezen op het verband[172] tussen deze twee belangrijke 'anti's' van de moderne tijd.

We weten nu voldoende om Saint-Simon te kunnen plaatsen in de grote cryptojansenistische en anti-jezuïtische stroming die zich in de eeuw der Verlichting manifesteert, een eeuw waarvan onze auteur, in elk geval in dit opzicht, wezenlijk onderdeel uitmaakt. Norbert Elias heeft Saint-Simon voorgesteld als een voorloper van de moderne sociabiliteit door middel van het hofleven. In de inleiding van dit boek gaven we onze mening al over deze bijzonder slecht gefundeerde bewering. Maar Saint-Simon is wel degelijk een voorloper van de moderne tijd, maar vanuit een heel andere optiek dan die van Elias, en wel als sympathisant van het jansenisme en voor zover hij zich, weliswaar in vertrouwelijke notities, vereenzelvigde met de hausse van anti-jezuïtisme die ongehinderd vier of vijf decennia van de regering van Lodewijk xv bepaalde, om ten slotte na de dood van Saint-Simon te leiden tot de opheffing van de Sociëteit van Jezus in 1762. Deze 'omgekeerde herroeping' kondigde het einde van een bepaald militant klerikalisme aan; deze opheffing is een verre voorbode van de *Constitution civile* voor de geestelijkheid in 1790, die eveneens leidde tot allerlei uitsluitingen en die zelf weer de voorbode was van de onvermoeibare activiteiten van de papen- en jezuïetenvreters van de lange negentiende eeuw.

Waarschijnlijk zou Saint-Simon het niet eens geweest zijn met de eerste fase van dit proces, de opheffing van de Sociëteit in 1762, hoewel hij tijdens zijn leven volmondig instemde met de afzonderlijke plaatselijke en tijdelijke maatregelen die kardinaal de Noailles in Parijs en Victor-Amédée op Sicilië tegen de Sociëteit namen.[173] In elk geval is het verbod van 1762 een logische voortzetting van Saint-Simons vijandige houding ten opzichte van de paters, ook al durfde de schrijver van de *Memoires* zelf nooit te beginnen over de opheffing van de orde, niet in zijn stoutste dromen en ook niet in de vorm van *wishful thinking*. Op principieel niveau echter plaatst Saint-Simons voortdurende apologetische pleidooi voor wereldverzaking – die dicht bij een afkeer van de wereld komt en waarover onze auteur uitgebreid heeft getheoretiseerd zonder deze ooit volledig in praktijk te brengen – hem als persoon in de negativistische kijk op de wereld die het jansenisme van de Verlichting kenmerkt, daar waar die wereld de belichaming is van politiek en religieus gezag. Michel Antoine spreekt in dit verband graag van een 'kathaarse' neiging van bepaalde gallicaanse en jansenistische parlementsleden; hun houding was ongenuanceerd, zij wezen simpelweg de absolutistische structuren af, die de opheffing van de orde der jezuïeten overigens slechts enkele tientallen jaren zouden overleven, tot de bijlslagen van 1789-1793. Ook hier had Saint-Simon zeker niets van moeten hebben, en zeker niet van de guillotine. Niettemin was hij de, ongetwijfeld zeer discrete, medeplichtige en zelfs de voorloper van dergelijke wilsuitingen, al was het tegen wil en dank, gezien zijn bijna dwangmatige anti-jezuïtisme en de grote en zelfs vurige sympathie die hij in al zijn geschriften aan de dag legde voor een uitdagende verzakende opstelling, of die nu van Port-Royal of van Quesnel kwam, juist doordat hij zich ophield in de marge van dit gematigde jansenisme en deze wereldverzaking, een marge waar zich over het algemeen ook, en soms wat ongemakkelijk, de befaamde met het jansenisme sympathiserende 'derde partij' ophield. En wel tegenover de partij die zich het hardste opstelde – waarvan de kern bestond uit heel wat minder verfijnde fanatici dan onze auteur – wat zelfs kon leiden tot een zekere stompzinnigheid waar het de interpretatie van Augustinus betrof, en dus zeker van de jezuïeten. Deze laatsten stellen zich bepaald niet negatief op tegenover het Ancien Régime. Samen met hun lichtend voorbeeld pater Michel Tellier, de biechtvader van de koning, nestelen zij zich diep in de – voor hen zeer positieve en vruchtbare – teelaarde van het vorstelijk absolutisme, ook al permitteren ze het zich af en toe te lonken naar de liberale en hervormingsgezinde projecten van hun discrete vriend aartsbisschop Fénelon.

Hoewel de jezuïeten van de achttiende eeuw al na de herroeping en helemaal vanaf de bul *Unigenitus* volwaardig deel uitmaken van het absolutistische netwerk, zijn zij geen verstokte 'hiërarchisten', terwijl de hiërarchische maatschappij, zo geliefd en zelfs verheerlijkt door de tegen het absolutisme gekante Saint-Simon, paradoxaal genoeg een van de stevigste pijlers is van het absolutisme van Lodewijk xiv, waarbij we er rekening mee moeten houden dat dit absolutisme zich uit eigen beweging regelmatig tegen haar eigen aristocratische basis keert: het ondermijnt de aristocratie, tast haar aan, dreigt haar te vernietigen door plannen in de richting van een grotere sociale gelijkheid, wat een logisch voortvloeisel is uit de enigszins suïcidale logica van dit absolutisme, omdat het de aristocratische en sociaal-erfelijke tak afzaagt waarop het zelf gezeten is.

De aristocratische en monarchale legitimiteit kan niet zonder een op geboorte gebaseerde rechtvaardiging, zonder het vaste kader van bevoorrechte families, op grond van genealogische rechten op de verschillende sociale niveaus, zowel aan de vorstelijke top als in de onmiddellijk daarop volgende hoogste kringen. 'Afkomst bepaalt het bestaan' (Y. Coirault). Deze zo geroemde genetische onveranderlijkheid heeft natuurlijk iets van een min of meer bekwaam of naïef door zichzelf in stand gehouden mythe. Zij verschaft deze vroegere samenleving echter haar eergevoel, het eergevoel van de afstamming in het algemeen of van het sociale *herd-book*,[174] zonder welke deze samenleving geen enkele reden van bestaan meer zou hebben.

Wat dit betreft is er een contradictie of in elk geval een verschil tussen het Ancien Régime enerzijds, dat deels is gebaseerd op afkomst – bovenaan die van de koningen en edelen en onderaan die van de niet-adellijken – en anderzijds het jezuïtisme. Want de jezuïeten ontkennen het belang van een hoge geboorte niet en onderschatten deze ook niet, maar zij hechten ook – mede op strikt theologische gronden – groot belang aan de verdienste, die a priori niet erfelijk is. Het gaat hierbij in de eerste plaats om verdienstelijke werken, in zoverre die het legitieme resultaat zijn van een creatieve vrijheid die eigen is aan de mens; met de nadruk op deze goede werken staat de theologie van de jezuïeten, met Lessius en Molina voorop,[175] lijnrecht tegenover het jansenistische, calvinistische en lutherse augustinisme, dat slechts de goddelijke genade erkent, waarbij – als we de augustinianen, de vijanden van de jezuïeten, mogen geloven – de goede werken, de persoonlijke verdiensten en de zogenaamde vrije wil in werkelijkheid eenvoudigweg de zeer vage afspiegeling zijn van deze goddelijke genade. Bij de jezuïeten worden de verdiensten ontwikkeld en verworven door de leerlingen van de jezuïtische colleges, want de jonge studenten worden binnen hun groepen ingedeeld naar bekwaamheid, onder leiding van leraren die lid zijn van de Sociëteit, op grond van de schriftelijke prestaties van de leerlingen, waarbij de beoordeling (behalve wanneer er sprake is van kruiwagens) volledig losstaat van de hoge of minder hoge afkomst van de scholier, of hij nu een 'aristocraat' is of afkomstig uit de 'lagere klassen'. Ten slotte is de verdienste sociaal-politiek gezien een van de opkomende waarden tijdens de Verlichting, zelfs en misschien wel vooral bij de vernieuwde adel onder Lodewijk xv en Lodewijk xvi, zoals Guy Chaussinand-Nogaret heeft aangetoond in de fraaie passages die hij wijdt aan het belang van de verdienste in die tijd.

Kunnen we stellen dat Saint-Simon zich nolens volens in het kamp van de protesterende jansenisten plaatst? Deze laatsten houden niet van de wereld waarin zij moeten leven en verfoeien die zelfs. Sterker nog, deze zelfde jansenisten – en hier verlaten we de wereld van Saint-Simon volledig – zullen veel later plaatsmaken voor de jakobijnen,[176] en zelfs voor de sansculotten, beiden geïnspireerd door een notoire afkeer van de oude gevestigde orde; kortom, gemotiveerd door een blinde woede ten opzichte van de toenmalige maatschappij.

De jezuïeten daarentegen hebben in elk geval de verdienste dat zij plaats inruimen voor de verdienste, met excuses voor de tautologie. Wellicht waren de pogingen van de jezuïeten ook wel tot mislukken gedoemd, aangezien het Ancien Régime vroeg of laat ten dode opgeschreven was; een vonnis dat aan het einde van de achttiende eeuw werd voltrokken, in het verlengde van wat tijdens Lodewijk xiv al een breekbaar absolutisme was. Maar de onderneming van de paters blijft niettemin zeer verdienstelijk – het kan niet vaak genoeg herhaald worden – omdat zij door het onderwijs aan de colleges aan de basis staat van een aantal van de fraaiste culturele voortbrengselen, en ook van een bestuurlijke en sociale organisatie, waarmee diezelfde achttiende eeuw toch al niet karig was.

7

HET LIBERALE REGENTSCHAP

Het veel kortere tweede deel van de Franse uitgave van dit boek was gewijd aan het ver-
band tussen het denken en doen van Saint-Simon en de geschiedenis van het regentschap
van hertog Filips van Orleans (1715-1723). Door de eisen die aan de Nederlandse uitgave
werden gesteld, kwam het tweede deel te vervallen. De auteur heeft hiervan een samenvat-
ting gemaakt, met een beschrijving van de hoofdlijnen van het regentschap en de houding
van onze kroniekschrijver ten opzichte van de eisen en de mogelijkheden van deze belang-
rijke periode in de Franse geschiedenis.

De geschiedenis van het regentschap werd lange tijd geschreven vanuit een mora-
listisch en anti-Engels gezichtspunt dat ons perspectief sterk heeft vertekend. Kardinaal Dubois wordt onterecht of op een anachronistische manier verweten dat hij
ons nationale belang heeft verkwanseld door het bondgenootschap met de Engelsen. Er is kritiek op de verdorven zeden van de regent; eerlijk gezegd waren ze niet
beter of slechter dan die van allerlei andere bestuurders in de loop der tijd. Afgezien van de grote culturele originaliteit tijdens het regentschap (Watteau, Montesquieu, Voltaire), waarop we hier niet nader ingaan, stelt deze periode ons voor een
duidelijk politicologisch probleem. Het gaat om het probleem van de behoudende
overgangsperiode die we ook in andere tijden en tot vandaag de dag tegenkomen.
Het komt kortweg hierop neer. Een min of meer autoritair politiek systeem is door
toedoen van de leider of de bestuurders, in dit geval Lodewijk XIV, in een toestand
van *stress* geraakt ofwel op een extreme en schadelijke manier op gespannen voet
komen te staan met de eigen elitegroepen, het gewone volk en de buurlanden. Deze
situatie kan verschillende oorzaken hebben: buitenlandse oorlogen, te hoge belastingen, een blind despotisme, een economische crisis, vervolging van minderheden, enzovoort. Na de dood of het vertrek van de tirannieke vorst die hiervoor
verantwoordelijk is of tot zondebok is gemaakt, is het probleem hoe met zo min
mogelijk kleerscheuren weer uit deze situatie te geraken. Hoe kom je weer van de
dictatuur af, zouden we vandaag de dag zeggen. Hoe kun je de te strak gespannen
veren van het systeem voorzichtig losser maken zonder deze kapot te maken? Filips
van Orleans en zijn team, met name Law en Dubois, hebben dit probleem op een

briljante manier opgelost. In dat opzicht zijn de jaren dat deze drie mannen aan de macht waren belangwekkend voor de historicus. Ik zal eerst kort ingaan op de toestand waarin het koninkrijk Frankrijk verkeerde na de dood van Lodewijk xiv in 1715: er is vrede, maar Frankrijk, dat de Stuarts steunt, staat op gespannen voet met Engeland en Holland. Het overdreven vrome en reactionaire Spanje van Filips v is Frankrijks enige bondgenoot. De aanspraak van de Madrileense Bourbon op de Franse troon en op Italië en die van de keizer op de Spaanse kroon kunnen de vrede in Europa elk moment in gevaar brengen. Op binnenlands niveau zijn de hoogste kringen van Frankrijk versnipperd en gefrustreerd: het parlement is getemd maar blijft sympathiseren met het jansenisme; de protestanten en zelfs de jansenisten zijn vogelvrij verklaard ondanks de nauwelijks verhulde steun die zij krijgen van kardinaal de Noailles, de aartsbisschop van Parijs. De hervormers van het cabaal van de hertog de Bourgogne (Fénelon, Beauvillier, Chevreuse, Saint-Simon) zijn dood of, in het geval van Saint-Simon, leven in afzondering. Hetzelfde geldt min of meer voor het vroegere cabaal van de overleden Grand Dauphin, waarvan een aantal nog levende leden zich wil aansluiten bij de kleine hofkliek van de hertog d'Orleans, de rijzende ster van het Palais-Royal die regent zal worden na de dood van de Zonnekoning. De hoge heren van de heersende groep rondom de koning verzamelen zich rondom Mme de Maintenon en de hertog du Maine; het zijn aristocraten, ministers en generaals; zij wachten met grote bezorgdheid de periode na Lodewijk xiv af. De invloedrijke jezuïeten worden aan de leiband gehouden door Maintenon: zij wantrouwt ze en geeft de voorkeur aan de sulpicianen. Er is slechts een geringe nationale consensus door de crisis en de armoede. Natuurlijk is er wel een zeker economisch herstel na de vrede van Utrecht in 1713, maar grote landbouwgebieden liggen braak door de ontvolking en de recessie. De deflatiepolitiek ofwel de sterke opwaardering van het Tournooise pond onder leiding van de controleur-generaal van Financiën Desmarets is een zware last voor degenen die schulden hebben. Een volksopstand blijft samen met een nog altijd mogelijke Fronde van de hoge edelen en de overige elitegroepen een dreiging. De tijden zijn weliswaar veranderd en de macht van de hoge aristocraten is zodanig teruggebracht door Lodewijk xiv dat een burgeroorlog onwaarschijnlijk is. Maar het tragische levenseinde van Lodewijk xvi zestig jaar later laat zien dat een koninklijke of keizerlijke troonopvolging in Frankrijk, van 1559 tot 1870, altijd een probleem is geweest. Orleans (en zijn raadsheren) moesten een uitzonderlijke handigheid aan de dag leggen om te slagen waar vele andere regenten en koningen faalden. Lodewijk xiv regeerde vanuit zijn traditionele staatsmacht en bij de gratie van een langdurig koningschap; maar de regent moet methoden aanwenden die meer op consensus berusten, hij is uit op een grotere medezeggenschap van de bovenlaag van de samenleving en op een minder vijandige houding van de lagere klassen. Filips' houding ten opzichte van het jansenisme tekent zijn streven naar consensus. Om de door Lodewijk xiv vervolgde jansenisten te paaien moet hij de parlementsleden, de universitaire docenten, de Parijse pastoors, de bedelmonniken en de benedictijnen die de aanhangers van een augustiniaanse theologie vaak welgezind zijn, voor zich winnen: de oproerige jansenisten waren een verzameling virtuele tegenstanders die ervoor terugschrokken openlijk in te stemmen met het protestantisme, en deze groep gedroeg zich soms als een politieke oppositiepartij die (*post festum*) stevige kritiek had op de pauselijke bul *Unigenitus* (1713), gericht tegen elke theorie die sterk de nadruk legde op de goddelijke genade. Tot deze groep behoorden, naast kardinaal de Noailles, de bisschoppen van een tiental Franse bisdommen. Al in 1714-1715 overwoog Orleans in hoeverre hij zijn politieke doel diende door de jansenisten tot zijn bondgenoten te maken, wat hem zowel kon steunen als in een lastig parket kon brengen. Voor de beslissende parlementszitting, waarbij in september 1715 het testament van Lodewijk xiv nietig wordt verklaard, verzekert de prins zich dus van de steun van prelaat Noailles en van d'Aguesseau, de (pro-jansenistische) hoogvlieger van het parlement. Filips laat een aantal jansenistische priesters vrij uit de Bastille, evenals abbé Servien, een oude homoseksueel. In augustus 1715 en ook in 1716 laat hij kardinaal de Noailles begaan wanneer deze zonder enige scrupule de jezuïeten verbiedt in zijn Parijse bisdom te preken. Dit hoogtepunt, zoals Filips het noemde, van de jansenisten en hun sympathisanten valt samen met de benoeming van Daguesseau tot kanselier in februari 1717, een persoonlijk besluit van de regent. De jezuïeten proberen (voorlopig) tevergeefs een aantal 'tijdbommen' te plaatsen. Een van hun predikers valt de regent aan als 'een opgeblazen mannetje, zonder enige kennis of verdienste, die de religie en de staat beheerst'. Paus Clemens xi, de 'gevangene van de jezuïeten', moedigde dit tegenoffensief van de volgelingen van Loyola aan.

De slinger zou echter spoedig weer in een negatieve richting gaan voor het jansenisme. Op 28 januari 1718 valt kanselier d'Aguesseau in ongenade. Hij moet zijn zegelbewaarderschap overdragen aan d'Argenson, die pro-jezuïet is. De reden voor deze ongenade is niet van religieuze aard. Zij was te wijten aan het verzet van de kanselier tegen het systeem van Law dat toen een hoge vlucht nam. De val van d'Aguesseau, die een belangrijk figuur was, betekende een teruggang van de jansenistische partij (zonder overigens terug te vallen in de afgrond die zich voor de vrienden van Port-Royal opende door de afkondiging van de bul *Unigenitus* in 1713). We begrijpen deze ietwat negatieve ommezwaai van Filips ten opzichte van het jansenisme overigens beter wanneer we bedenken dat de regent, hoewel die in zijn eerste jaren veel liberaler was dan Lodewijk xiv ooit was geweest, ook altijd bijzonder voorzichtig bleef in zijn verdraagzaamheid ten opzichte van de calvinisten. Filips mag dan een paar hugenoten van de galeien bevrijd hebben, er is wat hem betreft geen sprake van de afschaffing van de herroeping van het Edict van Nantes. Dit blijft, net als de vernietiging van Port-Royal, het beperkte gezichtsveld van de politiek van het regime, die van voorganger op opvolger werd doorgegeven.

Voor de kenners van de politiek was het probleem van het jansenisme nauw verbonden met het parlementaire probleem. Het parlement van Parijs neigde tot het jansenisme. Voor Filips was het vooral een onontbeerlijke legitimatie. Al op 2 september 1715 laat Orleans zijn regentschap door deze instelling erkennen; hij heeft het parlement voordien gunstig gestemd door het het recht van betoog te geven, of beter gezegd dit recht om bezwaar te maken tegen besluiten voor het eerst officieel te bekrachtigen. Tegelijkertijd weet Filips gedaan te krijgen dat zijn rivaal, de hertog du Maine, door een stemming in het parlement de geduchte macht wordt ontnomen die hij heeft als aanvoerder van een deel van het leger. De Parijse magistraten worden in ruil voor hun tegemoetkomingen aan de nieuwe heer en meester rijkelijk beloond met gunsten. Zij krijgen een plaats in de nieuwe door de regent ingestelde raden. Zo wordt het parlement weer geïntegreerd in het politieke leven waaruit Lodewijk xiv het had verwijderd, en in het eerste jaar van het regentschap (1716) is het Filips zeer welgezind. Overigens aarzelt Orleans niet in voorkomende gevallen nog meer concessies te doen aan deze hoge magistraten, hij laat hen zelfs voorgaan in de processie van Maria-Hemelvaart (15 augustus 1716), wat hem eerlijk gezegd niet interesseert omdat hij geen last heeft van overdreven vroomheid.

In de jaren 1716-1717 ontstaat er een zekere verdeeldheid onder de hoogste adel van het land, met inbegrip van de parlementsleden. Deze bestaat ruwweg uit drie groepen: ten eerste de parlementsleden en de prinsen van den bloede die tijdelijk een bondgenootschap hebben gesloten en die door de regent met respect worden bejegend; in de tweede plaats de gewettigde bastaarden van Lodewijk xiv, die Saint-Simon niet kan uitstaan (zij hebben zich op een demagogische manier verbonden met de niet-hertogelijke adel, die graag hervormingen wil, maar er genoeg van heeft uit de hoogte behandeld te worden door de pairs); en ten slotte de min of meer liberale hertogen en pairs, die nog steeds kwaad zijn op de magistraten van het parlement waarvan de president weigert zijn muts voor hen af te nemen. Filips, die er voortdurend op bedacht is het parlement te ontzien, hoedt zich ervoor de hertogen en pairs in dit conflict over gedragsregels te steunen, zelfs al worden zij vertegenwoordigd door zijn vriend Saint-Simon. De hertogen worden belachelijk gemaakt in pamfletten die zich uitspreken voor het parlement en die hun voorouders uitmaken voor griffiers, slagers en visboeren; ze worden ten slotte ingemaakt door een besluit van de Raad (10 mei 1716) dat hun aanspraken in de zaak van de muts verwerpt. Ook de bastaarden liggen onder vuur: de prinsen van den bloede, de parlementen en de regent koesteren wrok tegen hen vanwege het edict van Marly (juli 1714) van Lodewijk xiv. Het gaf de gewettigde bastaarden een ongepast recht als troonopvolgers. De pairs kunnen Maine en Toulouse ook niet vergeven dat zij tussen de hertogen en de prinsen van den bloede de 'tussenrang' van de bastaarden hebben ingesteld, waardoor de pairs zijn gedegradeerd. Volledig geïsoleerd aan de top van de hoge aristocratie proberen de bastaarden steun te vinden in de lagere regionen. Ze verlaten zich op de niet-hertogelijke edelen, die de hogere rang van de pairs verwerpen en die zo hervormingsgezind zijn dat zij zelfs pleiten voor de hereniging van de Staten-Generaal. Filips speelt deze tegenstellingen binnen de min of meer liberale aristocratie van de hertogelijke, niet-hertogelijke en bastaardadel handig uit. Op 7 juli 1717, wanneer hij verzekerd is van de goedkeuring van het parlement, brengt Orleans de bastaarden ten val door hen bij edict het recht op troonopvolging te ontnemen. Dit is een triomf voor de hertogen en pairs, voor

Saint-Simon en voor de Condés, die verrukt zijn over de vernedering van de gewettigde bastaarden. Het is vooral ook een beslissende overwinning voor de regent, die hiermee zijn macht versterkt en wordt beloond met de val van de hertog du Maine. De hoge aristocratie, getemd door de functies als raadsleden die zij kregen en verlamd door onderlinge verdeeldheid, wordt steeds handelbaarder voor de nieuwe machthebber. Zij wordt zowel objectief als subjectief gehoorzaam en onderdanig aan hem.

Door deze nog niet volledig gerealiseerde onderworpenheid had de regent problemen met het oude hof. Zo heette in de woorden van Saint-Simon de heterogene coalitie van cabalen, die Versailles en zelfs de regering hadden beheerst ten tijde van de inmiddels overleden Lodewijk xiv. Het cabaal Maine-Maintenon dat bestond uit hoge aristocraten en ministers; het vroegere cabaal van Monseigneur (genoemd naar de overleden zoon van de Zonnekoning), dat bestond uit Lotharingse prinsessen, uit Condés en Conti's en uit de halve bastaarden (zie hiervoor ons eerdere hoofdstuk 4). Deze wat minder prestigieus geworden maar nog steeds invloedrijke groepen stonden wantrouwig tegenover Orleans. Maar een groot aantal van hen was bereid zijn kant te kiezen als hij hen daarvoor maar beloonde met macht en middelen. Dit gold met name voor het huis Condé, belichaamd door de jonge Monsieur de Hertog: hij zou een paar jaar lang de slaafse volgeling van de regent worden.

Tegenover deze lieden die hij te vriend moest zien te houden kon Orleans niet dadelijk zijn eigen cabaal installeren in de wandelgangen van de macht. Hoe geniaal zijn vrienden Dubois en Law ook waren, zij waren voorlopig nog niet prominent genoeg. Daarom volgde Filips vanaf het laatste trimester van 1715 de volgende tactiek: binnen het nieuwe systeem van het polysynodale bestuur bood hij de leden van het oude hof allerlei verleidelijke en veiligheid biedende baantjes aan, want een aantal van hen is weliswaar bevriend met Orleans of staat neutraal tegenover hem, maar velen zijn zijn natuurlijke vijanden. Hij maakt hen dus onschadelijk door hen om te kopen. In de nieuwe polysynodale raden zien we dus naast de reeds genoemde met het jansenisme sympathiserende parlementsleden, de hele nomenclatuur van het oude hof, inclusief onze 'kleine hertog'.

Onder de nieuwe raadslieden zijn inderdaad voormalige ministers als Voysin en de Phélypeaux', militairen als Villars en hoge aristocraten als Beringhem: Filips was het wat dat betreft eens met zijn raadsman Saint-Simon en wilde in het begin van zijn regentschap voorzichtig omgaan met het vroegere establishment van de groep Maine-Maintenon.

De nieuwe raden, die de ministers vervangen, functioneren van 1715 tot 1718 steeds meer als loze organen en in de herfst van 1718 ontdoet Orleans zich ervan; vanaf dat moment keert hij onder leiding van Dubois terug naar een gecentraliseerd systeem. Het is het einde van een liberaal regentschap en het begin van een autoritair regentschap. In 1715 was het plan voor de raden hem samen met de staatsmacht door Saint-Simon in de schoot geworpen. De regent had niets tegen de raden, maar hij hechtte ook niet veel belang aan het bestaan ervan; in 1718 hief hij ze op met dezelfde openheid van geest als waarmee hij ze in 1715 had ingesteld. De enigen die dit bedroefde waren ideologen die hun tijd vooruit waren, zoals abbé de Saint-Pierre: deze wilde de raden vanuit een aristocratisch zo niet burgerlijk liberalisme tot zinvolle organen maken. Orleans en Dubois waren pragmatischer dan Saint-Pierre. Het polysynodale bestuur had volgens hen in 1718 haar historische taak vervuld; zij had het oude hof de schijn van macht gegeven, waardoor elke potentiële tegenstand in de kiem werd gesmoord en Orleans de kans kreeg zijn grote diplomatieke en financiële plannen op stapel te zetten, belichaamd in Dubois en Law. Zodra deze plannen waren bekendgemaakt en geheel of gedeeltelijk waren gerealiseerd met steun van de elite, zo niet van het hele land, kon Filips het zonder de broze en voortaan nutteloze steun van het oude hof stellen, terwijl hij de leden ervan alleen nog in baar geld hoefde te betalen in de vorm van de bankbiljetten van Law. Vandaar de opheffing van de raden in de herfst van 1718.

In 1718 werd de nieuwe machthebber geconfronteerd met de beproeving van elk regentschap (Catharina de Medici) en van bijna elke troonopvolging (Lodewijk XVI, later). De machthebbers moesten het hoofd bieden aan de protesten van de edelen. Een politiek protest dat, gelukkig voor Filips, machteloos was door de onderlinge verdeeldheid, door belachelijke affaires als die van de muts à la Saint-Simon en door het verdachte beschermheerschap van de bastaarden. Voor wat betreft de protesten uit militaire hoek was de tijd van de Fronde voorbij; de oproerige onrust onder de edelen met gevaar voor gewapende strijd beperkte zich tot Bretagne. Het beperkte zich bovendien tot de kleine landadel en werd pas zorgwekkend in 1719. Tegen die tijd was het gemakkelijk de kop in te drukken.

Nadat Filips zo in de eerste jaren van zijn regentschap de jansenisten had gekalmeerd, de Parijse parlementsleden voorlopig had gepaaid en de hoge aristocratie uit de tijd van Versailles had geneutraliseerd, kon hij zijn succesnummer bij uitstek opvoeren: zijn buitenlandse politiek. Binnen het koninkrijk heeft hij zijn handen vrij, dus kan hij zich op het buitenland richten. In die omstandigheden was zijn (door Saint-Simon volslagen onbegrepen) meesterzet, waarbij Dubois samen met Orleans een verbond sloot met Engeland en Holland en door het vergelijk met het Duitse Rijk voor een kwart eeuw vrede bracht in Europa, een doorbraak in het denken, een van de drie belangrijkste van het regentschap. De beide andere waren het systeem van Law en de hiervoor reeds genoemde golf van liberalisatie, hoe schuchter ook, na de regering van Lodewijk XIV. Ondanks de intriges in de kanselarij betekenden de Triple Alliantie en de Quadrupele Alliantie een culturele omslag: de Fransen namen afstand van het jezuïtische en kwezelachtige katholicisme dat hun bondgenoten in Spanje kenmerkte. Franse diplomaten en schrijvers zoeken aansluiting bij het zeevarende, protestante en kapitalistische Noord-Europa. Het Kanaal en de Rijn zijn nauwelijks nog grenzen. De Pyreneeën lijken daarentegen steeds hoger. Velen hebben bijgedragen aan deze fortuinlijke ontwikkeling: het non-conformisme van Orleans en van het Palais-Royal zorgt voor paradoxale en vrucht-bare veranderingen. In hun gezamenlijke belang verenigen de huizen Hannover en Orleans zich natuurlijk tegen de Stuarts en Filips v. En ten slotte is Dubois, wiens intelligentie zonder weerga is, als anglofiel de ook bij de Engelsen weinig geliefde witte raaf in de Franse politiek. Ondanks zijn nederige afkomst wordt Dubois in januari 1716 tot staatsraad benoemd, waarmee hij officieel toetreedt tot het hoogste bestuur. Hij heeft inmiddels voldoende gezag om zijn gebieder Filips in de open armen van Engeland te drijven, die niet liever wil. De zelfzuchtige maar veelbelovende alliantie tussen twee ondergeschikte geslachten – dat van Orleans is verdacht in de ogen van de Franse conservatieven van het oude hof en dat van Hann-over is lang een vreemde eend in de bijt geweest in Engeland – kan nu gestalte krijgen. Hiermee wordt de basis gelegd voor een regeling op Europees niveau: een entente cordiale met Engeland, dankzij onbeduidende Franse concessies die dom-me historici Dubois twee eeuwen lang blijven verwijten; de voorbereidingen voor een definitief afzien van Spanje van het recht op de Franse troon, en van het Kei-zerrijk op de Spaanse troon; een vreedzame coëxistentie tussen de vijf grootmach-ten (Engeland, Frankrijk, Holland, het Keizerrijk en Spanje).

Als altijd kunnen we de structuren van het gezag en van de oppositie met de bijbehorende onderlinge rivaliteiten beter begrijpen door de 'buitenlandse' diplo-matie. In de eerste plaats is er de groep van de hertog d'Orleans en abbé Dubois. Deze laatste pousseert op zijn beurt zijn familieleden en treedt in maart 1717 toe tot de regentschapsraad. In dit cabaal zien we mannen die gelieerd zijn aan de adel, aan de magistratuur van het parlement, aan de financiers en aan de literatuur, zoals Canillac, Nocé, Nancré, Rémond en de gebroeders Chevignard. Daartegenover staan de 'ingebeelde betweters' van het oude hof, onder wie Huxelles, Villeroy, de Noailles en al spoedig ook Torcy, een vijftal dat tot de ondergang gedoemd is. Du-bois is (in opdracht van Orleans) officieus de leider van de regentschapsraad gewor-den; hij hoeft zich niet langer in te houden. In januari 1718 is hij dolgelukkig met de val van zijn vijanden d'Aguesseau en de hertog de Noailles. De uitbreiding van de Triple Alliantie met het Keizerrijk op 2 augustus 1718 bekrachtigt het gezag van Dubois, die zich al in het purper van kardinaal getooid ziet.

Het beslissende experiment van het regentschap was dat van John Law. Het profi-teerde van de sinds 1713 weer oplevende economie. Het experiment stimuleerde op zijn beurt deze opleving die daardoor veranderde in een solide groei, die de hele regering van Lodewijk xv tot 1774 met een stralenkrans zou omgeven. Op politiek vlak maken de door het systeem van Law gecreëerde tegenstrijdigheden al spoedig een einde aan het liberale regentschap en vanaf de zomer van 1718 heerst het auto-ritaire regentschap. Dit leidt echter niet tot de specifieke nadelen en de extreme spanningen van het economische model ten tijde van Lodewijk xiv.

Law was afkomstig uit Schotland en hij was in eerste instantie bevriend met de Engelse ambassadeur Stair, die op zijn manier achter Orleans stond. Vanaf 1715 en helemaal wanneer hij zijn bank in het leven roept (mei 1716) wordt hij een van de sleutelfiguren van de groep rond de regent, waarbij hij eerst samenwerkt en later in competitie gaat met Dubois. Laws uitgifte van bankbiljetten stimuleert niet alleen de economie, maar leidt ook tot politieke en sociale conflicten, wat Filips ertoe brengt over te schakelen van liberalisme naar autoritarisme. De voorgangers van Law die tussen 1713 en februari 1718 de financiën beheerden, wilden in het belang van de renteniers het Tournooise pond opwaarderen volgens de toen geldende financiële normen. Maar de reeds enorm toegenomen circulatie van bankbiljetten zorgde in mei 1717 voor een van de ergste inflaties in de Franse geschiedenis. Degenen met een vast inkomen zijn geschokt door deze plundering, die in de twintigste eeuw geen verbazing meer zou wekken. De plotselinge inflatie ruïneert de schuldeisers en de renteniers en tast de leningen aan die zij hebben verstrekt. Door de overvloed aan liquide middelen in de vorm van bankbiljetten lossen de schuldenaren hun leningen zoveel mogelijk af. De geldschieters waren gewend geraakt aan stabiele inkomsten uit woekerrente, zodat het verlies hen des te harder trof. Anderzijds daalde de rente aanzienlijk door de grote hoeveelheid geld die in omloop was, wat het uitlenen van geld weinig rendabel maakte. Het parlement van Parijs werd bevolkt door renteniers, door geldschieters; zij zijn degenen die door het systeem van Law werden teleurgesteld en zij waren razend op hem. De hoge hofadel en krijgsadel blijft daarentegen veel rustiger. En dat is begrijpelijk. Voor hen komt John Law als geroepen, omdat zij bedolven waren onder de schulden. De producten van hun landerijen worden nu met winst verkocht omdat de prijzen van de landbouwproducten geïndexeerd zijn aan de door het systeem veroorzaakte inflatie. Bovendien betaalt Filips de belangrijkste hovelingen in bankbiljetten. En die haasten zich om de dikke bundels biljetten om te wisselen voor goud.

Het parlement geeft niet op. Op 2 juni 1718 protesteert het heftig tegen Law en zijn devaluatie. Een vernietigende parlementszitting (26 augustus 1718) maakt een einde aan de oppositie van het parlement; Maine en de bastaarden krijgen tezelfdertijd de doodsteek ten gunste van de hertogen. Het oude hof voelt zich diep vernederd. De groep rond Filips zit voortaan stevig in het zadel. Deze is uitgebreid met hoge technocraten, het huis Condé en de resten van de hervormingsgezinde groepen van de vorige regering. Zo worden de zomer en de herfst van 1718 gekenmerkt door de overgang van het liberale naar het autoritaire regentschap. Er is overigens geen sprake van een terugkeer naar het machtsmisbruik ten tijde van Lodewijk XIV. De aanhangers van Filips zorgen ervoor dat de leden van het oude hof van de overleden vorst worden verdreven uit de invloedrijke posities die zij nog bekleden. Hierbij is vooral het uitgesproken autoritarisme van het tweede deel van het regentschap van nut. De regent, die genoeg heeft van de buitensporigheden van de Augustinus-aanhangers tijdens de eerste jaren van zijn bewind, deelt op het juiste moment een tik uit naar het jansenisme. Het is een goede aanleiding om (op 23-24 september 1718) de Gewetensraad (voor religieuze zaken) en vervolgens alle overige raden op te heffen. De Engelse ambassadeur speelt een rol bij deze zuiveringsactie. Het machtsbolwerk Parijs wordt gezuiverd van de felste anti-Engelse en pro-Spaanse elementen: Huxelles, Villars... De overgang naar het autoritaire regentschap (augustus-september 1718) raakt dus het hele maatschappelijke bestel; het beïnvloedt de financiën (Law), de religie (het jansenistische probleem), de diplomatie en zelfs de cultuur (de opening naar Engeland), de rangen en standen en de dynastieke kwestie (hertogen tegen bastaarden), de structuur van het staatsapparaat (einde van het polysynodale bestuur). Het is een technocratische putsch. De secretariaten van Staat, de quintessens van de bureaucratie van het Ancien Régime, worden in ere hersteld. De grote ministersfamilies (de Phélypeaux', de Le Pelletiers) komen weer aan de macht in deze secretariaten. Waar ze eerst onder Louvois en Desmarets functioneerden, werken ze nu onder Filips en Dubois. Het aantreden in september 1718 van Dubois als secretaris van Staat voor Buitenlandse Zaken is een bekrachtiging van het nieuwe systeem.

D'Antin verdwijnt met de raad voor Binnenlandse Zaken. Volgens hem komt de verdwijning van de raden erop neer dat de hoge edelen definitief van hun macht worden beroofd, wat slechts een herhaling is van de methoden van Lodewijk XIV. D'Antin heeft hier niet helemaal ongelijk in, maar de aristocraten van het hof en de prelaten behouden of hernemen niettemin bepaalde ministersposten die zij aan het begin van het regentschap hadden veroverd. Dit zou Lodewijk XIV hebben afgeschrikt: die omgaf zich slechts met ministers uit de magistratuur. En hoewel de hoge edelen beroofd zijn van de meeste van hun sleutelposities, profiteren zij (Saint-Simon inbegrepen) van de miljoenen die zij verdienen aan het systeem van Law. De regent en Dubois herstellen de oude wijnzakken van het secretariaat van Staat weer in ere, maar vullen deze met de nieuwe wijn van een politiek vol verbeeldingskracht.

Deze verbeelding aan de macht is voor alles de verbeelding van Law. Zijn systeem is op zijn hoogtepunt in 1719 en stort in 1720 in. We kunnen er dus in het kort de balans van opmaken. Het experiment van de Schot sluit aan bij een in 1713 begonnen economische opleving. Het vindt plaats in een internationale context: ook in Engeland wordt er tegelijk met de bank van Law geëxperimenteerd met de uitgifte van bankbiljetten. Dit experiment eindigt tezelfdertijd of vlak daarna met het fiasco van de South Sea Bubble.

De onderneming van Law had hoe dan ook een zeer positieve uitwerking. Dankzij de bank van Law en dankzij de hoogconjunctuur kan de staat haar schulden betalen, evenals de gages van de officieren en de toelagen van de hovelingen. Daardoor kon men de marine herstellen, de staatsinkomsten vergroten, de schuldenaars van hun schulden bevrijden, de landbouw weer doen opleven, de werkloosheid verminderen, de werklust aanwakkeren, het geld sneller laten circuleren en de handel en industrie stimuleren. De voornaamste slachtoffers ervan waren de grote instellingen die geld uitleenden, waarbij we moeten denken aan de kloostergemeenschappen en helaas ook aan de ziekenhuizen. Al met al bewaart men over het algemeen goede herinneringen aan het systeem van Law, dat zonder al te veel brokken weer ten onder gaat. Men beweert wel dat hierdoor de oprichting van een centrale bank in Frankrijk in de achttiende eeuw onmogelijk werd, maar de vraag is of in het koninkrijk een dergelijke instelling wel levensvatbaar was. In feite effende Law de weg voor de stabilisatie van het Tournooise pond, die in 1726 zijn beslag zou krijgen en bijna twee eeuwen zou duren.

De bankbiljetten van de Schot deden het in elk geval stukken beter dan het papiergeld van Desmarets rond 1700, en ook veel beter dan de assignaten van de Franse Revolutie, die beide de pech hadden dat zij werden uitgegeven in een periode van oorlog en ernstige crisis.

Hoe stond het met de maatschappelijke steun, met name van de elite, voor het Systeem? Het parlement bleef ertegen gekant. Op de anti-parlementaire putsch van 1718 volgt in juli 1720 van de kant van de regent dus simpelweg de verbanning *manu militari* van het parlement naar Pontoise. Overigens nam het systeem van Law een tweeslachtige houding aan ten opzichte van het oude hof. Het was de belichaming van het verleden en het droeg de Schot niet in het hart. Om Law de helpende hand te bieden had Filips in september 1718 het polysynodale bestuur (waarbij ministers vervangen waren door raden) opgeheven ten koste van de adellijke en gemijterde krokodillen, afkomstig uit de vroegere Maine-Maintenonkliek; ze hadden zich eenvoudigweg in het drasland van de raden genesteld, dat Orleans in het derde jaar van zijn regentschap onverwacht drooglegde. Maar geen kwaad zonder baat. Wat de hoge heren van het oude hof kwijtraken aan functies en ambten, krijgen ze terug in de vorm van bankbiljetten waarmee Filips en Law hen gul bedelen. Sommige hooggeplaatste aristocraten, zoals d'Antin en Bourbon-Condé, vergaren hierdoor een waar fortuin. Onpartijdig en immoreel als gewoonlijk, overlaadt Orleans zowel vriend als vijand met smeergelden, op voorwaarde dat zij van hoge komaf zijn; zo vermindert hij het risico van een gevaarlijke samenzwering en een burgeroorlog. Het nieuwe evenwicht na de ommekeer van augustus-september 1718 berust dus op een subtiele krachtsverhouding; het brengt de groep van Orleans (waarin Law en Dubois rivalen zijn), het uitgeschakelde maar bepaald niet verdwenen parlement en het verwijderde maar dik betaalde oude hof met elkaar in conflict of laat ze coëxisteren.

Dat de opheffing van de raden niet, zoals men soms beweert, eenvoudigweg een terugkeer naar het systeem van voor 1715 inhoudt, bewijzen de affaires met Cellamare en Spanje, waarna de strategie van de cabalen en de buitenlandse politiek van Filips volkomen het tegengestelde blijven van wat zij onder de oude Lodewijk XIV waren. De samenzwering van Cellamare wordt in 1718 door Dubois ontmaskerd; het ging om een oppositiegroep bestaande uit de bastaarden, een aantal hoge Franse edelen en een aantal figuren uit Spanje en het ultramontaanse Italië. Het kost Filips geen enkele moeite om tegen dit schertscomplot, dat al snel als pro-jezuïtisch werd aangemerkt, de anti-Spaanse gevoelens van het jansenistische parlement in het geweer te brengen, terwijl hij dit parlement enkele maanden eerder nog ernstig had beteugeld. Een uithaal naar links en een uithaal naar rechts: zo verwerft de regent de sympathie van de met het jansenisme sympathiserende linkerzijde, die hij daarvoor had vernederd. Nu vernedert hij de ultramontaanse rechtse figuren op hun beurt. Verdeel en heers: deze wederzijdse stoot blijkt subtiel. Dubois is van het begin tot het einde de bouwmeester bij deze onderneming; hij wordt meer dan ooit de vertrouweling van Filips, terwijl Law eenvoudigweg de rol van financiële super-specialist van de regent blijft vervullen. Deze taakverdeling spreekt voor zich en maakt duidelijk dat de werkelijke macht inmiddels bij Dubois ligt. Maar nog steeds onder toezicht van Orleans en met de materiële en geldelijke steun van John Law.

De bescheiden Spaanse oorlog in 1719 van Frankrijk tegen de Bourbon-neef in Madrid komt voort uit een vergelijkbare strategie van Orleans en Dubois. Deze oorlog, die niet veel geld kost en weinig levens eist, is meer een vriendschappelijke duw, die Spanje zal dwingen zich bij het Europese systeem van de twee ministers Dubois en Stanhope te voegen. Bovendien is een anti-Spaans en anti-Italiaans ge-luid in de vorm van een kanonschot wel nuttig, omdat het het jansenistische en gallicaanse patriottisme van de Franse elite en zelfs van de middenklassen streelt.

De subtiele anti-Spaanse politiek van Filips en Dubois werpt zijn vruchten zelfs nog af in het begin van 1720 tijdens de problemen met Bretagne. Op dit schierei-land dreigde een verenigd front van aristocraten die uit waren op autonomie of onafhankelijkheid. Het was de bedoeling om de Bretonse adel tegen het Parijse centralisme op te zetten: de landadel en het parlement in Rennes moesten samen opkomen voor de eisen en de privileges van de provincie, met name op fiscaal ter-rein. Maar het ultramontaanse Spanje steunt het protesterende Bretagne openlijk, en deze compromitterende steun is voldoende om het min of meer gallicaanse zo niet jansenistische parlement van Rennes weer in het rechte spoor te krijgen. Voort-aan zijn zij loyaal aan Frankrijk, in elk geval tijdens het regentschap. De rebelleren-de Bretonse edelen, met Pontvallec aan het hoofd, worden geïsoleerd en vervolgens gearresteerd; vier van hen worden geëxecuteerd op bevel van het koninklijke ge-rechtshof, dat door de regent in Nantes werd bijeengeroepen. Opnieuw kan door de tijdelijke maar handig gebruikte breuk met Spanje een zekere nationale en pro-vinciale consensus rondom het regime van Filips gehandhaafd of hersteld worden.

Het oplossen van de problemen in Bretagne in maart 1720 en de definitieve val van Law in december 1720 markeren de uiteindelijke overwinning van Dubois: de groep van het oude hof, waar de colbertiaan Torcy zich bij aangesloten had en waar-mee John Law later ten einde raad flirtte, werd buiten spel gezet. Dubois, nog steeds gesteund door technocraten, ministers en Engelsen, weet zich bovendien te verzekeren van de steun van twee machtige families die uit de Dauphiné naar Parijs zijn gekomen: de Tencins, broer en zuster die meesterlijke intriganten zijn, en de Pâris', een viertal broers en allen financiers; zij helpen de minister zich van de restanten van de bank van Law te ontdoen. Deze kapseist nadat ze haar historische opdracht heeft vervuld. Dubois zorgt er in de jaren tussen 1719 en 1721 langs slink-se wegen voor dat hij tot kardinaal wordt benoemd. Zal de vroegere abbé, die spoe-dig aartsbisschop van Kamerijk wordt, zijn pro-Engelse politiek en zijn omzichtige behandeling van de jansenisten verloochenen? Verkoopt hij zich nu met huid en haar aan de *Unigenitus*, aan de jezuïeten en ten slotte aan de paus, die de kardi-naalshoeden uitdeelt? Dan kennen we Dubois nog niet. Hij overweegt rustig om de paus om te kopen, maar piekert er niet over zich door hem te laten omkopen.

Dubois weet dat de Engelsen nog steeds vertrouwen in hem stellen en hij laat hen via het Duitse Rijk bemiddelen bij Zijne Heiligheid om tegen een vergoeding de befaamde hoed te verwerven. De tegenpool van Dubois is bij dit alles kardinaal Alberoni, die inmiddels door Filips V in ongenade is geraakt. Deze ultramontaanse Italiaan had lange tijd Spanje gediend, dat verknocht was aan het ultra-katholieke extremisme.

Het is gedaan met de schijnvroomheid! Ook de regent geeft zo nodig blijk van zijn toegeeflijkheid ten opzichte van de jansenisten; in februari en maart 1719 schenkt hij de docenten van de universiteit van Parijs, wier hart bij Augustinus ligt, een aanzienlijke som voor de kosteloosheid van het onderwijs. De pittoreske dochter van Filips, de abdis van Chelles, gaat op haar beurt in beroep tegen de bul *Unigenitus.*

Het blijft dus een tijd van compromissen. Dat zien we met name op 4 december 1720 wanneer hypocriet genoeg de bul *Unigenitus* ten slotte wordt geregistreerd door de parlementsleden van Parijs, van wie bekend is hoezeer zij verknocht zijn aan een bepaald soort jansenisme en aan kardinaal de Noailles. Deze handige ogenschijnlijke verzoening van het parlement krijgt de vorm van een schijnbare capitulatie voor het Romeinse hof en het ultramontaanse jezuïtisme. Het parlement van Pontoise aanvaardt de *Unigenitus* ondanks een aantal van haar leden zoals abbé Pucelle die een zeer fervent aanhanger van Augustinus is. Maar de magistraten van Parijs plaatsen zo veel dubbelzinnige kanttekeningen bij de aanvaarding 'dat zij evenzoveel slagen om de arm waren zodat hij evengoed niet geregistreerd had kunnen worden' (Marais) of 'dat er eigenlijk niets gedaan was en het slechts een toneelstuk was' (Barbier). Voor deze niet meer dan oppervlakkige 'verzoening' worden de parlementsleden ruimschoots beloond met het vertrek van Law, die zij zo verfoeiden. Door een gelukkige samenloop van omstandigheden vertrekt de Schot op 14 december 1720 uit Parijs; hij wordt opgeofferd voor het parlement en voor de kerkvrede, maar ook vanwege zijn impopulariteit. Deze is echter minder wijdverbreid dan men later wil doen geloven.

Het definitieve ontslag van de vroegere inspecteur-generaal van Financiën betekent op zich al een grote concessie aan de parlementsleden, die immer fanatieke verdedigers van de jaargelden. Zij voelden zich bedreigd in hun bestaanszekerheid door de politiek van renteverlaging en onbezonnen maar productieve inflatie van de Schot en nu wordt hen zijn hoofd aangeboden; in ruil daarvoor geven ze de regent, die nooit een groot voorstander was van de *Unigenitus*, de registratie van deze bul die meer schijn is dan werkelijkheid. Tegelijkertijd manifesteren zich twee coalities in de kerk van Frankrijk: de eerste is een verbond van opportunistische prelaten die Dubois welgezind zijn; het zijn de drie bisschoppen Tressan, Bezons en Rohan, die zich op religieus gebied voegen naar de wensen van de minister; zij worden in het geheim gesteund door La Parabère, de maîtresse van de regent. Anderzijds is er een groter en minder immoreel verbond van een groot aantal bisschoppen en alle Franse kardinalen die streven naar een compromis waarvan overigens ook Filips en Dubois voorstander zijn: men wil een derde partij tussen de jansenisten en de ultramontaanse zeloten. Daarmee zou eindelijk de zo begeerde kerkvrede bereikt worden, die de fanatici van beide kampen al zo lang tegenhouden.

De voorlopige oplossing van de jansenistische kwestie en de jacht op de kardinaalshoed worden in 1721 bereikt. Dubois liet zich noch door het een noch door het ander van zijn buitenlandse politiek afbrengen, integendeel: Frankrijk stelde zich open voor de zeevarende en protestantse naties en streefde naar een Europese samenwerking met Engeland, Nederland, het Keizerrijk en Pruisen. Frankrijk viel Spanje in 1719 alleen maar aan om het daarna goedschiks of kwaadschiks beter te kunnen integreren in de nieuwe internationale constellatie, met als spil de as Engeland-Frankrijk. 'Ik val mijn (Spaanse) buurman aan maar dat is om hem te omhelzen.' Kunnen we zeggen dat Dubois zich hiermee als een goede Europeaan gedroeg? Het is een anachronistisch maar verdiend compliment; in zekere zin is de diplomatie van de vroegere abbé bepaald niet opportunistisch. Zeker, hij verdedigt de familiebelangen van zijn baas Filips, net zoals zijn goede vrienden Stair en Stanhope opkomen voor de dynastie van de Hannovers. Maar de vredespolitiek van Dubois (zelfs doorkruist door de mini-oorlog tegen Spanje in 1719) duidt ook op een principiële, inventieve en creatieve handelwijze. Zij breekt ook met twee eeuwen van oorlog op allerlei fronten en een regelmatig diplomatiek isolement, fenomenen die ook nog kenmerkend waren voor de laatste Valois' en de eerste Bourbons. Het is een elegante manier van denken die het enge nationalisme overstijgt en zich richt op Engeland en de rest van het continent, een gedachtegang waar Saint-Simon niet veel van begrijpt. Het is een weerspiegeling van de oecumenische en pacifistische manier van denken van het Palais-Royal en de Orleans', belichaamd door de oude Madame, die houdt van Duitsland, sympathiseert met de hugenoten en correspondeert met de zeer Europees denkende Leibnitz; belichaamd ook door abbé de Saint-Pierre, de pleitbezorger van een blijvende vrede; en ten slotte wordt dit denken belichaamd door Filips van Orleans, die sterk is beïnvloed door het denken van Fénelon. In vergelijking hiermee leggen de pro-Spaanse dinosauriërs van het oude hof weinig gewicht meer in de schaal.

Door het vertrek van Law staan de laatste figuren van dit oude hof plotseling in het volle licht, die zich ten einde raad kouwelijk verscholen achter de geniale Schot en zich nu vanzelfsprekend niet meer kunnen verweren tegen de heftige uitvallen van de ontzagwekkende Dubois. De daaropvolgende diplomatieke ontwikkelingen zijn dus, als altijd tijdens het regentschap, een combinatie van binnenlandse en buitenlandse politieke overwegingen. Van maart tot juli 1721 wordt achtereenvolgens onderhandeld over het verbond tussen Frankrijk en Spanje en over de Triple Alliantie tussen Frankrijk, Engeland en Spanje. Nogmaals, Dubois geeft zijn pro-Engelse politiek niet op voor een eenzijdige toenadering tot de Bourbon van Spanje. De Franse staatsman wil vooral Madrid onderdeel maken van het Europese veiligheidssysteem dat hij heeft uitgedacht en waarvan de spil de verstandhouding tussen Frankrijk en Engeland is. De Spaanse huwelijken, waarover de onderhandelingen met goed gevolg worden afgesloten in juli 1721, verenigen de jonge Lodewijk xv en de dochter van Filips van Orleans met twee kinderen van Filips v van Spanje; ook deze huwelijken moeten gezien worden in dit Europese pacifistische perspectief, dat paradoxaal genoeg pro-Engels zo niet pro-protestants is. In feite is het de bedoeling Spanje op te sluiten in een Europees veiligheidssysteem waarvan de sleutels zich in Londen en Parijs bevinden. Dubois moest hiervoor een paar kleine onderpanden opgeven, zoals de marinebasis do Pensacola in Florida, die op den duur toch verloren zou zijn gegaan voor Frankrijk. Hij aanvaardde ook dat het Frans-Spaanse monopolie op de slavenhandel, de Asiento, werd opengebroken ten gunste van de Britten; en ten slotte deed hij afstand van de befaamde vestingwerken van Mardick, waarvoor hij terecht niet alles op het spel zette. De norse historici van de twee eeuwen na zijn dood beschuldigden hem ervan dat hij verraad had gepleegd en zelfs dat hij zich had laten omkopen door de Britten. Binnen de groep rond Dubois tekent zich een uitmuntend gezelschap van diplomaten af, dat bijdraagt aan het grote succes van zijn buitenlandse politiek, onder meer chevalier Des Touches, de jezuïet Lafitau, de magistraat Chavigny, de abbé de Mornay en zelfs de schrijver Fontenelle die zo nu en dan de pen voert voor de minister. Op zijn beurt wordt zelfs Saint-Simon tijdens een officiële missie naar Spanje de gewillige dienaar van Dubois. Deze schept er genoegen in de kleine hertog te ruïneren door hem buitensporige representatiekosten te laten betalen. Hij vernedert hem en maakt van hem een dienaar die vol kleine attenties is voor hem als minister. Overigens liet Saint-Simon deze beledigingen niet over zijn kant gaan. Twintig jaar later zou hij zich wreken door Dubois in zijn *Memoires* buitensporig zwart te maken. Zo bezoedelde hij onterecht de goede naam van een groot staatsman.

Het is waar dat Dubois, en op dit punt heeft Saint-Simon gelijk, niet de oprechtheid zelve is (net zomin als Colbert dat was). Zijn kardinaalshoed kost de schatkist de lieve som van acht miljoen Tournooise ponden, uitgedeeld aan de kringen rond de paus. Dit hoofddeksel is dus bepaald niet folkloristisch en is zijn gewicht in goud waard. Het is voor Dubois een effectief en exclusief machtsmiddel. Dankzij zijn benoeming neemt de kardinaal ipso facto en volgens het protocol een van de voornaamste plaatsen in in de regentschapsraad. Onder het mom van ceremoniële maatregel zet hij zijn belangrijkste tegenstanders uit deze raad, want de pairs en de veldmaarschalken vinden het ontoelaatbaar dat een platluis als Dubois, de zoon van een dokter of apotheker, kortom uit de heffe (zoals zij het noemen), plaatsneemt in de raad en ook nog voorrang boven hen heeft. Zij kunnen hier niet tegen protesteren, want het is het voorrecht van een kardinaal. Er rest deze adellijke leken nog slechts één uitweg, als zij geen gezichtsverlies willen lijden: uit de regentschapsraad stappen. En dat doen ze dan ook (in februari 1722). Daarmee bevrijden ze Dubois van drie van zijn ergste vijanden uit de groep van het oude hof in de persoon van Villars, d'Antin en Noailles. Ondertussen ontslaat Dubois twee andere tegenstanders uit hun ministersambt, Torcy en opnieuw d'Aguesseau. En hij begunstigt zijn handlangers, waaronder twee belangrijke families die aan hem verknocht zijn: de Le Pelletier-Armenonvilles en de gebroeders Pâris. Zo wordt de regentschapsraad een onderonsje tussen het huis Condé (Charolais en Monsieur de Hertog) dat voorlopig gehoorzaam is, een paar stuiptrekkende bastaarden (de graaf de Toulouse), en vier of vijf vrienden of fanatieke volgelingen van Filips en Dubois, terwijl deze laatste twee natuurlijk de hoofdrol blijven spelen. Een aantal andere zuiveringsacties, die verre van bloedig zijn, ontdoet het naar Versailles teruggekeerde hof van de resten van de vroegere klieken onder Lodewijk xiv, bestaande uit hoge edelen en ex-ministers. De, al spoedig postume, overwinning van Dubois en zijn leerling of baas Filips van Orleans wordt hiermee bekrachtigd tot aan het einde van het regentschap, bij hun beider overlijden in 1723. Bisschop Fleury wordt bijtijds gewaarschuwd en is een van de weinigen die zich handig uit de zaak weet te draaien en daardoor zijn toekomst veiligstelt. Hij voelt zich nog heel jeugdig en kras en weet zich verzekerd van de genegenheid van zijn koninklijke leerling, de jonge Lodewijk xv. Hij kan het zich veroorloven om te wachten. Hij is nog maar 69 en zal spoedig voor een periode van bijna twintig jaar de eerste minister van de meerderjarig geworden koning Lodewijk xv zijn.

Wanneer we de balans opmaken van het regentschap moeten we natuurlijk vermijden de, weliswaar vage, beelden van Epinal op te roepen. Vandaag de dag wordt Orleans niet meer bekritiseerd vanwege zijn uitspattingen, hoewel ze nog stilzwijgend terug te vinden zijn in de negatieve beeldvorming over het acht jaar durende regentschap. In elk geval hebben de fatsoensrakkers Filips er nooit van beschuldigd dat hij homoseksueel was, en terecht!

De regent was altijd volstrekt heteroseksueel. De moraliserende geschiedschrijving heeft de leefwijze van Orleans aangeklaagd, maar vergat paradoxaal genoeg de harem waarmee Hendrik iv, de held van de Franse lagere scholen en van de historicus Lavisse, zich omgaf. Wat bewijst dat het niet om de vele vrouwen gaat maar om iets heel anders. Een jakobijnse traditie! In feite verweet men Filips zonder zo veel woorden zijn toegeeflijkheid ten opzichte van Engeland, van het parlement en de aristocraten... Het was slechts een impliciete kritiek, maar niemand zou op de gedachte gekomen zijn de zeer op het absolutisme gerichte koning Hendrik dezelfde verwijten te maken. Laten we dus proberen een wat objectievere balans op te maken.

1. De acht jaren dat Orleans aan de macht was, waren op hun manier ontegenzeggelijk een succes. Laten we de vorst beoordelen aan de hand van het doel dat hij zich had gesteld. Dit doel is duidelijk: oom Filips wilde aan zijn neef Lodewijk xv een ongeschonden koninklijk gezag doorgeven; in de geest van Fénelon wilde hij dit gezag ook ontdoen van zijn monsterlijke en zinloze autoritaire uitwassen (voortdurende oorlogen, te zware belastingen, een buitensporig despotisme en een soms gruwelijke armoede onder de bevolking). Filips heeft deze taak zonder meer goed volbracht, geheel in de stijl van zijn regentschap en op een proefondervindelijke manier. Hij voorkomt een opstand van edelen of, erger nog, een burgeroorlog. Hij doet dit met kleine stappen, de een na de ander, als de vertak-

kingen van de rococostijl van die tijd. Dit karakteriseert de stijl van het regent-schap, die hemelsbreed verschilt van het strenge neoclassicisme dat later bekend zal worden als het verlichte despotisme.

2. Het regentschap wordt gekenmerkt door een wisseling van de personen in de hoogste regionen door middel van zuiveringen die bepaald niet bloedig zijn: Filips wordt zowel in de wandelgangen als aan de top omringd door mensen uit Schotland, uit Bordeaux, de Dauphiné, de Rouergue, de Périgord, Holland, En-geland, de Limousin en de Languedoc. In een bepaald opzicht waren degenen die het vertrouwen van de vorst genoten geografisch en ook maatschappelijk gezien marginale en in elk geval 'buitenlandse' mannen. Het was een heel ander milieu dan waaruit onder Lodewijk xiv de dienaren van de monarchie werden gerekruteerd. Colbert, de Le Telliers, Louvois, de Phélypeaux', Voysin, Chamil-lard en ook de Villeroys waren beschaafde magistraten, die geworteld waren in het bekken van Parijs, in de oude gothische streek die daarna centralistisch en vervolgens jakobijns werd. Een streek die de structuur van het monarchale be-leid eeuwenlang bepaalde. Daarbij ging het er vooral om de Engelse en Holland-se concurrent te bevechten en uit te schakelen; het ging erom zonder enige con-sideratie de buurlanden terug te drijven of aan te vallen. De benadering van Dubois en Fleury is flexibeler. Deze twee zuiderlingen zijn niet in de eerste plaats grote patriotten of felle nationalisten. Het is begrijpelijk dat Filips en zijn koninklijke neef met dergelijke nieuwe mensen een politiek konden voeren die minder gericht was op de glorie van de eenzaam boven alles verheven Staat, en die toegeeflijker was tegenover de progressieve krachten die in het noorden werden belichaamd door de zeevarende, liberale, kapitalistische en protestantse landen. In zekere zin is de houding ten opzichte van Engeland en vandaag de dag ten opzichte van de Verenigde Staten, van de Angelsaksen zoals de Fransen graag zeggen, zowel in de achttiende eeuw als in de negentiende en de twintig-ste eeuw een van de toetsstenen van een authentiek liberalisme.

3. Kunnen we stellen dat Filips de instigator van het orleanisme was? Het samen-vallen van de namen Orleans en Filips, zowel ten tijde van de regent als van de burgerkoning, is daarvoor zeker geen maatstaf! Maar het blijft een feit dat de jongere zonen van de koninklijke familie, Condé en Bourbon-Navarre in de zestiende eeuw, Gaston d'Orleans onder Richelieu, Beaufort en Condé tijdens de Fronde, Filips tijdens het regentschap, Philippe-Egalité en Lodewijk-Filips tussen 1789 en 1840 vaak met meer of minder behendigheid uit waren op ver-andering. Daarmee waren deze jongere telgen minder dogmatisch en autoritair ingesteld dan de oudste troonopvolgers. Zo bezien is de regent wel degelijk degene die voor het eerst het orleanisme uitdroeg, waarvan de stijl niettemin nog enigszins autoritair was vergeleken met het authentieke liberale orleanisme van Philippe-Egalité en Lodewijk-Filips.

4. Concreet gezien stelt het regentschap ons voor een probleem dat we hiervoor al noemden: een uitweg uit de dictatuur, of in elk geval het loslaten, na de dood van een vorst, van een al te strak systeem. Deze uitweg kon alleen gevonden worden in een behoudende overgang of een gecontroleerde aanpassing. Het gaat natuurlijk niet aan de overheersing van Lodewijk xiv simpelweg te vergelijken met een willekeurige, al dan niet totalitaire dictatuur van de twintigste eeuw, maar de extreme onbuigzaamheid van de monarchie van de Zonnekoning, vanaf 1680 en de herroeping van het Edict van Nantes, de manier waarop de elite bevelen kreeg, de eindeloze oorlogen en de belastingdruk op het gewone volk zorgden ervoor dat de opvolging hachelijk was voor iemand die het systeem wilde behouden, maar het wilde ontdoen van alles wat er buitensporig aan was. Filips en de zijnen nemen deze taak en deze erfenis op zich aan de hand van drie lijnen die we hier voor het gemak de lijn van Saint-Simon, die van Law en die van Dubois noemen. 'Saint-Simon' is het (zelfs bizarre) beroep op de deelname en een bepaalde consensus van de leidende klassen, in dit geval de aristocratie. 'Law' is de economische heropleving, en dus een opluchting voor het gewone volk; de bank en het ministerie proberen objectief gezien hun lot te verbeteren door de schuldenlast te verminderen en de belastingen te verlagen; 'Dubois' is de al eerder genoemde oriëntatie op de liberale landen; deze landen staan hiervoor open omdat zij zeevarend, kapitalistisch en protestants zijn; in dit geval zijn dat Engeland en Holland. De vele landen in en buiten Europa die zich in de negentiende en twintigste eeuw ontworstelen aan autoritaire regimes zullen eveneens gebruikmaken van het drietal Saint-Simon, Law en Dubois, belichaamd door gelijksoortige personen, maar natuurlijk zeer verschillend in aantal en voorkomen. Daar moeten we aan toevoegen dat een dergelijke behoudende overgang, gezien in een tijdsspanne van een paar eeuwen, natuurlijk een aantal zuiveringsmaatregelen inhield die niet noodzakelijkerwijs gewelddadig waren, ten opzichte van de politieke dienaren die de dienst uitmaakten tijdens de vorige regering of onder de vorige vorst. Deze overgang gaat onvermijdelijk gepaard met terugslagen, krachtig afremmen en tijdelijke vlagen van neo-autoritarisme; deze zijn bedoeld om te voorkomen dat het systeem door een te extreme liberalisatie op hol slaat of zichzelf vernietigt. Want het is altijd de bedoeling van de nieuwe machthebber om het bestaande te hervormen en niet het te vernietigen. Al met al lijkt dit aardig te lukken. De overgang wordt zonder strubbelingen voltooid wanneer het menselijker gemaakte systeem ten slotte in handen wordt gelegd van een bestuurder. Dit is iemand die in zijn beroep vergrijsd is en die meer een beheerder dan een vernieuwer is: in Frankrijk wordt na het intermezzo van de hertog de Bourbon deze prozaïsche, maar zeker niet rampzalige rol gespeeld door de grijsaard Fleury, gedurende de eerste decennia van de meerderjarigheid van Lodewijk xv.

Ten slotte bekijken we aan de hand van Saint-Simon de structuur of beter gezegd de genealogie van de macht. Vijf vorstelijke generaties en zeven daarmee samenhangende groepen hebben de macht of streven daarnaar gedurende de jaren van vlak na de Fronde tot het eerste deel van de regering van Lodewijk xv. Deze vijf generaties en zeven groepen, Anne en Mazarin, Lodewijk xiv en Maintenon, Monseigneur, de zoon van Lodewijk xiv, Bourgogne, de kleinzoon van Lodewijk xiv, zijn neef Orleans, Bourbon zijn verwant in meerdere graden en ten slotte Lodewijk xv, zijn achterkleinzoon geflankeerd door Fleury, vertegenwoordigen in het huis van de monarch telkens de spil waaromheen de machthebbers en de aspirant-machthebbers zich groeperen tussen 1650 en 1720. Anne en Mazarin laten na hun dood hun dienaren na aan Lodewijk xiv: Le Tellier, Colbert, Lionne en Fouquet (de eerste groep). Deze staatsdienaren genieten groot aanzien in de eerste decennia van de persoonlijke regering van de Zonnekoning, tot het decennium van 1680. Door de verwijdering van Fouquet en het terugtreden van Lionne verandert het ministerie in een welbekend onderonsje: enerzijds de Colberts en anderzijds vader en zoon Le Tellier-Louvois. Na de dood van Louvois in 1691 kan de vorst, bijgestaan door zijn vrouw Maintenon, eindelijk zijn eigen 'ploeg' samenstellen (de tweede groep). Van de opeenvolgende ministers in de tweede helft van de regering noemen we vader en zoon Phélypeaux-Pontchartrain, Chamillard, Desmarets (die net is als Colbert maar zich voegt bij Maintenon), en Voysin die via de vrouwen gelieerd is met Desmarets. Een hofkliek van hoge edelen, Villeroy, Huxelles, Harcourt en *tutti quanti*, beweegt zich rondom deze groep die tijdelijk de dienst uitmaakt en die later onder het regentschap de voornaamste elementen zal leveren van het oude hof dat dan nog slechts op het verleden is gericht; zij treuren om het aflopende leven van Lodewijk xiv. Een cabaal van ambitieuze mannen en vrouwen (de derde groep) heeft zich vanaf het einde van de zeventiende eeuw rondom Monseigneur, de zoon van de koning, geschaard; de groep van Monseigneur is, net als die van Lodewijk xiv en Maintenon, gekant tegen het cabaal van de hervormingsgezinde pacifisten en van de schoonzoons van Colbert; dit laatste, waartoe ook Saint-Simon behoort, is gegroepeerd rond de jonge hertog de Bourgogne, die de vierde koninklijke generatie vertegenwoordigt in de periode van 1700 tot 1710. Door de dood van de voornaamste betrokkenen komt er een einde aan deze groep van Bourgogne, Saint-Simon en Fénelon (de vierde groep). Door het overlijden van Lodewijk xiv krijgt de vijfde groep, die van het Palais-Royal in de persoon van Filips van Orleans, haar kans. In het begin beperkt dit 'orleanistische' cabaal zich tot de naasten van Filips, zijn oude en recentere vrienden: ik denk hierbij aan Dubois, Rémond, Bezons, Saint-Pierre, Law, en zelfs Saint-Simon, die afstand genomen heeft van 'Bourgogne' en van 'Fénelon'. Maar al spoedig verenigt het collectief, naarmate de macht van de regent toeneemt, de opportunisten en vooral de civiele, militaire en financiële technocraten die de politiek van Filips tot een succes zullen maken. Deze is gebaseerd op openheid maar ook op een vaardige beheersing van de gebeurtenissen: deze ontsnappen nooit volledig aan de waakzaamheid van de groep die aan de macht is, zelfs niet wanneer het systeem van Law uiteindelijk uit de hand dreigt te lopen. Door de dood van Dubois en van Orleans is de weg vrij voor het huis Bourbon-Condé, belichaamd door Monsieur de Hertog, geflankeerd door zijn maîtresse

Madame de Prye en de financier Paris-Duverney (de zesde groep). Openheid is niet langer gepast; er ontstaat een hevige inflatie en er worden opnieuw onderdrukkende maatregelen genomen tegen de protestanten; deze laten de geest van de herroeping van het Edict van Nantes weer herleven, maar dan zonder de gruwelen ervan. Ten slotte volgt dan de bijna-hongersnood van 1725; het jaar daarop, in 1726, kan Lodewijk xv, een door een ouwe kerel geflankeerde tiener, zijn vertrouwensman aan de macht brengen: de 70-jarige Fleury, die spoedig kardinaal zal worden. Fleury, die samen met hoge magistraten regeert (zoals de Phélypeaux' van de volgende generatie, de Chauvelins, de Le Pelletiers, Armenonville en Morville, Orry, Leblanc, Amelot en d'Aguesseau) aan het hoofd van een zevende groep, stabiliseert het Tournooise pond, uniformeert de belastingpachterij, laat de economische groei haar gang gaan, onderhoudt het verbond met Engeland en verenigt Lotharingen; als erfgenaam van de verworvenheden van het regentschap laat hij deze gedijen, maar hij is wel zo voorzichtig zelf niet veel initiatieven te nemen. Aan zijn ministerschap van bijna twintig jaar ontbreekt zelfs niet de geringe repressieve toets die perioden van consolidatie steevast kenmerkt. Ten tijde van Fleury maken de opnieuw vervolgde jansenisten zich in een laatste stuiptrekking volslagen belachelijk door zich in een collectieve hysterie bij het graf van diaken Pâris te manifesteren.

Welke houding neemt Saint-Simon aan ten opzichte van deze reeks van gebeurtenissen gedurende de acht jaar dat het regentschap duurde?

1. Hij is een voorstander van de politieke participatie van de elite (hertogen en pairs die worden opgenomen in het polysynodale bestuur); ook van die van de jansenisten. Hij is veel terughoudender ten opzichte van de parlementsleden, en ook ten opzichte van de al zo lang vervolgde hugenoten, hoewel hij hen niet principieel vijandig gezind is.

2. Hij heeft echter weinig begrip voor de strategie van diplomatieke openheid van Dubois ten opzichte van de protestantse, zeevarende, liberale en kapitalistische landen (Engeland en Nederland). Aangezien Saint-Simon pro-Spaans en een 'rechtse orleanist' is, is hij fel anti-Brits; ondanks zijn neiging tot liberalisme blijft hij tot op zekere hoogte anti-protestants, omdat hij een goed katholiek is, of in elk geval denkt dat hij dat is. Groot-Brittannië en Holland zijn dus bepaald niet zijn *cup of tea*.

3. Ten slotte had Saint-Simon grote waardering voor de politiek van economische groei en openheid van John Law, ook al werd die soms enigszins overdreven. Hij heeft er zich zelfs zo nu en dan zonder scrupules door verrijkt.

STAMBOOM VAN DE KONINKLIJKE FAMILIE

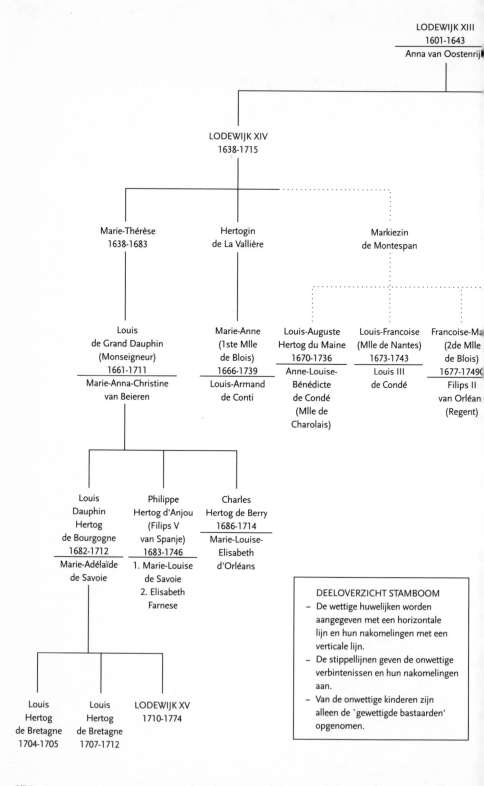

LODEWIJK XIII
1601-1643
Anna van Oostenrij

LODEWIJK XIV
1638-1715

Marie-Thérèse
1638-1683

Hertogin
de La Vallière

Markiezin
de Montespan

Louis
de Grand Dauphin
(Monseigneur)
1661-1711
Marie-Anna-Christine
van Beieren

Marie-Anne
(1ste Mlle
de Blois)
1666-1739
Louis-Armand
de Conti

Louis-Auguste
Hertog du Maine
1670-1736
Anne-Louise-
Bénédicte
de Condé
(Mlle de
Charolais)

Louis-Francoise
(Mlle de Nantes)
1673-1743
Louis III
de Condé

Francoise-Ma
(2de Mlle
de Blois)
1677-1749(
Filips II
van Orléan
(Regent)

Louis
Dauphin
Hertog
de Bourgogne
1682-1712
Marie-Adélaïde
de Savoie

Philippe
Hertog d'Anjou
(Filips V
van Spanje)
1683-1746
1. Marie-Louise
de Savoie
2. Elisabeth
Farnese

Charles
Hertog de Berry
1686-1714
Marie-Louise-
Elisabeth
d'Orléans

Louis
Hertog
de Bretagne
1704-1705

Louis
Hertog
de Bretagne
1707-1712

LODEWIJK XV
1710-1774

DEELOVERZICHT STAMBOOM
– De wettige huwelijken worden
  aangegeven met een horizontale
  lijn en hun nakomelingen met een
  verticale lijn.
– De stippellijnen geven de onwettige
  verbintenissen en hun nakomelingen
  aan.
– Van de onwettige kinderen zijn
  alleen de `gewettigde bastaarden'
  opgenomen.

HET LEVEN AAN HET FRANSE HOF

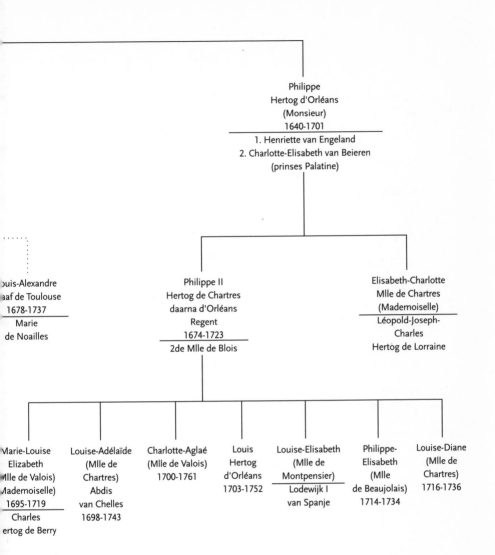

Philippe
Hertog d'Orléans
(Monsieur)
1640-1701

1. Henriette van Engeland
2. Charlotte-Elisabeth van Beieren
(prinses Palatine)

Louis-Alexandre
Graaf de Toulouse
1678-1737
Marie
de Noailles

Philippe II
Hertog de Chartres
daarna d'Orléans
Regent
1674-1723
2de Mlle de Blois

Elisabeth-Charlotte
Mlle de Chartres
(Mademoiselle)
Léopold-Joseph-
Charles
Hertog de Lorraine

Marie-Louise
Elizabeth
(Mlle de Valois)
(Mademoiselle)
1695-1719
Charles
Hertog de Berry

Louise-Adélaïde
(Mlle de
Chartres)
Abdis
van Chelles
1698-1743

Charlotte-Aglaé
(Mlle de Valois)
1700-1761

Louis
Hertog
d'Orléans
1703-1752

Louise-Elisabeth
(Mlle de
Montpensier)
Lodewijk I
van Spanje

Philippe-
Elisabeth
(Mlle
de Beaujolais)
1714-1734

Louise-Diane
(Mlle de
Chartres)
1716-1736

NOTEN

Voorwoord

1   In samenwerking met Orest Ranum.

Inleiding

1   E. Le Roy Ladurie, *L'Ancien Régime*, dl. III van *Histoire de France*, Parijs, Hachette, p. 178.
2   Zie *infra* ons hoofdstuk 4.
3   Zie hierover het tweede deel van ons boek.
4   Georges Poisson, *Monsieur de Saint-Simon*, p. 343 en *passim*.
5   C. 7-706 en 1491.
6   C. 7-1491.
7   De uitdrukking 'thearchie' met betrekking tot het goddelijke karakter van elke hiërarchie die die naam verdient is van Pseudo-Dionysius de Areopagiet, *Œuvres complètes*, Parijs, Aubier, uitg. Gandillac, pp. 70, 328 *et passim*.
8   Yves Coirault, *L'Optique...*
9   Met name die van J. Roujon en G. Poisson (vgl. bibliografie).
10 *Optique, op. cit.*
11 Artikel verschenen in *Lieux de mémoire* van Pierre Nora (vgl. bibliografie).
12 Deze in Frankrijk weinig gebruikte uitdrukking wordt in de Verenigde Staten veel gebezigd.
13 Daar komt verandering in: zie hiervoor *Cahiers Saint-Simon*, nr. 24, 1996, p. 21.

1   De hiërarchie en de rangen en standen

Deze tekst is een uitgebreide uitwerking van een artikel in de *Annuaire du Collège de France*, 1981-1982, pp. 657 *sq*.
1   De hierna volgende bronvermeldingen verwijzen met name naar de *Mémoires* van Saint-Simon in de uitgave van Boislisle (B.), regelmatig naar die van Yves Coirault (C.) in de Pléiade-serie, en eventueel naar de index in dl. 18 van de Ramsay-uitgave (R.).
2   Louis Dumont, *Homo hierarchicus*, Parijs, 1966, pp. 15 en 55.
3   Parijs, 1981.
4   Christian Ehalt, *Die Ausdruckformen absolutistischer Herrschaft. Der Wiener Hof im 17. und 18. Jahrhundert*, Verlag für Geschichte und Politik, Wenen, 1980.
5   B. 28-109, 110; B. 40, 140.
6   J.-P. Labatut, *Les Ducs et Pairs en France au XVIIe siècle*, Parijs, 1972, met name pp. 333-428.
7   Deze gravures zijn te vinden in *Le XVIIe siècle vu par Abraham Bosse*, Parijs, 1967.

8 *Lettres de Madame, duchesse d'Orléans, née princesse Palatine*, Parijs, 1981, bij de aangegeven datum (27.12.1713).

9 Maar als dauphin ofte wel kroonprins neemt hij een aparte plaats in en staat hij boven de overige zonen van Frankrijk.

10 Mijn zoon is kleinzoon van Frankrijk. De kleinzonen van Frankrijk staan boven de prinsen van den bloede; zij hebben weliswaar niet zo veel voorrechten als de kinderen van Frankrijk, maar wel veel meer dan de prinsen van den bloede. Zo zit mijn zoon aan bij de koning, terwijl de prinsen van den bloede niet samen met hem eten. Hij heeft nooit de titel van eerste prins van den bloede aangenomen, omdat hij geen prins van den bloede is maar kleinzoon van Frankrijk; vandaar dat men hem aanspreekt met Koninklijke Hoogheid. Maar zijn zoon, die de eerste prins van den bloede is, spreekt men aan met Doorluchtigheid en niet met Koninklijke Hoogheid. Hij is 's ochtends en 's avonds niet bij de koning, alleen tijdens de grote plechtigheden, wanneer de hele familie samen met de koning eet; hij heeft dus geen enkele van de voorrechten meer die zijn vader heeft, zoals de gecapitonneerde koets, een eerste stalmeester, een eerste aalmoezenier, enzovoort; zijn bedienden mogen hem niet bedienen in het bijzijn van de koning; hij heeft in het kasteel geen lijfwacht, en zo maar door, in tegenstelling tot mijn zoon. Ik moet me al schrijvend vergist hebben, want mijn zoon is nooit prins van den bloede geweest. De koning heeft weliswaar de hertog du Maine, diens zonen en broer de rang van prins van den bloede gegeven, maar zij komen na alle overige prinsen en prinsessen van den bloede: dit gaat zo ver dat de vrouw van de hertog du Maine in zijn eigen huis voornamer gezeten is dan hijzelf; dat zij in alles voorgaat boven haar man en dat zij, wanneer er een contract getekend moet worden, signeert naar de rang die zij door haar geboorte bekleedt, terwijl hij zijn naam pas zet na alle prinsen en prinsessen van den bloede. Hij staat dus ver af van mijn zoon: tussen hen beiden staan alle prinsen van den bloede. Wat mijzelf aangaat, mijn positie is onveranderlijk. Als de koning een dochter had, zou men haar aanspreken met Madame; en mij met Madame, hertogin d'Orleans. De vrouw van mijn zoon heet Madame *de* hertogin d'Orleans. Dit *de* geeft aan dat zij geen kind of dochter van Frankrijk is, maar slechts een kleinkind. Men moet de gebruiken van dit hof goed kennen om al dit soort nuances aan te kunnen brengen. M. de Dauphin, de zoon van Lodewijk xiv, heeft de dochter van mijn zoon groot onrecht gedaan door te besluiten dat zij na de getrouwde prinsessen van den bloede kwam. Het staat echter vast dat zij de eerste is, aangezien haar broer de eerste prins van den bloede is. Maar destijds was Madame de Hertogin de favoriete van de eerste dauphin, zij kon alles van hem gedaan krijgen, en de koning deed alles wat M. de Dauphin vroeg. Als hij was blijven leven, hadden de prinsen van den bloede het moeilijk gekregen... (We herinneren eraan dat de hertog du Maine een onwettige zoon van Lodewijk xiv is, evenals zijn broer de graaf de Toulouse. Zijn vrouw, de hertogin du Maine, is een geboren Condé; zij is dus prinses van den bloede en van een hogere rang dan die van haar echtgenoot, die in principe wordt 'verlaagd' door het feit dat hij een bastaard is.)

11 Deze rangorde, van de koning tot de kleinzonen van Frankrijk en tot de prinsen van den bloede (op wie werd neergekeken), ligt ook bijzonder gevoelig tijdens de bezoeken die tsaar Peter de Grote brengt tijdens zijn verblijf in Parijs in 1713 (B. 31-363 tot 386 en R. 18-122).

12 B. 31-194.

13 Ik merk dat u mijn zoon houdt voor een prins van den bloede. Maar dat is hij niet. Zijn rang is die van kleinzoon van Frankrijk; deze is hoger dan die van de prinsen van den bloede en geeft meer voorrechten. De kleinzonen van Frankrijk groeten de koningin, gaan in haar bijzijn zitten en rijden mee in haar karos: dit alles is de prinsen van den bloede niet toegestaan. Hun bedienden hebben bepaalde privileges en bedienen elk in hun eigen ruimte. Zij hebben een eerste stalmeester, een eerste aalmoezenier en een eerste maître d'hôtel. De prinsen van den bloede hebben dit alles niet, evenmin lijfwachten zoals mijn zoon, noch een Zwitserse garde... (Madame, ibid., brief van 27 maart 1707). Hierbij zij opgemerkt dat het

feit of men al dan niet mag zitten niet alleen problemen oplevert bij de taboeretten en de fauteuils, maar ook bij de karossen. Vandaar het belang van deze vervoermiddelen (die in de zeventiende eeuw als iets nieuws werden beschouwd) met betrekking tot het vaststellen van de (deels traditionele) hiërarchie.

14 B. 31-175.

15 Wij zijn in de loop der tijd vergeten dat het plaatsnemen op een zetel een culturele handeling is en geen natuurlijke. Er zijn vele beschavingen die hier onkundig van zijn (F. Braudel, *Civilisation matérielle*, Parijs, 1979, dl. 1, p. 247). Het is dus niet verbazingwekkend dat de zithoudingen en de zetels een grote symbolische waarde hebben in een geritualiseerde samenleving.

16 Zie hierna.

17 Madame, *Lettres*, uitg. 1981, 19 juli 1699 en 2 augustus 1705.

18 B. 25-278. De affaire van de muts: vanaf 1681 hield Novion, de eerste president van het parlement, al dan niet volgens vroeger gebruik (daarover twistte men), zijn muts op wanneer hij de pairs de France naar hun mening vroeg. Hij wilde daarmee het prestige en de invloed van het parlement vergroten, die door Lodewijk XIV waren beperkt. In die zin ging de ruzie bepaald niet om een kleinigheid.

19 *Histoire de Bretagne*, onder redactie van J. Delumeau, Toulouse, 1979, p. 346.

20 B. 32-241.

21 B. 37-232.

22 B. 17-102 en 28-17.

23 B. 8-358.

24 B. 38-58.

25 Ph. Wolff, *Histoire de Toulouse*, Toulouse, Privat, 1986. Het gaat hierbij niet om een 'eeuwige' hiërarchie. In zijn *Bonnes Villes* (1982), toont B. Chevalier aan dat de rangorde van de 'corporaties' in de steden zich ten volle ontplooide tijdens de economische heropleving in de tweede helft van de vijftiende eeuw en daarna. Het hiërarchische principe kan daarmee worden 'gehistoriseerd'.

26 B. 2-203 en 11-97.

27 Wij zijn tot deze vergelijking gekomen na lezing van het werk van Louis Dumont.

28 B. 19-134, jaar 1710, over de maarschalkse La Meilleraye.

29 B. 1-202; zie ook B. 1-386, enzovoort.

30 Michel C. Péronnet, *Les Evêques de l'ancienne France*, Éditions de l'Université de Lille-III, 1977, pp. 524 en 1483.

31 B. 18-237 en 20-332.

32 G. Chaussinand-Nogaret, *La Noblesse au XVIIIe siècle*, Brussel, 1984, p. 54. Een belangrijk werk over de kwestie van de 'verdienste'.

33 R. 12-389 en B. 30-151.

34 B. 29-69.

35 B. 5-57.

36 B. 4-60.

37 B. 1-149.

38 Michel Péronnet, *op. cit.*, I, p. 513.

39 C. Grimmer, *La Femme et le Bâtard... dans l'ancienne France*, Parijs, 1983, pp. 172-191.

40 B. 3-1.

41 B. 13-70.

42 B. 14-984 en 40-122.

43 H. Brocher, *op. cit.*, *supra*, p. 17, p. 49.

44 R. 18-329; B. 20-32.

45 B. 10-326, 334.

46 B. 1-132 en met name R. 18-446.

47 B. 1-127 en R. 18-338; over de werkelijke ontstaansgeschiedenis van deze rang, zie B. 1-129.

48 B. 1-315 *sq.*

49 B. 17-287.

50 B. 9-62, 502.

51 B-323.

52 B. 31-206.

53 B. 23-5.

54 Het klopt dat Saint-Simon in B. 28-310 de prinsen van den bloede rekent tot het 'koninklijk huis'. Afgezien van dit soort terminologische problemen, is het belangrijk onderscheid te maken tussen het 'uitgebreide huis' (koning + zonen + kleinzonen van Frankrijk) en het nog uitgebreidere huis (dat ook de neven omvat via de mannelijke lijn van de Bourbons, de Condés en de Conti's; dat wil zeggen de prinsen van den bloede).

55 B. 19-appendix v.

56 B. 31-465.

57 B. 31-206. Het belangrijkste richtsnoer betreffende de eer bestaat hieruit dat [...] wanneer men eenmaal een zekere rang heeft, men niets mag doen of dulden waaruit blijkt dat men zich niet conform deze rang gedraagt. (Montesquieu, *Esprit des lois*, dl. 1, iv, 2, *in fine*.)

58 B. 31-223.

59 B. 31-198 en 38-315.

60 G. Chaussinand-Nogaret, *Le Citoyen des Lumières* (Brussel, Complexe, 1994), eerste hoofdstukken, benadrukt het vernieuwende karakter van het denken van Boulainvilliers.

61 F. Furet, *L'Atelier de l'histoire*, Parijs, 1982, p. 175.

62 Louis Dumont, *Homo hierarchicus, op. cit.*, p. 280.

63 B. 9-216.

64 B. 2-16.

65 B. 2-55 en 2-104.

66 B. 1-xxv.

67 B. 2-227.

68 B. 27-193 en 31-10.

69 B. 3-97.

70 R. 18-249; B. 27-162.

71 B. 21-229.

72 B. 2-18.

73 B. 24-206.

74 B. 1-220.

75 B. 2-181.

76 Saint-Simon (B. 6-247 en noot 2) heeft gelijk wat betreft de ongelijkheid van de koninklijke titels, maar hij vergist zich in de namen. De Deense koning sprak Lodewijk aan met Doorluchtigheid, terwijl deze hem eenvoudigweg aansprak met *u*.

77 B. 37-309 en R. 18-270.

78 R. 18-268 en B. 9-26.

79 B. 7-129 en 37-376.

80 B. 10-56 en 28-109.

81 B. 13-142, noot 1.

82 B. 28-110.

83 B. 14-80.

84 B. 23-79 en 14-258, enzovoort.

85 B. 15-343 en noot 6.

86 Saint-Simon, *Écrits inédits*, dl. 3, pp. 36 *sq.*

87 B. 20-130.

88 B. 8-196 en 39-238.

89 B. 20-131.

90 B. 12-13, 14 en 15-258, 261.

91 B. 30-102.

92 Montesquieu, *L'Esprit des lois*, Parijs, Le Seuil, L'Intégrale, 1964, p. 556.

93 Duc de Luynes, *Mémoires*, dl. 13, p. 372, 14 oktober 1754.

94 Het is waar dat Saint-Simon, zoals H. Himelfarb heeft aangetoond, zijn landgoederen vaak zeer verstandig heeft beheerd in de eerste helft van de achttiende eeuw, maar ik interesseer mij hier voor zijn gedachten over het hof en niet voor zijn handelwijze als grondbezitter.

95 B. 14-324-326.

96 B. 15-192, 20-205 en 23-79.

97 B. 18-164, 165.

98 B. 1-42.

99 B. 14-324, 326.

100 B. 14-379.

101 B. 17-204.

102 B. 17-197.

103 Zie hiervoor S. Kaplan, *Le Complot de famine*, Parijs, A. Colin, 1982 (*Cahiers des Annales*, nr. 39).

104 B. 31-28.

105 B. 30-169.

106 P. Goubert en D. Roche, *Les Français et l'Ancien Régime*, Parijs, 1984, dl. 1, p. 133.

107 *Ibid.*

108 La Bruyère, *Caractères*, De la ville, paragr. 5, 7 en 8.

109 R. Mousnier, *Vénalité des offices...*, Parijs, 1971, p. 540. Zie ook de *Mémoires* van abbé de Choisy, Parijs, Mercure de France, uitg. 1983, p. 24.

110 Ook hier moeten we Saint-Simon aanvullen en kunnen we eenvoudigweg concluderen dat sommigen (de edelen) veeleer grondbezitters zijn... en grote schulden hebben, terwijl anderen (de parlementsleden) veeleer renteniers zijn die niettemin flink wat grond bezitten. Maar wij interesseren ons hier voor een gedachtegang en niet voor de concrete bezittingen.

111 B. 3-34 en 20-265.

112 B. 1-194.

113 B. 32-231.

114 B. 1-239.

115 B. 29-276.

116 B. 16-123.

117 B. 11-334 (waar noot 6 Saint-Simons uitspraak tegenspreekt over de ongetwijfeld niet-adellijke afkomst van Ducasse, zonder dat deze per se een slagerszoon is); zie ook B. 23-19.

118 B. 1-63 en noot.

119 B. 6-47.

120 B. 17-61.

121 De afkomst van pater Tellier is wellicht minder laag dan Saint-Simon beweert, als het waar is (?) dat hij verwant was aan de Telliers de Tourneville, financiers uit Rouen, en via hen aan de Harcourt-Beuvrons... en dus aan maarschalk d'Harcourt (B. 17-61, noot 5, en Tallemant des Réaux, *Historiettes*, Parijs, Gallimard, La Pléiade, dl. 11, pp. 647-649 en 1422-1423).

122 B. 3-4.

123 B. 37-3.

124 B. 1-33.

125 B. 31-347.

126 B. 33-97.

127 B. 29-234.

128 B. 18-110.

129 B. 15-281.

130 B. 19-413.

131 B. 20-296.

132 Maar niet altijd! Denk aan hoe de hertog d'Elbeuf, gouverneur van Picardië en Artois, zijn burgers besteelt en de spot drijft met zijn intendanten (B. 32-221).

133 B. 23-21.

134 Op enkele details na is Saint-Simons weergave juist; wij rectificeren deze in onze eigen tekst aan de hand van de noten van Boislisle.

135 B. 35-288.

136 B. 35-289.

137 B. 30-315 en 19-372.

138 B. 19-35.

139 B. 36-367.

140 B. 15-381, 16-398 en 26-190.

141 B. 24-99.

142 B. 31-46 *sq.*

143 De brevets de retenue waren een soort eigendomsbewijzen, met de garantie voor de drager van een niet veil en niet overerfbaar ambt dat, wanneer hij dit neerlegde of stierf, de koning een opvolger hiervoor pas toestemming gaf wanneer deze de afgetreden persoon of de recht-verkrijgenden de door het brevet vastgestelde bedrag had betaald. Zo kwam met het ambt in elk geval de garantie dat de waarde ervan, in geld uitgedrukt, bij erfrecht kon worden overge-dragen (B. 1-105). Dit kwam er, mutatis mutandis, op neer dat er op een gebied waar dit theoretisch niet voorkwam, bepaalde elementen van de verkoopbaarheid van ambten werden ingevoerd. Het is waar dat voor Montesquieu de verkoopbaarheid van ambten een van de goede grondbeginselen van de monarchale maatschappij van rangen en standen is, omdat dit van het ambt een 'familiefunctie' maakt en dus een kweekvijver van erfelijke adel (*L'Esprit des lois*, I, V, 19).

144 B. 38-167.

145 B. 36-347.

146 B. 35-283.

147 B. 17-376.

148 B. 41-320.

149 B. 30-308 en 31-106.

150 R. 18-445.

151 B. 35-285.

152 C. 7-640, 641 en B. 1-194.

153 B. 17-12.

154 Y. Labande-Mailfert, *Charles VIII*, Parijs, Fayard, 1975, p. 139.

155 B. 11-302.

156 B. 12-175.

157 B. 4-150 en 10-224.

158 B. 13-97.

159 B. 14-76.

160 B. 4-286 en 13-163.

161 R. 18-225.

162 B. 13-91. (De index van Boislisle, die het meest compleet is, vermeldt niet altijd de in de oorlog gesneuvelden, wat het maken van een statistiek bemoeilijkt.)

163 B. 20-299 en 12-387.

164 B. 2-42 en 4-359.

165 B. 12-154.

166 B. 13-92.

167 B. 1-55.

168 Micheline Cuénin, *Le Duel sous l'Ancien Régime*, Parijs, 1982. Doordat het regentschap het hof van Versailles, waar het politietoezicht zeer streng was, tijdelijk ontbond, liet het de duels de vrije loop. Het oordeel van Norbert Elias op dit punt is (voor één keer!) adequaat met betrekking tot het milder worden van de zeden dat het hofleven omgekeerd veroorzaakte.

169 B. 29-294 en 360.

170 De adel heeft in principe het monopolie op het recht om te doden, met name als militair en in het duel. Natuurlijk gaven de massale legers (300.000 mannen of meer onder Lodewijk XIV) dit recht om te doden ook aan vele niet-adellijke mannen. Niettemin zouden de Revolutie en de moderne tijd die in de twee eeuwen daarna volgden het recht om te doden nog veel meer veralgemeniseren, een veralgemenisering die ver uitsteeg boven de traditionele adel (en ook boven het mannelijk prerogatief). Het recht om wild te doden, met andere woorden een democratisering van het jachtrecht, dat oorspronkelijk alleen voor de adel was. Het recht om massaal te doden tijdens een oorlog, door een toename van het aantal doders en gedoodden (massaal onder de wapenen roepen en in de negentiende en twintigste eeuw militaire dienstplicht). Een democratisering van de 'cavalerie' (vroeger een zaak van ridders en edelen), door de auto met zijn stoet van dodelijke ongelukken (12.000 doden per jaar op de Franse wegen, enkele jaren geleden). En als klap op de vuurpijl de feminisatie van een bepaald recht, waar eindeloos over gediscussieerd kan worden maar wat onzerzijds geen enkele ideologische of politieke stellingname impliceert (225.000 legale abortussen per jaar in Frankrijk in de jaren negentig, wat een jaarlijks prenataal sterftecijfer inhoudt van 20 procent).

171 B. 38-205.

172 B. 30-185.

173 B. 29-295 en 365.

174 B. 29-364.

175 B. 1-217.

176 B. 5-313.

177 B. 36-313.

178 B. 15-111 en 16-255.

179 Vergelijk B. 5-422 met de enigszins verschillende versie van Tallemant, *Historiettes*, Parijs, Gallimard, La Pléiade, 1960, dl. I, p. 301.

180 B. 15-111.

181 B. 25-155.

182 B. 10-310.

183 B. 7-390, 36-86, 143.

184 Wij herinneren eraan dat maarschalk de Villars in feite een groot leider was die Lodewijk XIV uit de brand hielp aan het einde van zijn regering. Het negatieve oordeel van Saint-Simon over deze zeer verdienstelijke man zegt meer over de obsessies van Saint-Simon dan over Villars zelf.

185 B. 20-275-276.

186 De monarchale regering veronderstelt [...] rangen en standen. De eer eist van nature voorrechten en verschillen. [De eer] moet dus, uit de aard der zaak, een plaats krijgen in deze regering (Montesquieu, *L'Esprit des lois*, dl. I, III, 7). Voor Norbert Elias zijn de sluwheid en de hypocrisie aan het hof de voorbode van de zelfbeheersing waarvan onze tijdgenoten getuigen. Voor Montesquieu, die steekhoudender is (ibid., uitg. 1964, Le Seuil, p. 538), zijn zij simpelweg de structurele en logische (en wellicht betreurenswaardige) tegenhanger van een respectvol monarchaal systeem, dat gebaseerd is op eer en op rangen en standen.

187 B. 32-329.

188 B. 19-240.

189 B. 20-73.

190 R. 18-18 en 272; B. 17-84 en 20-275.

191 B. 24-165.

192 B. 3-182 en 38-20, noot 2.

193 De teksten van tijdgenoten, door Boislisle geciteerd bij de genoemde verwijzingen, bevestigen dat Saint-Simon niets verzonnen heeft over Dangeau en Chamillart, ook al was de realiteit natuurlijk complexer dan hij deze beschreef.

194 B. 6-293.

195 B. 31-177, 32-239, 36-110.

196 B. 6-145.

197 B. 32-239.

198 R. 18-254; B. 21-323.

199 B. 21-88.

200 B. 17-291.

201 B. 36-359 en 17-298.

202 B. 33-78.

203 B. 33-71, 81.

204 B. 18-22, 227.

205 B. 17-278.

206 B. 1-134.

207 B. 17-296.

208 B. 39-270.

209 B. 17-286.

210 B. 40-33.

211 *Ibid.*

212 Andere, lager geplaatste 'gedegradeerden': vaatwerk van aardewerk, gres en wat tin voor de dagloners; geglazuurd aardewerk, tin en soms kristal en zilver voor de welgestelden van het dorp (D. Rosselle, *Le Béthunois sous l'Ancien Régime*, proefschrift voor het staatsdoctoraat, verdedigd aan de universiteit van Lille-III, in 1984).

213 B. 17-411, 412.

214 B. 39-5.

215 B. 7-373.

216 Zie Saint-Simon, *Écrits inédits*, het uitzonderlijke dl. 3, passim.

217 Maar de Turkse ambassadeurs met hun tulbanden hebben altijd het hoofd bedekt, als geografische uitzondering.

218 B. 10-235.

219 B. 6-18.

220 B. 7-6.

221 B. 13-450 en 452; 9-17.

222 B. 26-172, 39-78, 324, 332.

223 Saint-Simon, *Écrits inédits*, dl. 3, p. 56.

224 B. 3-311 en 14-97; en meer in het algemeen de vele verwijzingen over dit onderwerp in de *Index* Boislisle, dl. 1, 89 en 11, 4.

225 De zinsnede is van Louis Dumont.

226 B. 28-235.

227 B. 7-373.

228 B. 3-63, 15-253.

229 B. 28-335.

230 *Ibid.*

231 B. 15-252, 253.

232 Zelfs al voor de uitvinding en de verspreiding van de karossen was er een vergelijkbaar onderscheid in het 'parkeren' van de paarden van de edelen, a fortiori van hun koetsen.

233 B. 11-186.

234 B. 9-171 en noot 6.

235 *Ibid.*, B. 40-120.

236 R. 18-63; B. 2-347.

237 B. 6-322.

238 B. 3-202.

239 B. 41-137.

240 B. 3-202. Over de kwestie van de toegang tot de koning, zie de verwijzingen in Boislisle, slotindex, lemma *Entrées*.

241 D. Dessert, *Argent, pouvoir et société au Grand Siècle*, Parijs, Fayard, 1984.

242 Chevreuse, wiens invloed aan het begin van de achttiende eeuw blijkbaar groot was, zou voor de koning de vertegenwoordiger zijn geweest van een godvruchtige stroming (B. 15-402). Door hem en door Beauvillier, Torcy en Desmarets kon de groep van Colbert zich handhaven in de wandelgangen van het machtscentrum.

243 B. 15-404.

244 B. 1-114.

245 B. 11-8.

246 Hier zij opgemerkt dat voor iemand als Montesquieu, de theoreticus bij uitstek van de monarchie die gebaseerd is op het onderscheid naar rangorde, adel en eer, de suprematie van de burgerlijke macht ten opzichte van de militaire macht totaal niet in tegenspraak is met een hiërarchie zoals wij die in dit boek onderzoeken: 'Geeft men dezelfde persoon een civiel en een militair ambt? [...] Deze moeten [...] gescheiden zijn in de monarchie [...]. In monarchieën zou het even gevaarlijk zijn beide functies [civiel en militair] aan dezelfde persoon te geven [...]. In monarchieën is het doel van krijgslieden slechts de roem, of in elk geval de eer of het fortuin. Men moet zich ervoor hoeden civiele ambten aan dergelijke lieden te geven; deze moeten juist in bedwang gehouden worden door de civiele magistraten en men moet zorgen dat degenen die het vertrouwen van het volk genieten niet tezelfdertijd de macht hebben om daar misbruik van te maken. (Montesquieu, *L'Esprit des lois*, v, xix.) Zo houdt de hoge magistraat Louvois, minister van Oorlog in de volle betekenis van het woord, de veldmaarschalken 'in bedwang'.

247 Volgens Louis Dumont.

248 B. 7-290.

249 B. 28-44.

250 B. 4-39.

251 B. 16-372 en 41-235.

252 B. 16-257.

253 B. 6-128 tot 130.

254 B. 23-316.

255 B. 31-246.

256 B. 4-39, noot 2.

257 B. 11-347.

258 M. Antoine, *Le Conseil du roi*, p. 133.

259 *Ibid.*, pp. 93, 190.

260 *Ibid.*, p. 144.

261 B. 24-203 en 399; B. 29-101 *sq.*

262 In de provincie, ver van Versailles en van Parijs, liggen de zaken heel anders: zo is de ambtsadel van het parlement in Bretagne bijvoorbeeld dé adel van deze provincie – en zij verenigt zich zo nodig samen met de families van niet-magistrale edelen.

2 Het sacrale en het profane

1 B. 21-5.

2 *Ibid.*, noot 5.

3 B. 12-338 en 413.

4 Het werpen van geldstukken naar het volk was verre van een vulgair gebaar, maar sloot aan bij een oude Romeinse traditie die standhield tijdens het hele eerste millennium van onze jaartelling, en nog ver daarna volgens K.F. Werner, *Histoire de France* (onder redactie van J. Favier), dl. I, *Les Origines*, Parijs, Fayard, 1984.

5 *Supra*, in het vorige hoofdstuk, en B. 19-88.

6 Zie hiervoor ook Pseudo-Dionysius (*infra*, bibliografie), die Saint-Simon uit de eerste hand of via andere auteurs kende (Coirault, *Forêt*, 1992, p. 183).

7 Saint-Simon schreef deze teksten toen hij 78 was (in augustus 1753). Zie J.-P. Brancourt, *Le Duc de Saint-Simon et la hiérarchie*, Parijs, Cujas, 1971, pp. 242-256.

8 Zie voor de sociale hiërarchie van de duivels, die samengaat met de rangorde of de standen van de mensenwereld, de humoristische beschouwingen van Lesage in *Le Diable boîteux* (1707), hoofdstuk 1 en volgende.

9 Hobbes, *Leviathan*, uitgave Bobbs-Merrill, Indianapolis, 1958, pp. 104, 108, 110, 127, 142.

10 Shakespeare, *Troilus*, akte I, scène 3.

11 Brief van 3 april 1710.

12 B. 17-485.

13 B. 15-236.

14 A. de Tocqueville, *De la démocratie en Amérique*, Parijs, Gallimard, 1951, dl. I, p. 302.

15 B. 19-88.

16 B. 1-516.

17 J.-P. Babelon, *Henri IV*, Parijs, Fayard, 1982, p. 695.

18 B. 27-278.

19 J. Jacquart, *François Ier*, Parijs, Fayard, 1981, pp. 106 *sq.*, en Lavisse, *Histoire de France*, V, I, pp. 253 *sq.*

20 B. 9-26 en 27.

21 B. 20-75, 26-96 en 28-369.

22 B. 13-106 en 114.

23 B. 2-354.

24 B. 7-149 en 151.

25 B. 23-79.

26 B. 15-269.

27 B. 15-270, noot I.

28 B. 23-270.

29 Brief van 17 september 1719.

30 B. 9-207.

31 B. 38-26, 9-220, 16-377 en 40-130. Over deze riten die de vorstelijke persoon 'tot een halve heilige maken', waarbij hij fysiek als tussenpersoon fungeert tussen de geestelijke en de edele, zie ook R. 2-81 en 193, 14-39 en 17-62.

32 La Bruyère, *Caractères*, hfst. VIII, De la Cour.

33 R. 18-318 en B. 39-323.

34 B. 30-294.

35 B. 24-149.

36 B. 3-80.

37 La Bruyère, *Caractères*, hfst. V, 'De la société et de la conversation'.

38 R. Giesey, 'Cérémonial et puissance souveraine (France, XVe-XVIIe siècle)', *Cahier des Annales*, nr. 41, Parijs, Armand Colin, 1987.

39 B. 21-188, 189.

40 B. 28-373.

41 Volgens artikel xxv van de oorspronkelijke statuten van 1578. Zie B. 16-57, noot 4.

42 B. 39-338.

43 B. 39-134.

44 R. 16-3 en 17-152.

45 B. 14-282 en 26-238.

46 B. 14-114, noot 6.

47 B. 26-237.

48 *Ibid.*

49 B. 12-194 en 26-238.

50 B. 38-310; 40-54; 23-15.

51 R. 4-403 en Index R. en B.

52 B. 1-109, noot 1.

53 B. 23-5.

54 B. 23-4, 5.

55 B. 24-74 en 39-145.

56 B. 10-204.

57 B. 22-175.

58 B. 12-353.

59 B. 17-30.

60 R. 18-196.

61 R. 10-352.

62 B. 40-24, 142 tot 146.

63 B. 24-203.

64 R. 17-138 tot 141.

65 R. 17-138.

66 J. Le Goff, *Pour un autre Moyen Âge*, Parijs, 1977, p. 350. Zie B. 19-143, 144 en 164 (goddelijke uitverkiezing van koningen); B. 11-364 (hertogelijke waardigheid afkomstig van de koning); *Écrits inédits* van Saint-Simon, 11, 121-150, geciteerd door J.-P. Brancourt, *op. cit.*, p. 50 (het recht van de natie om over de kroon te beschikken bij afwezigheid van een 'Salische' vorst).

67 B. 19-30; B. 14-411, enzovoort.

68 B. 20-235.

69 B. 12-361, 363 en 8-282.

70 B. 4-170 en 15-277.

71 B. 16-435.

72 B. 20-238.

73 B. 23-2.

74 B. 25-185.

75 B. 41-89.

76 B. 23-2.

77 B. 38-225 en B. 7-20 *sq.*

78 B. Index bij *Coëtanfao.*

79 B. 22-6 tot 8.

80 R. 3-28.

81 B. 28-224 tot 232.

82 B. 41-43, 44.

83 B. 30-252, 253.

84 B. 30-141, 142, 144, 145.

85 B. 11-80, enzovoort.

86 B. 4-54 en B. 13-304.

87 B. 10-327, 330.
88 B. 23-279.
89 B. 39-314.
90 B. 26-164.
91 B. 26-166, noot 3.
92 L. Dumont, *op. cit.*
93 E. Burke, *Reflections on the Revolution in France*, Londen, Penguin Books, 1973, pp. 100-101.
94 R. 3-143 en B. 9-169.
95 B. 1-284, 285 en noot 1.
96 B. 20-257, 375 (en Add.); B. 9-169 tot 175.
97 B. 26-296.
98 B. 6-132.
99 B. 10-198 tot 200 en noten, met name noot 2, p. 199.
100 R. 18-328.
101 B. 5-110, noot 2.
102 B. 7-78, noot 5.
103 B. 7-77.
104 B. 5-268; B. 10-276 en 280, noot 4; B. 33-53.
105 B. 30-167.
106 Volgens Théodore Godefroy, *Cérémonial français*, uitg. 1649, dl. 11, p. 955, geciteerd door Saint-Simon, B. 30-170 en noot 1.
107 B. 40-268.
108 B. 6-418 en 25-258.
109 B. 1-57.
110 B. 2-177 en 392.
111 *Ibid.*
112 B. 13-458.
113 B. 4-223.
114 B. 6-222 *sq.*
115 B. 12-559.
116 B. 36-224.

3 Zuiverheid en onzuiverheid

1 L. Dumont, *Homo hierarchicus*, met name pp. 168-193.
2 R. 5-9.
3 R. 9-47.
4 R. 12-67.
5 R. 12-11.
6 Plaat 62 van de verzameling Da Costa, aangehaald in het eerste hoofdstuk.
7 Communication, seminarium van het Maison des sciences de l'homme, 1983.
8 *Lettres*, uitgave van 1981, p. 145.
9 B. 37-225 *sq.*
10 M. Foisil, *L'Enfant Louis XIII*, Perrin, 1996, p. 57, en B. 15-43 en noot 3.
11 B. 28-310.
12 Die indertijd nog de hertog de Chartres was.
13 R. 18, Index, lemma *Orléans*, p. 288 *sq.*
14 R. 18, Index, lemma *Dubois*, p. 132 *sq.*
15 *Ibid.*, en B. 26-367: Bevriende schurken — Dubois en Noailles — besnuffelen elkaar nauwkeurig. Lucien Febvre zei: Vossen besnuffelen elkaar onder hun staart (volgens F. Braudel).

16 R. 11-383 en R. 18, lemma *Noailles*, p. 280.
17 Pontchartrain junior is ook een van de grote booswichten van de *Memoires*. Hij was geen snoodaard omdat hij betrokken was bij een monsterlijk huwelijk (wat wel het geval was bij Dubois en zijn fanatieke volgelingen Noailles en anderen), maar onder meer door zijn kuiperijen om een gelukkig en toegestaan huwelijk te belemmeren: dat van Saint-Simon zelf met Mlle de Lorges, die toch nog hertogin de Saint-Simon zou worden (B. 2-270). Deze symmetrische huwelijkse verwikkelingen zijn essentieel voor het begin van de *Memoires*.
18 Zie de lijst met ondertitels ad hoc van Saint-Simon in R. 18, lemma Bâtards, p. 43 *sq*.
19 R. 18, Index, lemma *Orléans (le chevalier d')*, en B. 30-81; 36-314; 41, 137.
20 R. 5-214 en 12-486; B. 35-175.
21 R. 15-58; B.-31-264; 35-257.
22 B. Index, *Bavière (Emmanuel)*; B. 9-280 en 29-296.
23 B. 31-16, 17.
24 B. 37-296.
25 B. 37-298.
26 B. 37-297.
27 *Ibid*.
28 B. 41-158.
29 J. Dupâquier, 'La généalogie aujourd'hui', in *Gé-Magazine*, december 1985, pp. 15 *sq*.
30 B. 20-192.
31 B. 3-3.
32 B. 23-269 en 436.
33 Niettemin beweert Saint-Simon elders (B. 23-436) dat de broer van Sala koetsier van de aartshertog was.
34 De aartshertog: de toekomstige keizer Karel vi.
35 B. 11-83 tot 85.
36 B. 11-3.
37 B. 25-39.
38 B. 7-22 en noot 3.
39 B. 29-50.
40 B. 29-50 en noot 5.
41 *Ibid*.
42 Leviticus 18 (22-24), 19 (19), 20 (13-16).
43 B. 26-59, 60.
44 B. 22-219.
45 Zie de opmerkingen over de booswichten in B. 20-251.
46 *Ibid*., noot 2 en Sévigné, brief van 12 juli 1690.
47 B. 4-280.
48 B. 2-321 *sq*.
49 B. 30-320.
50 B. 24-2.
51 B. 5-230 en 7-78.
52 B. 41-66; R. 18, index, lemma *Prye*, p. 334.
53 Zie, met betrekking tot de graaf de Toulouse, de uitstekende uiteenzetting van André Zysberg in *L'Histoire grande ouverte*, Parijs, Fayard, 1997, p. 245.
54 R. 18-438, 439; B. 29-15 en 109; B. 35-57.
55 B. 38-3.
56 B. 2-253.
57 B. 14-425.
58 B. 16-293, 307, 317.
59 B. 12-60 en 17-31.

60   B. 10-99 en *passim* (vgl. Index Boislisle, lemma *Maine*).

61   B. 13-245.

62   B. 1-98 en *passim* (vgl. Index Boislisle, lemma *Maine*: man en vrouw).

63   B. 15-111.

64   B. 37-371.

65   C. 7-429.

66   B. 20-356 en 35-117.

67   B. 4-335.

68   B. 18-172.

69   B. 15-8 tot 15; B. 21-90 en 271.

70   B. 30-164 en R. 18, Index, lemma *Bâtards*, p. 43.

71   B. 24-54.

72   B. 24-120.

73   B. 7-14.

74   B. 19-390.

75   B. 15-96.

76   B. 14-541.

77   R. 18, Index, lemma *Turenne*, p. 446.

78   B. 14, appendix VIII.

79   Homoseksualiteit van La Feuillade: B. 29-311 *sq.*; 'modder': C. 2-320; bijna-excommunicatie: C. 3-325; juwelen: B. 3-117; voor het overige: Index B., C., R.

80   B. 11-41.

81   Index B., C. en met name R.

82   B. 10-6 en R., Index p. 222.

83   B. 37-144, 7-83, 14-243 en 20-50.

84   B. 7-85.

85   B. 23-122.

86   B. 30-3.

87   B. 36-292.

88   B. 37-120 tot 127 en 398 tot 400.

89   B. 1-209, 6-58. De oorlog, het hof en (wereldlijk) bezit: let op de amusante 'drievuldige functionaliteit' van deze tekst.

90   B. 17-124.

91   B. 17-127.

92   B. 19-111.

93   B. 17-236.

94   B. 13-284, enzovoort.

95   B. 22-27 en 335.

96   B. 20-231.

97   R. 4-145, vooral voor de noten; en B. 11-57.

98   B. 8-208, noot 2; en C. 4-397 *sq.* en 430; zie ook, *infra*, ons hoofdstuk over de jezuïeten, met betrekking tot de hertogin de Bourgogne.

99   Madame, brief van 14 augustus 1718.

100 B. 15-31 en 17-69.

101 B. 13-311.

102 B. 16-152.

103 Ditzelfde geldt met betrekking tot Italië bij andere auteurs: En ge moet weten dat hun vader [het gaat over Galeas di San Severino en zijn halfbroer Gian Francisco, zoon van Roberto di San Severino] seigneur Roberto, van het huis Sforza was, geboren uit een bastaarddochter; maar in Italië wordt nauwelijks onderscheid gemaakt tussen een bastaard en een wettig kind. Commynes, *Mémoires*, uitg. J. Calmette, Les Belles Lettres, 2de druk, 1965, dl. 3, p. 15.

104   B. 9-160.

105   B. Bennassar, *Valladolid au Siècle d'or*, Parijs, Mouton, 1967, pp. 542 *sq.*

106   B. 30-10: deze tekst laat goed de 'Lodewijk XIII-kant' van Saint-Simon zien: hij is natuurlijk tegen de Habsburgers (*ibid.*), en dus tegen Wenen (*id.*), tegen Engeland (zijn herinnering aan de belegering van La Rochelle door Lodewijk XIII...), maar voor de Bourbons, natuurlijk in Frankrijk en inmiddels (1716, *ibid.*) ook in Spanje.

107   B. 9-231 en 14-413.

108   C. 8-311.

109   B. 40-47 en C. 8-62-63. Daar staat tegenover dat het huwelijksbed, met name tijdens de huwelijksnacht, een bijna publiek karakter had in Frankrijk: zie C. 1-225, enzovoort, evenals, zonder meer karikaturaal, Nicolas Chorier, 'L'Académie des Dames', in *L'Enfer de la B.N.*, Parijs, Fayard, pp. 444, 459 *sq.*, enzovoort.

110   B. 20-123 en C. 8-285.

111   Over het algemeen drijft Saint-Simon de spot met overdreven goede manieren (zie C. 1-596 en C. 2-238 *sq.*).

112   B. 9-235; C. 2-83.

113   B. 9-169, 179.

114   C. 2-116.

115   B. 9-129.

116   C. 2-117.

117   C. 2-118.

118   C. 8-146 en 590.

119   C. 8-378.

120   *Ibid.*

121   B. 8-56 en B. 40-120, 121.

122   B. 39-325.

123   Lévy en Henry, *Population*, 1960.

124   B. 16-138 *sq.* en *Cahiers Saint-Simon*, 1983.

125   C. 2-145 en C. 2-226 en 324.

126   Zie zijn voor het Frans vreemde en zeer frequente gebruik van het adjectief als substantief: 'hij raakte verstrikt in het musicale van zijn zinnen,' enzovoort (met betrekking tot maarschalk de Villeroy, in een twistgesprek met Dubois: C. 7-468 *sq.*).

127   B. 3-189; R. 2-116 en 239.

128   'In Duitsland erven de dochters niet,' B. 30-222 en noot 4.

129   G. Huppert, *The Idea of Perfect History*, University of Illinois Press, Urbana, 1970, hoofdstuk 4.

130   *Ibid.*

131   B. 25-192, noot 6.

132   J.-P. Labatut, *Les Ducs et pairs de France au XVIIe siècle*, Parijs, PUF, 1972, p. 49.

133   B. 25-191 *sq.*

134   F. Furet en M. Ozouf, *L'Atelier de l'histoire*, Parijs, 1982, p. 175.

135   Index Boislisle bij *Boulainvilliers*; *cf.* bijvoorbeeld C. 8-452.

136   B. 14-127.

137   B. 39-308.

138   R. 18, Index, *Conti*, en B. 4-203 *sq.*

139   B. 15-156 tot 160.

140   B. 4-886.

141   Lawrence Stone, *Family and Sex*, 1977, p. 533.

142   R. 13-225, 227; B. 31-359; en algemeen C. 6-345.

143   R. 18, Index, *Pérégrine* en C. 8-366.

144   C. 6-345.

145 *Ibid.*
146 B. 20-270.
147 C. 4-770.
148 B. 20-261.
149 B. 5-312.
150 L. Stone, *op. cit.*, p. 354.
151 C. 4-550.
152 C. 6-117.
153 C. 4-592 *sq.*; en C. 7-102.
154 C. Grimmer, *op. cit.*

4 Cabalen, families, macht

1 Anthologie Jaeglé, dl. 11, pp. 101-102. Zie B. 18-6, noot 4.
2 D'O is inderdaad een kwezel (C. 1-318), wat la Palatine volmondig bevestigt en wat de geloof-waardigheid van de geschriften van deze dame dus nog versterkt voor wat betreft het systeem van de cabalen in die tijd. De dweperige d'O was oorspronkelijk een medestander van de graaf de Toulouse. Zijn zeer succesvolle huwelijk is aanleiding voor een prachtige, pre-romantische passage in de *Mémoires*.
3 Brief van 23 december 1710.
4 B. 18-5 tot 19.
5 Zie E. Le Roy Ladurie, *Le Territoire de l'historien*, dl. 11, pp. 275-299, met betrekking tot B. 18-5 tot 19.
6 Brief van 11 augustus 1686.
7 Brief van 14 juli 1718.
8 B. 11-41.
9 B. 5-123, 124.
10 *Ibid.* en 2-131; 11-75; 18-17, 40; 20-265.
11 B. 27-116 en 206; 29-93, 131; 31-143, 225, 248; 33-22, 23; 35-3; B. 36-221.
12 Als er al een groep rond de graaf de Toulouse bestond, na Maine de tweede beroemde bas-taard van Lodewijk xiv, was de leider onder 'Toulouse' zelf d'O.
13 Voor een bepaald aantal mensen dat 'op bijzonder goede voet stond met Monseigneur', zie ook B. 21-277.
14 B. Index, *Espinoy* (Elisabeth): zeer volledige verwijzingen, met name B. 9-43 en 15-8 tot 10; B. 2-191, enzovoort.
15 B. 6-297 tot 299.
16 Wij danken Alain Besançon voor zijn adviezen hierover.
17 B. 12-106 en 483; B. 18-183.
18 De residentie van de Orléans', de jongere tak van het nageslacht van Lodewijk xiii, te weten Monsieur, de broer van Lodewijk xiv, en zijn zoon, de toekomstige regent.
19 De gezagsdragers in het Franse regeringssysteem van het einde van de twintigste eeuw staan rechtstreeks onder het gezag van... de regering, wat hun 'gezag' des te meer beperkt.
20 B. 22-219.
21 We herinneren hierbij aan de uitspraak van Helmut Kohl: Waar ik zit is het centrum.
22 B. 2-359.
23 B. 7-179.
24 B. 26-85 en 28-292.
25 B. 18-7, 8.
26 B. 15-403.
27 D. van Elden, *Esprits fins et géométriques dans les portraits de Saint-Simon*, Den Haag, Nijhoff, 1975.

28 Sodaliteit: naam uit de oudheid voor een vereniging op religieuze grondslag die streeft naar maatschappelijke invloed.

29 B. 16-34.

30 B. 21-384.

31 B. 18-26.

32 B. 29-86, 122.

33 B. 17-452.

34 B. 17-61.

35 B. 17-57 tot 61.

36 B. 24-4.

37 B. 20-98, 99.

38 B. 6-293, 294.

39 B. 2-365, 366.

40 Vandaar de zeer hoge prijs van de belangrijke hoffuncties die voorbehouden zijn aan de voornaamste edelen (zoals kapitein van de garde); het zijn bij uitstek erefuncties, en zij bieden de gelegenheid de koning vaak te zien en dus gunsten van hem gedaan te krijgen in de vorm van ambten, promoties en toelagen.

41 Denk bijvoorbeeld aan de manier waarop Pontchartrain zelf zich verrijkte dankzij de financiële verdragen (B. 6-456); en aan de roofpraktijken van Bouchu, intendant van de Dauphiné, die zowel een vriend is van Pontchartrain, zwager van maarschalk de Tessé en zwager van een zeer welgestelde Bullion. Deze Bouchu verrijkte zich door een handel in militaire kledij en door de oorlogsbelasting die de Savoie werd opgelegd (B. 12-464).

42 B. 5-295, noot met een citaat uit de *Mémoires* van La Rochefoucauld, dl. 11, pp. 68-69.

43 Zie de eerder geciteerde tekst van Madame.

44 Abbé de Choisy, *Mémoires*, Parijs, Mercure de France, 1983.

45 *Ibid.*, p. 72.

46 Dat de ministers zowel op familiale als op individuele gronden werden aangesteld, wordt aangetoond door het bestaan van ministeriële dynastieën (de Colberts, de Le Tellier-Louvois') en ook door het feit dat vader en zoon tegelijkertijd in functie zijn: in 1699 is Pontchartrain senior kanselier en junior secretaris van Staat en 'wonen zij samen' (B. 6-455). Hetzelfde geldt voor Pomponne, minister van Staat, en zijn schoonzoon Torcy, secretaris van Staat (B. 3-142 tot 144).

47 Abbé de Choisy, *op. cit.*, p. 236.

48 B. 6-455.

5   De demografie van Saint-Simon en de vrouwelijke hypergamie

1 Dit hoofdstuk is eerder in deelpublicaties verschenen, waarvan het belangrijkste deel in *Résumé des cours et travaux du Collège de France*, 1989-1990, pp. 699-728. Deze tekst is, zowel voor wat betreft het onderzoek als het schrijven, het gezamenlijke werk van E. Le Roy Ladurie en J.-F. Fitou. Zij is integraal gepubliceerd in E. Le Roy Ladurie, *L'Historien, le chiffre et le texte*, Parijs, Fayard, 1997, pp. 271-324.

2 Om bovengenoemde redenen gaat het hier nog steeds om personen die geboren zijn na 1620.

3 Tocqueville heeft de aandacht gevestigd op het belangeloze en tegelijkertijd onvermijdelijke karakter van de militaire dienst voor jonge edelen: wanneer de edele onder de wapenen gaat, gehoorzaamt hij niet zozeer aan een bepaalde ambitie als wel aan een soort *plicht* die zijn afkomst hem oplegt. Hij gaat het leger in om daar zijn werkeloze jeugdjaren te vullen en om terug te keren naar huis en haard met een aantal eervolle *herinneringen* aan het militaire leven [de plicht van de herinnering!]; maar zijn hoofddoel is niet het vergaren van bezittin-

gen, achting en macht, want deze voorrechten geniet hij al vanzelf zonder dat hij daarvoor de deur uit hoeft (*De la démocratie en Amérique*, dl. III, hfst. 22, p. 433, Parijs, Michel Lévy, 1864, 14de druk).

4   Een nadere beschouwing van de modi bevestigt de voorgaande opmerkingen. De meest voorkomende leeftijd waarop men sterft in de magistratuur is 80 jaar, dezelfde leeftijd als voor de hogere militairen; bij de hertogen zien we modi van 63 en 72 jaar wat, afgerond, 10 tot 20 jaar jonger is. De medianen, die de gelijke verdeling van onze personen aan weerszijden van een centrale waarde aangeven, versterken de conclusies nog die we konden trekken uit het onderzoek naar de gemiddelde levensduur, de leeftijdsgroepen en de modi. De mediaan van de magistraten bereikt zijn hoogtepunt bij 71 jaar, die van de hertogen en prinsen bij bijna 63 jaar, terwijl de militairen zich precies tussen deze beide groepen in bevinden.

5   Hoe dichter men bij de troon wordt geboren, hoe groter de kans om, zonder ervaring, een functie als opperbevelhebber te vervullen. Onder het machteloze gezag van Vendôme deed de hertog de Bourgogne op zijn 26ste of hij de militaire operaties bij Oudenaarde leidde. Om een wat roemrijker voorbeeld te geven: we weten dat de Grand Condé na zijn eerste gevecht op zijn tweeëntwintigste werd uitgeroepen tot de 'nieuwe Alexander'. Deze leiders gaven dus soms al op zeer jeugdige leeftijd blijk van echte militaire kwaliteiten (de regent is hier ook een voorbeeld van).

6   De beroemde Normandische socioloog merkte op dat 'bij aristocratische naties, vooral daar waar de rang alleen wordt bepaald door geboorte, de ongelijkheid niet alleen zichtbaar is in het burgerleven maar ook in het leger: de officier is de edelman en de soldaat is de horige. De een is voorbestemd om te bevelen en de ander om te gehoorzamen. In de aristocratische legers is de ambitie van de soldaat dus zeer begrensd. Die van de officieren is ook niet onbegrensd. *Een hiërarchische groep maakt niet alleen deel uit van een hiërarchie, er is ook altijd sprake van een hiërarchie binnen de groep*, de leden van de groep zijn altijd op dezelfde manier boven elkaar geplaatst. *Deze is van nature voorbestemd om het bevel te voeren over een regiment, en gene over een compagnie*; zodra zij het hoogste van waarop zij kunnen hopen hebben bereikt, houden ze uit eigen beweging halt en vinden ze dat ze tevreden mogen zijn met hun lot,' *ibid.*, p. 432 (de cursivering is van ons).

7   Dit hamsteren van religieuze loopbanen door de La Rochefoucaulds is volgens Saint-Simon een gevolg van de gierigheid van deze familie (die hij boven alle verfoeit) en van het feit dat alle financiële kaarten op de oudste van elke generatie werden gezet: 'De hertogen de La Rochefoucauld hadden sinds lang de gewoonte slechts één opvolger in hun midden toe te staan die al het bezit en het hele fortuin van de vader erfde, en hun waardeloze dochters en jongere broers niet te laten trouwen maar naar Malta en de kerk te verbannen' (B. 23-227).

8   Wanneer we het sterftecijfer uitgesplitst naar leeftijdsgroep bekijken, kunnen we slechts bevestigen wat we hiervoor zeiden. Bij de vrouwen zien we, in iets afgezwakte vorm, hetzelfde beeld als bij de mannen. De hertoginnen en prinsessen sterven in groteren getale in de jongere leeftijdsgroepen (de hertogin de Bourgogne is hiervan een treurig voorbeeld). De magistraatsvrouwen en de nonnen, die in de eerste leeftijdsgroepen ondervertegenwoordigd zijn (met een algemene hergroepering in de categorie van 40-49, tien jaar vroeger dan bij de mannen), worden naar verhouding steeds talrijker naarmate de leeftijd toeneemt. Met dit verschil dat de nonnen de top bereiken tussen de 50 en 79 jaar en het hoogtepunt van de magistraatsvrouwen met tien jaar verder opschuift naar rechts in de grafiek (van 60 tot 89 jaar). Net als de magistraten sterven de magistraatsvrouwen op latere leeftijd dan de overige vrouwen in de *Memoires*. Overigens zijn de verschillen onder de vrouwen minder groot dan onder de mannen, door de al eerder genoemde oorzaken. Het voorgaande betoog wordt zo nodig ondersteund door bestudering van de modi: de magistraatsvrouwen sterven in groteren getale op hun 72ste, de hertoginnen en prinsessen op hun 70ste. Terwijl er tussen deze twee groepen een duidelijk verschil bestaat ten opzichte van het sterven, vervaagt dit weer grotendeels doordat de modus van de magistraatsvrouwen acht jaar later ligt dan die van de

magistraten. De nonnen en abdissen verlaten dit tranendal bij voorkeur op hun 59ste (en de oude vrijsters op hun 54ste of... 25ste). De medianen liggen voor de magistraatsvrouwen op 68 jaar (drie jaar minder dan de overeenkomstige mannengroep), voor de hertoginnen en prinsessen op 62 jaar (slechts één jaar minder dan hun mannelijke soortgenoten), voor de nonnen op 63 jaar en voor de ongelukkige oude vrijsters op 54 jaar.

9 Dit totaalcijfer omvat ook de Lotharingers, Savoyarden en Walen (zie *supra*).

10 Via de index van Boislisle kennen we ook een aantal huwelijken van na 1723 (het jaar waarin de *Memoires* eindigen), maar van voor 1740. Onze steekproef (van 1600-1740) is dus grosso modo vergelijkbaar met die van de Beauvaisis van Pierre Goubert (1600-1730).

11 Louis Dumont, *op. cit.*; zie van dezelfde auteur ook *Essais sur l'individualisme*, Parijs, Seuil, 1983.

12 Louis Dumont, *op. cit.*

13 P. Goubert, *L'Ancien Régime*, dl. 1, p. 152. Pierre Goubert benadrukt het feit dat de adel 'een aparte klasse [vormt] die, sinds onheuglijke tijden, haar superioriteit alleen door geboorte overdraagt: zo ziet de adel zichzelf. Een opvatting waarmee vele niet-adellijken wel moeten instemmen. Het lijkt mij niet al te anachronistisch om deze opvatting te bestempelen als racistisch'. Geciteerd door F. Billacois, 'La crise de la noblesse européenne (1550-1650), une mise au point', *Revue d'histoire moderne et contemporaine*, XXIII, 1976, p. 259.

14 A. de Tocqueville, *De la démocratie en Amérique*, McMillan and Co. Londen, 1961, p. 246. Van zijn kant heeft Lémontey het over het fanatisme dat het beoordelingsvermogen van de kroniekschrijver soms aantast. Zie P.-E. Lémontey, *Histoire de la Régence et de la minorité de Louis XV jusqu'au ministère du cardinal de Fleury*, dl. 1, Parijs, Paulin, 1832, p. 3.

15 B. 41-238.

16 Wij zijn ons ervan bewust dat Saint-Simon weinig respect had voor de rang van buitenlandse prinsen. Wij vonden het niet nodig om mee te gaan in zijn afkeer, hoe opvallend deze ook is.

17 Louis Dumont, *Homo hierarchicus, op. cit.*, p. 147.

18 Norbert Elias, *La Société de cour*, Parijs, Calmann-Lévy, 1974, p. 9.

19 J.-P. Labatut, *Les Ducs et pairs de France au XVIIe siècle*, Parijs, PUF, 1972, pp. 187-188.

20 B. 1-142.

21 Zie voor een zeer typerend voorbeeld dat niet uit de geschriften van Saint-Simon komt, het huwelijk van Mme de La Guette dat zij zelf heeft beschreven in haar *Mémoires*, uitgegeven bij Mercure de France.

22 B. 2-206, 207.

23 B. 4-283.

24 E. Le Roy Ladurie, *Résumé des cours et travaux du Collège de France*, 1981-1982, p. 680. Luca Cavalli-Sforza merkte, in *Gènes, peuples et langues* (Parijs, uitg. Odile Jacob, 1996, p. 204), op dat de Afrikaanse dorpelingen soms pygmee-meisjes huwden omdat deze goedkoper gekocht konden worden. Of het nu gaat om een lagere koopprijs of om een hogere bruidsschat, de redenering verschilt nauwelijks bij de Afrikanen en de hertogen en pairs, voor wat betreft de beoordeling van de voordelen van een huwelijk van een man op basis van vrouwelijke hypergamie.

25 B. 16-90.

26 B. 16-93.

27 B. 26-239, 240.

28 B. 11-334 tot 336.

29 B. 26-241

30 Saint-Simon is niet altijd zo archaïsch als hij op het eerste gezicht lijkt, in elk geval op dit punt. Dit is wat H. Mendras schrijft over de huwelijken in de huidige Franse samenleving: De (vrouwelijke) hypergamie lijkt een garantie voor huwelijksgeluk [...]. Over het algemeen willen vrouwen een echtgenoot met een opleiding die minimaal gelijk is aan die van henzelf,

terwijl mannen hier geen waarde aan hechten en zelfs zeggen dat zij de voorkeur geven aan een vrouw met een lager opleidingsniveau dan zijzelf. H. Mendras, *La Seconde Révolution...* *(1965-1984)*, Parijs, Gallimard, 1988, p. 227. In de periode van de Franse Revolutie zei men dikwijls: Een voormalige [edele] trouwt met een sans-culotte.

31 B. 11-5.

32 B. 11-3, 4.

33 B. 11-4.

34 Louis Dumont, *op. cit., Homo hierarchicus*, p. 152.

35 B. 13-184.

36 B. 14-362 tot 364.

37 Zie hiervoor D. Dessert, *Argent, pouvoir et société au Grand Siècle*, Parijs, Fayard, 1984, pp. 98-109 (over de mythe van de financiële lakei).

38 Wij herinneren eraan dat de moeder en de vrouw van Saint-Simon afkomstig zijn uit families die deels bestonden uit magistraten en die enige afstand hadden tot het klassieke canon van de krijgsadel.

39 Zie voor la Palatine de biografie van D. Van der Cruysse, *Madame Palatine*, Parijs, Fayard, 1988.

40 E. Le Roy Ladurie, *op. cit.*, pp. 681-682.

41 *Ibid.*, p. 681.

42 Dit gaat zeker niet alleen op voor de hofkringen. E.M. Forster geeft hier een edwardiaans voorbeeld van: 'Mrs. Durham had natuurlijk haar bijgedachten: zij zocht een partij voor Clive [haar zoon] en zij dacht met name aan de jongedames Hall. Zij had een theorie volgens welke het geen kwaad kon af en toe over te gaan tot rassenkruising en Adda [een van de meisjes Hall], was weliswaar een eenvoudig burgerkind [de Durhams behoren zelf tot de lagere adel] maar een gezonde jongedame.' E.M. Forster, *Maurice*, Cambridge, 1971. In een andere context geeft G. Mann een vergelijkbaar voorbeeld: Er waren regelmatig huwelijken tussen leden van de adel en dochters van joodse families [in de Republiek van Weimar]; daarbij moet worden opgemerkt dat de aanstaande bruid haar afkomst compenseerde door een aanzienlijke bruidsschat mee te brengen. G. Mann, *Erinnerungen und Gedanken*, Fischer Verlag, Frankfurt-am-Main, 1986. Zie ook Jonathan Swift, *Gulliver's travels*, dl. 4 ('Houyhnhnms'), hfst. VI, een zeer 'swiftiaanse' en belangrijke tekst.

43 B. 40-251.

44 B. 37-26, 27.

45 Wij herinneren er opnieuw aan dat deze kloof, die geldt voor de hofadel, veel minder diep is in Bretagne, waar de rijke ambtsadel van het parlement vaak neerkijkt op de arme landadel, al dan niet ook krijgsadel.

46 B. 2-183, 184.

47 B. 1-58 tot 60.

48 Zie D. Dessert, *op. cit.*, en ook G. Chaussinand-Nogaret, *La Noblesse au XVIIIe siècle, de la féodalité aux Lumières*, Parijs, 1976.

6 De wereldverzaker, de kluizenaar en de jezuïet

1 B. 5-380 *sq.*

2 B. 30-114.

3 B. 13-263.

4 B. 16-120.

5 B. 17-119.

6 Blandine Barret-Kriegel, *L'Histoire à l'âge' classique*, Parijs, PUF, 1988-1996, dl. 1, p. 289.

7 C. 1-279.

8   C. 4-396 *sq.* en *passim.*

9   Vauban, *Dîme royale*, Parijs, Imprimerie nationale, 1992.

10 B. 4-274, n. 2.

11 B. 4-258.

12 C. 4-212.

13 B. 25-69.

14 B. 11-332.

15 Met betrekking tot het kleine aantal ministers dat Lodewijk xiv op een bepaald moment heeft
    — vier in 1697, Pomponne meegerekend — vermelden we, als rechtvaardiging (?), de uit-
    spraak van De Gaulle in 1946: 'Sinds juni 1940 zijn er heel wat mannen naar mij toe geko-
    men. Ik ken er nauwelijks drie die geschikt waren als minister...' Claude Guy, *En écoutant
    de Gaulle*, Parijs, Grasset, 1996, p. 73.

16 B. 12-114.

17 B. 3-31.

18 B. 19-386.

19 B. 15-88.

20 B. 2-93, 94.

21 Saint-Simon, B. 3-70; vergelijk Tallemant, *Historiettes*, Gallimard, La Pléiade, dl. 2, p. 749.

22 B. 12-290.

23 B. 3-52, 53.

24 B. 29-343 en 41-262.

25 B. 33-100.

26 B. 16-387.

27 B. 2-180; B. 41-321.

28 B. 18-228; B. 40-132.

29 C. 1-846.

30 C. 5-155.

31 B. 31-144.

32 Saint-Simon vergeet zeker niet om als laatste in deze rij de kardinaal de Retz op te nemen,
    die zich heeft teruggetrokken in Commercy na menig strijdlustig en amoureus avontuur om
    er in alle eenzaamheid boete te doen voor zijn vroegere leven (B. 15-39).

33 B. 15-266.

34 C. 3-627.

35 C. 1-259.

36 Vergelijk dit met de recente trieste gebeurtenissen in Carpentras.

37 C. 5-685.

38 Over de hypergamie, *cf. supra*, hfst. v.

39 C. 1-283 *sq.*

40 C. 1-373.

41 C. 7-767.

42 B. 15-39.

43 C. 5-693; C. 6-94; C. 7-355.

44 C. 2-26.

45 B. 9-341.

46 C. 4-597 en 712.

47 B. 5-423; zie voor het verband tussen het anale en het geldwezen, of het geld: Freud, *Gesamte
    Werke*, dl. 7, pp. 203 *sq.* (Charakter und Analerotik).

48 B. 12-429.

49 B. 4-311 en B. 24-54.

50 C. 2-469 en 765.

51 Diezelfde neiging tot geheimhouding zien we bij een andere Bourbon, koning Juan Carlos
    voor en vlak na de dood van Franco.

52 B. 12-194, 195.

53 B. 37, 332 tot 335.

54 B. 17-347.

55 Tallemant des Réaux, *op. cit.*, dl. I, p. 20-21.

56 B. 12-466.

57 B. 2-262 en B. 10-35.

58 Abbadie, *op. cit.*

59 Abbadie, dl. III, p. 390.

60 Iemand als Simone Weil beantwoordde in de jaren 1930-1940 — weliswaar op een minder uitgesproken manier — aan een dergelijke figuur. Zij zou het liefste seniel geweest zijn om beter van alles af te kunnen zien.

61 Abbadie, dl. II, p. 451.

62 *Ibid.*, dl. II, p. 461.

63 Abbadie, *ibid.*

64 *Cf. infra*, hfst. VII en VIII (met betrekking tot Spanje).

65 Abbadie, *ibid.*, dl. II, met name de laatste hoofdstukken.

66 Aanhalingen en ideeën afkomstig uit dl. 2 van Abbadie, met name uit de laatste hoofdstukken van het werk.

67 Himelfarb, p. 768, n. 54. 'Saint-Simon et le jansénisme des Lumières' (vgl. bibliogr.)

68 G. Coirault, *Optique*, p. 576.

69 Bijvoorbeeld in C. 3-629 *sq.*

70 Er is echter ook een hertogin die sympathiseert met het jansenisme: de hertogin de Brancas (B. 2-338).

71 Dit alles volgens Himelfarb, gecit. art.

72 Himelfarb, p. 756.

73 Malebranche, *Traité de la nature et de la grâce*, boek III, hfst. 28, p. 174 van de Brusselse uitgave, 1681; *Citations de Malebranche*, Usuels BN (BD Malebranche), p. 107 en *passim*, p. 298 en *passim*.

74 C. 4-264.

75 *Gecit. art.*

75 C. 1-453.

76 C. 1-453 en C. 1-655.

77 C. 1-685.

78 C. 1-633.

79 C. 1-520.

80 C. 1-621.

81 C. 2-690.

82 C. 2-568.

83 C. 2-569.

84 C. 2-689.

85 B. 5-383-384.

86 C. 3-690.

87 C. 3-629.

88 B. 18-285.

89 C. 3-631.

90 B. 4-273. De humanist Molina werd zeer onbillijk aangevallen door Saint-Simon.

91 C. 3-622.

92 C. 3-749.

93 C. 3-521 en 721.

94 C. 3-899.

95 C. 3-910.

96   C. 4-50.
97   C. 4-211.
98   C. 4-630.
99   C. 5-459.
100 C. 5-306.
101 C. 6-140.
102 C. 6-217.
103 Ibid.
104 C. 6-227 en 7-305.
105 C. 1-259.
106 C. 2-332.
107 C. 2-689.
108 B. 17-47.
109 C. 4-44, 45.
110 C. 5-153, 585, 688.
111 C. 7-513.
112 Quesnel, Réflexions, dl. VIII, p. 129.
113 Quesnel, dl. II, p. 244.
114 Pseudo-Dionysius de Areopagiet, passim (zie bibliogr.).
115 Quesnel, dl. VIII, p. 419.
116 C. 1-819 en 822. Zie ook infra onze bibliografie.
117 Hélène Himelfarb heeft in een voordracht sterk de nadruk gelegd op dit punt. Het commentaar van R. Darricau is te vinden in de Dictionnaire de spiritualité, bij het lemma Duguet.
118 Duguet, Institution, op. cit., uitg. 1739, pp. 454 en 504.
119 Ibid., pp. 390, 423 sq., 630 sq., enzovoort.
120 Ibid., pp. 608-616.
121 Ibid., pp. 421, 432-438.
122 Ibid., p. 610.
123 Ibid., p. 406.
124 Ibid., p. 390.
125 Ibid., p. 670.
126 Ibid., pp. 546-548.
127 Ibid., pp. 335-337.
128 Ibid., p. 669.
129 Dit is ontleend aan de Institution d'un prince van abbé Duguet, uitgave in Londen, Jean Nourse, 1739.
130 Ibid.
131 Zo niet topografisch (C. 8-1694).
132 In een recent (postuum) werk heeft Philippe Ariès een aantal prachtige dingen gezegd over onthechting.
133 Duguet, op. cit., p. 109.
134 Saint-Simon, verwijzing hierna, noot 135, pp. 590-591.
135 Zie hiervoor Saint-Simon, Traités politiques, uitg. Coirault, Gallimard, La Pléiade, 1996, p. 590-591 (van wezenlijk belang).
136 Ibid.
137 Ibid.
138 We moeten hieraan toevoegen dat, aangezien de teksten met elkaar samenhangen en niet altijd overeenstemmen, Saint-Simon in C. 3 — weliswaar op een nogal uitzonderlijke manier — vastberaden stelling neemt vóór Jansenius (wel degelijk!) en vóór Port-Royal tegen de jezuïeten: een tekst waarin hij dit keer ongenuanceerd 'met hart en ziel' pro-Augustinus is. Zie ook C. 2-568: 'doorgaand voor een jansenist, dat wil zeggen nauwgezet, gewetensvol, strikt in zijn handelwijze, leergierig en boetvaardig.'

139 Émile Appolis, *Le Tiers Parti...*, alfabetische index *in fine*, bij deze namen. Zie *infra*, onze bibliografie.

140 Louis Dumont, *op. cit.*, p. 235.

141 E. Le Roy Ladurie, *L'Ancien Régime*, Parijs, Hachette Pluriel, 1991, p. 109. Hierbij nog één opmerking: in zijn fraaie studie over India bespreekt Louis Dumont uitgebreid de wereldverzaker, de *sanniasy*, maar nimmer de wereldverzaakster. Zij bestaat ongetwijfeld, maar zodanig op de achtergrond — in een nogal fallocratische oriëntaalse cultuur — dat er geen aanleiding is lang bij haar stil te staan. Saint-Simon gaat daarentegen gedetailleerd in op een redelijk groot aantal wereldverzaaksters. Een logische houding van een auteur die representatief is voor de westerse cultuur, waar een gematigd feminisme wordt gedoogd, terwijl dit niet geldt voor India waar van oudsher een neiging tot 'mannelijk chauvinisme' heerst.

142 Louis Dumont, *op. cit.*, p. 342.

143 Zie hiervoor ons *Carnaval de Romans*, Parijs, Gallimard, 1979.

144 C. 3-1043 en *passim*.

145 C. 3-340, 3-632, en *passim*.

146 Van Kley, *The Religious Origins of the French Revolutions...*

147 B. 16-62 tot 64.

148 C. 3-346.

149 C. 3-374.

150 C. 8-10-11 en B. 8-56-57.

151 C. 4-40, 784.

152 B. 10-200.

153 C. 2-215-216.

154 C. 3-342.

155 B. 13-179.

156 B. 21-150 en C. 4-721.

157 B. 6-431 *sq.*

158 C. 1-685.

159 B. 23-240.

160 C. 4-658.

161 C. 2-896.

162 C. 3-418.

163 C. 4-734.

164 B. 36-127.

165 B. 17-245.

166 Goethe, *Faust*, dl. 1, vers 2039.

167 C. 3-633.

168 C. 4-646.

169 C. 1-709.

170 C. 1-864.

171 C. 3-341 *sq.*

172 De verwijzingen bij de paragraaf hiervoor zijn te talrijk om allemaal aangehaald te worden. De belangrijkste tekst van Saint-Simon over het fenomeen van de 'sluis' staat in C. 3-628 en 633; vgl. ook C. 1-251, C. 2-4, C. 5-551 en 581: 'de poort der [kerkelijke] prebendes', enzovoort. Over het Duitse Rijk, vgl. C. 7-527; over Spanje. C. 1-813, 856, 864; C. 8-55, 183, enzovoort. Zie ook de (in werkelijkheid weinig serieuze) dreiging van het inrichten in Frankrijk van een Inquisitie naar Spaans model: C. 4-915. Voor de uitzonderingspositie van de Savoye: C. 1-308 en 731; C. 2-589 en 590; C. 4-400, 410, 734. Voor de theorie van de deurwachters, D. Easton, *Analyse du système politique* (Franse vertaling), pp. 84-95. Voor de vergelijking van antijezuïtisme en antisemitisme, vgl. Pierre Grosclaude, *Malesherbes*, Parijs, dl. 2, p. 642, met aanhaling van de Archives Tocqueville, dossier L. 135; en Léon Poljakov, *Histoire de l'antisémi-*

tisme, dl. III, *De Voltaire à Wagner*, hoofdstuk over Frankrijk tijdens de Verlichting, noot 194, pp. 149 en 505 van de Engelse uitgave. Zie voor deze laatste werken onze bibliografie.

173   B. 22-145 en 27-195; B. 29-396.

174   *Herd-book*: de naam die de Franse en Engelse veehouders geven aan het register met de namen en stambomen van de hengsten en stieren van goed ras.

175   Voor de jezuïtische theologie van de goede werken, de werkelijke verdiensten en de onvermijdelijke menselijke vrijheid, in vergelijking met het bijna fatalistische karakter van de jansenistische predestinatie, leze men L. Lessius, *De la grâce efficace*, uitg. 1610, pp. 46, 108, 252, 254, 256-260; Dupin, *Histoire ecclésiastique du XVIIe siècle*, verschenen rond 1714, pp. 7, 46-47, 51-63, 84-93 tot 146: met betrekking tot de liberale jezuïtische theologie die al aan het einde van de zestiende eeuw werd aangehangen door Prudence de Monte Mayor, L. Lessius en Luis Molina. Vgl. ook het prachtige werk van L. Molina (een moedig verdediger van de christelijke vrijheid, die niettemin voorgoed belachelijk werd gemaakt door Pascal... en door Saint-Simon), *Concordia*, uitg. 1595, pp. 251 *sq.*

176   Van Kley, *op. cit.*

BIBLIOGRAFIE

Dit overzicht van boeken en artikelen is geenszins volledig en ook niet systematisch van opzet. Het is samengesteld aan de hand van onze speciale belangstelling in het kader van het onderhavige boek. Voor een volledige en systematische bibliografie over Saint-Simon verwijzen wij naar het grote *corpus* van Yves Coirault en François Formel (vgl. de verwijzing hierna). In de noten van de voorgaande hoofdstukken worden de uitgaven van het werk van Saint-Simon respectievelijk aangeduid met de letters P. (Pléiade, van Gonzague Truc), R. (Ramsay), en met name B. (Boislisle) en C. (Coirault).

Abbadie, Jacques
  Traité de la vérité de la religion chrétienne, Rotterdam, 1684, 2 delen en vele latere uitgaven.
Alméras, Philippe
  Les Idées de Céline, Pensées politiques, uitgave Berg International, Parijs, 1992.
  [Het leven van Saint-Simon was in vele opzichten zeer geslaagd te noemen, maar men heeft om diverse redenen regelmatig geprobeerd het af te schilderen als een 'mislukt' leven. Dit is bijvoorbeeld ten dele op een humoristische manier gedaan door zijn uitstekende biograaf Georges Poisson. Wij beperken ons er hier dus toe om met Philippe Alméras een brief van Céline aan een onbekende correspondent van 20 oktober 1947 aan te halen: 'In wezen is de schrijver de kneus van alle kunsten: de poëzie, de muziek, het theater en de politiek...; *de bastaard van alle muzen!* Moge hem veel vergeven worden.' Te vinden op pagina 260 van dit boek van Alméras.]
Antoine, Michel
  Le Conseil du Roi sous le règne de Louis XV, Genève, Droz, 1978.
Appolis, Émile
  Entre Jansénistes et Zelanti. Le Tiers Parti janséniste au XVIIIe siècle, Parijs, Picard, 1960.

Barbier, Edmond
  Journal historique du règne de Louis XV, ofwel *Chronique de la Régence et du règne de Louis XV*, Parijs, verschillende uitgaven, alle in meerdere delen, gepubliceerd tussen 1847 en 1885.
Baschet, Armand
  Le Duc de Saint-Simon, son cabinet et l'historique de ses manuscrits, Parijs, Plon, 1874.
Bastide, François-Régis
  Saint-Simon par lui-même, Parijs, Le Seuil, uitgaven van 1953 en 1967.
  [Behalve de geschriften van F.R. Bastide bevat dit boek een iconografie en een aantal uittreksels van de *Memoires* van Saint-Simon.]
  Berliner Journal für Soziologie, dl. 7, nr. 2, 1997, speciaal nummer over Norbert Elias.
  [Op p. 218 van *Kapitalismus und Zivilisation, Fragen an Norbert Elias*, worden de ideeën van Elias over de geschiedenis van de beschaving nog steeds als de beste over dit onderwerp

geroemd; en waarom ook niet, maar het manco van deze artikelen is dat zij het recente kritische onderzoek in Noord-Amerika met betrekking tot Elias negeren, dat niettemin in 1994 verscheen; dit zou het B.J.F.S er ongetwijfeld toe brengen minder triomfalistisch te zijn over de beroemde landgenoot van de Berlijnse sociologen.]

Besançon, Alain
 Présent soviétique et passé russe, Parijs, Livre de poche, 1997.
 [Een belangrijk werk, met name over de kwestie van de 'afwisseling', van de fasen van geslotenheid en openheid en *vice versa*, bij een autoritair regime.]

Bluche, François
 Louis XIV, Parijs, Fayard, 1986.

Boissier, Gaston
 Saint-Simon, Parijs, Hachette, 1892.

Bourdieu, Pierre
 [Het boek *Die höfische Gesellschaft* van Norbert Elias heeft nog steeds grote invloed op de Franse sociologie, met name in het werk van Pierre Bourdieu, *La Distinction*, Parijs, ed. de Minuit, 1979, p. 80, 251, 426, 436, 571, 575, 576 ; evenals in *Méditations pascaliennes*, Parijs, Le Seuil, 1997, p. 47 en *passim*. En ten slotte in *La Noblesse d'État*, Parijs, ed. de Minuit, 1989, p. 157 en 183.]

Brancourt, Jean-Pierre
 Le Duc de Saint-Simon et la monarchie, Parijs, Cujas, 1971.

Buvat, Jean
 Journal de la Régence, Parijs, Plon, 1865.

Cabanis, José
 Saint-Simon, ambassadeur, ou le Siècle des Lumières, Parijs, Gallimard, 1987.

Cabanis, José
 Saint-Simon l'admirable, Parijs, Gallimard, 1974.
 Cahiers Saint-Simon: dit tijdschrift, dat vanzelfsprekend van groot belang was voor ons, verschijnt regelmatig sinds 1973.

Cellard, Jacques
 John Law et la Régence, 1715-1729, Parijs, Plon, 1996.

Ceyssen, L.
 'Autour de la bulle *Unigenitus*: le duc de Saint-Simon', *Revue belge de philologie et d'histoire*, 1985, dl. 63, nr. 3.

Chartier, Roger
 Cultural History, Between Practices and Representations, Ithaca, 1988, 15, nr. 3.
 [Dit boek bevat interessante en prikkelende opmerkingen over het denken van Elias, *Die höfische Gesellschaft*, en de hiërarchie, evenals over het werk van Pierre Bourdieu met betrekking tot de *Distinction* ; zie met name de eerste pagina's van de inleiding van deze *Cultural history*, evenals p. 15 nr. 3; p. 4 en 9 en p. 75-76. Hoofdstuk III van ditzelfde boek is een vertaling van het voorwoord van de nieuwe Franse uitgave van *Société de cour* van Norbert Elias, een voorwoord van Roger Chartier, en verschenen in Parijs, bij Flammarion in 1985, een boek dat wij hierna in deze bibliografie noemen onder de naam R. Chartier.]

Chartier, Roger
 'Distinction et divulgation: La civilité et ses livres', in *Lectures et lecteurs dans la France d'Ancien Régime*, Parijs, 1987, p. 45.

Chartier, Roger
 Voorwoord bij de Flammarion-uitgave, Parijs, 1985, coll. 'Champs', van *Société de cour*, van Norbert Elias: pagina 24 van deze tekst van Roger Chartier is van wezenlijk belang voor het concept van de intersociale imitatie van het hofleven, een imitatie die spoedig kenmerkend zou zijn voor de bourgeoisie, met name na de Revolutie. Hierop richtte zich de felle pole-

miek, aangevoerd door Daniel Gordon (zie pagina 91 van zijn boek *Citizens without sovereignty. Equality and sociability in French thought, 1670-1789*).

Chartier, Roger
Lectures et Lecteurs dans la France d'Ancien Régime, Parijs, Le Seuil, 1987, p. 52-73 ; met name pagina 65: Roger Chartier benadrukt met groot onderscheidingsvermogen het zeer 'eliasiaanse' idee van een ontwaarding van de traditionele onderscheidingstekens (bijvoorbeeld van het hof naar de bourgeoisie) naarmate deze tekens zich verspreiden binnen lagere sociale klassen. Zie ook pp. 82, 83, 84, voor andere verwijzingen naar Norbert Elias.

Chaussinand-Nogaret, Guy
Le Citoyen des Lumières, Éditions Complexe, Brussel, 1994, p. 174.
[Chaussinand-Nogaret beschouwt Boulainvilliers, die in vele opzichten op Saint-Simon leek, terecht als een 'progressief' denker, in tegenstelling tot bepaalde traditionele stereotypen.]

Chaussinand-Nogaret, Guy
La Noblesse au XVIIIe siècle, de la féodalité aux Lumières, Parijs, Hachette, 1976.

Chéruel, Adolphe
Notice sur la vie et les Mémoires du duc de Saint-Simon, Parijs, 1876.

Chéruel, Adolphe
Saint-Simon considéré comme historien de Louis XIV, Parijs, Hachette, 1865.
[Een onontbeerlijk boek, ondanks een aantal soms nogal muggenzifterige notities. Maar vele kritische opmerkingen over de historische betrouwbaarheid van Saint-Simon zijn waardevol; wat overigens niet wegneemt dat Saint-Simon een zeer nauwkeurige en oordeelkundige bron is die onontbeerlijk is bij elk historisch onderzoek naar de regering van Lodewijk XIV en natuurlijk van het hof.]

Coirault, Yves
'La stylisation historique dans les *Mémoires* de Saint-Simon', in *Revue d'histoire littéraire de la France*, maart 1971.

Coirault, Yves
Dans la forêt saint-simonienne... Parijs, Universitas, 1992.
[Bevat een aantal fundamentele artikelen van Yves Coirault, met name: 'Un Nathan invisible', 'L'orateur à la lanterne', 'Un "assez grand roi", le Louis XIV de Saint-Simon', 'Le duc de Saint-Simon et l'imaginaire du féodalisme', enzovoort. Deze verzameling artikelen van de hand van een van de grote Saint-Simon-vorsers behandelt een groot aantal onderwerpen die ook in ons boek ter sprake komen.]

Coirault, Yves
Grimoires de Saint-Simon, nouveaux manuscrits inédits, Parijs, Klincksieck, Bibliothèque française et romane, Série C, 1975.

Coirault, Yves
Les Manuscrits du duc de Saint-Simon: bilan d'une enquête aux Archives... Parijs, PUF, 1970.

Coirault, Yves
L'Optique de Saint-Simon, Parijs, Armand Colin, 1965.
[Een onontbeerlijk werk, vooral met betrekking tot de stilistische problemen bij Saint-Simon.]

Coirault, Yves
'Un lot d'inédits, lettres du duc de Saint-Simon et documents', in *Revue d'histoire diplomatique*, oktober 1967.

Coirault, Yves et Formel, François
Saint-Simon, Corpus bibliographique, sources manuscrites et imprimées, voorwoord van Jean Favier, Parijs, ed. Vendôme, 1988.
[Een uitputtende en systematische bibliografie van Saint-Simon en diens 'galaxis' inclusief... ons werk.]

Cornette, Joël
Chronique du règne de Louis XIV, Parijs, SEDES, 1997, p. 321. [Belangrijk.]

Coutura, Johel

[*Claude de*] *Saint-Simon, favori de Louis XIII*, 1626-1643, Reignac, Éditions du Glorit, 1986. [Omvangrijk werk.]

Coutura, Johel

'Claude de Saint-Simon, témoin de la Fronde à Bordeaux', *Annuaire-bulletin de la Société de l'histoire de France*, 1985-1986, p. 75 *sq*.

Cruysse, Dirk, van der

La Mort dans les Mémoires de Saint-Simon, Parijs, Nizet, 1981.

Cruysse, Dirk, van der

Le Portrait dans les Mémoires de Saint-Simon, Parijs, Nizet, 1981.

[Dirk van der Cruysse is en blijft in het Nederlandse taalgebied de grote specialist op het gebied van onze hertog en pair.]

Cuénin, Michèle

Le Duel sous l'Ancien Régime, Parijs, Presses de la Renaissance, 1982.

Davis, Natalie Zemon en Farge, Arlette

Histoire des femmes en Occident, dl. III: *XVIe-XVIIIe siècle*, Parijs, Plon, 1991.

[Ons onderzoek naar het systeem van het hof is als zodanig zeker geen bijdrage aan de vrouwenstudies, maar bij Saint-Simon zijn de vrouwen overal aanwezig, en dus ook in ons werk, of het nu gaat om de hertoginnen in ons eerste hoofdstuk, de abdissen in het tweede, de bastaarddochters in hoofdstuk III, over Mme de Maintenon en haar 'volgelingen' aan het hof in hoofdstuk IV, over de vrouwelijke hypergamie in hoofdstuk V en ten slotte over de vele 'wereldverzaaksters' in ons hoofdstuk VI. Daarom vinden wij het passend ook te verwijzen naar het hierboven genoemde werk van Natalie Davis en Arlette Farge, twee alom erkende specialisten op het gebied van vrouwengeschiedenis.]

Debray, Régis,

Transmettre, Parijs, Odile Jacob, 1997, p. 60-71 en 200 (over de hiërarchieën à la 'Pseudo-Dionysius' van engelen, duivels en die op aarde).

Denis, M.

'Fleury, Saint-Simon... et Duguet', *Mémoire de l'Académie des sciences, etc.*, de Caen, 1871, p. 226 *sq*.

Drumont, Édouard

Papiers inédits du duc de Saint-Simon, Parijs, 1880.

Duguet, abbé Jacques-Joseph

L'Institution d'un Prince, Parijs, 1739, 4 delen. [Postume uitgave.]

Duindam, Jeroen

'La cour européenne au début de l'époque moderne, problèmes et perspectives', *Cahiers Saint-Simon*, nr. 24, jrg. 1996, p. 13-21.

[Het vakkundige commentaar van de heer Duindam over het op het hofleven betrekking hebbende werk van Norbert Elias, met name op pagina 21 van de hier aangehaalde tekst, is bijzonder scherp.]

Duindam, Jeroen

Myths of Power, Norbert Elias and the Early Modern European Court, vertaald uit het Nederlands, Amsterdam University Press, 1994.

[In dit bijzonder goed gefundeerde werk zet J. Duindam, met name op p. 160-167, en vooral op de pagina's 164-166, een vraagteken bij de beoordeling van Elias van het hof als basismodel van de zedelijke beschaving, die later werd overgenomen door de bourgeoisie. Duindam inventariseert op kundige wijze een aantal van de fundamentele vraagstukken waarop Daniel Gordon, in een in datzelfde jaar, 1994, verschenen werk (zie onze verwijzing *infra*), met gedetailleerde antwoorden komt die een gedegen kritiek leveren op het model van Elias.]

Dumont, Louis

Homo hierarchicus, Parijs, Gallimard, 1966. [Essentieel.]

Easton, David
  L'analyse du système politique (vertaling), Parijs, A. Colin, 1974.
Elden, D.H.J. van
  Esprits fins et esprits géométriques dans les portraits du duc de Saint-Simon, Den Haag, Nijhoff, 1975.
  [Over de tegenstelling tussen Beauvillier en Chevreuse...]
Elias, Norbert
  La Société de cour, Franse vertaling, Parijs, Calmann-Lévy, 1974.
  [Wij hebben ook gebruikgemaakt van een Duitse uitgave die overigens niet de oorspronkelijke uitgave is: *Die höfische Gesellschaft*, verschenen in 1969, evenals de Engelse uitgave van dit werk.]
Elias, Norbert
  La Dynamique de l'Occident, vert., Parijs, Calmann-Lévy, 1975.
Elias, Norbert
  La Civilisation des mœurs, vert., Parijs, Calmann-Lévy, 1973.
Elias, Norbert
  Qu'est-ce que la sociologie?, Parijs, Pandora, 1970.
  [Met name p. 154, het configuratieconcept; en p. 190, over de mechanismen van de *wederzijdse sociale beïnvloeding* die zorgt voor beschaafdere menselijke relaties.]
Elias, Norbert
  Engagement et distanciation, Parijs, Fayard, 1993.
  [Een werk dat een frappant voorbeeld is van een zekere lichtvaardigheid bij Elias op het gebied van de geschiedenis van de natuurwetenschappen en de filosofie (p. 181). In dit boek schrijft Elias de ontwikkeling van de kleur-helderheidsdiagrammen voor de ster-evolutie toe aan Hubble, die in werkelijkheid het werk is van de astronomen Hertzsprung en Russell. Zoals bekend richtte Hubble zich op de uitdijing van het heelal en op de classificatie van sterrenstelsels, wat heel iets anders is dan een taxonomie van de sterren.]
Elias, Norbert
  Norbert Elias par lui-même, Parijs, Fayard, (trad.), 1991, met name p. 74 tot 80.
  [Hierin benadrukt Norbert Elias op een bijzonder interessante manier zijn verwantschap met Thomas Mann (p. 119). De specifieke verwijzingen naar *Die höfische Gesellschaft* staan op p. 75-76.]

Farge, Arlette
  Des lieux pour l'histoire, Parijs, Le Seuil, 1997.
  [Met name p. 33 en *passim* waar deze auteur met belangwekkende nuanceringen opmerkt dat wat zij het eliasiaanse model noemt diep is doorgedrongen in de geschiedwetenschappen. Zij haalt hierbij *Die höfische Gesellschaft* van de befaamde Duitse socioloog aan, dat, zoals bekend, veel weerklank heeft gekregen in Frankrijk.]
Faure, Edgar
  La Banqueroute de Law, 17 juillet 1720, Parijs, Gallimard, 1977.
Febvre, Lucien
  'Lettre à Fernand Braudel, 28 mai 1945', geciteerd door Erato Paris in 'La genèse intellectuelle de l'œuvre de Fernand Braudel', proefschrift, getypte versie, 1997, p. 294.
  ['Vergeet niet dat dit Duitse product... een verschrikkelijk probleem oproept. *Cultuur*, zeggen ze. Van wat dan? In elk geval niet van de mensheid. Later, veel later, wellicht van de Duitsers. Maar niet van degenen die aanwezig waren bij deze tragedie... Heel veel later, als wij daarmee Duitsland kunnen helpen weer terug te keren in de morele gemeenschap van de *beschaafde* volken waarvan zij zich heeft afgesneden.' Deze tekst van Lucien Febvre is Thomas Mann achterstevoren. Zie *infra*, de verwijzing naar de *Betrachtungen eines Unpolitischen* van Thomas Mann, met betrekking tot de probleemstelling van Elias over de hofcultuur.]

Formel, François
'Alliances et généalogie à la cour du grand roi, le souci généalogique chez Saint-Simon', proefschrift Universiteit van Parijs-IV-Sorbonne, 1979, in zes delen. (Er bestaat ook een toegankelijker uitgave van dit werk.)
Alliances et généalogie, 3 delen, Parijs, 1983, 1984, 1985, bij de Éditions du Tricentenaire-Éditions Vendôme.

Formel, François
Over de Saint-Simon-tentoonstelling in La Ferté-Vidame, ter gelegenheid van de driehonderdste geboortedag van Saint-Simon, La Ferté-Vidame, Comité Saint-Simon, 1975.

Gaehtgens, Thomas W.
'Le musée historique de Versailles', verschenen in *Les Lieux de mémoire*, onder redactie van Pierre Nora, Parijs, Gallimard, dl. 2, collectie 'Quarto', p. 1781 *sq.*

Garrigou, Alain en Lacroix, Bernard (onder redactie van)
Norbert Elias, la politique et l'histoire, Parijs, La Découverte, 1997.
[Een degelijk werk met een fraai artikel van André Burguière. Het verband tussen het denken van Norbert Elias en dat van Thomas Mann *via* Jaspers wordt hierin benadrukt (p. 14), waarbij Elias naar voren komt als een 'civilisationist' tegenover de toenmalige 'culturist' T. Mann. Maar de auteurs schijnen niet te beseffen dat Elias hiermee de Franse beschaving, die door hem dwaas genoeg grondig werd 'gearistocratiseerd', een slechte dienst bewees, wat anderen hem weer zouden verwijten. Ernstiger is dat dit boek geen gewag maakt van het werk van D. Gordon, dat niettemin in 1994 verscheen. Garrigou en Lacroix herinneren er overigens terecht aan dat F. Furet en ikzelf in 1973-1974 hebben bijgedragen aan de journalistieke populariteit van Elias in Frankrijk (p. 20).]

Gordon, Daniel
Citizens without sovereignty. Equality and sociability in French thought, 1670-1789, Princeton University Press, 1994, zie met name p. 89-92.
[Een belangrijk en 'onvermijdelijk' boek dat al met al zeer kritisch is over de theorieën van Elias; in elk geval die welke betrekking hebben op het Franse hof en de latere gevolgen ervan.]

Grosclaude, Pierre
Malesherbes, Parijs, Fischbacher, 1961, 2 delen.

Guilbert, Cécile
Saint-Simon ou l'encre de la subversion, Parijs, Gallimard, 1994.
[Een aantal goede, vaak zeer scherpzinnige analyses.]

Himelfarb, Hélène
'Du nouveau sur Saint-Simon: la version des *Mémoires* soumises à Rancé', in *Revue d'histoire littéraire de la France*, 1969.

Himelfarb, Hélène
'Saint-Simon et les "nouveaux savants" de la Régence', in *La Régence*, bundel van het *Centre aixois d'études et recherches sur le XVIIIe siècle*, Parijs, 1970.
[Interessante notities over de 'trouweloosheid' van Saint-Simon in vriendschappen.]

Himelfarb, Hélène
'Saint-Simon et le Jansénisme des Lumières', in *Studies on Voltaire and the eighteenth century*, dl. 88, 1972, p. 742 *sq.* [Essentieel.]

Himelfarb, Hélène
'Saint-Simon sans Mémoires: soixante ans de gestion domaniale dans sa châtellenie de La Ferté-Vidame', uitgegeven in het colloquium *Images du peuple au XVIIIe siècle*, Aix-en-Provence, 1969-1973.

Himelfarb, Hélène
'L'hôtel de Saint-Simon, rue des Saint-Pères', *Cahiers Saint-Simon*, 1973.
Himelfarb, Hélène
Chronologie saint-simonienne, zeer volledig, verschenen in dl. 1 van de uitgave ter gelegenheid van de driehonderdjarige gedenkdag van de *Memoires* van Saint-Simon, Parijs, 1975.

Judrin, Roger
Tableaux synoptiques de la vie et des œuvres de Saint-Simon, Parijs, Seghers, 1970.

Kley, Dale K., van
The Religious Origins of the French Revolution, New Haven, 1996.
[Over het jansenistische element in de 'voorbereidingen' tot de Franse Revolutie.]
Kolakowski, Leszek
Dieu ne nous doit rien, Parijs, Albin-Michel, 1997.
[Een eerherstel van de jezuïeten, dat Saint-Simon maar matig bevallen zou zijn.]

Lachiver, Marcel
Les Années de misère. La famine au temps du Grand Roi, Parijs, Fayard, 1991.
[Wij hebben meermalen het gewone volk behandeld in een aantal werken (*Montaillou, Pierre Prion scribe, Le Siècle des Platter*). Onze Saint-Simon wijdt zich aan de elite, en zelfs aan de crème de la crème van de elite, de hofkringen. Een volkse of plebejische tegenhanger van deze hogere klassen kan echter geen kwaad; het genoemde werk van Marcel Lachiver geeft alle gewenste informatie over de vaak ellendige situatie van deze zogenaamde lagere, of beter gezegd allerlaagste klassen ten tijde van Saint-Simon, tussen 1692 en 1715, met name tijdens de twee grote hongersnoden van 1693 en 1709.]
Leclerq (Dom H.)
Histoire de la Régence, pendant la minorité de Louis XV, Parijs, Honoré Champion, 1921, 3 delen. [Essentieel.]
Lescure, M. de
Les Maîtresses du Régent, Parijs, Dentu, 1861.
Lessius, Père Leonard, s.j.
De gratia efficaci..., Antwerpen, J. Morte, 1610.
Levron, Jacques
La Vie quotidienne à la cour de Versailles, Parijs, 1965.
[Schatting van het aantal personen aanwezig in het kasteel van Versailles: 4.000 tijdens Lodewijk XV. Dit cijfer zou te laag zijn: volgens W. Ritchey Newton, waren er in de achttiende eeuw op een normale dag ongeveer 5.000 personen in het kasteel actief of aanwezig, die er natuurlijk niet allemaal woonachtig waren.]
Ley, Herbert de
Saint-Simon, memorialist, University of Illinois Press, Chicago, 1975.
[Een geslaagde uitbreiding van het 'saint-simonisme' naar Amerika. Dit komt niet veel voor en verdient het vermeld te worden.]
Lougee, Carolyne
Le Paradis des femmes, Princeton University, 1956, p. 151 *sq*.
[Hoofdstuk 10, getiteld 'Le mariage des femmes des salons', behandelt, net als wij zelf gedaan hebben, de kwestie van de vrouwelijke hypergamie in het adellijke milieu.]
Loyseau, Charles
Œuvres... contenant les traités des ordres et simples dignités, Parijs, ed. Aubouyn, 1666.
[Een hiërarchische voorstelling van de maatschappij tijdens het Ancien Regime die Saint-Simon alleen nog maar 'op muziek hoefde te zetten', waarbij hij weliswaar de hertogen en pairs in deze maatschappij van rangen en standen een zeer bevoorrechte plaats gaf die Loyseau hen nooit a priori zou hebben verleend.]

Mandrou, Robert

L'Europe absolutiste, 1649-1775, Parijs, Fayard, 1977, p. 233 *sq.*

[Dit zeer nuttige boek, met name wat betreft het verlichte despotisme, biedt de gelegenheid om een vergelijking te maken tussen het regentschap van Filips van Orleans en de machtsstructuren van andere Europese monarchieën in de achttiende eeuw.]

Mann, Thomas

Considérations d'un apolitique, Parijs, Grasset, vert., 1975, met name p. 52, over de vermeende adellijke, van het hof stammende en aristocratische oorsprong van de burgerlijke geest en de beschaving in Frankrijk, en *passim* over de tegenstellingen tussen de Duitse *Kultur* en de Franse *Zivilisation*. Volgens Daniel Gordon (*Citizens without sovereignty...*, zie onze verwijzing naar dit werk), zou aan dit boek de stelling zijn ontleend, die later volledig door Elias werd overgenomen, met betrekking tot de aan het hof gelegen oorsprong van de Franse beschaving en de daarmee samenhangende zeden, inclusief die van de negentiende en twintigste eeuw. Tijdens zijn studie in de jaren twintig had Elias inderdaad kennis genomen van dit werk van T. Mann op verzoek van zijn leermeester Karl Jaspers, die wilde dat hij een 'artikel' zou schrijven voor een werkcollege over de kritiek van Thomas Mann op het begrip 'Franse beschaving' (Stephen Mennel, *Norbert Elias...*, Oxford, 1989, p. 12 aangehaald door D. Gordon, *op. cit.*, p. 89). De centrale stelling van *Die höfische Gesellschaft* van Elias is inderdaad al te vinden bij Mann, en zeer waarschijnlijk daarna overgenomen door Elias, die *ad hoc* zeer goed bekend was met het 'beschavingswerk' van de grote Duitse schrijver. 'Duitsland', zo schreef Mann, 'had geen tekst tot haar beschikking, het woord was haar ontzegd, zij hield niet van het Woord en geloofde er ook niet in zoals de adepten van de beschaving [van het Romeinse en daarna Franse type]... Het humanisme, de mensheid in het algemeen, de menselijke waardigheid, het respect voor de mens en het menselijk respect zijn – volgens de ingeschapen en eeuwige overtuiging van de Romeinse *beschaving* – onlosmakelijk verbonden met de literatuur; niet met de muziek – in elk geval niet noodzakelijkerwijs. Integendeel, de band tussen de [Duitse] muziek en de mensheid is veel losser dan die met de literatuur, zozeer zelfs dat de muzikale aanleg op zijn minst verdacht lijkt. De beschaving is ook niet verbonden met de poëzie; hiervoor geldt hetzelfde als voor de muziek; het woord en de geest spelen hierbij een te ondergeschikte rol, zonder verantwoordelijkheid en juist daarom verdacht. Maar zij [de beschaving] is nadrukkelijk verbonden met de literatuur – met de *geest*, in de vorm van de taal. Beschaving en literatuur vormen een geheel.

Het Latijnse temperament is literair, wat hem scheidt van het Duitse temperament of – nauwkeuriger gezegd – van de Duitse wereld, die wat zij verder ook moge zijn, absoluut niet literair is. De literaire mensheid, het erfdeel van Rome, de klassieke geest, de klassieke rede, het gulle woord vergezeld van het gulle gebaar, de fraaie meeslepende formulering die de mens waardig is, die de schoonheid en de waardigheid van de mens bezingt, de academische *welsprekendheid* als eerbetoon aan het mensdom, dit alles maakt het leven in het Latijnse Westen waard geleefd en gemaakt te worden door de mens, een mens. Het is de *geest* die zijn toppunt bereikte tijdens de Revolutie, de geest van de revolutie, haar 'klassieke model', die geest die bij de jakobijnen stolde in de literaire scholastieke formulering, in een moorddadige doctrine, in de tirannieke betweterij van de schoolmeester. De advocaat en de literator zijn haar leiders, de woordvoerders van de derde stand en diens ontvoogding, de woordvoerders van de Verlichting, van de rede, van de vooruitgang, van de filosofie..., tegen het gezag, tegen de traditie, de geschiedenis, de 'macht', de monarchie en de kerk – de woordvoerders van de Geest die zij beschouwen als het enige unieke en stralende, de ware geest, de geest zelf, de geest op zich, terwijl zij [de advocaat en de literator] alleen de politieke geest van de burgerlijke revolutie kennen en begrijpen. *Het is een historisch en onloochenbaar feit dat de 'geest', in deze politieke en beschavende betekenis, een burgerlijke aangelegenheid is, zonder overigens een burgerlijke uitvinding te zijn (want de geest en de intellectuele vorming zijn in Frankrijk niet van burgerlijke, maar van adellijke, aristocratische oorsprong, die de burger zich slechts wederrechtelijk heeft toegeëigend).* De vertegenwoordiger hiervan is strikt genomen de welbespraakte burger, de literaire advocaat van de derde stand, zoals gezegd, en van zijn geestelijke belangen en niet te vergeten ook van zijn materiële belangen. De triomfantelijke opmars van deze geest, het proces van zijn verspreiding, als gevolg van immense, agiterende en explosieve krachten, kan beschreven worden als een gebeurtenis die zowel de verburgerlijking van de wereld aangeeft als de aansluiting daarvan bij de literatuur. Dat wat wij 'beschaving' noemen, wat zichzelf zo betitelt, is slechts deze triomfantelijke stoet, de verspreiding van de politiek en literair geworden burgerlijke geest, haar kolonisatie van de bewoonde wereld. *Het imperialisme van de beschaving* is de laatste vorm van het denken van de Romeinse eenheid, waartegen Duitsland 'protesteert'; en zij heeft zich tegen geen van haar manifestaties hartstochtelijker verzet, tegen geen heeft zij een verbetener strijd moeten voeren dan hiertegen. De overeenstemming en de verbondenheid van alle gemeenschappen die tot het rijk van de burgerlijke geest behoren, heten vandaag de dag de 'Entente' – terecht een Franse naam – en het is ook werkelijk een *entente cordiale,* een verbond vol welgemeend onderling begrip dat op het geestelijke vlak van wezenlijk belang is, ondanks de vele verschillen in temperament en de onderlinge wedijver om de politieke macht – een perfecte verstandhouding die zich richt tegen het protesterende Duitsland, en tegen de uiteindelijke voltooiing en definitieve consolidering van dit keizerrijk. De veldslag van Arminius [sic!], de strijd tegen de paus in Rome, Wittenberg, 1813, 1870, dit alles was slechts kinderspel vergeleken bij de verschrikkelijke, roekeloze, zo men wil grootse en waanzinnige strijd tegen de wereldwijde Entente van de beschaving, een strijd die Duitsland met een waarlijk Teutoonse gedweeheid verbonden heeft met haar lotsbestemming of, om het iets dynamischer te zeggen, met haar opdracht, haar ingeschapen eeuwige opdracht.' De oorspronkelijke tekst van de hierboven cursief gedrukte passage: 'Dass "der Geist" in diesem politisch-zivilisatonrischen Sinne eine bürgerliche *Angelegenheit,* wenn auch keine bürgerliche Erfindung ist (denn Geist und Bildung sind in Frankreich nicht unsprünglich bürgerlicher, sondern adlig-signoriler Herkunft, und der Bürger usurpierte sie nur) – das ist seine geschichtliche Tatsache, die man ganz vergebens bestreitet' (Thomas Mann, *Betrachtungen eines Unpolitischen,* Fischer Taschenbuch Verlag, Frankfurt, 1983-1988-1995, volgens de oorspronkelijke uitgave die verscheen tijdens de Eerste Wereldoorlog).

In deze merkwaardige tekst, waarvoor Thomas Mann zich later enigszins geneerde, hebben wij het wezenlijkste, zeer 'pre-eliasiaanse' gedeelte gecursiveerd, over het feit dat de Franse bourgeoisie haar *Zivilisation* heeft ontleend aan de voorafgaande adel. Zoals D. Gordon (*ibid.,* p. 89) al onderstreepte, is het duidelijk dat de slimme geest van de brave Elias door deze paar zinnen van T. Mann 'in de versnelling ging' in de jaren twintig, en zich dit genealogische 'denken' van Thomas Mann toe-eigende, waarna hij het doorgaf aan het Franse en westerse denken van het laatste kwart van onze twintigste eeuw. Zoals Gordon (*ibid.,* p. 91), wiens uiteenzetting wij hier aanhalen, parafraseren en uitwerken, zo fraai beschreef, is het de ironie ten top dat uitmuntende Franse historici de ideeën van Elias volkomen letterlijk hebben genomen; daarmee hebben zij, zo voegt Gordon toe, een gedaanteverandering bewerkstelligd van de Teutoonse en nationalistische afkeer van Frankrijk, zoals deze al voorkwam in diezelfde ideeën in hun primitieve 'gallofobe' vorm bij Thomas Mann (maar niet in hun uiteindelijke vorm bij Elias, want de beroemde Norbert was juist een francofiel, hoe naïef en oppervlakkig ook, die handig omsprong met een slecht uitvallende vriendendienst)..., dus, zoals wij met Gordon zeiden, hebben zij [de Franse historici] de oorspronkelijk francofobe Duitse ideeën van Thomas Mann omgevormd tot een soort nationale of op Frankrijk gerichte zelfkastijding, een soort zelfbelastering of ideologische zelfhaat: diezelfde Franse geleerden, van wie geen mens natuurlijk de zeer grote deskundigheid in twijfel trekt, hebben in de stijl van Elias krachtig het volgens hen bijzonder 'aristocratische' en later aristocratisch-burgerlijke karakter van onze Franse cultuur benadrukt; het vermeende voortbestaan door de verschillende tijden en de diverse politieke regeringen heen van het aristocratische model van de Franse hofkringen. De tegenstelling tussen de Duitse *Kultur* en de Franse *Zivilisation* wordt door deze Fransen bejegend alsof deze de reële en contrastrijke verschillen tussen de beide landen resumeert, terwijl het hier in werkelijkheid gaat om een volslagen kunstmatige *construct*, om een zuiver Duitse intellectuele constructie, die kenmerkend is voor de geschiedenis van het denken in Duitsland tijdens en na de Eerste Wereldoorlog; nauwkeuriger gezegd gaat het zelfs om een familiekwestie, om een door Thomas Mann (een gezagsgetrouw nationalist die toen dus tijdelijk een hekel aan Frankrijk had) aangezwengelde polemiek tijdens de Eerste Wereldoorlog, toen de oorspronkelijke Duitse uitgave verscheen van zijn *Betrachtungen*, gericht tegen zijn broer Heinrich Mann, een linkse en francofiele liberaal (vgl. hiervoor de Franse uitgave van de *Considérations*, p. 8-9).

Marais, Mathieu
> *Journal et Mémoires sous la Régence et le règne de Louis XV*, Parijs, Firmin-Didot, 1863-1868, 4 delen.

Meyer, Jean
> *La Vie quotidienne en France au temps de la Régence*, Parijs, Hachette, 1979.

Meyer, Jean
> *La Noblesse bretonne au XVIIIe siècle* (heruitgave van het complete werk), Parijs, EHESS, 1985, 2 delen.
> [Over een 'perifere' en 'provinciale' adel die in tegenstelling tot het hof in Versailles niet werd verdeeld door de scherpe grens tussen de minachtende krijgsadel en de geminachte ambtsadel.]

Molina, Luis, S.J.
> *Liberi arbitrii cum gratiae donis... concordia*, Ex off. typ. Trognaesii, 1595.

Mousnier, Roland
> *Les Hiérarchies sociales de 1450 à nos jours*, Parijs, PUF, 1969.
> [Zie met name hoofdstuk VI over de maatschappij van rangen en standen van de zeventiende en de achttiende eeuw; een bijzonder scherpzinnig boek, enigszins in de lijn van Saint-Simon en overigens niet gespeend van humor.]

Muzerelle, Danielle
> *Richesses de l'Arsenal*, BNF, Parijs, 1997.
> [Op pagina 5 staat een karikatuur van de markies de Paulmy door Pier-Leone Ghezzi, een beeldend kunstenaar geheel in de lijn van Saint-Simon (1674-1755). Het origineel bevindt zich in de BNF Estampes BE 12a, Petit folio Réserve. Een ander voorbeeld van het werk van deze graficus en tijdgenoot van onze auteur bevindt zich in het Art Institute in Louisville (Verenigde Staten).]

Namier, Lewis,
> *The Structure of British Politics at the Accession of George III*, Londen, Macmillan, 1961.
> [Facties, netwerken, cabalen...]

Newton, William R.
> Een belangrijk boek dat binnenkort verschijnt bij Fayard, over het systeem van de woningen, appartementen, kamers en andere verblijfplaatsen in Versailles, onder Lodewijk XIV, Lodewijk XV en Lodewijk XVI.

Nora, Pierre
> *Les Lieux de mémoire*, coll. 'Quarto', Gallimard, 1997, dl. 3, onder redactie van Pierre Nora; artikel over *La Cour*, door Jacques Revel, p. 3141-3197, met name p. 3160, met betrekking tot Norbert Elias; een substantiële tekst die een afspiegeling is van de grote intelligentie en eruditie van Jacques Revel; een wellicht ietwat vertekende tekst door zijn grote betrokkenheid bij het 'Eliasmodel'.

Pastoureau, Mireille *zie* 'Saint-Simon ou l'observateur véridique...'

Petitfils, Jean-Christian

Le Régent, Parijs, Fayard, 1986.

[Zie ook het voortreffelijke en zeer volledige *Louis XIV* van dezelfde auteur.]

Picot, Georges

Les Papiers du duc de Saint-Simon aux Affaires étrangères, Parijs, 1880.

Poisson, Georges

Verzameling overdrukken of herdrukken (20 stukken uit de periode 1965 tot 1970, Bibliothèque nationale, 4-Z11303).

[Wij wijzen in deze interessante en onontbeerlijke verzameling met name op een fraai artikel over Saint-Simon en de schilder Rigaud, eerder verschenen in *Bulletin de la Société de l'Art français*, 1975, p. 191 *sq.*]

Poisson, Georges

Monsieur de Saint-Simon, Parijs, Berger-Levrault, 1973.

[Verscheidene uitgaven, waaronder die van 1973; en een tweede vollediger uitgave uit 1987, bij uitgeverij Mazarine. Voor ons onderwerp van wezenlijk belang: zie hiervoor met name onze inleiding waarvoor hieraan veel ontleend is.]

Poisson, Georges

Monsieur de Saint-Simon, opnieuw bewerkte en vermeerderde druk, Parijs, Mazarine, 1987.

Poisson, Georges

La Ferté-Vidame, cité historique, La Ferté-Vidame, 1975.

Poisson, Georges

Album Saint-Simon, Parijs, Gallimard, Pléiade, 1969.

[Een bondig en zeer nuttig werk dat tot het beste uit de serie *Albums de la Pléiade* behoort.]

Poisson, Georges

Un hôtel nommé de Saint-Simon, Parijs, 1988.

Poljakov, Léon

Histoire de l'antisémitisme, dl. 3: *De Voltaire à Wagner*, Parijs, Calmann-Lévy, 1968.

[Een interessante vergelijking van het antisemitisme en het anti-jezuïtisme in verschillende tijden, waaronder de achttiende eeuw.]

Popper, Karl

The Open Society and its Enemies, Londen, Routledge, 1962.

Prochasson, Christophe en Rasmussen, Anne

Au nom de la patrie. Les intellectuels de la Première Guerre mondiale, 1910-1920, ed. La Découverte, Parijs, 1996.

[Een fraai boek dat met name op p. 135 *sq.* getuigt van de nationalistische felheid in Frankrijk tijdens het tweede decennium van de twintigste eeuw, gericht tegen de Duitse cultuur, een verbetenheid waarvan Thomas Mann het omgekeerde voorbeeld was en die, naar het schijnt, later geheel argeloos en bijna onwillekeurig geleid heeft tot de 'höfische' gedachtegang van Norbert Elias.]

Projets de gouvernement du duc de Bourgogne dauphin

Een aan de hertog de Saint-Simon toegeschreven tekst, uitgegeven door Paul Mesnard, Parijs, Hachette, 1860.

Pseudo-Dionysius de Areopagiet

Œuvres complètes, vertaling, voorwoord en noten van Maurice de Gandillac, Parijs, Aubier, 1943.

[Een van de degelijke uitgaven uit de 'donkere jaren': in een fraai artikel, dat opnieuw is uitgegeven in zijn verzamelbundel, getiteld *Dans la forêt saint-simonienne*, Parijs, Universitas, 1992, beschrijft Yves Coirault de twee aspecten van het denken van de Areopagiet met betrekking tot dat van Saint-Simon. Theoretische aspecten: deze denkwijze verschaft de hedendaagse onderzoekers in elk geval een model. Praktische aspecten: anderzijds heeft zij onze auteur wellicht rechtstreeks beïnvloed, of in elk geval interesseerde hij zich voor de correlatie tussen de hemelse en de aardse hiërarchie aan de hand van 'tussenliggende' geschriften. Wat dit betreft bestaat er een intellectuele 'stamboom' die (overigens onafhankelijk van een mogelijke invloed van Ezechiël) begint bij Pseudo-Dionysius en loopt via Thomas van Aquino, via Bérulle, en natuurlijk via het *Traité des Ordres*, van Charles Loyseau, verschenen in 1611, dat een plaats had in de bibliotheek van de hertog en pair, volgens de inventaris van 1755. Volgens Loyseau, geciteerd en becommentarieerd door Coirault, hebben 'de hemelse wezens hun eigen onveranderlijke hiërarchische gradatie'. Vandaar hun 'harmonieuze overeenstemming' die de menselijke samenleving moet imiteren, ook al is deze nooit in staat tot een hemelse perfectie (Coirault, *Forêt...* p. 183).]

Quesnel, Pasquier
Le Nouveau Testament en français, avec des réflexions morales, Parijs, 1693, evenals talloze latere uitgaven, waaronder die van 1736 in acht delen die wij voor ons huidige boek hebben gebruikt.
[Hierbij zij opgemerkt dat de eerste aanzetten tot de *Réflexions morales* van pater Quesnel over het Nieuwe Testament teruggaan tot 1672-1674 met de verschijning onder zijn naam van zijn *Abrégé de la Morale de l'Évangile ou Pensées chrétiennes sur le texte des Quatre Évangélistes pour en rendre la méditation plus facile à ceux qui souhaitent s'y appliquer*, Parijs, Pralard, 1674, 2de druk, 560 pp. Quesnel is dus wel degelijk, zoals wij in ons hoofdstuk VI suggereren, de voorloper, in elk geval in de tijd, van Abbadie en van Duguet, die met betrekking tot dit hoofdstuk over de ethiek van de verzaking, net als Quesnel de geestelijke leermeesters van Saint-Simon zijn. In 1672 had deze zelfde Quesnel zijn *Abrégé de la Morale de l'Évangile* gepubliceerd, als voorbode van zijn befaamde *Réflexions morales*.]

Revel, Jacques
'Les usages de la civilité', in *Histoire de la vie privée*, onder redactie van Philippe Ariès en Georges Duby, begeleid door Roger Chartier, dl. 3: *De la Renaissance aux Lumières*, p. 169-209.
[Uitstekende uiteenzetting, die soms zonder al te grote bezwaren wordt beïnvloed door de 'Elias-manie'.]
Revel, Jacques *zie ook* Nora, Pierre.
Rooryck, Guy
Les Mémoires du duc de Saint-Simon, de la parole du témoin au discours du mémorialiste, Genève, Droz, 1972.
Roujon, Jacques
Le Duc de Saint-Simon, 1675-1755, Parijs, Wapler, 1958. [Belangrijk.]
Roy Ladurie, Emmanuel, le
'Système de la Cour', *L'Arc*, dl. 65, 1976, p. 21-35.
Roy Ladurie, Emmanuel, le
'Auprès du Roi, la Cour', *Annales esc*, 1983, p. 21-41.

Sabatier, Gérard
'La plus grande puissance', *Revue d'histoire moderne et contemporaine*, april-juni 1995, p. 315-319.
[Interessante en substantiële recensie van het boek van Joël Cornette, *Le Roi de guerre*. Dit artikel bevat ook een belangrijke verwijzing naar het werk van Norbert Elias over de *Höfische Gesellschaft*; een boek dat voor een hele generatie historici, waaronder ook de jongsten, een bijbel is geweest. De grote verdienste van Sabatier is dat hij erop wijst dat er, en dat zou men bijna vergeten, naast de 'oorlogskoning' natuurlijk ook een 'hofkoning' is die weliswaar onlosmakelijk verbonden is met zijn oorlogszuchtige hypostase, zo talentvol beschreven door Joël Cornette.]

Saint-Simon et son temps, tentoonstelling in Madrid, catalogus gepubliceerd door het Institut français in Spanje (1956-1957).

Saint-Simon,

Écrits inédits, uitgegeven door Armand-Prosper Faugère, Parijs, 1882-1893, 8 delen.

Saint-Simon,

Mémoires, uitgegeven door Adolphe Chéruel, 1856-1868, 20 delen.

[Voor de grote uitgaven van Boislisle en van Coirault was die van Chéruel, die nu achterhaald is, lange tijd de basisuitgave; toch heeft deze nog steeds grote waarde.]

Saint-Simon,

Mémoires, Éditions Delroye, 1843.

[Deze vandaag de dag verouderde uitgave, die echter is voorzien van mooie negentiende-eeuwse gravures, heeft de 'verdienste' dat zij, overigens zeer sporadisch, is geraadpleegd door Norbert Elias, vrijwel met uitsluiting van alle recentere uitgaven van de *Mémoires* van de hertog en pair, afgezien van enkele zeer losse verwijzingen naar de uitgave van Boislisle.]

Saint-Simon,

Mémoires, Éditions Boislisle, 43 delen, verschenen tussen 1879 en 1930. [Een bijbel...]

Saint-Simon,

Mémoires, Parijs, Gallimard, La Pléiade, NRF, 1953 tot 1961, uitgave bezorgd door Gonzague Truc.

[Deze eerste uitgave in de Pléiade van Saint-Simon, bezorgd door Gonzague Truc, is niet briljant. Deze reeds verouderde, maar in haar tijd zonder meer nuttige uitgave werd onlangs vervangen door die van Yves Coirault (ook in Pléiade), waarvan we, zonder iemand voor het hoofd te stoten, kunnen zeggen dat zij verre de voorkeur geniet boven de oude uitgave.]

Saint-Simon,

Mémoires, bezorgd door Yves Coirault, Parijs, Gallimard, La Pléiade, 1983 *sq.*, 8 delen.

[Elke periode heeft de uitgaven van Saint-Simon die zij verdient. Onze tijd heeft bepaald niet tekortgeschoten, eerder integendeel, wanneer we deze imposante uitgave beoordelen, die zelfs op reis een onmisbare metgezel is voor de Saint-Simonvorser.]

Saint-Simon,

Mémoires, Parijs, Éditions Ramsay, 1977, 18 delen.

[Goedkope, pretentieloze uitgave gelardeerd met amusante drukfouten; talloze voorwoorden van verschillende en vaak begaafde auteurs. Noemenswaard in deze uitgave is dl. 18, waarin heel overzichtelijk op enkele honderden pagina's de door Saint-Simon zelf gemaakte registers zijn opgenomen, die dienden als epiloog bij zijn memoires. Vandaar dat wij in onze verwijzingen en noten zo nu en dan gebruik hebben gemaakt van genoemd dl. 18, evenals van een aantal andere delen van deze uitgave.]

Saint-Simon,

Traités politiques et autres écrits, bezorgd door Yves Coirault, Parijs, Gallimard, Pléiade, 1996.

'Saint-Simon, ou l'observateur véridique', Catalogus bij een expositie van de Bibliothèque nationale gewijd aan Saint-Simon, geschreven door Mme Mireille Pastoureau (Parijs, BN, 1976).

Scheide, William H.

'Thoughts on Johann Sebastian Bach (1685-1750), History and Society', proceeding of the *American philosophical society*, dl. 141, nr. 2, juni 1997.

[Bach was een tijdgenoot van Saint-Simon; hij was tien jaar jonger en stierf vijf jaar eerder dan de kleine hertog. We laten het aan de 'interdisciplinaire' specialisten, de musicologen annex historici over om te beslissen of er meer dan alleen een chronologische parallel bestaat tussen deze twee grote figuren.]

Shennan, J.H.

Behalve het reeds door ons genoemde prachtige boek van Dom H. Leclercq over het regentschap, noemen we hier ook J.H. Shennan, *Philippe, Duke of Orléans, Regent 1715-1723*, Thames and Hudson, Londen, 1979; en anderzijds Jean-Christian Petitfils (zie bij deze naam).

Solnon, Jean-François
La Cour de France, Parijs, Fayard, 1987.

Spitzer, Léo
Approche textuelle des Mémoires de Saint-Simon, Tubingen-Parijs, 1980.

Tans, Joseph A.G.
Het artikel 'Quesnel', in Dictionnaire de spiritualité, Beauchesne, Parijs, 1985, dl. 12-2.

Varende, Jean de la
Monsieur le duc de Saint-Simon et sa Comédie humaine, Parijs, Hachette, 1955; heruitgegeven in 1990 bij Bartillat, in Etrepilly.
[Een volbloed Normandiër velt een oordeel over een halfbloed uit de stallen van Versailles, deels Picardisch, deels uit de Perche. Het is een fraaie anthologie, met een soms afdoend oordeel.]

Védrine, Hubert
Les Mondes de François Mitterrand, Parijs, Fayard, 1996, p. 66 sq.
[Interessante analyse van 'het hof' in het Elysée tijdens de Vijfde Republiek: vanzelfsprekend een hof dat, en dat is maar goed ook, slechts een zeer vage afspiegeling was van het hof tijdens de klassieke periode van Lodewijk XIV.]

Waelhens, Alphonse, de
Le Duc de Saint-Simon, immuable comme Dieu..., Brussel, Faculté universitaire Saint-Louis, 1981.
[Een bijzonder stimulerende, maar niet altijd overtuigende poging tot een psychoanalytische interpretatie van het werk en de persoonlijkheid van Saint-Simon.]

Dit boek was al ter perse toen wij, te laat, van het bestaan vernamen van de Cahiers internationaux de sociologie, dl. 99, juli-dec. 1995 (over N. Elias).

PERSONENREGISTER

Het samenstellen van de hiernavolgende lijst is bijzonder vergemakkelijkt doordat wij gebruik konden maken van de uitgebreide registers bij de grote uitgaven van het werk van Saint-Simon door A. de Boislisle en Y. Coirault. Wij willen hiervoor met name onze dank betuigen aan professor Coirault*.

1*. Mijn hartelijke dank gaat uit naar Marie-Caroline Gelly voor het door haar verrichte werk aan het hiernavolgende alfabetisch register. (E.L.R.L.)

Aartshertog (Karel Frans Josef van Oostenrijk, genoemd de) [1685-1740] 18
Abbadie (Jacques) [1654-1727], protestants theoloog 203, 223-226, 233, 240
Aguesseau (Henri François d') [1668-1751], in 1691 advocaat-generaal bij het parlement van Parijs, in 1700 procureur-generaal, van 1717 tot 1750 kanselier 43, 141, 221, 228, 238, 247, 256, 260, 267, 272
Albemarle (Henry Fitz-James, hertog van) [† 1702] 135
Albergotti (François Zénobie Philippe, graaf) [1654-1717] 123, 135, 140
Alberoni (Jules) [1664-1752], kardinaal en vroegere eerste minister van Spanje 265
Albert (aartshertog) [1559-1621] 81, 200
Alègre (maarschalk en markies d') 218
Alleurs (Pierre Puchot des) [1645-1725], luitenant-generaal 186
Alleurs (Marie Charlotte de Lutzelbourg, dame des) [1668-1721], echtgenote van de vorige 186
Alva (Fernando Alvarez de Toledo, hertog van) [1508-1582] 45
Amelot (Michel Jean) [1655-1724], ambassadeur en staatsraad 229, 272
Ampus (Constance Eléonore d'Estrées, gravin d') [1671-1726], zuster van Louis Armand, hertog d'Estrées, echtgenote van Louis Joseph des Lurens, graaf d'Ampus 140, 195
Ancezune (Joseph André de Tournon de Cadart, markies d') [1696-1767] 135
Ancre (Concino Concini, maarschalk en markies d') [† 1617], staatsman onder de jonge Lodewijk XIII 221
Angoulême (Françoise de Nargonne, hertogin d') [1621-1713], tweede echtgenote van Charles de Valois, hertog d'Angoulême, bastaard van Karel IX 219
Anjou (Filips, hertog van) zie Filips V (koning van Spanje)
Anna van Oostenrijk [1601-1666], echtgenote van Lodewijk XIII, regentes in 1643 155-157, 219
Antoine (Michel) 252
Antin (familie d') 53
Antin (Louis Antoine de Pardaillan de Gondrin, markies, later hertog d') [1665-1736], wettige zoon van Mme de Montespan 24, 57, 58, 108-109, 118-119, 135-138, 148, 262-263, 267
Apoil de Romicourt (Françoise), burchtvrouwe van Montmort 219
Appolis (Emile) 238
Aquin (Antoine d') [1632-1696], eerste lijfarts van de koning 15, 92, 98

Beauvau-Craon (Marc, markies de) [1679-1754] 195

Beauvau-Craon (Anne Marguerite Gabrielle de), dochter van de vorige *zie* Lixin (prinses de)

Beauvillier (Paul, hertog de) [1648-1714], minister van Staat 14, 16, 19-20, 38, 48, 56, 58, 65-66, 123, 131, 133, 135, 139, 145-148, 154, 189-190, 208-209, 227, 248, 255

Beauvillier (Henriette Louise Colbert, hertogin de) [1657-1733], dochter van minister Colbert, echtgenote van de vorige 189, 199, 210

Beauvillier (Anne de) [1652-1734], zuster van de Paul, abdis van La Joye 176, 218

Beauvillier (de demoiselles de), dochters van de hertog 176

Béchameil (Louis) [1630-1703], superintendant van de hertog d'Orleans 37, 154

Beieren (Louise Hollandine van), abdis van Maubuisson 210

Belleforest (François de) [1530-1583], literator 116

Belzunce (Henri François-Xavier) [1671-1755], bisschop van Marseille 248

Bergeyck (Jan van Brouchoven, graaf van) [1644-1725], minister van Spanje, thesaurier-generaal en superintendant van het leger van de Spaanse Nederlanden 117, 222

Beringhen (de familie) 53, 140

Beringhen (Henri de) [1603-1692], eerste kamerdienaar van Lodewijk XIII 50

Beringhen (Jacques Louis, markies de) [1651-1723], genoemd Monsieur le Premier, zoon van de vorige, eerste stalmeester en directeur-generaal van Bruggen en Wegen 130, 134, 135, 139-140, 258

Beringhen (Marie Madeleine Elisabeth Fare d'Aumont, markiezin de) [1662-1728], echtgenote van de vorige 130-131, 140

Bernard (Samuel) [1651-1739], financier, staatsraad 146

Berry (Charles de France, hertog de) [1686-1714], zoon van Monseigneur le Grand Dauphin 19, 32, 59, 100, 118, 123, 152-153

Berry (Marie Louise Elisabeth d'Orleans, genoemd Mlle de Valois, in 1710 hertogin de) [1695-1719], echtgenote van de vorige 18, 36, 58, 88, 118, 152

Berwick (de familie) 54

Berwick (James Fitz-James, maarschalk en hertog van) [1671-1734] 56, 82, 101, 107, 118-119, 171

Besançon (Alain) 29

Béthune (Louis Marie Victoire, chevalier, later graaf de) [1671-1744] 82

Béthune-Orval (Louis Pierre Maximilien, markies de) [1685-1761], in 1730 hertog de Sully, schoonzoon van Desmarets 147

Béthune-Sully (de familie) *zie ook* Sully 82, 147-148

Bezons (Jacques Bazin de, graaf en in 1709 maarschalk de) [1645-1733], lid van de regentschapsraad 140-144, 229, 247, 249

Bezons (Armand Bazin de) [1655-1721], broer van de vorige, in 1719 aartsbisschop van Rouen 265, 271

Bissy (Henri de Thiard, kardinaal de) [1657-1737] 144, 249

Blainville (Jules Armand Colbert, markies d'Ormoy, later de) [1663-1704] 55

Blois (Françoise Marie de Bourbon, genoemd Mlle de) [1677-1749] *zie* Orleans (hertogin d')

Blouin (Louis) [1658-1729], eerste kamerdienaar, intendant van de paleizen in Versailles en Marly 50, 130-131, 134-135, 143

Bluche (François) 19, 139

Boisguilbert (Pierre Le Pesant de) [1646-1714], auteur van *Détail de la France* 46, 48

Boileau-Despréaux (Nicolas) [1636-1711], dichter en historiograaf van de koning 18, 79

Boislisle (A. de) 28, 159, 165, 178, 186, 189-190, 213

Bonsy (Pierre, in 1672 kardinaal de) [1631-1703] 51

Bontemps (Alexandre) [1626-1701], eerste kamerdienaar van de koning 142-143

Bosse (Abraham) [1602-1676], tekenaar, graveur en schilder 32, 98

Bossuet (Jacques-Bénigne) [1627-1704], bisschop van Meaux 16, 75, 204, 230, 238, 240, 247-249

Boucher (François) [1703-1770], hofschilder 16

Callières (François de) [1645-1717], schrijver en diplomaat 248
Camporesi (Piero) 98
Canillac (Philippe de Montboissier-Beaufort, markies de) [1669-1725] 111, 260
Cantecroix (Béatrix de Cusance, prinses de) [1614-1663]
Carlyle (Thomas) [1795-1881], Engels historicus 19
Cartouche (Louis Dominique Bourguignon, genoemd) [1693-1721] 24
Casimir v [1609-1672], koning van Polen 211
Castan (Yves) 58
Castiglione (Balthasar) [1478-1529], auteur van de *Courtisan* 56
Castilie (kroonprins van) *zie* Asturie (prins van)
Catharina de Medici [1519-1589], echtgenote van koning Hendrik 11 127, 259
Catinat (Nicolas, in 1693 maarschalk) [1637-1712] 87, 171
Caumartin (Louis Urbain Le Fèvre de) [1653-1720], intendant van Financiën, later staatsraad 36,
    140, 205
Caumont-Lauzun (Françoise de) [1654-1714], abdis van Ronceray 176
Cavoye (Louise Philippe de Coëtlogon, markiezin de) [1641-1729] 212
Caylus (Marthe Marguerite Le Valois de Villette de Mursay, markiezin de) [1671-1729] 209
Caylus (Claude Abraham de Thubières de Grimoard de Pestels de Lévis, chevalier later markies de)
    [1672-1759] 82
Cecilia (heilige) 218
Céline (Louis-Ferdinand) [1894-1961] 231
Cellamare (Antoine Joseph Michel Nicolas Del Giudice, prins de) [1657-1733] 85, 263
Chaban-Delmas (Jacques) 221
Chambonas (Antoine de La Garde de) [† 1713], in 1690 bisschop van Viviers 135
Chamillart (de familie) 16, 66, 93, 153
Chamillart (Michel) [1652-1721], in 1699 inspecteur-generaal van Financiën, in 1701 secretaris van
    Staat voor Oorlog 16, 20, 53, 59, 128, 130, 133, 137, 141, 146, 149, 170, 220, 269, 271
Chamillart (Elisabeth Geneviève Thérèse) [1685-1714], dochter van de vorige, echtgenote van de
    hertog de Lorge, schoonzuster van Saint-Simon 20
Chamilly (Elisabeth Du Bouchet de Villeflix, maarschalkse de) [1656-1723] 182
Champmeslé (Marie Desmares, dame) [1642-1698], tragédienne 87
Chandenier (François de Rochechouart, markies de) [1611-1696] 202
Charolais (Charles de Bourbon-Condé, graaf de) [1700-1760], broer van Monsieur de Hertog, in
    1720 lid van de regentschapsraad 263, 268
Charost (het huis) 54
Charost (Nicolas de Béthune, abbé de) [1660-1699] 205-206
Chartres (Filips van Orleans, hertog de), zoon van Monsieur en toekomstig regent *zie* Orleans (de
    hertog d')
Chartres (de hertogin de) *zie* Orleans (Françoise Marie, hertogin d')
Chartres (Louise Adélaïde d'Orleans, demoiselle de) [1698-1743], dochter van de regent, abdis van
    Chelles in 1719 176, 265
Chartres (Louis, hertog de) [1703-1752], zoon van de regent, hertog d'Orleans na zijn vader en eerste
    prins van den bloede 76
Chastel (Jean) [† 1594] 243
Châteaurenault (François Louis Rousselet, graaf en in 1703 maarschalk de) [1637-1716] 53, 65
Châteaurenault (Anne Eléonore Rousselet de) *zie* Gacé (markiezin de)
Châteautiers (Anne de Foudras de) [1660-1741], kamenier en favoriete van Madame 211
Châtillon (Alexis Henri, chevalier en in 1685 markies de) [1650-1737], eerste kamerheer en favoriet
    van Monsieur 83, 88, 186, 223
Châtillon (Marie Rosalie de Brouilly-Piennes, markiezin de) [1675-1735], echtgenote van de vorige
    186

Chaulnes (de familie de) 53

Chaussinand-Nogaret (Guy) 253

Chauvelin (Louis IV) [1683-1715], advocaat-generaal bij het parlement 104, 248, 272

Chavigny (Philibert Chevignard, abbé de) [1685-1746], in 1719 tweede president van het parlement van Besançon 267

Chéruel (P. A.) 28, 215, 260

Chevigny (Nicolas Guyet de) [1622-1698], oratoriaan 206

Chevreuse (Claude de Lorraine, hertog de) [1578-1657], echtgenoot van de weduwe van connétable de Luynes 248

Chevreuse (Marie de Rohan-Montbazon, echtgenote van connétable de Luynes, later hertogin de) [1600-1679], echtgenote van de vorige 195

Chevreuse (Charles Honoré d'Albert, in 1667 hertog de) [1646-1712], minister *in partibus* 16, 19, 20, 48, 56, 58-59, 65, 123, 131, 133, 139, 145-148, 208, 248, 255

Chevreuse (Jeanne Marie Colbert, hertogin de) [1650-1732], dochter van de minister, echtgenote van de vorige 199

Chimay (Charlotte de Saint-Simon, prinses de) [1696-1763], dochter van Louis, hertog de Saint-Simon, tweede echtgenote van Charles Louis Antoine de Hénin d'Alsace, prins de Chimay

Choin (Marie Emilie de Joly, demoiselle de) [† 1732], maîtresse de de Grand Dauphin 109, 123, 130, 136-138, 145, 153-154, 197

Choiseul (Claude, graaf de Choiseul-Francières, in 1693 maarschalk de) [1632-1711] 65, 85, 124

Choiseul (Etienne François, hertog de) [1719-1785] 28

Choiseul-Pracomtal *zie* Pracomtal (markies de)

Choisy (Jeanne Olympe Hurault de Belesbat of Belébat, dame de) [† 1666] 49

Choisy (François Timoléon, abbé de) [1644-1724], zoon van de vorige 49, 156

Chorier (Nicolas) [1612-1692] 215-216

Cincinnatus 205

Clemens XI (Giovanni Francesco Albani, in 1700 paus) [1649-1721] 256

Clérambault (Louise Françoise Bouthillier de Chavigny, maarschalkse de) [1633-1722] 55

Clérambault (Philippe de Clérambault de Palluau, markies de) [† 1704], zoon van de vorige 55

Clermont-Chaste (François Alphonse, chevalier later markies de) [1661-1740] 138, 153

Clermont-Tonnerre (François Louis de) [† 1724], bisschop en hertog de Langres 140, 153

Clovis [ca.466-511] 117

Coëtanfao (François Toussaint de Querhoent-Kergounadech, markies de) [1657-1721] 88

Coetelez (Mathurin Le Ny, abbé de) [geboren in 1663] 206

Coëtquen (Henri, graaf de) [† 1693] 94-95

Coigny (François de Franquetot, markies, later in 1747, hertog de) [1670-1759] 56

Coirault (Yves) 26-30, 32, 159, 178, 252

Coislin (Pierre Du Cambout, in 1697 kardinaal de) [1630-1706], bisschop van Orleans 75, 79, 216-217, 247

Coislin (Charles César Du Cambout, chevalier de) [1641-1699], broer van de vorige, Maltezer ridder 217

Coislin (Henri Charles Du Cambout, abbé de) [1664-1732], neef van de vorigen, bisschop van Metz 217

Colbert (de familie) 11-12, 16, 52, 66, 93, 125, 147-148, 153, 158, 271

Colbert (Jean-Baptiste) [1619-1683] 13, 65, 120, 141, 145-147, 154, 157-158, 186, 199, 248, 267, 269, 271

Colbert (Jacques Nicolas) [1654-1707], aartsbisschop van Rouen 93-158

Commercy (Charles François de Lorraine-Elbeuf, prins de) [1661-1702] 55

Concini *zie* Ancre (maarschalk d')

Condé (het huis) 13, 81, 258, 261, 268, 269, 271

Condé (de prinsen de) 32-33, 60, 124, 137

Dumas (Alexandre) [1802-1870] 209
Dumont (Louis) 29, 97, 178, 185, 200, 239-240
Du Perchois (Mme), waarzegster 94
Duras (Marguerite Félicie de Lévis-Ventadour, maarschalkse en hertogin de) [1642?-1717] 61
Durfort (Louis de) [1638-1709], graaf van Feversham 90

Effiat (Antoine Coiffier-Ruzé, markies d') [1638-1719], adviseur bij de regentschapsraad 95, 135
Ehalt (Christian) 31-32
Elbeuf (Charles III de Lorraine, hertog d') [1620-1692] en zijn familie 88, 218
Elbeuf (Françoise de Montault-Navailles, hertogin d') [1653-1717], derde echtgenote van de vorige 88
Elbeuf (Philippe de Lorraine, prins d') [† 1705] 56, 88
Elias (Norbert) 29, 32, 54-55, 251
Elisabeth, tsarina van Moskou [1710-1762], dochter van Peter de Grote 19
Enghien (Marie Anne de Bourbon-Condé, demoiselle d') [1678-1718], in 1710 echtgenote van de hertog de Vendôme 112
Entragues (Bernard Angélique de Crémeaux, abbé d') [1650-1733] 111
Entragues (Louis César de Crémeaux, markies d') [1679-1747] 218
Epernon (Anne Louise Christine de Nogaret de La Valette, hertogin d') [1624-1701], karmelietes 211
Epinoy (Elisabeth de Lorraine, genoemd Mlle de Commercy, prinses d') [1664-1748], dochter van Anne, bastaard van Charles IV de Lorraine en Béatrix de Cuzance 108-109, 136, 138-139
Espinoy zie Epinoy
Estaing (François III, graaf d') [1654-1732], luitenant-generaal, gouverneur van Douai 52-53
Estaing (Charles François Marie, graaf d') [1693-1729] 52-53
Estaing (Henriette Madeleine Julie de Fontaine-Martel, markiezin d') [1696-1733], echtgenote van de vorige 52
Estampes zie Étampes
Este (Marie Béatrice Eléonore d') [1658-1718], koningin van Engeland, echtgenote van Jakobus II 212
Étampes (Charles d'Étampes, markies de Mauny, genoemd de markies d') [† 1716] 83
Estrades (Godefroy, graaf en in 1675 maarschalk d') [1607-1688], diplomaat en in 1685 gouverneur van de hertog de Chartres 206
Estrades (Jean François, abbé d') [1642-1715], zoon van de vorige 92
Estrées (Victor Marie, graaf d'Estrées, in 1707 maarschalk d') [1660-1737], in 1704 Grande van Spanje, in 1723 hertog en pair 140
Estrées (César, in 1671 kardinaal d') [1628-1714] 140, 247
Estrées (Jean, abbé d') [1666-1718] 140, 212, 247
Estrées (Constance Eléonore, demoiselle d') zie Ampus (gravin d')
Evans-Pritchard (Edward) [1902-1973], Brits etnoloog 151
Evreux (Henri Louis de La Tour d'Auvergne, graaf d') [1679-1753], luitenant-generaal, schoonzoon van Crozat 154, 192

Fabert (Abraham, maarschalk) [1599-1662] 87, 95
Fagon (Guy Crescent) [1638-1718], in 1693 eerste lijfarts van de koning 98
Farnese (Elisabeth) [1692-1766], in 1714 echtgenote van Filips v 78
Faudouas (Françoise Gabrielle de Chabannes, markiezin de) 211
Faure (Edgar) [1908-1988] 22
Fauve-Chamoux (Antoinette) 30
Febvre (Lucien) [1878-1956] 151
Fénelon (François de Salignac de La Mothe-) [1651-1715], in 1695 aartsbisschop van Kamerijk 15, 19, 21, 27, 110-111, 123, 139, 145-148, 155, 202, 204, 208, 244, 248, 252, 255, 266, 268, 271

Fervacques (Anne Jacques de Bullion, markies de Bonnelles, later, in 1708, de) [1679-1745] 57
Fiesque (Catherine Marguerite de) [1647-1737], abdis van Notre-Dame de Soissons 176
Filips II [1527-1598], koning van Spanje 45
Filips III [1578-1621], in 1599 koning van Spanje 39
Filips V [1683-1746], in 1700 koning van Spanje, zoon van de Grand Dauphin 17, 21-24, 44-45, 55, 61-62, 77-78, 81-82, 103, 114-115, 133, 143, 222, 242, 246, 250, 255, 260, 265, 267
Filips (don) [1720-1765], zoon van Filips V en Elisabeth Farnese 45, 81
Finot (Raymond) [1637-1709], eerste lijfarts van het huis Condé 246
Fleury (André Hercule, abbé, later, in 1726, kardinaal de) [1653-1743], in 1698 bisschop van Fréjus, in 1715 gouverneur van Lodewijk XV, in 1726 minister van Staat 26, 50-51, 54, 82, 85, 144, 165, 206, 221, 238, 269-272
Fleury (Claude, abbé) [1640-1723] 238
Foisel (Pierre) [† 1697], als monnik dom Zozime, abbé van La Trappe, opvolger van abbé de Rancé
Foisil (Madeleine) 99
Fontaine-Martel (Henriette Madeleine Julie) zie Estaing (markiezin d')
Fontanges (Marie Angélique de Scorailles de Roussille, hertogin de) [1661-1681], maîtresse van Lodewijk XIV 177
Fontenelle (Bernard Le Bovier de) [1657-1757], neef van Corneille, schrijver 23, 267
Fortin zie La Hoguette
Fouquet (Nicolas) [1615-1680], hoofdinspecteur van Financiën 147, 156-157, 207, 221
Fouquet (Marie Madeleine de Castille de Villemareuil, dame) [1636-1716], tweede echtgenote van de vorige 207, 271
Fourcy (Henri de) [1626-1708], provoost van de handelskamers, in 1704 staatsraad 243
Fourcy (Balthazar Henri, abbé de) [1669-1754], zoon van de vorige 243
Frans I [1494-1547], koning van Frankrijk 104-105, 127
Frans II [1544-1560], koning van Frankrijk 128
Frederik II [1712-1786], koning van Pruisen 19

Gacé (Louis Jean-Baptiste Goyon de Matignon, graaf de) [1682-1747], zoon van Charles Auguste, graaf de Gacé, maarschalk de Matignon 53
Gacé (Anne Eléonore Dreuse Rousselet de Chateaurenault, gravin de) [1692-1755], dochter van maarschalk de Chateaurenault, tweede echtgenote van de vorige 53
Gaillard (Honoré) [1641-1727], overste van het klooster der jezuïeten 241
Galenus [ca. 131-ca. 201], Grieks arts 98
Ganges (Jeanne de Gévaudan, gravin de) [† 1719], echtgenote van François de Vissec de La Tude, graaf de Ganges, luitenant des konings in de Languedoc 247
Gesvres (Léon Potier, hertog de) [1620-1704], eerste kamerdienaar, gouverneur van Parijs 54, 69, 87, 189
Gesvres (Marie Renée de Rommilley de La Chesnelaye, hertogin de) [† 1742], tweede echtgenote van de vorige 189-190
Gesvres (Bernard François Potier, markies de) [1655-1739], broer van de vorige, eerste kamerdienaar, in 1704 gouverneur van Parijs 209
Giscard d'Estaing (Valéry) 221
Godet des Marais (Paul) [1647-1709], biechtvader van Mme de Maintenon, bisschop van Chartres 143-144, 248-249, 265
Goesbriand (Louis Vincent, markies de) [1659-1744], in 1711 gouverneur van Verdun 87-88
Goesbriand (Marie Madeleine Desmarets, markiezin de) [1674-1736], dochter van Nicolas Desmarets, echtgenote van de vorige 87-88
Goesbriand (Louis Vincent II, graaf de) [1695-1752], zoon van de vorigen 88
Goesbriand (Marie Rosalie de Châtillon, gravin de) [1689-1736], dochter van de markies de Châtillon, echtgenote van de vorige 88

Henriette van Engeland *zie* Madame

Hertog (Louis III de Bourbon-Condé, hertog de Bourbon, genoemd Monsieur de) [1668-1710] 33, 100, 124, 142, 144

Hertog (Louis Henri de Bourbon, genoemd Monsieur de) [1692-1740], oudste zoon van Lodewijk III de Bourbon-Condé 82-83, 107, 138, 209, 221, 258, 268, 271

Hertogin (Louise Françoise de Bourbon, genoemd Madame de) [1673-1743], dochter van Lodewijk XIV en Mme de Montespan, eerst genoemd Mlle de Nantes, echtgenote van Louis III, hertog de Bourbon-Condé 33, 57, 109, 122-124, 136-138, 142, 149, 152, 197, 247

Hervault (Mathieu Ysoré d') [1647-1716], aartsbisschop van Tours 38

Hessen-Darmstadt (Georg, prins van) [1669-1705] 55

Hessen-Homburg (Filips, prins van) [1676-1703] 55

Himelfarb (Hélène) 29-30, 228

Hippocrates [ca. 460 v. Chr.-ca. 377 v. Chr.], Grieks arts 98

Hobbes (Thomas) [1588-1679], Engels filosoof 71

Horne (Antoine Joseph, graaf van) [† 1720] 99

Hotman (François) [1524-1590], rechtsgeleerde 116

Hozier (Pierre d') [1592-1660] 110

Huet (Pierre Daniel) [1630-1721], bisschop van Avranches 217

Humières (Henri Louis de Crevant, markies d') [† 1684]

Humières (Louis IV de Crevant, in 1668 maarschalk en in 1690 hertog d') [1628-1694] 95

Humières (Louise Antoinette de La Châtre, maarschalkse d') [1635-1723], echtgenote van de vorige 212

Huxelles (Nicolas de Laye Du Blé, markies en, in 1703, maarschalk d') [1652-1730] 111-112, 123, 130-131, 133, 135, 139-140, 145-146, 260-261, 271

Infante-kardinaal (Louis Antoine Jacques de Bourbon, genoemd de) [1727-1785], zoon van Filips V en Elisabeth Farnese, in 1735 kardinaal 81

Ignatius van Loyola (heilige) [1491-1556], stichter van de Sociëteit van Jezus 250

Isabelle Claire Eugénie (aartshertogin van Oostenrijk) [† 1633], echtgenote van aartshertog Albert 200

Jansenius (Cornelius) [1585-1638], theoloog 207, 216, 226-227, 229, 238

Jeanne d'Arc (heilige) [1412-1431] 79

Johannes de doper (heilige) 70, 86

Jonzac (Louis Pierre Joseph d'Esparbès de Lussan d'Aubeterre, graaf de) [1691-1750] 56

Jouvency (Joseph de) [1643-1719], historicus van de Sociëteit van Jezus 244

Joyeuse (Jean Armand, markies, en in 1693 maarschalk de) [1631-1710] 65

Jozef I [1678-1711], keizer 18

Julius II (Julien Della Rovere, paus) [1443-1513]

Jünger (Ernst), Duits schrijver 151

Kamerijk (aartsbisschoppen van) *zie* Saint-Albin (Charles, abbé de), Fénelon, Dubois..

Kantorowicz (Ernst), Duits historicus, geëmigreerd naar de Verenigde Staten 31

Karel de Grote 37

Karel V (keizer) [1500-1558] 32, 61, 137, 236

Karel IX (1550-1574), koning van Frankrijk 101, 102, 127, 219-220

Karel II [1630-1685], koning van Engeland 90, 213

Karel II [1661-1700], koning van Spanje 24

Kleef (Diana van De Mark, prinses van), echtgenote van Jacobus van Kleef, hertog de Nevers

Königsmark (Filips Christophe, graaf van) [1640-1694] 107

Kourakin (Boris, prins) [1671-1727], ambassadeur van de tsaar 118

Luynes (Charles d'Albert de) [1578-1621], connétable van Frankrijk 195
Luynes (Charles Philippe d'Albert, hertog de) [1695-1758], auteur van een *Journal*

Mabillon (dom Jean) [1632-1707], benedictijn van Saint-Maur, geleerde 238-239, 244
Madame (Henriette Anne d'Angleterre, genoemd) [1644-1670], eerste echtgenote van Monsieur,
    broer van Lodewijk xiv 110, 126
Madame (Elisabeth Charlotte, paltsgravin van Beieren, genoemd) [1652-1722], tweede echtgenote
    van Monsieur, hertog d'Orleans, broer van Lodewijk xiv *passim*
Mademoiselle (Anne Marie Louise d'Orleans, hertogin de Montpensier, genoemd la Grande) *zie*
    Montpensier (de hertogin de)
Mademoiselle (Marie Louise Elisabeth d'Orleans, genoemd), dochter van de regent *zie* Berry (de
    hertogin de)
Maidalchini (François, in 1647 kardinaal) [1621-1700] 110
Maillebois (Jean-Baptiste François Desmarets, markies en maarschalk de) [1682-1762], zoon van
    Nicolas Desmarets, in 1713 luitenant-generaal in de Languedoc 88
Mailly (François, in 1719 kardinaal de) [1658-1721] 75
Mailly (Marie Anne Françoise de Sainte-Hermine, gravin de) [1667-1734] 52
Maine (Louis Auguste de Bourbon, hertog du) [1670-1736], zoon van Lodewijk xiv en Mme de
    Montespan 13, 20, 32, 41, 43, 57, 81, 85, 96, 98, 100, 105-106, 108, 111-112, 125, 135, 139-140,
    142-144, 155, 186, 245, 249, 255, 257-258, 261, 263
Maine (Anne Louise Bénédicte de Bourbon, hertogin du) [1676-1753], echtgenote van de vorige 20,
    135
Maintenon (Françoise d'Aubigné, markiezin de) [1635-1719] 16, 34, 37, 52, 55, 57, 82-83, 85, 87-88,
    92, 95, 97-98, 104, 108-110, 122-125, 128, 130-131, 133-137, 139-148, 151-155, 157-158, 197, 207,
    216, 229, 249, 255, 258, 263, 271
Maisons (Jean de Longueil, markies de) [1625-1705], in 1672 tweede president van het parlement
    43
Maisons (Claude de Longueil, markies de) [1668-1715], in 1701 tweede president van het parlement
    43
Malauze (Charles, baron de) [† 1502] 101
Malebranche (le P. Nicolas de) [1638-1715], oratoriaan 47, 227
Malesherbes (Chrétien Guillaume de Lamoignon de) [1721-1794]
Mancera (Antonio Sebastian de Toledo, markies de) [† 1715] 45
Mancini (Alphonse Marie) [1644-1658], neef van Mazarin 243
Marcillac (Henri Madeleine de Crugy, graaf de) [† 1739] 56
Mareschal (Georges) [1658-1738], chirurgijn van de koning 98
Marescotti (Galéas, kardinaal) [1627-1726], prefect van het Heilig Officie 214
Maria Stuart [1542-1587], koningin van Frankrijk en Schotland 126-127
Maria de Médicis [1575-1642], koningin van Frankrijk, echtgenote van Hendrik iv 155
Marin (Louis) 31
Marillac (Jean François, markies de) [† 1704] 56
Marlborough (John Churchill, graaf, later, in 1702, hertog van) [1650-1722], leider van de Whig-partij
    18
Marx (Karl) [1818-1883] 150-151
Massillon (Jean-Baptiste) [1663-1742], oratoriaan, in 1717 bisschop van Clermont
Matignon (Jacques III, graaf de [1644-1725] en Charles Auguste Goyon, graaf de Gacé [1647-1739],
    in 1708 maarschalk de) 53
Maulévrier (de familie) 53
Maulévrier (Jean-Baptiste Louis Andrault, markies de) [1677-1754], ambassadeur in Spanje 81
Maupeou (René Nicolas Charles Augustin de) [1714-1792], kanselier van Frankrijk 221
Maupertuis (Louis de Melun, markies de) [1635-1721], kapitein van de grijze musketiers 13

Montmorency-Estaires *zie* Robecq (de prins de)

Montpensier (Anne Marie Louise d'Orlans, hertogin de) [1627-1693], genoemd la Grande Mademoiselle, kleindochter van Hendrik IV 40, 124, 155

Montrésor (Claude de Bourdeille, graaf de) [1608-1663], opperjager van Gaston d'Orleans 156

Mornay (René, abbé de) [† 1721] 267

Morstein (Michel Albert of Adalbert, graaf de) [† 1695], echtgenoot van de dochter van de hertog de Chevreuse 147

Mortemart (de familie) 54, 56, 58, 146

Mortemart (Gabriel de Rochechouart, hertog de) [1600-1675], vader van Mme de Montespan en van Marie Madeleine Gabrielle de Rochechouart, abdis van Fontevrault 210

Mortemart (Louis I de Rochechouart, hertog de) [† 1688], kleinzoon van de vorige 199

Mortemart (Marie Anne Colbert, hertogin de) [1665-1750], dochter van de minister, echtgenote van de vorige 199, 208

Mortemart (Louis II de Rochechouart, hertog de) [1681-1746], zoon van de vorigen 56, 58, 147, 199

Mortemart (Marie Henriette de Beauvillier, hertogin de) [1685-1718], echtgenote van de vorige 58, 147

Morville (Charles Jean-Baptiste Fleuriau, graaf de) [1686-1732], in 1721 staatsraad, in 1723 minister van Staat 82, 272

Mousnier (Roland) 49

Mursay (Philippe de Valois-Villette, graaf de) [† 1706] 55

Namier (Lewis) 30

Nancré (Louis Jacques Aimé Théodore de Dreux, markies de) [1660-1719], in 1718 ambassadeur in Spanje 260

Nangis (Louis Armand de Brichanteau, markies de) [1682-1742] 55-56

Nanon *zie* Balbien (Nanon)

Nargonne (Françoise de) *zie* Angoulême (de hertogin d')

Navailles (Philippe II de Montault, graaf, later hertog en, in 1674, maarschalk de) [1619-1684], in 1683 gouverneur van de hertog de Chartres 88

Nassau-Saarbrücken (Lodewijk Crato, graaf van) [1663-1713], in 1702 luitenant-generaal van het Franse leger 91

Nemours (Jacques de Savoie, in 1533 hertog de) [1531-1585] 126-128

Nesle (de zusters), een aantal van hen was maîtresse van Lodewijk XV 101, 121

Nesmond (Guillaume de) [1628-1693], eerste president van het parlement 215

Nesmond (François Théodore de) [1629-1715], bisschop van Bayeux 215

Neuillan (Louise Françoise Tiraqueau, gravin de) [1591-1673] 104

Nevers (Philippe Jules François Mancini-Mazzarini, graaf en hertog de Donzy, prins de Vergagne, later, in 1720, hertog de) [1676-1768] 244

Nicole (Pierre) [1625-1695] 202, 233

Ninon de Lenclos (Anne, genoemd) [1623-1705] 177, 209

Noailles (Anne, graaf, later, in 1663, hertog de) [1615-1678] 24, 78, 216

Noailles (Louise Boyer, hertogin de) [1631-1697], echtgenote van de vorige 216

Noailles (Louis Antoine, in 1700 kardinaal de) [1651-1729], zoon van de vorigen, in 1715 voorzitter van de Gewetensraad 75, 77, 100, 111-112, 117, 140, 216, 229-231, 247, 251, 255-256, 260, 267

Noailles (Jacques, baljuw de) [1653-1712], luitenant-generaal van de galeien, in 1703 ambassadeur van Malta bij de koning van Frankrijk 140, 188

Noailles (Anne Jules, in 1693 maarschalk de) [1650-1708] 65, 68, 140

Noailles (Marie Françoise de Bournonville, maarschalkse de) [1656-1748] 84, 140

Noailles (Adrien Maurice, graaf en hertog d'Ayen, in 1704 hertog de) [1678-1766], zoon van de vorigen, Grande van Spanje in 1711 94, 96, 100, 140, noailles

Noailles (Françoise Adélaïde de) [1704-1776], zuster van de vorigen *zie* Armagnac (de gravin d')

Nocé (Charles de) [1664-1739], in 1719 eerste kamerheer van de hertog d'Orleans 260
Nostradamus (Michel de Notre-Dame, genoemd) [1503-1566] 95

O (Gabriel Claude, markies de Villers d') [1654-1728], gouverneur van de graaf de Toulouse 64-65, 123
Oranje (het huis) 226
Oranje (Willem van Nassau, prins van) [1533-1584], echtgenoot van Mlle de Bourbon-Montpensier 100
Orleans (het huis) 60, 93
Orleans (Gaston d') *zie* Monsieur
Orleans (Filips, hertog de Chartres, later, in 1701, hertog d') [1674-1723], zoon van de vorige, in 1715 regent van Frankrijk en *passim*
Orleans (Françoise Marie de Bourbon, hertogin de Chartres, later d') [1677-1749], natuurlijke dochter van Lodewijk xiv en Mme de Montespan, eerst genoemd Mlle de Blois, in 1692 echtgenote van de vorige 36, 40, 43-44, 100-101, 110, 123, 125, 153, 197
Orleans (Louise Elisabeth d') [1709-1742], genoemd Mlle de Montpensier, dochter van de vorigen, echtgenote van Lodewijk Filips van Bourbon, prins van Asturië 36, 123, 267
Orleans (Jean Philippe, chevalier d') [1702-1748], zoon van de hertog d'Orleans en Mme d'Argenton, grootprior van Frankrijk na Philippe de Vendôme 100-101
Ormond (Jacques Butler, hertog d') [1665-1747] 91
Orry (Jean) [1652-1719] 222, 272
Ossone (François-Marie-de-Paule Acuña Pacheco y Tellez-Giron, hertog d') [1678-1716] 82, 112
Ossone (Joseph Acuña Pacheco y Tellez-Giron, graaf de Pinto, later hertog d') [1685-1733], broer van de vorige 82

Palatine (prinses) *zie* Madame
Palatin (Frederik v van Beieren, keurvorst) [1596-1632], vader van Louise Hollandine van Beieren, abdis van Maubuisson 101
Palissot de Montenoy (Charles) [1730-1814], schrijver 242
Parabère (Marie Madeleine de La Vieuville, gravin de) [1693-1759], maîtresse van de regent 265
Pâris (de gebroeders): Antoine [1668-1733], Claude genoemd de La Montagne [1670-1745], Joseph genoemd Du Verney [1684-1770], Jean genoemd de Montmartel [1690-1766] 264, 267
Pâris (François Pâris, genoemd de diaken) [1690-1727] 217, 264, 267, 272
Pascal (Blaise) [1623-1662] 146, 152, 202, 240
Pasquier (Etienne) [1529-1615], jurist 117
Passionei (Dominique, in 1738 kardinaal) [1682-1761] 239
Paulus (heilige) 233
Pavillon (Nicolas) [1597-1677], bisschop van Alet 237
Pellerin of Pélerin (Florence), actrice en danseres bij de Opéra 45
Péréfixe (Hardouin de Beaumont de) [1605-1671], prelaat 228
Péronnet (Michel) 39
Peter de Grote (Peter i, genoemd), [1672-1725], tsaar van Moskou 23
Pettorano (Catherine Berthe de Boufflers, prinses de) [1702-1738], dochter van maarschalk de Boufflers 212
Pezé (Marie de Saint-Gelais-Lusignan, dame de), dochter van Artus de Saint-Gelais, heer van Lansac, en van Françoise de Souvré, echtgenote van René de Courtavel de Pezé 195
Piennes (Jeanne de Halluin, demoiselle de Piennes) [geboren in 1536] 127, 186
Platter (Felix) [1536-1614] 26
Plutarchus [ca. 46/49-ca.125], moralist 205
Poisson (Georges) 25-26, 30
Polen (koningin van) *zie* Arquien (Maria Casimir van)

Poljakov (Leon) 251

Polignac (Melchior, abbé, later, in 1712, kardinaal de) [1661-1741] 78, 135

Polinier (Jean) [1646-1727], van de abdij Sainte-Geneviève

Pomereu (Alexandre Jacques de) [1634-1718], gouverneur van Douai 52, 212

Pompadour (Léonard Hélie, markies de) [1654-1732] 135

Pompadour (Gabrielle de Montault, markiezin de) [1663-1727], echtgenote van de vorige, in 1712
  gouvernante van de kinderen van de hertog de Berry 46, 121

Pompidou (Georges) [1911-1974] 141, 221

Pomponne (Simon Arnauld, markies de) [1618-1699], secretaris van Staat voor Buitenlandse Zaken,
  schoonvader van Torcy 148, 208, 227

Pontchartrain-Phélypeaux (de familie) 12, 52, 65, 125, 140, 153-154, 158, 258, 262, 272

Pontchartrain (Louis 11 Phélypeaux, graaf de) [1643-1727], in 1699 kanselier van Frankrijk 16-17,
  20, 43, 46, 52, 64, 130-131, 133-135, 139-141, 143-145, 147, 151, 170, 188, 202, 207-209, 227, 247,
  249, 271

Pontchartrain (Marie de Maupeou, gravin de) [† 1714], echtgenote van de vorige 207

Pontchartrain (Jérôme Phélypeaux, graaf de Maurepas, later de) [1674-1747], zoon van de vorigen,
  secretaris van Staat voor de Hofhouding en voor Marine 20, 52, 65, 112, 115, 130-131, 134, 139-
  141, 143, 153, 249, 271

Pontchartrain (Eléonore Christine de La Rochefoucauld-Roye, gravin de) [1681-1708] 177, 188

Pontis (Louis de) [1593-1670] 188

Popper (Karl) 29

Portocarrero (Louis Emmanuel Fernandez Boccanegra, kardinaal) [1635-1709] 214

Portsmouth (Louise Renée de Penancoët de Keroualle, hertogin van) [1649-1734] 213

Pracomtal (Armand, markies de) [† 1703] 55

Praslin (Gaston Jean-Baptiste de Choiseul d'Hostel, markies de) [1659-1705] 55

Prince (Monsieur le) zie Condé (le Grand)

Prince (Henri Jules de Bourbon, prins de Condé, genoemd Monsieur le) [1643-1709] 155

Proust (Marcel) [1871-1922] 146

Prie of Prye (Louis, markies de) [1673-1751] 107

Prie of Prye (Agnès Berthelot de Pléneuf, markiezin de) [1698-1727], maîtresse van Monsieur de
  Hertog 107, 272

Pseudo-Dionysius de Areopagiet [5de-6de eeuw] 29-30, 70, 233

Puységur (Jacques François de Chastenet, markies en, in 1734, maarschalk de) [1655-1743], lid van
  de Raad van Oorlog tijdens het regentschap 38, 107

Pucelle (René, abbé) [1656-1745], in 1715 lid van de Gewetensraad 265

Puyseulx (Roger Brûlart, markies de) [1640-1719], staatsraad 83

Quesnay (François) [1694-1774], econoom 46

Quesnel (Pasquier) [1634-1719], geestelijke, jansenistisch schrijver 200, 223, 230-233, 238, 240-241,
  247, 252

Racine (Jean) [1639-1699], toneelschrijver, historiograaf van de koning 15, 227

Ragotzi (François Léopold, prins de) [1676-1735], prins van Transsylvanië 202

Rancé (Armand Jean Bouthillier de) [1626-1700], abt van La Trappe 203-205, 215, 227, 237, 239

Rancé (Henri Bouthillier, chevalier de) [1627-1726], broer van de vorige, luitenant-generaal van de
  galeien 15, 203-204

Ratabon (Martin de) [1654-1728], in 1689 bisschop van Ieper, in 1713 van Viviers, aalmoezenier van
  de koning 229-230

Rémond (François) [† 1699], genoemd Rémond le Diable, financier 260, 271

Rémond (Nicolas François), zoon van de vorige, binnenleider van de ambassadeurs 111

Retz (Jean François Paul de Gondi, kardinaal de) [1613-1679] 204, 217

Revel (Charles Amédée de Broglie, graaf de) [† 1707] 87

Revel (Jacques) 29, 87

Richelieu (Armand Jean, hertog de Fronsac en de) [1629-1715] 56, 97, 140, 165, 215, 269

Rigaud (Hyacinthe) [1659-1743], in 1690 hofschilder 15

Ripperda (Jean Guillaume, baron, later, in 1725, hertog de) [1682-1737] 24, 242

Robecq (Anne Auguste de Montmorency, graaf d'Estaires, prins de) [1679-1745], grande van Spanje en ridder van het Gulden Vlies 84

Rochechouart (Marie Madeleine Gabrielle de) [1645-1704], in 1670 abdis van Fontevrault 176, 210-211

Rohan (het huis) 53, 102, 194, 250

Rohan-Montbazon (François de) zie Soubise (François de Rohan, prins de)

Rohan (Armand Gaston Maximilien, abt van Soubise, later, in 1712, kardinaal de) [1674-1749], in 1704 bisschop van Straatsburg 75, 93, 142, 265

Rohan-Guéméné (Marie Eléonore de) [1629-1682], abdis van La Trinité de Caen 176

Rohan-Soubise (Anne Marguerite de) [1664-1721], abdis van Jouarre 176

Rohan-Soubise (Charlotte Armande de) [1696-1733], in 1721 abdis van Jouarre 176

Roquelaure (Marie Louise de Montmorency-Laval, hertogin de) [1667-1735] zie ook Léon (de prinses de) 191

Rosen (Conrad, in 1703 maarschalk de) [1628-1715] 65

Rouannez (Artus Gouffier, hertog de) [† 1696] 202

Roujon (Jacques) 7

Rousseau (Jean-Jacques) [1712-1778] 27, 71, 205, 242

Roye (Isabelle de Durfort, gravin de) [1633-1715], zuster van maarschalk de Lorge 90

Roye (Louis de La Rochefoucauld, chevalier de Roucy, later markies de) [1671-1751] 188

Roye (Marthe Ducasse, markiezin de) [1661-1743], echtgenote van de vorige 188

Ruffec (Jacques Louis de Rouvroy, in 1722 hertog de) [1698-1746], zoon van Louis, hertog de Saint-Simon 82, 85

Ruffec (Armand Jean de Rouvroy-Saint-Simon, markies de) [1699-1754], broer van de vorige, in 1746 hertog de Ruffec door de dood van zijn oudste broer 85

Rupelmunde (Maximilien Philippe Joseph de Recourt de Lens et de Licques, graaf de) [† 1710] 56

Saint-Aignan (François de Beauvillier, hertog de) [1610-1687] 104, 189-190, 218

Saint-Aignan (Antoinette Servien, hertogin de) [1617-1680], eerste echtgenote van de vorige 104, 189

Saint-Aignan (Françoise Geré de Laubépine de Rancé, hertogin de) [1642-1728], tweede echtgenote van de vorige 104, 189

Saint-Albin (Charles, abbé de) [1698-1764], bastaard van de hertog d'Orleans en de actrice Florence Pellerin, in 1723 aartsbisschop van Kamerijk 45

Saint-André (Jacques d'Albon, maarschalk de) [† 1562] 126-127

Saint-Cyran (Jean Duvergier de Hauranne, abbé de) [1581-1643] 227

Saint-Géran (Françoise Madeleine Claude de Warignies, gravin de) [1655-1733] 209

Saint-Ibal, lid van het cabaal der Aanzienlijken in de eerste jaren van het regentschap van Anna van Oostenrijk 156

Saint-Louis (Louis Le Loureux de) [1629-1714] 202

Saint-Pierre (Charles Irénée de Castel, abbé de) [1657-1743] 259, 266, 271

Saint-Simon (Claude de Rouvroy, hertog de) [1607-1693], hertog en pair in 1635 11-13, 40, 57, 83, 96

Saint-Simon (Charlotte de L'Aubespine, hertogin de) [1640-1725], tweede echtgenote van de vorige 11, 24

Saint-Simon (Louis de Rouvroy, vidame de Chartres, later, in 1693, hertog de) [1675-1755], zoon van de vorigen, auteur van de Mémoires: passim

Saint-Simon (Marie Gabrielle de Lorges, hertogin de) [1678-1743], in 1695 echtgenote van de vorige 14-15, 18-20, 22, 24, 58, 221

Saint-Simon (Jacques Louis en Armand Jean de), zonen van de vorigen *zie* Ruffec (de hertog en de markies de)

Saint-Simon (Charlotte de) [1696-1763], zuster van de beide vorigen *zie* Chimay (de prinses de)

Saint-Simon (Henri Jean Victor, generaal de) [1782-1865], achterneef van Saint-Simon 28

Saksen (Frederik Augustus, keurvorst van) [1696-1763], zoon van Augustus II van Saksen en koning van Polen in 1733 onder de naam Augustus III 102, 118

Saksen (Maurits, graaf en, in 1744, maarschalk van) [1696-1750], natuurlijke zoon van Augustus II, koning van Polen, en van Marie Aurore van Königsmarck 107

Sala (Benoît, in 1713 kardinaal [1645-1715] 103

Sanadon (Nicolas) [1651-1720] 241

Sandricourt (Louis François de Rouvroy-Saint-Simon, markies de) [† 1751] 103

Savoie (Victor-Amédée II, in 1675 hertog de) [1666-1732], vader van de hertogin de Bourgogne en van de eerste echtgenote van Filips V, in 1713 koning van Sicilië; van 1718 tot 1730 koning van Sardinië 218, 250-251

Savoie (Marie Louise Gabrielle de), koningin van Spanje [1688-1714], dochter van de vorige, eerste echtgenote van Filips V 143

Scotti (Annibal, markies) [1675-1752], gouverneur van de infante 81

Ségur (de familie) 54

Ségur (Henri Joseph, markies de) [† 1737], drost van de streek Foix 52, 218

Ségur (Henri François, graaf de) [1689-1751], zoon van de vorige, heer van de garderobe van de regent 52

Ségur (Philippe Angélique de Froissy, gravin de) [1700-1785], natuurlijke dochter van de regent en van Charlotte Desmares, echtgenote van de vorige 52

Seignelay (Jean-Baptiste Colbert, markies de) [1651-1690], minister van Staat 157

Seneca 38

Sérignan (Guillaume de Lort de) [1628-1721] 222

Servien (Augustin, abbé) [† 1716] III

Servius Tullius [ca. 578 v. Chr. -535 v. Chr.], koning van Rome 150

Sévigné (Marie de Rabutin-Chantal, markiezin de) [1626-1696] 15, 105, 211

Sézanne (Louis François d'Harcourt, graaf de) [1677-1714] 84

Shakespeare (William) [1564-1616]71

Siegfried (André) 149

Sixtus IV (Francesco della Rovere, paus) [1414-1484] 51, 103, 104

Smith (Adam) [1723-1790], econoom 71

Sorokin (P.) [1889-1968], Amerikaans socioloog van Russische afkomst 150

Soubise (François de Rohan, prins de) [1631-1712] 106, 182, 195

Soubise (Anne de Rohan-Chabot, prinses de) [1648-1709], tweede echtgenote van de vorige 106, 142

Soubise (Armand Gaston Maximilien, abbé de) [1674-1749], zoon van de vorigen, in 1704 bisschop van Straatsburg en kardinaal in 1712 250

Soubise (Anne Julie Adélaïde de Melun-Epinoy, demoiselle de Verchin, prinses de) [1697-1724], echtgenote van de vorige en gouvernante van de kinderen van Frankrijk 54, 93

Soubise *zie ook* Rohan

Soubise (het huis Rohan-) 142

Souvré (Gilles, in 1615 maarschalk de) [1542-1626], gouverneur van Lodewijk XIII 54

Spinoza (Baruch) [1632-1677] 224

Staal (Marguerite Jeanne Cordier, genoemd Rose de Launay, barones de) [1684-1750], kamerdienaar van de hertogin du Maine 135

Stair (John Dalrymple, graaf van) [1673-1747], van 1715 tot 1720 Engels ambassadeur in Parijs 260, 266

Stanhope (Jacob, in 1718 graaf) [1673-1721], in 1709 luitenant-generaal, leider van de Whig-partij; in 1714 staatssecretaris; in 1717 minister van Financiën 264, 266

Stuart (Maria) *zie* Maria Stuart

Sully (Maximilien Henri de Béthune, chevalier later hertog de) [1669-1729] 156

Sully (de familie de) 82

Tallard (Camille d'Hostun de La Baume, hertog en maarschalk de) [1652-1728], in 1717 lid van de regentschapsraad, in 1726 minister van Staat 52, 55

Tallard (Marie Isabelle Gabrielle de Rohan-Soubise, hertogin de) [1699-1754], schoondochter van de vorige, in 1732 gouvernante van de kinderen van Frankrijk 54

Tallemant des Réaux (Gédéon) [1619-1690], kroniekschrijver 13-14, 113, 222

Tellier (pater Michel Le) [1643-1719], jezuïet, in 1709 biechtvader van Lodewijk XIV 51, 75, 145, 148, 153, 207, 248, 252

Tencin (Pierre Guérin, abbé, later in 1739, kardinaal de) [1679-1758] 51, 264

Tencin (Claudine Alexandrine Guérin de) [1682-1749], zuster van de vorige, kloosteroverste 264

Tessé (René III de Froullay, graaf en, in 1703, maarschalk de) [1651-1725], luitenant-generaal, eerste stalmeester van de hertogin de Bourgogne, in 1708 ambassadeur in Rome, in 1715 lid van de Raad voor Marine 191, 195

Tessé (René Mans de Froullay, graaf de) [1681-1746], zoon van de vorige, luitenant-generaal, van 1715 tot 1735 eerste stalmeester van de koningin 191

Tessé (Marie Elisabeth Claude Pétronille Bouchu, gravin de) [1685-1733], echtgenote van de vorige 191

Tessé (Jacques de), intendant van Claude de Saint-Simon 51

Tessé (de familie) 54

Thierry (Augustin) [1795-1856] 150-151

Tobias 70

Tocqueville (Charles Alexis Clérel de) [1805-1859], historicus, socioloog en politicus 74, 78, 94, 171

Toiras (Elisabeth de) *zie* La Rocheguyon (de hertogin de)

Torcy (Jean-Baptiste Colbert, markies de) [1665-1746], secretaris van Staat voor Buitenlandse Zaken, auteur van *Mémoires* 16, 135, 145-148, 247, 260, 264, 167

Torcy (Charlotte Colbert de) [1678-1765], zuster van de vorige, in 1719 abdis van Maubuisson 72, 176

Toulouse (Louis Alexandre de Bourbon, graaf de) [1678-1737], natuurlijke en later gewettigde zoon van Lodewijk XIV en Mme de Montespan; in 1715 hoofd van de Raad van Marine en lid van de regentschapsraad 20, 32, 82, 107, 111, 154, 192, 257, 268

Tournefort (Joseph Pitton de) [1656-1708], botanicus 150-151

Tresmes (René Potier, hertog de) *zie* Gesvres (de hertog de)

Tresmes (Bernard François Potier, markies de Gesvres, later in 1703, hertog de) [1655-1739], zoon van de vorige *zie* Gesvres (de markies de)

Tressan (Louis de La Vergne, abbé de) [1670-1733], in 1716 bisschop van Nantes, eerste aalmoezenier van de hertog d'Orleans 265

Troisville of Tréville (Henri Joseph de Peyres, graaf de) [1641-1708] 209

Turenne (Henri de La Tour d'Auvergne, vicomte de) [1611-1675], veldmaarschalk 39, 171

Uceda (Juan Francesco Acuña y Pacheco, graaf de Montalban of Montalvan, later hertog van) [1649-1718], in 1711 in dienst getreden van de Aartshertog 81

Ursins (Anne Marie de La Trémoïlle-Noirmoutier, prinses de Chalais, later hertogin de Bracciano, ten slotte prinses des) [1642-1722] 133, 143, 220, 222

Uzès (Jean Charles de Crussol, markies d'Acier, in 1693 hertog d') [1675-1739] 42, 185

Uzès (Catherine Louise Marie de Crussols d') *zie* Barbezieux (de markiezin de)

Valentinois (Diana van Poitiers, in 1548 hertogin de) [1499-1566] 126-128

Valois (de familie) 219

Vandières (Abel François Poisson, markies de) [1727-1781], directeur-generaal van de koninklijke gebouwen 46

Van Elden (D.J.H.) 146

Vardes (François René Du Bec-Crespin, markies de) [1621-1688] 57

Vauban (Sébastien Le Prestre, in 1705 maarschalk de) [1633-1707] 27, 46, 48, 65, 133, 150, 171, 205

Vaudémont (Charles Henri de Lorraine, prins de) [1649-1723] 55, 109, 136, 138

Vendôme (César, gewettigd kind van Frankrijk, in 1598 hertog de) [1594-1665], natuurlijke zoon van Hendrik IV en Gabrielle d'Estrées 101, 109

Vendôme (Louis Joseph, hertog de) [1654-1712], kleinzoon van de vorige, en Frans legeraanvoerder 17, 107, 112, 128, 130, 133, 137-138, 140, 149, 154, 227

Vendôme (Philippe, in 1678 grootprior de) [1655-1727], broer van de vorige 41, 57

Ventadour (Charlotte Eléonore Madeleine de La Motte-Houdancourt, hertogin de) [1651-1744], gouvernante van de kinderen van Frankrijk 54, 61

Verue (Jeanne Baptiste d'Albert, gravin de) [† 1736], maîtresse van Victor-Amédée II, hertog de Savoie 108, 218

Vignier (Nicolas) [1530-1596], arts en geleerde 116

Villarceaux (Louis de Mornay, markies de) [1619-1691] 83

Villarceaux (Charles de Mornay, markies de) [† 1690], zoon van de vorige 83

Villars (Pierre, markies de) [1623-1698] 57

Villars (Claude Louis Hector, markies, in 1702 maarschalk, in 1705 hertog de) [1653-1734], zoon van de vorige 13, 17, 24, 57, 82, 85, 135, 140, 258, 260, 267

Villars (Armand Honoré, markies later hertog de) [1702-1770], zoon van de vorige 85

Villars (Amable Gabrielle de Noailles, markiezin, later hertogin de) [1706-1771], echtgenote van de vorige

Villars (Agnès de) [1657-1723], zuster van maarschalk de Villars, abdis van Chelles 176

Villequier (de markiezin de) zie Aumont (de hertogin d')

Villeroi of Villeroy (Camille de Neufville-) [† 1693], aartsbisschop van Lyon 17, 23, 93

Villeroi of Villeroy (François de Neufville, hertog en in 1693 maarschalk de) [1644-1730], van 1717 tot 1722 gouverneur van Lodewijk XV 50, 65, 88, 130-131, 133, 135, 139, 144-147, 208, 220, 260, 269

Villeroi of Villeroy (Marie Marguerite de Cossé, maarschalkse de) [1648-1708], echtgenote van de vorige 212

Villeroi of Villeroy (Louis Nicolas de Neufville, in 1694 hertog de) [1663-1734], zoon van de vorige, luitenant-generaal 130, 133, 269, 271

Villeroi of Villeroy (Marguerite Le Tellier de Louvois, hertogin de) [1678-1711], echtgenote van de vorige 130, 133

Villeroi of Villeroy (François Paul de Neufville, abbé de) [1677-1731], broer van de vorige, in 1714 aartsbisschop van Lyon 93

Villeroi of Villeroy (Madeleine Eléonore de Neufville-) [1666-1723], zuster van de vorige, overste van de karmelietessen van Lyon 176

Villeroi of Villeroy (Catherine de Neufville-) [1674-1715], zuster van de vorigen, overste van de Calvaire van Parijs 176

Villette (Ferdinand Tancrède Frédéric Le Valois de) [† 1717] 56

Vittement (Jean, abbé) [1655-1722] 206

Voltaire (François Marie Arouet, genoemd) [1694-1778] 51, 241, 245, 254

Voysin de La Noiraye (Daniel François) [1654-1717], in 1714 kanselier van Frankrijk 130-131, 133-135, 141, 146-147, 258, 269, 271

Voysin de La Noiraye (Charlotte Trudaine, dame) [1663-1714], echtgenote van de vorige 130, 133